ちくま学芸文庫

記号論講義

日常生活批判のためのレッスン

石田英敬

筑摩書房

【目次】記号論講義

はじめに――日常生活の意味を捉える……013

❶ モノについてのレッスン

1――物の生活／記号の生活……024
記号の知の問い／日常的な物の意味を問う

2――三つの絵画作品と知の言説……027
三つの作品／ゴッホの靴／ハイデガーの存在論的な問い／マグリットの靴／フロイトの「無気味なもの」／ウォーホルのクツ／記号化されたモノ

3――記号の表層の露呈……048
「モノ＝記号」としての存在／ハイデガー的な広告／マグリットを引用した広告／ポップ・アートの戦略／記号の問いの今日性

❷ 記号と意味についてのレッスンi

1――記号の学……060
ソシュールとパース／二〇世紀の転回／実体論から関係論へ

2――記号の構造と論理……068
記号を定義する／ソシュールの記号学／記号のシステム／差異と分節／パラディグムとサンタグム／言説と意味実現の出来事
3――方法としての記号……093
構造主義／構造とリズム

❸ 記号と意味についてのレッスンii

1――プロセスとしての記号……104
パースの記号論／記号処理のプロセスとしての人間
2――記号の認知……110
存在の三つのカテゴリー／対象・記号（表意体）・解釈項／無限のセミオーシス／性質記号・単一記号・法則記号／類像記号／指標記号／象徴記号／多元性の問題
3――記号の解釈……131
名辞記号・命題記号・論証記号／推論のプロセス／意味論・統語論・行為論／普遍記号論の夢

❹ メディアとコミュニケーションについてのレッスン

1――メディアとは何か……142
メディアという語／人間社会の成立にとってのメディア／記号の関与／メッセージと情報／精神と物質のはざま／技術の次元／身体の拡張／脳の外在化

2――コミュニケーションとは何か……162
コミュニケーションという用語／ソシュールの「ことばの回路」／シャノン・モデル／ヤコブソンの「六機能図式」／モデルの理想化と限界

3――メディアの文明圏……176
記号・技術・社会／「メディアはメッセージである」／グールド「寛容の劣化をたてなおす」

❺〈ここ〉についてのレッスン

1――意味を帯びた空間・場所……184
私たちの意味の世界／文化の本質を構成する空間・場所／阪神大震災で傾いたビル／アイゼンマンの傾いたビル／破壊と脱構築

2――記号と構築……195
人間の文化における構築／ヘーゲルのピラミッド／建築の言語

3――意味空間の成立条件を問う……204
遠近法と視覚のピラミッド／場所の意味論／破壊と脱構築の問いへの post scriptum

❻ 都市についてのレッスン

1――都市の意味を問う……214
言語活動としての都市／都市は／を語る／イメージの形成／リンチによる都市の要素

2――東京という物語……226
空虚な中心／パリンプセスト都市／遊歩／写真家「荒木経惟」／マクロ構造とミクロ構造／都市はツリーではない／都市の言語ゲーム

3――意味空間のエコロジー……244
政治空間としての都市／国民国家の空間／「ノーパンのマリリン」／都市のアルゴ船

❼ 欲望についてのレッスン

1――欲望と意味……258
本能論から意味の問題へ／「ほしいものが、ほしいわ。」／シニフィアンのネットワーク／他者の欲望／欲望のシナリオ

2――広告の仕事……270

商品の意味を生みだす／フロイトの「夢の仕事」／広告のレトリック／メタファーとメトニミー／動機づけ／詩的機能／詩的動機づけ／物語による動機づけ／テレビCMの機知／物語のメタ物語的二重化／タレント・システム／コミュニケーション・ゲーム

3――資本主義の白日夢ともう一つの時間性……307
『モモ』のビビ・ガール／固有なコミュニケーションの回復

❽ 身体についてのレッスン

1――イメージとしての身体……314
記号が書き込まれる身体／ナルシスの神話／ラカンの「鏡像段階」論／「鏡像段階」論の重要点／現実界・想像界・象徴界／原ナルシシズムの機制

2――メディア社会と身体イメージ……329
森村泰昌のセルフ・ポートレイト／二〇世紀の「変身物語」／文化産業と身体イメージ

3――権力と身体……337
身体の二重性／権力とディシプリン／ディシプリンの世界／パノプチコン／規律社会と身体管理／「学校」という管理システム／明治後期の「生徒細則」／「従順な身体」と「国民の制作」

4――私たちの身体のいま　355
「身体化された歴史」／記号に働きかける政治／身体に働きかける政治／「身体のコミュニケーション」と「意味のエコロジー」

❾ 象徴政治についてのレッスン

1――記号と共同体　364
水平と垂直のコミュニケーション／象徴の政治的操作
2――国民国家と象徴　370
同じ道を通って、いつか来た道／永井荷風の回想／「万歳」の発明／「国民」を生む象徴装置／「日の丸」と「君が代」／「御真影」／国民学校の教育／天皇制国家の規律システム／あいまいな戦後／一九九九年の国旗・国歌法／閉ざされていく公共空間
3――スペクタクル社会　402
第三の国民国家／スポーツ・イヴェントとは何か／遊び・象徴・ルール／身体・競技・勝負／人間・悲劇・運命／スポーツとナショナリズム／共同体の恣意化と補強／歴史の忘却

❿ 〈いま〉についてのレッスン

1――今代／Modernity　430

「近代」という語／〈今〉を中心とした経験
2――テレビを考える……434
テレビ記号の特性／指標としてのテレビ記号／図像としてのテレビ記号／社会的なコードとテレビ記号のコード
3――ニュースな世界……446
「NHKニュース7」の世界／ニュースのダイクシス／テレビ・ニュースの語り／ニュースと文脈／世界の途切れの経験
4――現代の天使たち：媒介される世界……464
トピックと語り／「ニュース ステーション」の世界／メディアはマッサージ／スタジオのダイクシス空間／コミュニケーション行為とロール・プレイ／番組の天使たち

⓫ ヴァーチャルについてのレッスン

1――ヴァーチャル・リアリティ……482
情報技術の革命／「デジタルとアナログが融合する時……」／指向対象の消失／ヴァーチャルとは何か／記号自体のヴァーチャル化／記号合成の技術とシミュレーション
2――サイバースペース……498

電脳空間のコミュニケーション／インターフェース／インタラクティヴ／ハイパーテクスト／万有図書館のネットワーク／インターネットのモナドロジー
3——ポスト・ヒューマンの条件……515
新しい宇宙／身体感覚の合成／記号と場／サイバースペースの記号と場／サイバースペースと現実空間の関わり／化身／アブダクション／近代的な人間理解の変容／ポスト人間
展望——セミオ・リテラシーのために……540
注　547
あとがき　566
書誌　570
図版出典一覧　591
文庫版のための自著解説　599
索引（人名・事項）　630

記号論講義——日常生活批判のためのレッスン

はじめに――日常生活の意味を捉える

この本は私たちのメディア化した世界を題材に一般記号学という現代的な知のあり方を提示することをめざしたものです。

メディアというと新聞やテレビなどのマス・メディア、あるいはインターネットのような電子メディアを表象しがちです。しかしここではより広くそれらのメディアに媒介されて成立する意味環境一般を考察の対象とします。私たちの日常生活を取り巻くモノたちも、意味活動の場や意味空間としての都市や建築も、日々ニュースを通して組織される世界の時間も、欲望や身体でさえもが、いまの世界においてはメディアを通して組織されており、そのようにして成立する意味環境一般を考えることなしに私たちの生活を理解することができないというのがこの本を導く核心的な認識なのです。

記号の知とは私たちの世界の意味現象を分析するために記号を方法として成立する知のことです。記号の知がメディア化した私たちの世界を読み解くための知としていかに有効であるのか、どのように私たちの日常生活を意味の観点から捉えることに役立つのかを示そうというのが本書のねらいです。

この本は、記号の知のよりどころを「一般記号学」という学問の系譜に求めています。「一般記号学」とは、一世紀ほど前に「社会における記号の生活」を研究する「記号学」を提唱したスイスの言語学者F・de・ソシュールと、またほぼ同じ時期に「記号論」を提唱したアメリカの論理学者・哲学者のC・S・パースとが、ともにめざした記号と意味についての一般学のことを指しています。

「記号学はまだ存在していない」とソシュールが述べたように、彼にとって記号学は構想にとどまりました。パースにおいても記号論は来るべき学問でした。これら二つのプロジェクトがその後つくりだした意味研究の系譜を、ここでは「一般記号学」と総称することにします。本書はこの記号の知の系譜を捉えかえしつつ「社会における記号の生活」の理解をめざそうとするものです。

二〇世紀の記号の知は人間の多様な意味活動を理解するうえで大きな成果をあげました。構造主義やポスト構造主義と呼ばれた知のパラダイム転換はソシュールの記号学を直接の源泉として生まれたものですが、人間の社会や文化を理解する人文科学や社会科学の方法に大きな革命をもたらしました。しかし、一世紀をへた今日ではそのめざましい成果と同時にいくつもの限界が見えてきたことも事実です。現在の記号学ではもはや一九五〇―六〇年代の構造主義の時代のように社会や文化の意味活動の分析を言語学モデルの延長で考えることはできません。言語活動のような体系性の高いシステムの理解にかぎっても、言語記号のミクロな単位から言説や言語行為と呼ばれるマクロな単位にいたるまで、記号のモデルを連続的に展開できるわけでないことも分かってきました。映像、音響、身体、空間など相互に異なった感覚モードにおいて成立する記号を統一的な記号のモデルにもとづいて記述することの困難も明らかになりました。一般記号学はその内部にさまざまなアポリアを抱えたものであることが分かってきたのです。

他方ではしかし、記号の一般学のプロジェクトは、ソシュール、パース以後に発達した狭義のディシプリンとしての記号学や記号論をはるかに超えて拡がり、記号学・記号論という名前を表面上もはやとどめないほど多様化するにいたったことも事実です。一般記号学の問いは社会の問いや技術の問いと結びつき、上に述べた認識論的アポリアは、むしろ個々の理論文脈で解決と調整を受けてインターディシプリナリーな意味研究を生む原動力となってきたのです。いままでは一般記号学は、構造主義やポスト構造主義だけでなく、現代哲学や現代思想、文学理論や詩学、メディア論、カルチュラル・スタディーズ、メディオロジー、さらには情報学や認知科学と接する理論領域へと拡がり、意味や記号をめぐる大きな問題圏をつくりだしています。

ひとことで言えば、一般記号学にはディシプリンとしての純化と体系化にはさまざまな困難がつきまとうけれども、学問分野を横断する認識論的なパスとしては巨大な拡がりをもつにいたっている。一般記号学の「一般（general）」とは、個別の領域に限定されない、人間の意味活動の全領域に関係する「一般学（general science）」であるということを示しています。一般記号学は一世紀たったいまでも巨大な未完のプロジェクトとして私たちの前にあると言ってよいのかもしれません。

本書を構成するそれぞれの章は、私たちの普通の生活の中にある具体的なものを題材に選んでいます。私たちの生活の一コマ一コマの現象に注目し、そこにどのような意味のメカニズムが働いているのかを考えていきます。私はこの作業を「意味批判」と呼ぶことにしています。「批判」とはこのとき、それが何であるかを正確に認識することと同義です。意味活動の視点から私たちの日常生活を正確に認識すること、これが「日常生活の意味批判」です。

現代社会を「日常生活批判」という観点から捉えようという試みは、じつはかなり以前から提起されています。ハリウッド映画やラジオ番組に見られる大規模な文化産業に人々が支配されていくアメリカ社会の光景を目の当たりにして、フランクフルト学派のTh・アドルノとM・ホルクハイマーが、(1)マス・メディア社会の批判に先鞭をつけたのが第二次世界大戦直後の一九四七年でした。同じ頃フランスのマルクス主義社会学者のH・ルフェーヴルは、「日常生活批判」というタイトルをもつ著作の第一巻を発表しています。[2] アドルノ、ホルクハイマーもルフェーヴルも大量生産産業やマス・メディア産業の発達によって疎外されていく人間の姿を捉えて現代社会を批判したのですが、非教条主義的マルクス主義がつくりだしたこうした現代性批判の系譜は、疎外論などのマルクス主義のパラダイムが後退した後も、構造主義やポスト構造主義、あるいはカルチュラル・スタディーズの流れの中に受け継がれていきました。[3] この本は、大きくいえば一般記号学の系譜に身をおきながら、そのような批判理論の文脈と結びつこうとするものです。私たちの日常生活を明らかにすることによって現代社会の理解へといたること、しかも意味批判という視座からそれを可能とすること、これが本書にこめられた批判的射程です。

この本は11のレッスンから構成されています。それぞれの章でめざされているのは、私たちの日常世界における問題の地図を提示することです。

「1　モノについてのレッスン」では、現代生活における物の記号化を題材に、記号の問いとはどのようなものかを考えます。

「2　記号と意味についてのレッスン i」では、ソシュールに始まる記号学の基礎理論を概説します。

「3 記号と意味についてのレッスンii」では、パースの記号論の基礎を概説します。

「4 メディアとコミュニケーションについてのレッスン」では、記号学・記号論とメディア理論との接点を考察します。

「5 〈ここ〉についてのレッスン」では、建築を手がかりに空間と場所の意味作用を考えます。

「6 都市についてのレッスン」では、荒木経惟の写真集『東京物語』を手がかりに都市の意味作用を考えます。

「7 欲望についてのレッスン」では、広告を手がかりに欲望と無意識について考えます。

「8 身体についてのレッスン」では、月刊誌や神話、森村泰昌の美術を手がかりに身体とイメージについて考え、さらに身体と権力について監獄や学校を題材に考えます。

「9 象徴政治についてのレッスン」では、日の丸・君が代問題、サッカーのワールド・カップを手がかりに国民国家による象徴政治を考えます。

「10 〈いま〉についてのレッスン」では、テレビ・ニュースを手がかりに現代性について考えます。

「11 ヴァーチャルについてのレッスン」では、ヴァーチャルとは何かを問い、サイバースペースにおけるコミュニケーションとポスト・ヒューマンと呼ばれる人間の条件を考えます。

モノ、記号と意味、メディアとコミュニケーション、空間（ここ）、都市、欲望、身体、象徴政治、時間（いま）、サイバースペース――各章にはこれらのトピックが当てられており、その具体的な現象を手がかりにして、それを扱うための理論が解説されていくという構成をとっています。11章を通して、日常生活をかたちづくる意味の問題圏の全容が示されるようになっています。

そのため各章は基本的に独立して読むことができるものです。1章からの積み上げを前提としては書かれていません。何章を先に読むかは皆さんの関心次第です。どのような経路で読むにせよ、すべての章を読めば、記号の知の視点からの全体的な見取り図を手に入れることができるはずです。また記号の知はそれらのトピックをどのように扱うものなのか、意味批判の方法を知ることもできるはずです。

本書は私がここ十年来東京大学で行っている講義をもとにしたものですが、しかし大学での授業のみをもっぱら念頭において書いたものではありません。私としては、この本が本質的な意味で「啓蒙」の書物であってほしいと願っています。啓蒙とは、人々の「リテラシー（literacy）」に寄与することを意味しています。じっさい、現代人は毎日テレビを視聴し、新聞や雑誌を読み、パソコンでインターネットを利用し、メールを送受信し、携帯で声や文字や画像のやりとりをしています。また、街にでかけてグッズを購入し、ファッションを楽しみ、ときにはスポーツ観戦のようなイヴェントに参加するという生活をしています。しかし、そのように私たちの生活を全面的に包囲し、たえず拡大しつづけている新しい意味環境に見合うだけのリテラシーを私たちは持ち合わせているでしょうか？リテラシーとは、もともとは文字を読み書きすることができる基本的能力（識字能力）を指すことばです。しかし、最近では「コンピュータ・リテラシー」とか「メディア・リテラシー」というように、この語の用法は拡がって、コンピュータやメディアを使いこなす能力、さらにはそれが何であるかを正確に識知して、相対化することができるようになるための実践的な批判力をも意味するようになりました。リテラシーをもつとは、先に述べた「批判」と同じく、それが何であるかを正確に理解できるようになるということです。そして「啓蒙」とは、人々のリテラシーの獲得に寄与することであると言えるのです。

本書を通して私が提唱するのは、「セミオ・リテラシー（意味批判力）」の獲得です。セミオ・リテラシー（semio-literacy）とは、意味とは何か、どのようなメカニズムがそこで働き、どのような効果を生むものなのかを考える力であり、それを手に入れようという提案なのです。それを別の表現でいうとすれば、「クリティカル・センス・オブ・センス

（critical sense of sense）」ということになります。意味についてのクリティカルなセンスを獲得すること。それによって、私たちは社会や制度や技術がさまざまなかたちで押しつけてくる意味から少し距離をとり、それを相対化し、自由になることができるかもしれない。そしてまた少しは自分自身で意味をつくりだす創造的契機を見つけだすことができるかもしれないのです。そのように意味批判のセンスを身につけること、それが今日ほど求められている時代はないと私には思えるのです。

❶ モノについてのレッスン

衣服、自動車、料理、身ぶり、映画、音楽、広告映像、インテリア、新聞の見出し、これらは一見とてもバラバラなものたちだ。そこに何か共通の特徴があるだろうか？　少なくとも次の共通点がある。つまり、それらはみな記号なのである。私は自分が街中を行き来し、生活の中を動きまわってそれらのものに出会うと、なんなら自分でも気づかないうちにそれらすべてに対して同じ一つの活動を行っている。その活動とはある種の読みの行為なのである。現代人は、そして都市の人間は、読むことで自分の時を過ごしているのである。

――ロラン・バルト『意味の調理場』

1——物の生活／記号の生活

記号の知の問い

どのような知にも、その知としての成立にとって根本的な問いというものがあります。例えば、哲学であれば、それは「世界とは何か」とか、「存在とは何か」といった問いでしょうし、経済学であれば「労働」や「資本」や「市場」に関する一連の根本的な問い、法学ならば「法」や「諸権利」や「国家」の本質についての基本的な問いかけということになるかもしれません。知は自己に固有であるがゆえに極めて切実なそうした問いを核にして成立するものと言えるのです。その意味で、一つの知へのイニシエーションは、まずその知に固有な問いの圏域——それを問題圏（problematics）と呼びます——に身をおくことからしか始まらないと言ってよいのです。それらの基本的な問いこそが、その知の固有な対象をつくりだすのですし、またそうした問いの言説の身振りを共有することで、あなたは知の固有の問題圏へと自分の思考を開いていくことができるのです。

記号の知にも、それを知として成立させている根本的な問いがあります。それは、「記号学」を提唱したソシュールの言葉が述べているように、「記号とはどのようなものか」

という問いではあるのですが（この点については2、3章で触れます）、「記号学はまだ存在していない」という二〇世紀初頭のソシュールの言葉が示しているように、記号の問いの大きな特徴は、一九世紀に成立した近代の諸学問に比べれば、何よりもまずそれが新しく要請された問いであることです。またそれがソシュールの言う「あらかじめ定められた記号学の位置」の問題——それが一般記号学の認識論的（epistemological）な位置の問題です——にもつながっているのです。

この章では、私たちの日常生活をかたちづくっている「モノ」のあり方を題材にして、記号の問いがどのような意味で新しく要請された問いであるのかを見てみることにします。それは二〇世紀におけるメディアを中心とした世界の記号化の現象、記号社会という新たな現実の露呈と大きな関わりをもっているのです。

日常的な物の意味を問う

私たちは日常さまざまな物に囲まれて生活しています。あなたが食事をしたり文章を書いたりしているテーブルや椅子、食器や文房具、部屋のインテリアや家具、電気機器、衣類、靴、鞄、自転車や自動車、あるいはまた、街角で出会うさまざまな物たち……それらの物に対して、あなたは愛着をもっていたり無関心であったり、必要や不要に思ったり、便利や不便を感じたり、ときにはよく分からない不安に捕えられたりするのですが、例え

「現実とは何か」と問われたときに、まずあなたが指さそうとするのは、そのような身の周りに現にある物たちなのではないでしょうか。ちなみに、「現実（英語の reality／仏語の réalité）」の語源はラテン語の「物（res）」という語であることを思いだしてみるのもよいでしょう。物をどう捉えるかは、現実をどのような水準で理解するかという問題に結びつくのです。それはもちろん世界をどう了解するかという問題にもつながっています。

ここで論じられるのは、今日の私たちの生活において、身の周りの用具や用品などの物はいったいどのような現実を構成しているのかという問題です。それはまた日常的な物の意味を問うということでもあります。今日では、物はたんに道具性や機能性をもつ実体として考えられるよりは、むしろそれに付随するイメージや記号として存在していて、私たちの生活の意味をかたどっていると言われています。冒頭のエピグラフに挙げた現代フランスの記号学者バルトの文章は、現代人はそうした記号を読むことで生活しているのだと述べています。そうした物の記号化の現象は、「物」を「モノ」とカタカナで記すことによってここでは表すことにしますが、それは日常的な物をめぐる私たちの意味経験の変容、さらにいえば、私たちの世界の現実の構成原理の変化を示すものなのです。社会における「物の生活」のそのような変化は二〇世紀を通して進行したと考えられます。「物の生活」が「記号の生活」と重なるようになるとはどのようなことなのかをここでは考えてみたいのです。

しかし、それは同時に、私たちの世界における物の存在の仕方をどのように理解し、物をめぐる私たちの意味世界の成立をどのように認識するかという批判の問題――それが物批判の問題です――を提起することでもあるのです。現代においては、どのような物についての問いが可能であるのか？　いったいどのような問いがどのような物のあり方を明らかにすることができるのか？　そして、物批判の言説は、どのように現代の社会や文明全体の批判――現代性批判――につながりうるのかが同時に問われなくてはならないのです。それらさまざまな物批判の言説を、ここでは物についてのメタ言説と呼ぶことにしますが（「メタ（meta）」とはここでは、「〜についての」という意味です）、ソシュールが「社会における記号の生活を研究する」学として提唱した記号の学が、二〇世紀における他の現代性批判のメタ言説と切り結ぶ関係や、その固有の射程が同時に検討される必要があるのです。

2――三つの絵画作品と知の言説

三つの作品

まず三枚の絵画作品を提示することから始めます。最初がヴァン・ゴッホの「靴」（一八八七年）、次がR・マグリットの「赤いモデル」（一九三五年）、そしてアンディ・ウォーホルの「ダイヤモンド・ダスト・シューズ」（一九八〇年）です。靴という同じ物を主題にして、一世紀の間にほぼ五〇年の等間隔で描かれた、これらの三つの作品はいずれも現代生活における物のあり方について鋭い問いを立てている――絵画作品自身が物批判を実行している――と現代アメリカの哲学者は指摘しているのですが(1)、それがどのような光景において行われているのか、物をめぐる問いの光景を提示するのが、それらの絵画作品を援用することのねらいです。

それでは、どのような物についての問いをこれらの絵画に読みとることができるのか？　それを解釈する手がかりとして、ここでは、二〇世紀における物のあり方についてそれぞれ最も根本的な問いを立てたと言ってもよい現代の三つの知の言説を、三つの絵画に対応させて考えていきたいと思います。

三つの知の言説とは、ハイデガーの存在論、フロイトの精神分析、そしてソシュールとパースに始まる現代の記号の学です。ゴッホの絵が描きだす靴の光景を、物についてのハイデガーの問いに、マグリットのそれをフロイトの問いに、そしてウォーホルの作品を記号論の問いに、それぞれ重ね合わせてみると何が見えてくるでしょうか。じっさいには、ゴッホ／ハイデガーのケースを除いて(2)、フロイトやソシュールが、それらの作品を論じたという事実はありません。しかし、以下に見るように、それぞれの作品が提起している物についての問いと三つの知の言説とは、ある深い親和力によって結びついていると考えられるのです。ゴッホ／ハイデガーの問い、マグリット／フロイトの問い、ウォーホル／記号論の問いは、それぞれ私たちの世界におけるどのようなモノのあり方と意味とを問うているのでしょうか。

ゴッホの靴

ゴッホは農村の家屋や農具などを数多く描いています。この「靴」（図1-1）では部屋の一隅とおぼしき空間に、紐を解かれ片方が裏返されて脱がれた土色の履き疲れた農婦靴が一足描かれています。床面の濃紺を除いては、すべて茶系統の絵の具で描かれた色調、力強い絵筆のタッチ、片方が裏返されておかれた靴の位置、靴の内部や飛びだした甲の部分の内側、そこから延びている靴紐の螺旋状の線、裏返された靴底に打たれた鋲、それらすべての要素が相まって、ある激しい表現の運動をつくりだしている。ここでは、靴は農婦の生活のある強烈なメタファーになっているのですが、全体の土色の色彩のうねり（ゴッホの署名さえもが靴紐の線の動きの延長上で土色の絵の具で記入されています）や靴の形象のリズムが、大地と労働との厳しく緊張したダイナミズムを表出しています。

ハイデガーは、「芸術作品の起源」という一九三五年の論考の中で、このゴッホの絵について有名な解釈を行っています。「物とは何か」を問う過程で、人間によって製造され日々の生活に役立っている用具（Zeug）としての物のあり方に関する有名な箇所です。

ハイデガーは、ここに描かれた農婦靴を、用具の本質的なあり方を示す例として扱っているのです。ここで「用具」と訳されるドイツ語 Zeug は、私たちの日常生活を取り巻いている日常的な生活用具（英語では、items of equipment）のことであって、そうした物の本質は「役立つこと」である、つまりその「有用性」にある。しかし、それでは、「有用性」とは人間の意味世界にとってどういう状態かを今度は問わなければならない。そして、ハイデガーはゴッホの絵に描かれた農婦靴を次のように解釈します。

ヴァン・ゴッホの絵では、この靴がどこにおいてあるのかさえ突きとめることはできない。この一足の農婦靴の周りには、その靴に欠かせないものもそれがおかれるべき所も何一つない。漠とした空間だけしかない。耕地なり野道なりの土の塊すらこの靴には付着していない。もし付着していたら、とにかく少なくとも靴の使い途は指摘できるであろうが。一足の農婦靴。ただそれだけである。しかし決してそれだけではない。

靴という用具の履き広げられた内側の暗い穴からは、労働の足取りの辛苦が睨んでいる。靴という用具の強靭で堅牢な重さの中には、風の吹き荒ぶ耕地のはるか彼方にまで伸び広がる一様な畝を絶えず辿る、穏やかな足の運びの粘り強さが鬱積している。革には、土壌の湿気と豊穣が覆い被さっている。靴底の下では、降りてくる夜の帳をかきわけながら、野道の寂寞が進み出る。靴という用具の中で振動しているのは、大地の黙然たる呼びかけであり、麦の実りを大地が静かに贈ることであり、冬の畑の荒れた休耕地で大地がひそかに自らを拒絶することである。この用具を貫いているのは、パンの確保のための物言わぬ心労であり、ふたたび困窮に打ち勝った、言葉に出せぬ喜びであり、出産の到来の中での身震いであり、死の威嚇の中での戦慄である。この用具は大地に帰属し、農婦の世界の中で守られている。用具それ自身はこの守られた帰属から立ち上がり、それ自身の内に安らうようになる。

図 1-1　ゴッホ「靴」(1887 年)

けれども、ことによると私たちはこれらすべてを絵の中の靴という用具だけから看取しているのではあるまいか。これに対して、農婦は手軽に靴を履く。このように手軽に履くことがそれほど手軽であればよいのだが。しばしば農婦は夜おそく、精を出して働いて疲れながらも元気に靴を脱ぐ。まだ薄暗い朝まだき、また再び靴に手を伸ばす。もしくは祭の日、靴のかたわらを通り過ぎる。そのたびごとに農婦は、観察したり考察したりすることなしに、前述したすべてのことを知っている。用具が用具であることはたしかに用具の有用性に存する。しかしこの有用性それ自身は、用具の或る本質的なあり方の充溢の中に安らう。私たちはこの本質的なあり方を信頼性と名づける。信頼性のおかげで農婦は、こうした用具を通して大地の沈黙の呼びかけの中にはめ込まれている。用具の信頼性のおかげで、農婦は自らの世界を確信している。世界と大地は農婦にとって、またそれなりの仕方で農婦とともにいる人たちにとって、そこにただ次のようにしてある。すなわち、用具において、である。私たちは「ただ」と言うがその点は誤っている。というのは、単純な世界にそれが庇護されていることを初めて与え、大地にそれが立て続けに殺到する自由を初めて確保するのは、用具の信頼性であるから(3)。

ゴッホの絵の解釈としてはあまりに恣意的だ、という印象を与えるかもしれません。たしかに、農婦の生活について、あまりにありありと見てきたようなことが述べられていますす。しかし、ハイデガーが言いたいのは、農婦の暮らしという意味の世界がすべて靴に読みとれるということなのです。じっさい、絵の読解法としては、極めてオーソドックスな筋道を辿っています。つまり、靴から出発して、その持ち主である農婦を想い浮かべ、彼女の生活の情景を、彼女の靴が踏みしだく土地との関連で想像していくという解釈方法を取っています。記号論の用語でいうと、これは、意味単位の隣接性にもとづいて読んでいく方法です（これをメトニミー［métonymie、換喩］軸を読むと言います）。

主題とされた靴は、「大地」と「世界」との間に位置づけられている。ここでいう「大地」は、農婦がそこに働きかけること（＝労働）によって糧をえることを許すと同時に、人間の介入を厳しく拒絶するものでもある産出の根源をなす境位（element）のことです。「世界」というのは、農婦が自分の暮らしのさまざまな意味を生きている存在の次元のことです。靴という「用具」は、それら二つの境位の接点にあって、その双方の次元を交叉させるねじれた分節をつくりだすもの（「用具は大地に帰属し、農婦は世界の中で守られている」）とされています。そうした用具に身を任せることによって、農婦は日々の生活に安住することができる。用具の本質的なあり方としての「信頼性」と呼ばれているのは、自分たちを無に帰してしまいかねない圧倒的な次元としての大地を前に、人間は用具に身を任せることによって、大地との関係の中に身をおくことができる――つまり大地と沈黙のうちにコミュニケートしている状態にある――（「用具を通して大地の沈黙の呼びかけの中にはめ込まれている」）と同時に、日々の意味の世界の中に安らうことができる（「用具の信頼性のおかげで、農婦は自らの世界を確信している」）という、用具を作り使うという技術が可能にする人間の存在の仕方なのです。たしかに、用具としての物のあり方は、何かに役立つものという「有用性」にあるのだけれども、その有用性の根拠を問いつめていくと、そこには、用具の存在の根源的な意味についての問い、さらには、人間が用具を作り使うという「技術」の根源的な意味についての問いがある。それをゴッホの絵は提起しているのだ、というのです。

ハイデガーの存在論的な問い

私たちは、ゴッホの靴が提起し、ハイデガーが読もうとしている以上のような問いを、物についての「存在論的な問い」と呼ぼうと思います。農婦靴が、用具としての物の典型例に選ばれていることは、ハイデガーにおいては偶然ではありません。人間の日常的な世界を成立させている「用具」や「技術」の根源的な意味を「大地」との関連で問おうとするのがねらいだからです。そして、このような問いが立てられることの背景には、じつは、このような「大地」と「世界」との関係が、二〇世紀における「技術」の飛躍的発展によって忘却され消滅しつつある、本来「物=用具」と「技術」を通して人間の「世界」が結ばれていた「大地」との関係が失われつつある、人間の意味の世界が根こぎにされつつあるという認識があるのです。それが現代技術の支配による二〇世紀的人間の「故郷喪失」の状況です。同じように技術を論じた別の論考の中で、ハイデガーは詩人リルケが記した次のようなモノについての証言を引いています。

まだ私どもの祖父母にとっては、家や泉、自分たちがよく知っている塔、それどころか自分たち自身の衣服、自分たちの外套にしても、限りなくより親密なものでした。ほとんどすべての物は、祖父母が人間的なものをそこで見いだし、人間的なものをそれに貯える容器でした。いまではアメリカから、空虚でどうでもよい諸々の物が、紛い物、生の模造品が、押し寄せてきています。……アメリカ的な意味での家、アメリカ産の林檎やそこの葡萄は、私たちの先祖の希望と思慮が入り込んでいた家や果実や葡萄の房と共通する点は何一つありません。(4)

この一九二五年のリルケの手紙で「アメリカ的」という語で指されているのは、より一般的な意味では二〇世紀における大量生産技術の時代の到来という事態です（それに対して、リルケの「祖父母」の時代とは、ゴッホの絵が描かれた時代に対応するということでしょうか）。それをハイデガーは、現代技術の「惑星規模」の運動と呼び、現代科学も全体主義国家の出現もそのテクノロジーの運動の帰結であり、テクノロジーの制覇が、人間を大地との関係から引きはがし、根こぎにしていくというのです。このように考えるなら、ゴッホの絵から出発して立てられた、物についてのハイデガーの存在論的な問いは、現代性批判の一つのあり方を示していることが分かるでしょう。このゴッホ／ハイデガーの問いの行方はのちに見ることにします。

マグリットの靴

のです)。

次に、マグリットの「赤いモデル」(図1-2)を見てみましょう(この作品には一九三五年の制作以来、複数のヴァージョンが存在しますが、ここに挙げたのは一九三五年のものです)。

木目が浮かぶ汚れた木材壁を背に、一足のみすぼらしい焦げ茶色の革製の労働靴がおかれています。刑務所か収容所の運動場を想わせる土地には、タバコの吸殻とかマッチの軸とか新聞紙の紙切れとか(別のヴァージョンでは、さらに銅貨とか)が散らばっていて、靴から伸びている足先がその地面に触れている、全体が暗い茶色の図です。

この絵から受ける何とも言いようのない胸を締めつけられるような不安は、足と靴との合体という「超現実的な」イメージの出来事によって生みだされているのですが、この無気味さこそ、マグリットの作品が提起している靴という物についての問いの中核をなすものです。では、それはどのような物についての問いなのでしょうか?

まず、この絵に「人間主義的な」解釈を加えることは難しくありません。現代社会においては、人間が画一化した物と化してしまっていて、物の生産や管理の秩序としての収容所的な世界に入れられてしまっている。ゴッホ/ハイデガーの靴では、その「信頼性」において人間の世界が大地との関わりで成立することを許していた用具としての靴は、いまや工場と化した世界の中に人間を閉じこめる非人間的な拘束具にすぎない。労働靴と化した足は、そのような物の文明の中に疎外された人間のアレゴリーだ、と考えるような解釈です。「赤いモデル」というタイトルも、まさにそのような全体主義的なシステムの支配を暗示していると読みうるのです。またマグリット自身による、「靴の問題は、どれほど、最も野蛮な事柄が習慣の力によって、まったく妥当なことであるとされてしまうかを示している。赤いモデルによって、人は人間の足と革の靴との合体がじつは怪物的な習慣にもとづくものである、ということを感じとることができるのだ」(5)という自己注釈も、そのような物と技術の文明の批判という現代性批判の脈絡で読まれうるものです。

図 1-2　マグリット「赤いモデル」（1935 年）

　マグリットの絵が提起している物についての問いは、しかし、そのような人間主義的な解釈で尽くされるものではありません。物批判を通した文明批判はここではもっと深い意味経験の次元からその批判の力を汲んでいるからです。そして、私たちがフロイトの精神分析理論を必然的に参照しなければならなくなるのも、じつはこの次元に関してなのです。人体が途中から物と化したり、ワードローブに吊るされたドレスから乳房が浮かび上がったり、女性の身体が瓶に変形したりといったイメージのレトリックは、マグリットの作品によく見られる絵画手法です。そのときに生みだされる不思議さ、無気味さの効果は、たんなる寓意だとかイメージの戯れに還元することのできない、私たちの心性のもっと奥深い無意識に根ざしたものなのです。

マグリットの絵画は、内側にしまわれたものと外側に出されたもの、生きているものと死んだもの、包まれているものと包むものといった、基本的な区別をすることによって私たちの日常的な意味の世界が成立している人間世界の象徴秩序を、「超現実的な」イメージを駆使して揺るがせます。それは、私たちが安住している意味の世界の安定を震撼させ、そのことによって日常世界の批判(無意識にもとづく批判)を、イメージを通して繰り広げるのです。「赤いモデル」の場合、無気味さは、靴から足の甲と指が伸び、それが地面に触れようとする、あるいは逆に、足が途中で靴と化してしまっているように足と靴という、内包されるものと内包するもの、生体と生きていないもの、内側のものと外に出たものという本来レヴェルが違うものの象徴的区別が解除されてしまっていることによります。そのことによって本来生き物でないはずの靴があたかも生き物であるかのように動き始め、そこから人間の身体性を構成する基本的区別である人体面と着衣面とがいわばメビウスの帯のように同一平面上で裏返されたような奇妙な不安に人は捕えられるのではないでしょうか？

フロイトの「無気味なもの」

フロイトにこの問題を扱った「無気味なもの（Das Unheimlich）」（一九一九年）という論文があります。[6] フロイトによれば、「無気味なもの」とは、心的主体にとってもともと親しいものであったもの（heimlich）が主体の心的現実から閉めだされ、それがある一定の条件のもとで外部から回帰してきたものである。つまり、人間の象徴界が現実原則にもとづいて成立するさいに排除された心的事実——心的主体にとってもともと親しいもの——や、安定した意味体系の確立という文化による去勢の過程で心理の内側において閉めだされた心理内容が、外から現れることだと述べています。

フロイトを読み直したフランスの精神分析家ジャック・ラカンの用語を使って整理すると、人間的現実を構成する「象徴界（le Symbolique）」が成立するときに排除された要素は、象徴界の外に（この外を「現実界（le Réel）」とラカンは呼びます）、想像的な経験を通して回帰するのだ、ということになります。[7]「赤いモデル」の場合、足という身体像の一部はもともと「親しい」対象であるのですが、足は文化によって靴の下に抑圧され分節される——足と靴の区別と分節が文化による「去勢」によって達成される——、しかし、その足が靴との区別を廃するように外に出てきてしまっている。そして、靴という用具が位置づけられている文明の世界の中で、土に再び触れようとしている。身体的なものを覆い隠すことでつくられた現実の秩序に対して、その身体の文化的―象徴的な分節を突き破るようにして、別の身体がよみがえろうとする。そのような想像的な経験を、マグリットのイメージはここで語っているのではないでしょうか。この観点から見れば、人間の世界をかたちづくっている物の秩序は、それ自体が無気味な体制であり、その下に、別の身体を抑圧している秩序であるとも考えられてくるのです。これはフロイトが「無気味なもの」と同時期に発表した文明論「文化への不満」（一九三〇年）で展開したことなのですが(8)、マグリットの絵が示しているのもそのような物を通した「無気味なもの」の回帰ということになるのではないでしょうか。

　このように読んでみると、ここでは靴が、人間の象徴界がつくる「文明」と、そこから排除された原初的身体の「無意識的次元」との関わりにおいて問われているということが分かります。それがこのマグリット／フロイト的な物についての問いの光景の深い意味なのです。ゴッホ／ハイデガーの問いが、大地／世界という分節点で物を問うていたとすれば、マグリット／フロイトの問いは、物を無意識／文明という分節点において問うと言ってよいかもしれません。このように考えるとき初めて「無気味なもの」にもとづく物批判が真に文明論的な射程をもつことが理解されるのです。

ウォーホルのクツ

ウォーホルの「ダイヤモンド・ダスト・シューズ」の靴は、ゴッホやマグリットの絵の中の靴とはまったく違った様相を呈しています（図1-3）。ここに無造作に投げだされているのは農婦靴でも労働のための靴でももはやありません。それらは眺められ消費されるための色とりどりのパンプスです。ライトブルー、赤、ワインレッド、グリーン、黄、白……形と色と並べ方の向きがそれぞれ少しずつ異なる片方だけのパンプスが、無造作に宙に浮かび上がっています。ウォーホルの作品には、靴をめぐって人間や世界についてのメタファーを繰り広げようという様子は見られません。ここには靴が一足揃えておかれる地面もなければ、靴が帰属すべき所有者の存在を示す要素も何一つない。キャンバスのスクリーンにひどく投げやりに映しだされたパンプスの影には、画面に

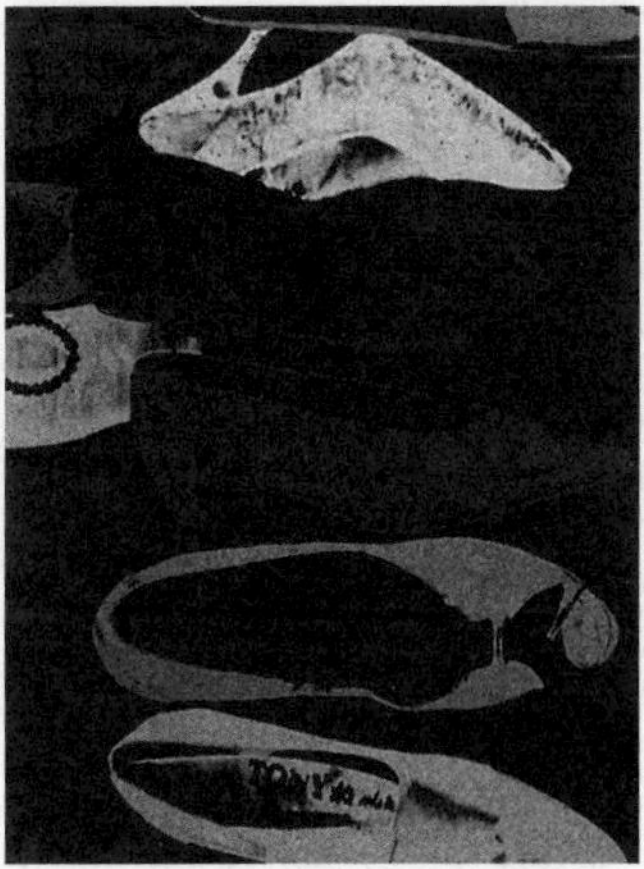

図1-3　ウォーホル「ダイヤモンド・ダスト・シューズ」（1980年）

ふりまかれたダイヤモンド・ダストの粉が降り注ぎ、きらきらと輝いているだけなのです。

ウォーホルは、広告のイラストレーターとしての仕事からキャリアを始めた人ですが(ちなみに最初期の仕事は靴の広告イラストです)、製品のデザインやラベル、スターなどの人物写真や報道写真など、一度メディア化された素材を使って作品をつくりだすという特徴的な技法を使っています。「ダイヤモンド・ダスト・シューズ」でも、一度撮ったパンプスの写真のネガをシルクスクリーンに転写し、その像に色づけしキャンバスに定着させたうえで、ダイヤモンド・ダスト(工業ダイヤモンドの製造過程で出る粉)を絵の表面にふりかけています。そして、この制作過程は、作品が物をどのような存在の位相で捉えようとしているかを如実に私たちに物語っているのです。一度写真という媒質=メディアの中に転位された物の像にさらに彩色などの二次的な加工を施してできあがっている。しかも、画面に浮かび上がったパンプスの平面的で半透明な彩色を施された像は、ここでは被写体の現実へと送り出すために存在しているのではなく、靴の像そのものとしての存在を主張し、スクリーンの上に増殖している。被写体としてのパンプスは、実体性を喪失することによってイメージだけの存在へと転位されて、キャンバスの暗い空間に漂い始めるのです。この作品から受ける一種夢の中の対象を見ているような何とも希薄な印象は、そのような物の存在の位相が私たちに引き起こす宙づりの感覚なのではないでしょうか。

ゴッホの作品が立てていた物についての問いは、絵画による再現=表象(representation）を通した、靴というじっさいの対象についての問いでした。マグリットの絵の場合にも、いかに超現実的なイメージの運動が介在したにせよ、絵は収容所の中の靴や足をとりあえずはリアルに再現することから物の存在の深層についての問いを立てていたと思います。ところがウォーホルの作品では事情は異なります。ここでは絵は、物の実体を表そうとしているのではないのです。絵は、写真というメディアのネガのフィルターを一度かけることによって物の実体性を濾過し、そこから得られた像の固有の運動をこそ指している。像が実体との結びつきから解き放たれて、ある意味では実体に先行し、その固有の存在の次元と運動を主張し始めるとき、物はどのような存在の仕方を示すのか？　そのような問いが、「ダイヤモンド・ダスト・シューズ」の物の光景には読み取れるのです。

記号化されたモノ

たしかに、キャンバスのスクリーンに定着されたパンプスの像は、写真の被写体という実物（オリジナル）の複製（コピー）なのですが、被写体となったパンプス自体すでに大量に複製され相互の形態・色彩・光沢などの微細な差異にもとづく相互反復の関係によってしか自己を指示することがない「モノ」たちです。モノそれ自身がすでにコピーとして、自身の像をパンプスのシリーズの他の像たちを媒介することによってしか存在していない。これは記号化されたモノのあり方と言えます。同一性をもたず、本質的に複数的かつ複製的で、相互に微細な差異と反復にもとづくレプリカとして成り立っているこれらのモノたちに固有の存在の位相――記号化されたモノの次元――こそ、ウォーホルの絵画がテーマ化しようとしていることをこそ見るべきなのです。そのような自己同一性と実体性を欠いた像――あるいは記号――としてのモノの存在の仕方は、シミュラークル（simulacre、模像）と呼ばれたりしますが、ウォーホルの作品世界は、ほとんどすべてシミュラークルと化したモノや人物たち（マリリン・モンローのようなスターや毛沢東のような有名人）から成り立っている。無数にその像が増殖するコカ・コーラのビンのように、n個のうちの1つ（n-1）としてしか自己の同一性をもたないモノ、n個のイメージの集合と反復との関わりにおいてしか自己同一性をもたないスターのようなヒト、ウォーホルが示そうとするのは、そのようなイメージあるいは記号としてのみ存在する「モノ」や「ヒト」の存在の次元なのです。

色とりどりのパンプスの何とも存在感を欠いた浮遊は、そのようなモノたちを、イメージとしての希薄さと揺らぎにおいてキャンバスに定着させた光景だと言ってもよいでしょう。そして、画面の背景に広がる闇は、メディアのフィルターが世界をネガにすることによって生まれる空間であり、そこを地のスクリーンとしてこそイメージや記号が浮遊し始めるメ、デ、ィ、ア、の闇と呼んでよいかもしれないような固有の境位となっているのです。そのメディアの闇に降り注ぐダイヤモンド・ダストが、それらの浮遊するモノたちをきらめきで相互に反映させ照らしだしている。「ダイヤモンド・ダスト・シューズ」はそのような作品と言ってよいのです。ウォーホルは「失われた靴を求めて…（A la recherche du shoe perdu...）」（一九五五年）という靴のイラストの連作で画家としてデビューしたのですが、靴は実体としては失われて記号として見いだされたとも言えるのです。

ゴッホやマグリットの靴に比べれば、この作品からは、人間の姿も人体の影も表現されるべき何らかの人間的現実も完全に消え去っています。世界の存在さえもここでは定かではありません。それぞれが片方だけのパンプスの散乱は、靴を履く人の生活を物語るというよりは、モノのイメージの氾濫による人間的事実そのものの断片化と複数化、イメージの侵入による現実の希薄化と実体性の消滅——人間的現実の死——を示しているようにさえ見えます。また靴が接することにより人間的経験の「足場」であった地面もここにはありません。それに取って代わったのは、イメージが増殖し浮遊する「世界のネガ」としての空間、ダイヤモンド・ダストが降り注ぐメディアの闇なのです。

ウォーホルの「ダイヤモンド・ダスト・シューズ」が示している、このようなモノの光景をどのように考えればよいのでしょうか？　どのようなモノ批判の言説をここに対応させて理解していくべきなのでしょう？　じつは、ここで登場を求められている知こそ、記号の知であると言ってよいのです。ウォーホルの作品では、いま見てきたように、メディアがモノの存在の最も中心的な次元を構成しています。モノやヒトはここではメディアの中に転位されたイメージとしてしか存在していません。そして、メディアの中にコピーされたモノやヒトのシミュラークルとしてのあり方と運動とが作品化されていく。

ところで、メディアとは何か？　そして、イメージや像やシミュラークルとここで呼ばれているものは、いったいどのような意味経験の次元なのか？　私たちは、これらの問いに答えていくために、記号の知を参照することを求められるのです。この点については4章で詳しく述べることになりますが、メディアという用語が指し示すのは、何かを伝える媒質という意味であり、より正確には、空気にせよ、紙にせよ、電波にせよ、ある物質が、何らかの記号活動の支えとなった状態にほかならない。したがって、メディアとは、何よりもまず記号媒質なのであり、記号活動を成立させる面、すなわち記号の表層なのです。そして、そのような記号の表層としてのメディアは、それが伝えられるべき何らかのもの（＝オリジナル）のコピーの領域であること、そこではオリジナルが自己同一性を失ってコピーの絶えざる反復の戯れに委ねられる圏域であることを第一の特徴とするのです。そのとき像とかイメージとか呼ばれていたものは、「記号」というより一般的な概念の枠組みにもとづいて論じることができるのです。

もちろん、メディアがまだたんに情報伝達（コミュニケーション）の媒介項であると考えられ、現実を再現するためにコントロールすることが可能な手段であるとみなされているうちは、その記号媒質としての本質的な次元は十分に姿を現すことはありません。少しレヴェルを変えていえば、言語を思考や情報を伝達する手段であるとする言語道具説的な見方に立つかぎり、言語の構造と働きの本当の次元がどのようなものか見えてこないのと同じです。しかし、ここで問題とされているような、モノや情報を大量に複製する技術が発達し大量（マス）メディアが支配する世界では、現実を伝えるための媒介項とされていたメディアが、記号の表層としての自律的次元を露わにして世界を覆ってしまう。靴のような日常的な物の表面にまでこの記号媒質の働きは及んでいて、私たちの履く靴もすでにメディア化され、私たちの生活の「足場」もメディアの圏域の中にいやおうなく記入されてしまっている。ウォーホルの「ダイヤモンド・ダスト・シューズ」が見せているのは、そのような二〇世紀後半に明らかになった私たちの新たな現実の出現だとも言えるのです。そこで、ウォーホルのクツが立てているモノについての問いを「記号論的な問い」と呼びたいと思います。ウォーホルのパンプスは、記号の表層としての〈メディア〉が、ゴッホの農婦の靴の絵における「大地」や、マグリットの労働靴の「無意識」に比較しうるほどに、私たちの世界の根源的経験の次元を構成しているということを示す例なのです。

3——記号の表層の露呈

「モノ＝記号」としての存在

以上、三点の絵画作品をめぐって、物についての三つの問いを対応させて考えてきました。靴という同一の物をめぐって、絵画作品がどのように文明の根源に関わる問いを立て批判を行っているか、そして、それに対応するどのような物批判の言説を配置して考えてみることができるか、そうしたことを、まずもって示そうということが当面の目的だったのです。大地／世界の分節する点において物を問うやり方（ゴッホ／ハイデガーの問い）、無意識／文明の交差する場で物の無気味な支配を問うやり方（マグリット／フロイトの問い）、メディア／モノの間《はざま》でモノの記号性の露呈を問うやり方（ウォーホル／記号論の問い）、いずれも私たちの世界における物のあり方の批判を通して、私たちの意味世界の現実の根本的成立条件へと向かう問いだということが分かってもらえればとりあえずよいのです。日常的な物をめぐって、存在、無意識、記号という大きな問題圏が交錯していること、私たちの文明の根拠を問おうとすれば、以上のような問題の圏域の中で問いの振幅を広げていくことにならざるをえないということを示したかったのです。

さて、今度は、以上に見た大きな問題圏を構成する三つの問いの今日的な相互連関、私たちにとっての「問いの遠近法」を問題にしてみたいと思います。ゴッホ／ハイデガーの問いは、製品の大量生産という二〇世紀のテクノロジーの時代の到来に対して、より根源的な大地／世界を結ぶ「物＝用具」の本来的なあり方に遡行して〈技術の本質〉を問うていました。その意味では、まだ現代以前にもとづく現代性批判の問いであったとも言えます。マグリット／フロイトの問いは、大量生産により画一化する物の文明による人間の物化と世界の収容所化とを、文明と身体の根源的次元にまで遡って「文明の中の居心地の悪さ」として批判していました。それに対して、ウォーホルのクツでは、そこでは物自体がもはや実体性をもたなくなるメディアという複製技術の発達がもたらした〈記号化された世界〉を問うていました。用具としての物の本来的な意味の忘却とか、物による疎外ではもはやなく、物の記号化した世界に私たちは到達し、生活の「足場」もメディアの記号の表層の上に浮かんでいる、という時代に突入したのだとも言えるのです。そのような社会では〈モノの生活〉は記号作用に支配され、ソシュールの述べていた「社会における記号の生活」が社会のすべての表層を覆うことになったと言っても決して過言ではないのです。

じじつ、ウォーホルの絵を前にして、私たちが不意に襲われる既視感（デジャ・ヴュ）は、私たちの日常世界における物のあり方が、そのような〈モノの光景〉となっていることを端的に示しているのではないでしょうか？

今日では物は使用される「用具」としてよりも、記号の表層に転位されて浮遊する〈モノ＝記号〉として存在している。そしてまた、私たちの日常世界をかたどっているさまざまな事物の表面がそれ自身すでに記号の表層と化している。それは、私たちの生活を取り巻いている広告、ポスター、テレビ・コマーシャル、商品ラベルなどに限らず、モードによる服装の様式化や、建築・インテリアや工業デザイン、あるいは美容やスポーツによる身体像の整形にいたるまで、すべてのメディア現象が端的に示していることです。あるいはまた、11章で詳しく見るように、いまではモノたちは、インターネットのような情報技術が生みだした、記号だけから構成された宇宙であるサイバースペースの中に、ヴァーチャルな事物となって浮かび上がることになっているのです。

そのようなとき、以上に見た物についての問いの現代性批判の言説そのものも、この記号の表層との関わりにおいて変化を受けざるをえないことは明らかです。物についての問いの光景は変化し、問いそれ自身がこの記号の表層に浮かび上がってしまうことさえ起こりうるのです。

次に、いかにメディアが、物についてのゴッホ／ハイデガー的な存在の問いや、マグリット／フロイト的な無意識の問いの光景を変形してしまうことが起こりうるか、したがって、記号論の問いが現代性批判にとっていかに前提的な重要性をもつかを示す例を挙げたいと思います。

ハイデガー的な広告

図1-4は、「家を森にする計画。」とコピーを打たれたプレハブ住宅建造会社による「木の住宅」の広告ポスター（一九九二年）です。画面の中央に、ドイツ人とおぼしき老人が、背後に広がる森を背にして、裸足で大地を踏みしめて立っている。懐古的な夕日の赤い光が、老人の上半身と大地とを照らしだしています。ポスターは、木の家という用具を通して祖先の時代にはあった生活と森や大地との関係を取り戻そうと語りかけているのです。男性が裸足であるところが、ゴッホ／ハイデガーの農婦との決定的な違いで、ハイデガーの場合には、大地はこのように人間が触れうるものではなく、まさに靴という道具を通してしか、そこに「足場」をもつことができない圧倒的な圏域なのでした。しかし、ここではまさに人間的な故郷のイメージとして絵の中に定着させられています（ちなみに、農婦を主人公にしたこれと対になる同じ会社の商品の広告ポスターのコピーは、「足の裏で生まれた家を思い出す。」というものです）。

このポスターは、あらゆる点で大地と世界をめぐるハイデガー的なテーマの引用から成り立っているとも読めるものです。写真に登場した老人の顔立ちが「黒い森の哲学者」に恐ろしいほどそっくりであることもおそらく偶然ではない。ハイデガーにおいて思考は、形而上学の森を通って存在の問いへと導かれるとされるのですが、ここでは、「木の家」

図 1-4 「家を森にする計画。」ポスター（1992 年）

は「森」へとつづき、その家に住む人は大地との結びつきを取り戻し、暮らしの——つまりは、存在の——本来的な意味を回復して暮らすことができる、と読めるのです。

私たちがここで注目したいのは、このようにハイデガー的な問いを構成していたメタファー自体がメディアの中に転位され、プレハブ住宅の「イメージ作り」に転用され、流通・消費されてしまいうるということなのです。それは、いまではコマーシャル自体が「存在論的な問い」を立てる（！）という事態なのかもしれません。しかし、存在論の問いの条件が変わってしまった今日、存在の問いを立てるとすれば、まず、どのような記号の現実の上に立ってその問いを立てることができるか、を問うことからしか始まらないということでもあるのです。

例えば、「大地」とか「世界」といったトポスはいまや記号媒体の中の〈像〉としてしか成立しない、そしてそのような記号化した像（大地や森のシミュラークル）はどのような存在の仕方をしているのかをまず問うのでなければ問いの条件が整わないということなのです。「記号の問い」と「存在の問い」との連携が求められる理由はそこにあります。大地／世界という分節を問おうとすれば物質をメディアに変えるテクノロジーの本質を問うことから始める以外にない。大地／世界という表象からは思考することがもはや困難なほどに、私たちの「現実」はあのメディアの闇の中へさ迷い出てしまっているのかもしれないというわけなのです。

マグリットを引用した広告

このような問いの光景の変化は、じつは、マグリットの「赤いモデル」が立てていた問いにも起こっています（図1-5）。マグリットは彼自身がいくつもの広告ポスターを手がけ、イメージのさまざまなレトリックを駆使して、ヒトやモノの記号としてのあり方に深い洞察を加えていますが、このカナダ税関のポスター（一九七五年）は、そのマグリットのイメージの修辞性をそのまま借用して自分のメッセージに転用しています。

先に見たように、「赤いモデル」では、イメージのレトリックは「無気味なもの」の根源にまで遡って全体主義的な管理社会を批判する力を生みだしていましたが、イメージが

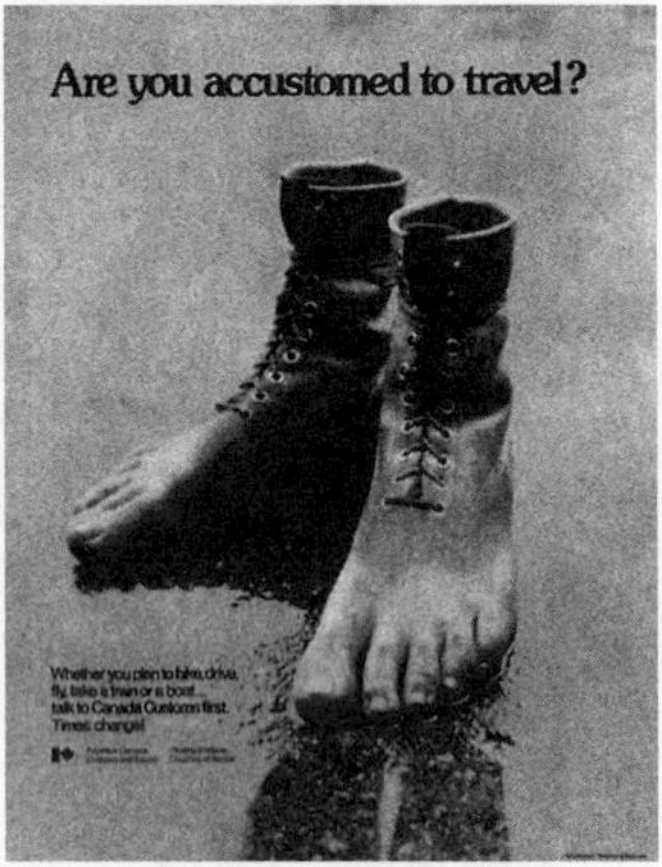

図 1-5　カナダ税関のポスター（1975 年）

もっていた批判力はここでは、靴が足になるほど旅行に慣れた（accustomed）という言葉遊びに言い換えられて、無気味さは見る者の注意を喚起する奇抜さ意外さぐらいに飼い馴らされてしまっています。

コピーのフレーズ"Are you accustomed to travel?"が、ここでは、イメージの奇抜さの説明（すなわち「合理化」）の役割を果たしていて、イメージは無意識への通路を断たれているのです。もともとは、管理社会の批判であったイメージが、まさしく管理を目的とする税関のメッセージに転用されてしまうことは何とも皮肉な結果です。メディアはこのように「無意識の問い」をも自身の記号系へと回収してしまう力をもつことを示す一例ではないでしょうか。そして、ここでも、無意識の問いや文明批判は、イメージ批判や記号批判としての記号論の問いとの連携を求められるのです。

ポップ・アートの戦略

以上のような、イメージのたえざる引用可能性、コピーによるオリジナルの意味作用の簒奪や変換などは、記号作用においてはつねに起こっていることですが、記号の表層における反復可能性そのものに焦点を当てることによって、オリジナルとコピーとの関係を逆転する戦略がウォーホルの「ポップ・アート」と言えます。

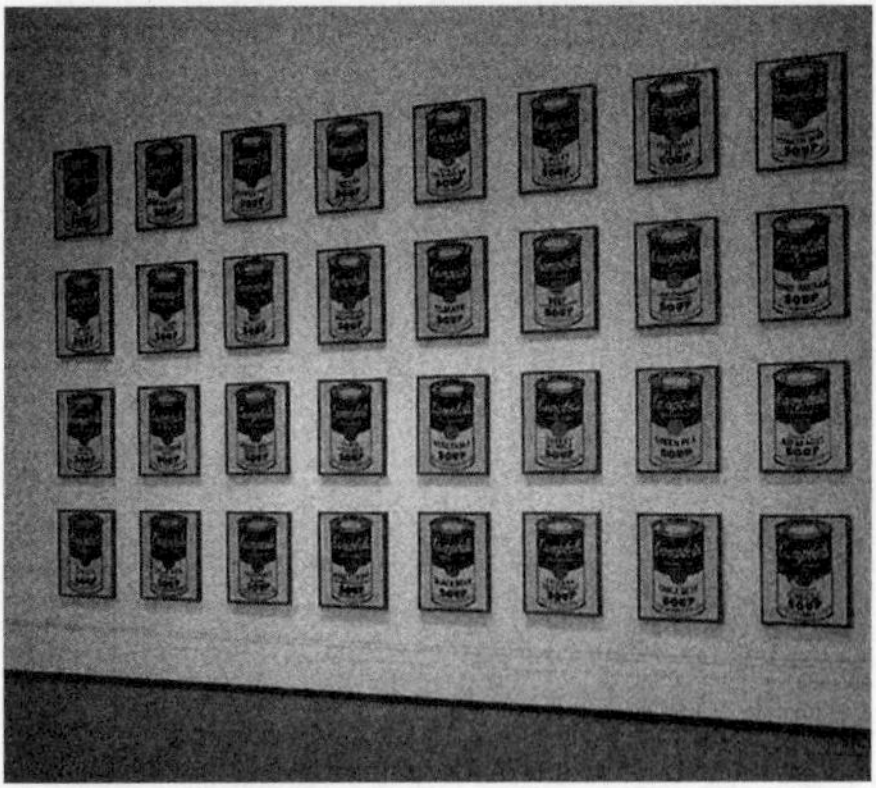

図1-6　ウォーホル「キャンベル・スープ缶」(1962年)

ウォーホルを有名にしたのは、「キャンベル・スープ缶」シリーズ（一九六二年、図1-6）や、「ドル紙幣」シリーズ（一九六二年）ですが、そこに作品化されたのは、同一性を失って反復する記号と化したモノの〈引用〉なのです。作品は、反復そのものを引用＝反復することで、記号化したモノの反復とは何かという問い自体を実行（perform）している。記号は、記号が指し示す物と同一視されることをやめることによって、反復可能性としてそれ自身を指し示し始める。シミュラークルの秩序が、これを反復する身振りでもって捉え返されていると言えるのです。

メディアがもつ反復性に立ち向かうためには、何らかのオリジナルな意味経験を対置するのではなく、オリジナル性をかぎりなくゼロ度に近づけ、メディアによる反復の運動それ自体を明るみに出すしかない。ここに記号を記号として提示する「ポップ・アート」の身振り、記号の表層の露呈を指さすウォーホルの戦略があるのです。

記号の問いの今日性

さて以上で、現代社会における物についての問いが、いかに現在では記号の問いへと収斂していかざるをえないかを辿ってきました。一九世紀の近代とはいかなる意味においても物の生産を基調とする「産業文明」の時代であったわけですが、二〇世紀を通して進行したのは物を生産するテクノロジーの力点が次第に物の大量生産の技術から記号や情報の複製技術へと移行し、それに応じて、物のあり方の位相の変化、物の記号化の進行がメディアの発達と結びついてきたという事態が分かります。これを「メディア社会」、「情報化社会」、「ポスト産業社会」(D・ベル)、あるいは「消費社会」(J・ボードリヤール)の到来などさまざまな呼ばれ方をする資本主義社会自体の変化として理解することも行われてきました。

たしかに、私たちの例でも、ゴッホでは野良仕事、マグリットにおいては強制労働と、それぞれ〈生産〉と〈労働〉の角度から靴がテーマ化されていたのに対して、ウォーホルのパンプスは完全に〈消費〉の光景において捉えられています。そして、ボードリヤールの「物が消費されるためには物は記号にならねばならない」という有名な命題が示すように、消費が、物の欲求と充足の運動というよりは、意味の欲望と産出という記号活動としての側面を強めてきたのも二〇世紀の社会においてでした。(9) 物の記号化というこの傾向は、二〇世紀末になるとさらに全面化し、インターネットをはじめとする情報ネットワーク社会の到来によって、モノは情報信号に変換されて、ヴァーチャル・リアリティの中に転位するというところにまでいたったのです。

私たちとしては、意味活動を基本的なカテゴリーとして成立しているこのような社会を「記号社会」と呼ぶことにしたいと思います。そこでは、あらゆる事物の表面が記号の表層となり、そこに浮かび上がるモノたちはお互いに多様な意味作用のネットワークで結ばれている。そして、記号がつくる複雑で錯綜したさまざまな意味作用の襞《ひだ》が人々の「記号の生活」を結びつけ編成している。そのような全面的に記号化した世界こそ私たちの住んでいる世界なのではないでしょうか。そのような記号の生活を理解しようとすれば、記号の原理、制度とシステム、記号活動における主体、記号にもとづく支配などの全体的なプロセスとして、3章で紹介するパースの用語でいう「記号過程（semiosis）」全般についての知を求められることになるのです。

もう一度、私たちの周囲を見回してみましょう。あなたが書きものをしている机、机の上のさまざまなモノ、あなたの服、そして、私たちが論じてきたクツ……。あるいは、テレビやパソコンの画面に映しだされたモノたち……。私たちの日常をかたどるモノたちのすべては自分たちの像としての光景を、いたるところをメディアのスクリーンと化しつつ映しだしていないでしょうか。それらのモノたちはn個のモノたちと系をつくり、かたち、色、スタイルなどの微細な差異の戯れによって個々のモノの意味のかすかな輝きを生みだしている。そしてそれらすべてはあなたの生活の意味をたえずメディアのネットワークへ、記号の星雲へとハイパー・リンクしつづけていく……。そのようにして、あなたの生活はもう記号の宇宙へと通じている。それらのモノの意味を問い、日常の現実を問うとき、あなたもまたどこかで記号を問い始めることになるのです。

❷

記号と意味についてのレッスン・i

人は社会における記号の生活を研究するような一つの学を構想することができるのですが……、そのような学を私たちは記号学と呼ぶことにしましょう。それは、記号とはどのようなものなのか、どのような法則が記号をつかさどっているのかを私たちに教えてくれることでしょう。それ［＝記号学］はまだ存在していませんから、どのようなものとなるかをいまから言うことはできません。しかし、それ［＝記号学］は存在すべき権利をもつのであって、その位置はあらかじめ定められているのです。

——F・de・ソシュール『一般言語学講義』

1――記号の学

ソシュールとパース

現代の記号の学には二人の父がいます。一人は、スイスの言語学者ソシュール、もう一人は、アメリカの哲学者・論理学者のパースです。二人はまったく別に研究をすすめ、生涯を通してお互いの仕事を知っていたという事実はありません。しかし、お互いにまったく異なった視点から出発して、一九世紀から二〇世紀への転回点においてほぼ同時に、記号についての一般学が新たに打ち立てられなければならないと主張しました。パースが提唱したのが「記号論（Semiotics/Sémiotique）」、ソシュールが提唱したのが「記号学（Semiology/Sémiologie）」です。そして二人の仕事を受け継ぐかたちで二〇世紀以降の記号の学は発達してきたのです。パースを出発点とする「記号論」の方はおもに英米圏の学問伝統の中で発達し、ソシュールの流れを汲む「記号学」の方はヨーロッパ大陸における認識の革新の動きの中で発展を遂げることになりました。後で詳しく述べますように、両者は多くの点で対比的であると同時に補完的なものです。そして、二つの系譜が合流して現代における記号の学の大きな流れがつくられたのです。

ここで「現代における記号の学」という表現には敷衍が必要です。「記号」や「意味」についての問いは、なにも現代に始まったわけではないからです。現代の記号学・記号論の直接の祖先にかぎっても、ソシュールの「シニフィアン／シニフィエ」の区別はストア派にまで遡ることができますし、意味や言語や表現についての問いは、プラトンやアリストテレス以来の問いでもあります。近世では、「記号論」という用語にしても、ロックやライプニッツにはその例が見られます。ただし、ここで問題とするのは、二〇世紀以降に体系化されてきた記号学・記号論という意味で「現代における記号の学」と呼んでいるわけです。

他方、「記号の学」という表現ですが、本書では記号学と記号論を共に合わせて指す用語としてやや便宜的に使用します。「記号学」と「記号論」という二つの用語の並立状態を解消しようという試みは何度も行われてきました。国際記号論学会では「記号論」の呼称で全体を代表させようという決定が行われたこともありました。本書でも学的系譜の違いをとくに問題としないでよいときには「記号論」を一般的呼称として採用しています。しかし、双方の違いに十分に意識的になり、しかも二つの系譜を合わせて指す用語が必要とされる文脈もあり、そのようなときに「記号の学」という表現を用いることにします。また二〇世紀に実際に登場してきた記号学や記号論といった現代の記号の学を認識論的レヴェルにおいて動機づけている「記号の一般学」のプロジェクトを指して「一般記号学」

の語を用いることにします。

2章と3章ではソシュールとパースによって記号の学はどのように構想されていたのかを中心的に見ることにして、そこを基点にして、その後約一世紀の記号の思考の流れを大まかにつかむことをめざします。記号とはいったいどういうものなのか、どんなメカニズムがそこでは働いていると考えられるのか、どんな基本概念を手がかりにすれば記号は理解できるのかという記号の学の基本的な発想を辿ってみることにしましょう。学説史や理論史がここでの目的ではありませんから網羅的な紹介はもちろん不可能です。ただ記号の知の核になる部分の見取り図を示したいと思います。学説や理論を紹介するだけでは抽象的な話になってしまいますから、記号の知をイラストレートする導きの糸として、キュービズムやパウル・クレーの現代絵画の記号性を並行して参照していくことにします。このようなイラストレーション（例示）の方法は現代絵画の恣意的な解釈にもとづいたものだという批判をうけるかもしれません。しかし、私の考えでは、ソシュールの同時代人であるクレーの「造形思考」には、記号とかたちについてのある本質的な問いが含まれているのですし、現代絵画には人間が使用する記号のさまざまなタイプや記号の解釈のプロセスについての深い洞察をみとめることができるのです。

二〇世紀の転回

まず二〇世紀の記号の知がどのような歴史的位置づけをもっているのか、やや難しい言い方をすれば、現代の記号の学の「認識論的位置」を確認しておきましょう。

一九世紀から二〇世紀への転回点（一八九〇年代から一九一〇年代）において、ソシュールやパースが提唱した記号の学や、のちに構造主義と呼ばれることになる知の運動が行った第一のことは、近代科学の実体論的な認識から関係論的な認識への転換でした。

実体論的な認識図式とは簡単にいえば、実体を前提とし、認識をその実体（＝客体）についての意識（＝主体）の活動と考え、また主体と客体との間を媒介するものとして言語や記号を考えるという立場のことです。例えば、Aさんの目の前のテーブルの上にガラス瓶Bがおいてあったとすると、ガラス瓶Bという実体はそれ自体として存在していて、主体としてのAさんの意識が客体としてのガラス瓶Bを知覚するのが認識の活動である。ガラス瓶にそれを名づける「Pernod & Fils」というようなラベルが貼られていても、それは基本的に状況を変えることはない。ラベルは客体であるガラス瓶Bを主体であるAさんに教える役割をしている、両者の間を媒介する記号なのですが、記号はここでは副次的な役割を担っているにすぎない。記号は実体の代わりをしているにすぎないのであって、記号が実体を変化させたりすることはないとこの図式によれば考えられます。

ところが二〇世紀初頭の知の革命は、認識の視点自体が、認識の対象（＝客体）と認識する意識（＝主体）の双方を、徹底した関係性の場において構成していくのであって、こ

図2-1　ピカソ「ペルノーの瓶とグラス」（1912年）

の関係性の場を刻々と生みだしているものこそ言語や記号の次元なのだ、と考えることから始まったのです。例えばガラス瓶のラベルに「Pernod & Fils」と印刷されていたら、「キッコーマン」と印刷されているのとは全然違ったガラス瓶との関係の中にAさんはおかれることになるでしょう。そもそもその緑色の瓶のかたち自体が、あのアニスを蒸留させた薄黄色の少しねっとりとした甘いアルコールの液体を想いださせていたし、「Pernod & Fils」のレタリングは町中に掲げられた「Pernod & Fils」の広告の看板やポスターや町並み自体を次々に連想させる。目の前におかれた実体としてのガラス瓶がそのような作用を引き起こしているのではなくて、ラベルとそのレタリングや瓶のデザインがそのようなイメージの連鎖の中に主体の意識を配置していくのです。キュービズム時代のピカソはテーブルの上の「Pernod & Fils」をそのような意識の連想図として描いています（図2-1）。言語や記号の働き＝戯れによって繰り広げられる関係性の場がそこにはあります。関係論的な認識への転換は、このような言語や記号の働きに注目することから起こります。この立場からすれば、客体としての事物の存在やそれを知覚する意識の純粋な存立は、事物と人間を取り巻いている言語や記号を意識的に括弧に入れることによって初めて到達できるかもしれないものであるのです。ソシュールやパースの仕事と同時代にフッサールによって始められた現象学はそのような純粋な意識への現れにせまろうとする企てでした。

実体論から関係論へ

ソシュールは「記号学」の提唱者であると同時に現代言語学を創設した言語学者でしたが、「言語学」の研究について、実体論的な認識から関係論的な認識への転換を強く打ちだして次のように述べています。

言語学の研究に供される材料を深く研究するにつれて、とくに考えさせられることになる次のような真理を人は確信するようになります。それは、諸々の事物の間に人が打ち立てる関係は、それらの事物に先だって存在し、それらの事物を決定するのだ、ということなのです。別のところでは、諸々の事物、与えられた対象があり、その次に人は自由に異なった視点からそれらの対象を考察することができる。ところが、ここでは、まず視点が、正しいものにせよ間違ったものにせよ、まず視点が、ただ視点のみがあり、その助けによって人は二次的に事物をつくるのです。そうしてつくられたものは、その出発点が正しいときには現実と対応するし、逆の場合には対応しない。いかなる対象も一瞬たりともそれ自体では与えられていないのです。(1)

ここに明確に述べられているのは、実体論的な認識の図式の否定であり、関係性においてしか定義できない記号の場についての新たな認識の要請なのです。また遠近法についてソシュールが述べた次のような一節も遠近法という記号形式についてのラディカルに反―実体論的な見方を示しています。

一軒の家があるとする。私の網膜が一〇〇メートルの距離からその家についてもつ印象は、その家とは別個のものである。その家が片側から崩れたとしよう。いまその家から受けとられた二つの遠近図を比べたとすると、一方の遠近図が他方の遠近図から帰結すると考えるのはまったくの偽りである。二つの遠近図を遠近法の規則の名において演繹するいかなる方法も存在しないのである。(2)

ここでも強調されているのは、視点がつくる関係性こそが遠近法のすべてであるという考え方であって、視点から独立して実在すると想定されるような実体に対する信仰を崩すところに力点があるのです。事物はしたがって視点の変化に応じて刻々とあり方を変えていく。事物の経験はそのような関係性の布置のヴァリエーションとしてしか存在しない。こうして徹底的に関係性の場の「現在」に依拠しようとする思考が、後述するように、共時態において「記号のシステム」を研究するというソシュールの方法の基礎にはあるのです。

絵画史において遠近法が生みだした実体論的な世界観を否定した運動は「キュービズム」です。キュービズムは、遠近法が前提としていた不動の単一の視点というフィクションを暴き、事物は関係性の総体としてしか存在しないということ、したがってまた事物の経験はまさにそれらの関係性の総体としてしか描きえないということを示して見せたのです。「構造主義」という語を一九二九年に初めて使用したヤコブソンは、画家ブラックの「私は事物を信じない、私が信じるのは諸々の事物の間の関係性だけだ」という言葉を引用して、言語学における「構造論的方法」の発見が、現代物理学の相対性理論（＝「関係性」の理論）や現代音楽とならんで、「すべてが関係性の上に基礎づけられ、部分と全体、色とかたち、再現＝表象と再現＝表象されたもの、との相互作用に依拠するキュービズムの絵画の理論と実践」(3)に導かれたのだ、と述べています。

実体の存在を前提にして、その再現として表象や記号の作用を考えること、あるいはまた、独立した対象としての客体について自由な主体――意識――が行う活動としての認識という捉え方、そのような実体論的な世界観をつくりだしたのが、遠近法という記号形式であるとすれば、二〇世紀の知の革命は、視点自体が対象――および主体――をラディカルな関係性（＝相対性）において構成していくのであって、その関係性の場を刻々と生みだしているものこそ記号の次元なのだと考えることから始まったのです。

このような転回は何も思想や芸術の前衛運動にのみ起こったことではありません。それは二〇世紀の社会・文化生活の全般に起こった動きでもあります。例えば、都市はキュービストがよく描いた題材ですが、現代の巨大都市は、遠近法により見透かされる空間よりは、さまざまに入り組んだまさしく複数の関係性の場としての「記号の風景」の分節を示していています。またさまざまなモノのあり方にしても、「実体」としてではなく、ブラックやピカソが描く「静物」のように、商標、ロゴ、ラベルを貼られ、私たちの日常生活の光景のさまざまな切子面を示していないでしょうか。そもそも今日の世界そのものが、マス・メディアという記号媒体によって日々つくりだされ刻々と分節されつづけているのです。記号の問いは、そのようにすべてが関係性の場として現れる私たちの日常世界の意味についての問い――意味批判の問い――であるのです。

2――記号の構造と論理

記号を定義する

記号とは何かを考える手はじめに、まず記号を定義することから始めてみましょう。ところがいざ試してみると、これがじつはなかなか難しいのです……。

パウル・クレーの創作についての有名な信条告白に、「芸術は、見えるものを再現するのではない。芸術は、見えるようにするのだ」[4]という文句があります。この言葉は、絵画は、実体としての対象がまずあって、それを再現するというのではなく、「見える」という出来事を造形活動を通して引き起こすことなのだ、と理解できます。ここには、絵画という一つの記号の活動についての、ある鋭い洞察が表明されているのだと考えてもよいのです。同じように私たちはクレーにならって、「記号は、すでにあるものを表すのではない。記号は意味するのだ」と考えることから、記号についての考察を始めることができるかもしれません。記号は意味する、あるいは記号は意味するようにする（＝有意にする）のだ。これが、記号の第一の定義です。それを、例えば、英語やフランス語で書くと、“The sign signifies.”“Le signe signifie.”となって、「意味する（signify/signifier）」という出来事や事態を生みだすことこそ「記号（the sign/le signe）」の特性なのだ、ということがはっきりするでしょう。

この場合に、記号の定義はほとんどトートロジックにならざるをえないことにも注目すべきです。つまり、「意味する」という出来事が起こって、そこに介在するものこそ記号であり、記号は「意味する」ことから出発してしか定義できない。また逆に、「意味する」とは、記号が引き起こす出来事や事態である。「記号（the sign/le signe）は記号スル（signifies/signifie）」、あるいは「記号スルものこそ記号である」と言い換えてみると、記号の定義がはらんでいる自己循環的な問題のあり方が明らかになります。ここに姿を現すのは目眩《めまい》のするような「意味の問題」なのです。

これに対して、中世のスコラ学以来の伝統的な記号の定義は、記号とは、「何かの代わりにある何か（ラテン語で aliquid stat pro aliquo）」であるというものです。この伝統的な定義は、記号を、それが代わる記号以外のものの側から外的に定義したものであって、「記号＝代替物」説と呼ばれるものです。しかし、記号は、記号の外にある何らかの対象や現実を表す（＝再現する）もの、あるいはまた人間の思考や意識の伝達道具と考えられている（それが「言語道具説」です）うちは、その内的構造と論理とを明らかにしません。意味作用という記号の内的な活動から記号を定義し記号活動を内側から記述すること、これこそが二〇世紀に登場した新たな記号の知が行ったコペルニクス的転回なのです。

現代の記号の学をつくったパースの「記号過程（semiosis）」やソシュールの「システム（le système）」といった概念の基本にあるのは、記号現象の内在性ということなのです。ソシュールは、言語活動に関してこのような記号の内在性の観点から言語を研究する言語学を「内的言語学（la linguistique interne）」と呼んで、記号外的な事実の研究を行う「外的言語学」と区別しました。この章では、主にソシュールが提唱した「言語記号」の考え方を題材にして、二〇世紀の知を切り開いた記号の構造と論理を考えてみることにしましょう。

ソシュールの記号学

ソシュール（図2-2）の記号学の特徴は、言語を中心とした記号学であるという点にありました。ソシュールは言語の系統や歴史的変化の研究という一九世紀に行われていた歴史的言語学の伝統を断ち切り、言語を共時態（la synchronie）において記述し、その言語の「システム」を研究することを第一の研究課題であるとすることによって、現代言語学を打ち立てた人物です。この場合、共時態とは、記号のシステムの歴史の一時点における同時的状態のことです。例えば、日本語という言語のシステムが二一世紀初頭という歴史的現在においてどのような状態をかたちづくっているか、というのが、現代日本語という共時態としてのあり方です。これに対して、日本語という記号のシステムがどのように歴史的に変化してきたのか、その推移を時間軸にそって捉える見方は通時態としてのあり方となります。ソシュールの言語学は、言語を共時態において記述する共時言語学と、歴史的変化においてとらえる通時言語学を区別し、前者を前提として後者を導きだそうとします。

ではなぜ言語学者のソシュールが記号学の祖でもあるかというと、それは、ソシュールにとって言語学の対象とは端的に「言語記号」だからです。言語学の対象とは「記号のシステム」としての「言語（la langue）」であると彼は言います。ソシュールが言語を記号であると捉えた瞬間に「記号学」のプロジェクトも同時に立ち上げられたのです。ソシュールがジュネーヴ大学で行った講義をもとに編集された『一般言語学講義』の次の箇所を読んでみましょう。

図2-2　F・de・ソシュール（1857-1913年）

言語は観念を表現する記号のシステムであり、その点で、文字法とか、手話法とか、象徴儀式だとか、作法だとか、軍用信号だとかと、比較されうるものです。ただそれはこれらのシステムのうちもっとも重要なものなのです。

そこで、人は社会における記号の生活を研究するような一つの学を構想することができるのですが、それは社会的な心理学の、したがって一般的な心理学の一部門をなすことになるでしょう。そのような学を私たちは記号学〔sémiologie. ギリシャ語の sēmeîon「記号」から〕と呼ぶことにしましょう。それは、記号とはどのようなものなのか、どのような法則が記号をつかさどっているのかを私たちに教えてくれることでしょう。それ〔＝記号学〕はまだ存在していませんから、どのようなものになるかをいまから言うことはできません。しかし、それ〔＝記号学〕は存在すべき権利をもつのであって、その位置はあらかじめ定められているのです。言語学はこの一般学の一部門にほかならず、記号学が発見する法則は言語学にも適用されるに違いなく、後者はかくして人間的事象の総体のうちではっきりと定義された領域に結びつけられることになるはずです。(5)

「言語」は「観念を表現する記号のシステム」であって、身振りの体系、文字体系、象徴体系、標識や信号などのシンボル体系と、意味を生みだす記号のシステムであるという点において同列に比較し研究しうるものだ。ただ、言語はそれらの体系の中で最も大がかりで複雑なものだというのです。「観念を表現する記号」とソシュールはここでは言っていますが、「観念を表現する」という記号の作用は、別の箇所では「意味作用（la signification）」と呼ばれ、「言語記号（le signe linguistique）」の意味作用がどのようなメカニズムであるのかを、ソシュールの言語学は追究していくことになります。「記号」とその「意味作用」という概念によって、人間社会に共通した意味活動の圏域（「社会における記号の生活」）を研究するような一つの学がここで考えだされることになった。それが、ソシュールの「記号の一般学（la science générale des signes）」なのです。彼がここで述べているように、こうした「記号」と「意味作用」の一般学が成立したときに初めて、「言語学」が対象とする「言語活動」という事実は、人間の「意味活動」一般、すなわち「記号活動」全体の中に定義され位置づけることができると予告されているのです。

ソシュールによるこうした記号学が示したのは、人間の社会を「意味作用」という観点から研究する一般的な学問の構想です。ここでいう意味作用（signification）とは、記号（sign）の働きのことです（日本語では分かれてしまっている、英語 sign、仏語 signe と英・仏語 signification という語の派生関係に注意しましょう。sign, signe の働きが signification です）。

じっさい、これをうけて、二〇世紀には、人間の文化や社会を意味活動の観点から研究するという方法が、とくに人間科学や社会科学の分野を中心に広まっていくことになります。それは、フォルマリズム、構造主義、ポスト構造主義などと呼ばれることになりました。

しかし、ソシュール自身はといえば、彼の研究はもっぱら「言語記号」のシステムとしての「言語」の研究にとどまることになりました。ソシュール派の記号学が言語を中心とした記号学であることの理由はそこにあります。

ソシュールの『一般言語学講義』における「記号学」の提唱は「社会生活のただ中における記号の生活を研究するような学（une science qui étudie la vie des signes au sein de la vie sociale)」という表現で知られていますが、本書では「社会における記号の生活を研究するような学(une science qui étudie la vie des signes dans la société)」という表現を採用します。これは、一九一六年に出版された『一般言語学講義』がソシュールの弟子たちの講義ノートをもとに編集されたもので、ソシュール自身の思想とは異同があることが知られており、ここではその後のソシュール研究をふまえてよりソシュールによる講義の原状に近いかたちに復元した定式が望ましいと考えられるからです(6)。

記号のシステム

ソシュールの「記号学」の中心にあるのは「記号のシステム」という考えです。人間の記号活動の最も重要なものとして言語(ラング)を彼は考えるのですが、「言語(ラング)は記号のシステムである」というのがソシュール言語学の最も基本になる命題です。そして、記号現象をシステムとして考えることは、一つの記号は一つの事物を表すというように記号を指示対象との関わりにおいて孤立的に定義するやり方とは根本的に異なった認識の問題を引き起こすことになります。

ソシュールによれば、言語記号は、意味する(signifiant)/意味される(signifié)という二つの関係性の面から成り立っている。これが、有名な「シニフィアン」(le signifiant、意味スルモノ、記号表現)と「シニフィエ」(le signifié、意味サレルモノ、記号内容)の区別で

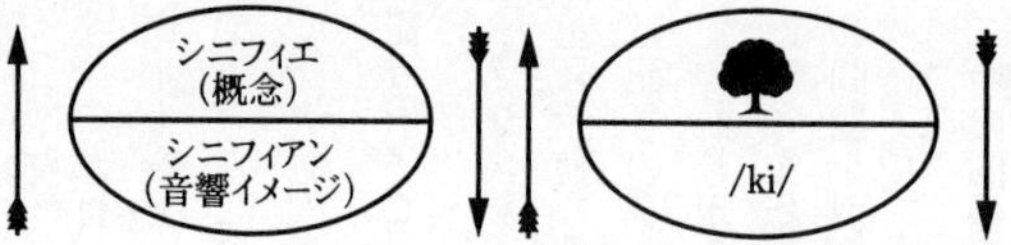

図2-3　シニフィアンとシニフィエ

す(図2-3)。しかし、ここで重要なのは、シニフィアンもシニフィエも、あくまでも記号の二つの面としてのみ存在するのであって、記号の彼方あるいは手前に想定されるようなものとして実体化されて考えられてはならないということなのです。この事態をソシュールは「言語は形式であって、実体ではない」と言い表します。

例えば、日本語で、「木」という単語を音声言語において考えた場合、/ki/という音声と/木/の観念の組み合わせから、この「語」は成り立っていると考えられます。ここで、/ki/という「音声」と言いましたが、厳密にいうと物理的な音のことではなく、物理現象としての音波を人間が子音/k/と母音/i/との組み合わせとして聴き取り、脳の中で/木/の観念と結びつけているかぎりでの、意味作用の構成単位としての音声のことです。ソシュールは、この音声の側面を「音響イメージ」であるとして、言語記号を構成するシニフィアン(意味スルモノ)と呼びました。シニフィアン/ki/は、音素である子音/k/と母音/i/の組み合わせからなる音図式として、他の音素(phonèmes)の組み合わせからなる/ke/や/ka//ku/、あるいは、/si//ni//mi/さらにまたその他あらゆる組み合わせとの対立において自己を定義しています。

他方、「言語記号」を構成するもう一つの側面、「概念」の側面をソシュールはシニフィエ（意味サレルモノ）と呼びました。現代日本語においては、/ki/という子音と母音の組み合わせによるシニフィアンは、この言語の話し手・聞き手の心の中に/木/の概念を想い浮かべさせる。言語記号によって喚起されるこの観念としての意味内容がシニフィエなのです。この言語記号が想い起こさせる意味内容としての/木/は、自然界に存在するどの具体的な木とも対応してはいません。言語学や記号論では、具体的な個々の木のように言語記号が指示する対象のことを指向対象（référent）と呼んで記号と区別しますが、シニフィエとは、そうした指向対象のことではなく、言語記号によって心の中に喚起されるかぎりでの意味内容のことなのです。

このシニフィエとしての意味内容あるいは概念は、それ自体として、シニフィアンから独立して、心の中に観念として自立しているものではありません。そのことは、シニフィアン/ki/によって想起されるシニフィエ/木/を、別の言語記号によって想起される/森/や/林/や/木材/や/鉄/などと比べてみれば分かります。/ki/が想起させる/木/は、/mori/→/森/、/hayasi/→/林/、/mokuzai/→/木材/、/tetsu/→/鉄/など他の記号たちが想起させる観念との隣接領域に、しかも、他の記号たちが想起させる観念との差異において、/木/の観念を想起させているということが分かるはずです。植物の個体とし

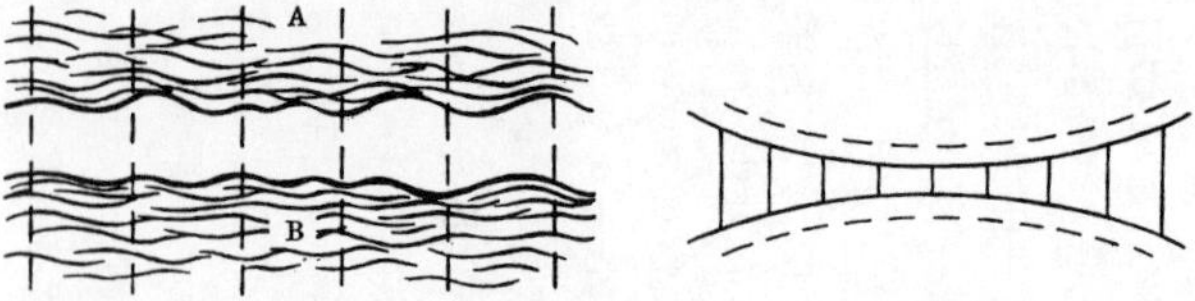

図2-4　ソシュールによる言語記号の波の図

ての／木／は、その個体の集合としての／林／や／森／と区別され、物質のカテゴリーとしての／木／は、／革／や／鉄／や／プラスチック／などの他の物質のカテゴリーとの対比において意味内容を画定されることが分かるはずです。

シニフィエがシニフィアンと表裏一体のお互いに切り離しえない対応関係をつくっていることは、現代日本語という記号の体系を成り立たせている対応関係と英語やフランス語や中国語など他の言語記号の体系とを比べてみれば明らかになります。例えば、フランス語における「木」に対応する言語記号「arbre」と比較してみればよりはっきりします。日本語の「木」の場合、「木の箱」、「木の机」というように材質を「木」という記号で表すことができるのに対して、フランス語では「林、森」に対応する「bois」という別の記号によってそのような概念は表されるということは、一つの記号の概念内容はつねに他の記号との関わりにおいてのみ決まるのだということを示しているのです。

ソシュールは、言語記号の領域を、人間の心理内容や観念がかたちづくる領域と、人間の身体が聞きとり発することができる音調の領域との中間に位置づけます。言語記号はそれら双方の領域をお互いに関係づけ、その関係を形式化することによって、固有の次元を構成するものだと考えています。記号による関係づけと形式化がなければ、観念も音声も不分明なマグマの状態にとどまって、意味作用が成立することはないと考えられるのです。ソシュールは、観念の次元を大気に、音調の次元を水に喩えてこの事態を説明します。そして、言語記号の次元は、それら二つの連続体の間に、両者の関係づけのかたちとして生まれる波に喩えられます。言語は、精神的実体としての観念でも、物理的実体としての音調でもなく、その間を関係づける形式である。記号とは、二つの異質な次元の間に結ばれる関係性の形式であるというのです（図2-4）。

差異と分節

さてここで集中的に問われることになるのが、かたち（＝形式）と意味をめぐる問題系です。記号が関係性のかたちであるとして、かたちはいかに意味を生みだし変形するのか。意味はどのようにかたちと不可分に成立し、その場合、かたちは、どのようなシステムとして捉えられなければならないのか。かたちの文法を極め、かたちの意味作用を探究したクレーの「造形思考」が私たちにとって重要な意味をもつのもまさしくここにおいてなのです。

クレーは、かたちの問題を徹底的に思考することから絵画という記号活動を問い直したのですが、同じようにかたちと意味についての思考を徹底して追究することにより、現代の記号理論は生みだされたのです。その出発点になったのは、ソシュールにおいてもクレーにおいても「分節」という考え方でした。「分節（articles)」とは、差異によって区切られた単位、関節や竹の節のようにそれぞれの節が相互に区別しあう非連続の単位を言います。

ラテン語では、articulus［分節］は、「事物の継起的連続における要素、部分、下位区分」を言います。言語活動においては、分節は、音連鎖の音節への下位区分を意味するか、意味作用連鎖の意味単位への下位分割を意味します。(7)

チェス盤や碁盤のようなマス目も分節であり、子供のおもちゃの積木やロゴなども分節から成り立つ遊びです。「分節化のシステム」とは、こうした分節を形式的単位として、その組み合わせによってかたちと意味が生みだされるシステムのことを言います。こうした分節化のシステムにおいては、最小の分節をかたちづくる形式的単位には意味がありません。例えば、一定の形が描かれた方眼紙において一つ一つのマス目には意味はないし、チェス盤のそれぞれのマス目には意味がありません。積木においても一つ一つの積木には意味がありません。しかし、それ自体として意味がないそれらの形式的単位の組み合わせによって、かたちが生まれ、そのかたちが記号として意味をもち始めます。言語記号において、最も基本的な分節化のシステムは音素からなる「音韻体系」です。

人間の言語活動は、母音や子音などの音素を単位としてつくられています。音韻体系とは、現代日本語ならば16（ないし19）個の子音と5個の母音、フランス語ならば26個の母音または半母音と19個の子音というように有限個の音素によって構成されるシステムのことです。その場合、それぞれの音素を定義することを許すのは、個々の発音が実現する「音調」の物理的特徴ではないのです。音素とは、音声を聞き取るときにその音素をその他の音素から弁別することを許す形式的諸特徴によって定義されるものであって、言い換えれば、それぞれの音素の同一性は、その他の音素との差異によってのみ定義される。例えば、子音の/n/は、/m/、/p/、/t/など、その他のすべての音素との対立・区別によってしか自己同一性をもたない。/n/という音素は、ある実体的な音を指すのではなくて、他の音素との差異の名なのです。ソシュールが「言語には差異しかない」というとき、それはこのような事態を指しています。人間の身体が出す音声は第一義的には物理的な物質と捉えることができますが、音韻体系はその音調物質を音素として分節することにより記号の構成単位に変えているのです。[8]

音韻体系のような分節が示しているのは、差異にもとづくシステムという原理です。ここで重要なのは、分節は差異にもとづく構成単位であって、記号というかたちのシステムは、差異をベースにして成立するということです。

> ……言語体系（ラング）の中には諸々の差異しかない。さらにいえば、差異は一般にはその間に差異が成り立つ実体的な諸項を前提とするが、言語体系（ラング）においては、実体的な項のない諸々の差異があるのみなのです。シニフィエをとるにせよシニフィアンをとるにせよ、言語体系は、言語システムに先立つような諸々の観念や音調をもつわけではなく、そのシステムに起因する諸々の概念的差異、諸々の音調的差異があるだけなのです。[9]

実体論的な集合が同一性を基礎とするのに対して、記号のシステムのような関係論的な集合においては、差異こそが基本である、ということなのです。「言語体系には諸々の差異しかない」というソシュールの定式が示しているのは、言語記号におけるそのような差異を基本とする記号の成立の仕方なのです。

さて、分節自体はまだ記号のかたちではありません。記号のかたちは、分節システムを構成している分節単位が結びつくことによって、生みだされます。例えば、クレーのチェス盤のデッサン（図2-5）においてマス目という分節単位が結びつくことによってかたちが生まれます。そして、かたちはひとたび生まれると、マス目という分節単位を超えたものとして、何かを意味し始めるのです。その場合、分節単位はかたちを弁別する差異として働き始め、かたちは他のかたちとの差異によって相互に関係づけられていくことになります。意味作用のカテゴリーがかたちの問題に結びつくのはこの次元においてなのです。

クレーがしばしば引き合いに出すかたちの分節例である「うろこのある魚」の例を見てみましょう（図2-6）。クレーの魚のデッサンでは、鱗状の文様の反復が最も基本的な分節のシステムをつくっています（これは、言語記号でいえば「音素」のレヴェルに比較できるでしょう）。それに対して、魚の頭、胴、尾は、魚の「かたち」の基本的な差異線をつくっています。魚の姿は、1、2、3の部分肢の比例関係にもとづく相互規定によって成り立っていると同時に、分割されたそれぞれの分節単位の反復からも成り立っています。

クレーは、基本的な分節を「分割可能なもの」のレヴェル、固有のかたちの発生を「非分割的＝個的なもの」のレヴェルと呼んで区別します。そして、かたちが現れたとき、それが何のかたちかが問われるように、かたちと意味との関係が問題とされるようになるのは、分節単位の結びつきによって非分割的なかたちが生まれたときからです。分節単位が結びついてかたちが生まれる出来事こそ意味の問題系への第一歩なのです。そして、分節の運動がつくりだす配置がそれぞれの記号の内的構造をつくりだします。クレーのデッサンに現れるさまざまなユーモラスなかたちのいまにも動きだしそうな運動は、かたちが意

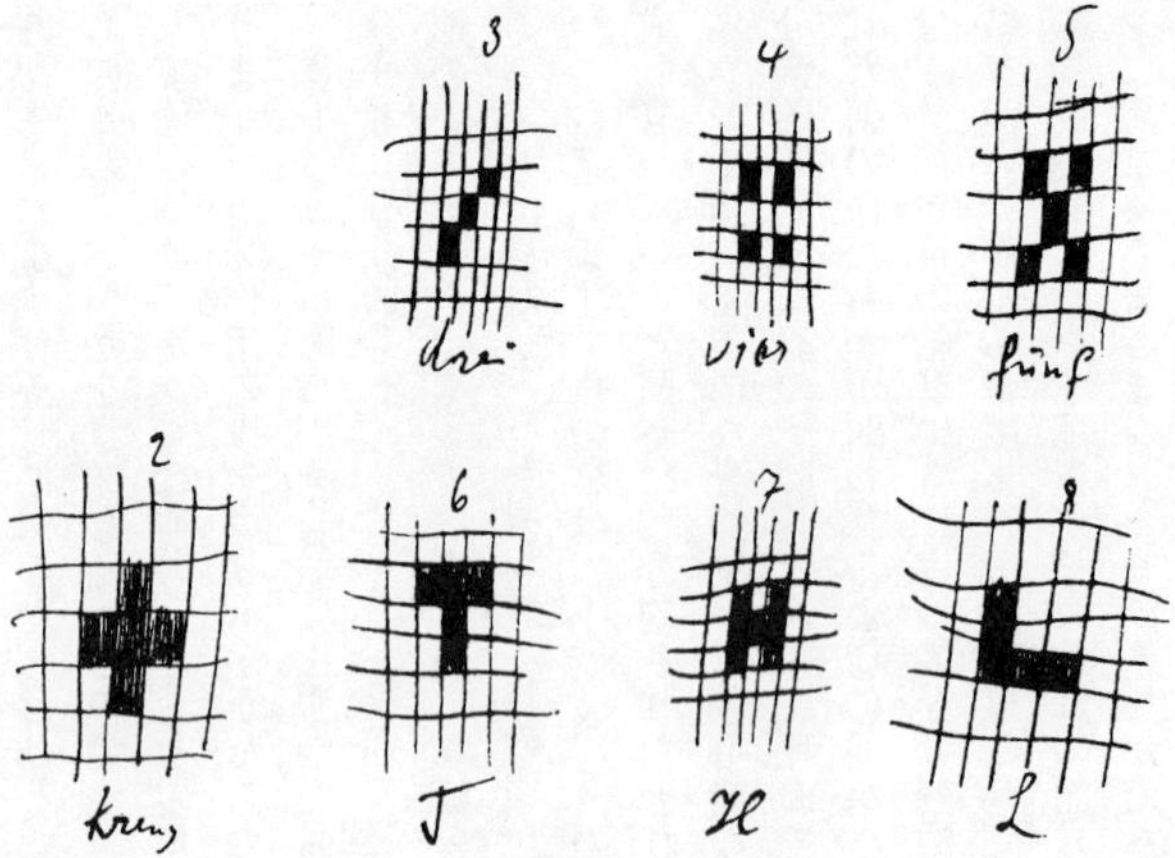

図 2-5　クレーによるマス目の分節のデッサン

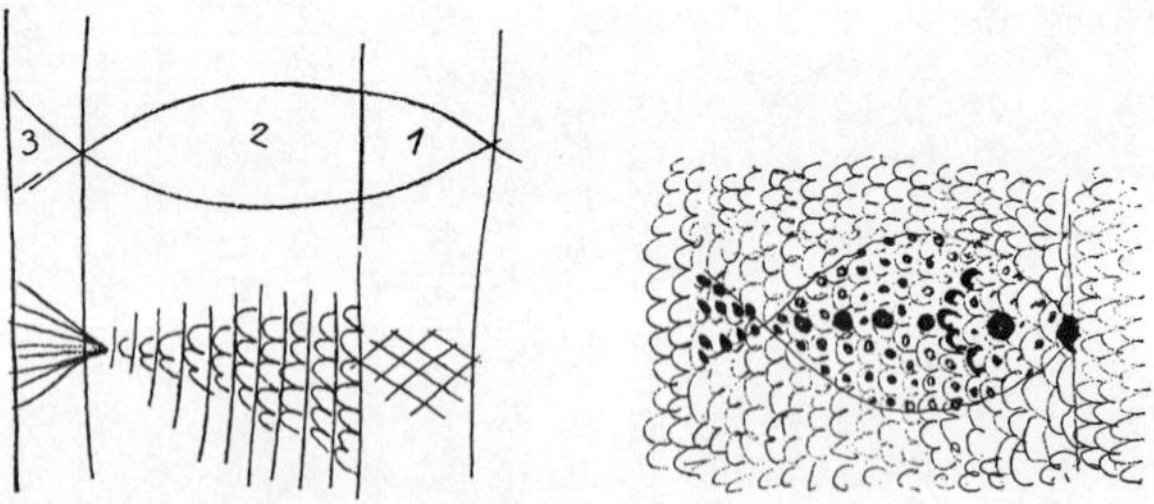

図 2-6　クレー「うろこのある魚」

味の要素として働き始める姿を私たちに示しているのです。

同様に、言語において、子音や母音といった音素それ自体には意味はないということは、クレーのチェス盤のマス目の一つ一つには意味がないことと同じです。ただし、音素という分節化のシステムは、極めて限られた数からなる形式的要素の組み合わせによって、極めて多くの記号をつくりだすことができるという特徴をもっています。例えば、現代日本語にはわずか16（ないし19）個の子音、5個の母音しかないにもかかわらず、それらの音素の組み合わせによって、何万語もの語彙が日本語には存在し、さらに新しい語をつくりだすことも可能です。つまり音素とは、記号をつくることを可能にする分節化の単位（＝かたちの基本要素）であるのです。言語においては、語にほぼ相当する「形態素（morphèmes）」が、音素という分節単位が結合して生みだされたかたちですが、形態素こそ言語活動の「意味作用」の最小の単位です（この音素と形態素の関係を、言語学者のマルティネの用語では「二重分節」と言います）。例えば、/tanuki/のような3音節、6音素からなる形態素を考えてみましょう。音節の最初の音素が子音、次が母音という組み合わせを考えただけでも、日本語においては（16×5）×（16×5）×（16×5）＝512000通りの組み合わせが純粋に理論的な可能性としては存在することになります（もちろん音韻規則というものが存在していて、音素の組み合わせには法則がありますから、すべての音素の組み合わせが言語において実現するわけではありません）。すなわち、人間が使うことができる音調を音素として形式化することによって無数の言語記号を生みだすことができるようになるわけです。音韻論が発見したこのような形式化のシステムに注目することによって、ソシュールは自らの「言語記号」論を打ち立てたのでした。

パラディグムとサンタグム

記号のシステムのもう一つの重要な特性は、それが本質的に「反復」のシステムであることにあります。私たちは、記号の同一性とは差異であると述べたのと同じように、記号は同一性としてよりもむしろ反復としてある、と言わなければならないのです。そして、この反復の基礎となるのもやはり分節のシステムなのです。

差異による分節のシステムは、記号のかたちが実現するときには、そのかたちの実現の場においてつねに反復するネットワークをつくっています。例えば、チェス盤のマス目という分節のシステムが、それぞれの局面ごとに、新たな手の配置を見せつつ反復するといったことを想い浮かべてみてください。あるいは、クレーによるマス目のデッサン（図2-5）では、2、3、4、5……というように、分節のシステムが繰り返すことによりかたちが生み出されますね。ソシュールが、言語体系は共時態において潜勢的なシステムをつくっているというとき、彼が考えているのはこのような反復のシステムのことです。記号のシステムにおいて、要素間の関係はつねに同一の時間平面において維持されています。一つの記号の価値は、その要素がそのシステムのいま＝現在時において他のすべての記号と取り結んでいる関係によって決まるのです（図2-7）。ですから、記号のシステムの研究は、ある一定の時点において、要素間にどのような関係が成立しているかを記述することがまず重要で、それがソシュールがいう記号システムの「共時態」における研究です。

それぞれの記号はこのように反復のシステムを通して呼び起こされる。そのようにして記号は現働化するのです。ソシュールは、このような記号活動の実現の出来事を「言述（パロール、la parole）」として、記号のシステムとしての「言語体系（ラング、la langue）」と区別して考えます。そして、言述（パロール）の実現の規則として、「範列（パラディグム、le paradigme）」と「連辞（サンタグム、le syntagme）」という二つの軸を提示します。範列（パラディグム）とは、一つの言述（パロール）が実現するときに、記号の現働化を規定している記号間の「連合関係」（つまり、ある差異を共通項として活性化する記号の反復の系列）、連辞（サンタグム）とは一つの記号の実現につづく記号の反復の系列を指定している「結合関係」です。

クレーのマス目のデッサンを例に取ると（図2-8）、縦方向のマス目の系列を範列（パラディグム）、水平方向の連続関係を連辞（サンタグム）と考えてみることができます。太い実線により縦方向のマス目のうちどのマス目を現働化するかは範列の問題であり、次

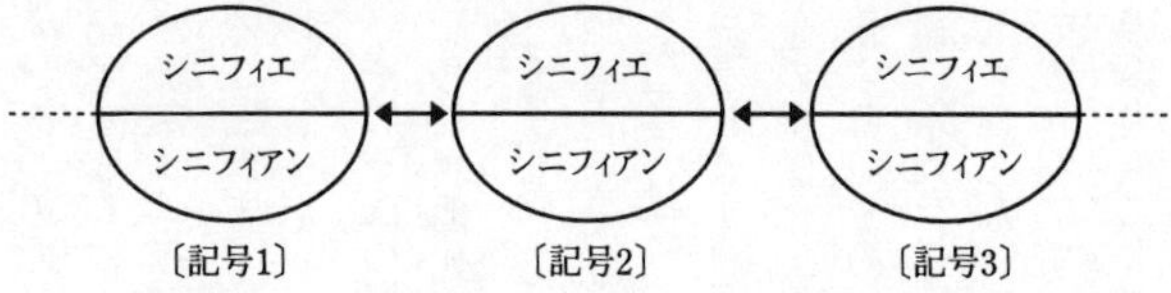

図 2-7　言語体系

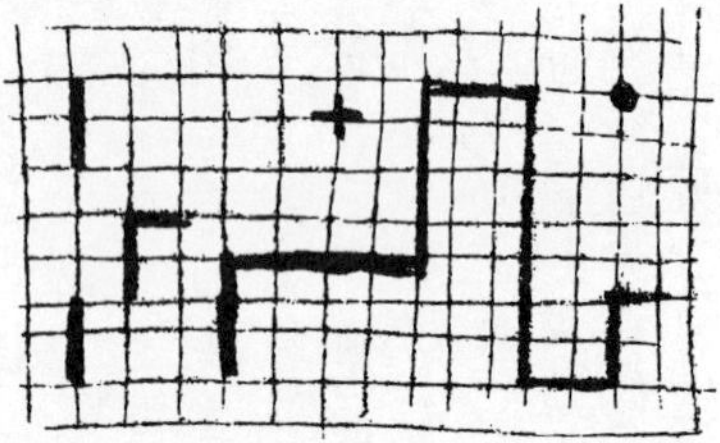

図 2-8　クレー「分割的・非分割的の結合」

に水平方向のマス目にどのようなかたちがくるかは連辞の問題だからです。そのようにして生まれる図が言述（パロール）というわけです。

例えば、「蝶は花を愛する」という文を例にとってみましょう。「蝶は」という主語の箇所は、「虫は」でも、「蜂は」でも、「人は」でも、さまざまな名詞および名詞句に交換することができます。この場合、「蝶」およびその他の言語記号は、行為主となりうる記号という共通項にもとづいて範列（パラディグム）関係をつくっていると言います。パラディグムを構成する記号群は、その中から実現した一個の記号に対して潜在的な関係で結ばれている（「不在において介在している」とソシュールは言います）。一つの記号は他のすべての記号との差異によって自己を規定するとすでに言いましたが、記号は無秩序に集合しているのではなく、一つの記号は他の記号とさまざまな共通項にもとづいて範列（パラディグム）関係をつくっています。「蝶」は「蜂」や「トンボ」といった同類の記号や、「アゲハ蝶」や「紋白蝶」や「タテハ蝶」などの下位概念、さらに行為主となりうる別の言語記号と複雑な連想関係によって結ばれています。

それに対して、記号実現において、記号の結合を統御している規則が連辞（サンタグム）の軸です。記号が実現するとは、記号が場所も時間ももたない潜在的なシステムとして存在している状態から、時間および空間の中に存在する状態へと移行することを意味しています。時―空間の中に記号が実現するということは、二つの記号が同じ場所を占めることも、二つの記号が同じ時間に実現することもできないことを意味します。つまり、記号は、時間的にも空間的にも継起的に実現するものでなければならないのです。したがって、記号の実現には、一つ一つの記号がどのような順序で実現するのかという時間における結合規則、あるいは、どのような配置で実現するのかという空間における配置規則というものが求められることになる。これが記号の「連辞」に関わる規則です。例えば、「蝶は花を愛する」という記号実現において働いている規則は、S（主語）+O（目的語）+V（動詞）の結合規則です。ことばは人間の声を通して実現します。人間の口という言語記号を送りだす装置は、言語記号を一つずつしか送りだすことができません。試みに、同時に二つの単語を発語することができるか試してみてください。記号は継起的にしか実現しない。そこで、記号間の結合のルールがなければ、人間は意味のある記号列をつくることができないということになります。通常シンタックスと呼ばれる文を生みだすルールはこの連辞軸に関わるルールです。言語に関していえば、人間の言語が、単なる単語の羅列ではなく、文をつくることによって、さまざまな事態や、物事の間の複雑な関係、現在だけではなく過去や未来の事柄や行動、能動的・受動的行動、行為因間の関係など、実に複雑な事態を表すことができるのは、この連辞軸における規則が存在することによるのです。ソシュールの言語記号理論における連辞の理論はまだ初歩的なものにとどまりましたが、この部分を発展させたシンタックスの理論にチョムスキーによる生成文法があります。

言語のように複雑な形式化のシステムでなくても、記号はソシュールのいう「範列」と「連辞」の二つの軸によって実現すると考えることができます。例えば、食事のメニューを考えてみましょう。西洋料理のような食事は、「前菜＋主品＋デザート＋コーヒーなどの飲み物」といった連辞の構造をもち、それぞれの品の範列（パラディグム）の中から自分の選択を行うようにできています。服装を考えれば、「帽子＋上着＋ズボン＋靴下＋靴」のような連辞構造をもち、それぞれの服装の部分について、さまざまな範列（パラディグム）の中から選択が行われます。都市についても、「通路＋区画＋ランドマーク＋境界」などの組み合わせが連辞的結合をつくり、それぞれに関して範列（パラディグム）の存在を認めることができます。(10) このように、ソシュールが考えた連辞軸・範列軸にもとづいた意味経験の組織は人間の社会生活のいたるところに見いだすことができるのです。

言説と意味実現の出来事

言語活動において具体的な意味が実現するのは、パラディグム軸・サンタグム軸の法則にのっとって言語記号が結びつけられ文が生みだされたときです。そのとき文の意味とは実現した個々の記号（＝形態素）の意味作用のたんなる総和ではありません。文の意味は現働化した一連の記号の相関関係と不可分な意味として、すなわち固有な意味＝形式の実現の出来事として生みだされます。文の成立によって記号の布置（configuration）という新たな記号活動の次元が現れることになるのです。言語活動において文が成立したとき、記号外の事実への参照作用（référence）が起こるのもまた文が成立するときです。平叙文であれ、疑問文であれ、否定文であれ、名詞文であれ、その文はなんらかの世界の事態——現実の事態であれ、空想の事態であれ、抽象的事態であれ——を参照しています。つまり、文という記号の実現態は世界との関係づけの中におかれるのです。記号の布置と世界の参照の同時成立、これこそが文という単位の記号活動が果たす機能です。

ここにおいて私たちははじめて記号と世界との関係づけとしての意味の出来事に出会うことになります。「意味」とは、記号の実現が記号の布置として成立したとき、その記号

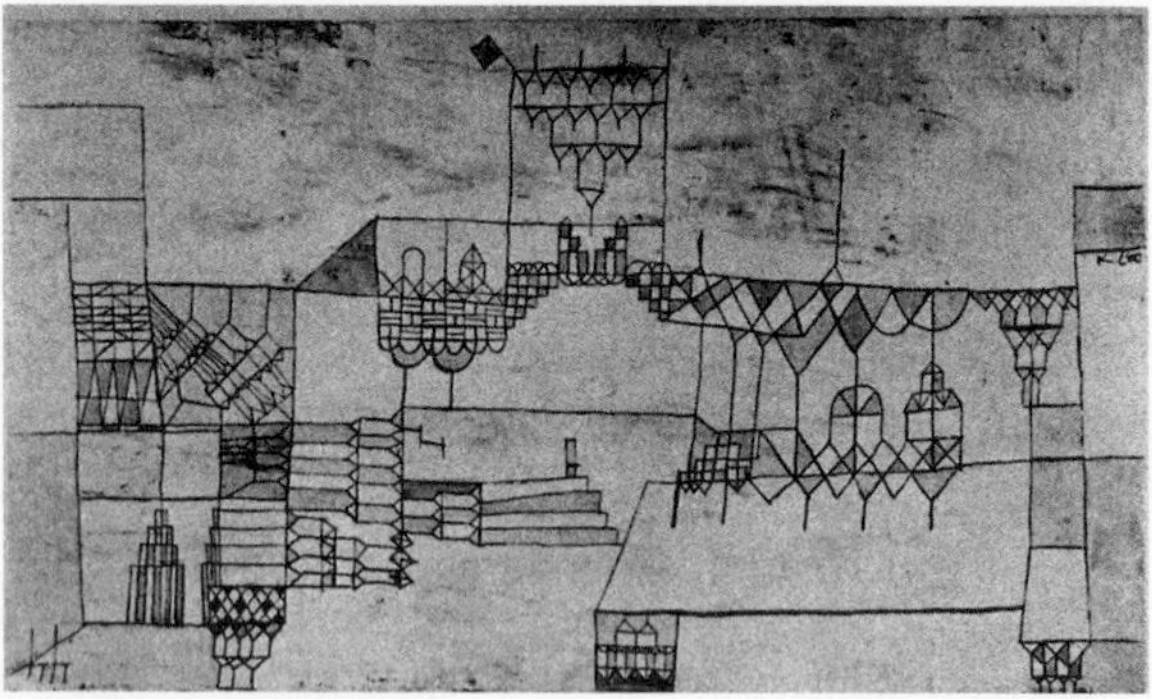

図2-9　クレー「歌手のホール」(1930年)

の布置と不可分なかたちで起こる世界と私たちとの関係づけの出来事です。記号活動にとって主体の問題が提起されるのもじつはこのレヴェルにおいてです。というのも、記号活動における「いま・ここ・私」が組織されるのも、このような文以上の記号実現においてだからです。主体とは、記号の現働化において実現する「いま・ここ・私」の布置により生みだされると考えてもよいのです。文以上の記号活動の出来事を言語学や記号学では「言説（ディスクール、仏 discours、英 discourse）」と呼びますが、言説が生まれるときには、言語記号のシステムのすべての活性化と世界の経験とが固有な一致をそのつど実現するのだと言えるかもしれません。記号を通した世界との固有な関係づけの出来事、つまり主体にとっての世界の意味がそのとき生まれるのです。

言説による世界との関係づけは言語活動にかぎりません。言語記号ではない記号活動、例えば絵画のような視覚記号でも同様に世界との関係づけが起こるレヴェルが存在します。クレーの「歌手のホール」（一九三〇年）では、マス目のデッサンと同じように縦軸を範列関係に、横に延びていく線を連辞関係に喩えて考えることができます（図2-9）。縦軸の分節の自由なヴァリエーションと横軸の必然的な結びつきによって、絵自体を構成するかたちの布置は、「歌手のホール」という世界の経験と固有に一致した言説（ディスクール）として実現するのです。

記号を使用する力は人間が普遍的に備えている能力ですが、そのような記号実現をどのような世界の経験に結びつけるのか、どのような言説をどのような社会生活に振り向けているのかは、文化によって異なり、また一つの社会においても時代によって異なります[11]。社会や文化を言説の編成体として研究しようという視点もそこから導きだされます。

3——方法としての記号

構造主義

対立と差異による要素間の相互規定の関係、分節化された全体と部分との有機的な関係、一つの要素は決して孤立したものではありえず他の要素とのネットワークの中に必ずおかれ、他のすべての要素との差異にもとづく相対的な価値をしかもつことがないような関係。システムがつくりだすこのような関係性の総体の仕組みこそが「構造 (la structure)」と呼ばれたものです。

ある現象を構造として理解することは、要素論的な分析と機能的な抽象によって対象(=客体)の本質を捉えることとは異なります。それは何よりもまず、現象がどのような関係性のシステムにおいて成立しているかを理解しようとすることであり、現実を構成する個々の対象をではなく、現象をつくりだしている意味作用の場を考えてみることです。そしてそれは、推論と経験による実証的な方法から関係性のモデルにもとづく方法へと、思考の態度を大きく変化させることになります。構造とは、この意味で、何よりも知の方法の問題であるのです。

その場合、記号現象に見られるような人間の意味活動の理解に関しては、すでに見たように、次のような手順を辿ることになります。1. 差異による分節のシステムの画定、2. 意味の単位をなすかたちの次元の編成原理の同定、3. 意味単位の現働化のメカニズムの解明、4. 記号の布置としての意味の出来事の記述、といった一連の操作です。そして、それらのすべてのレヴェルにおいて働いている関係性のシステムを説明する「構造モデル」の作成によって、意味活動がつくりだしている「現実」が明らかにされるのです。

言語学をモデルにした構造主義的方法は、とくに意味活動に関わる人間科学の諸領域で、発見的方法としてめざましい成果を一時はあげ、それが「構造主義（le structuralisme）」という世界的な知の変革の運動を引き起こしました。

例えば、音韻モデルは社会人類学者のレヴィ＝ストロースによる「親族の基本構造[12]」の研究のモデルとなりました。ヤコブソンの「音素の原三角形」のモデルは、人間の文化がどのように自然を分節化し意味のシステムに変えているかという視点から、同じくレヴィ＝ストロースが料理の普遍文法として提出した「料理の三角形[13]」といった考えを生みました。ロシアの民話の基本パターンを三三の機能に分類して説明したV・Y・プロップの『民話の形態学[14]』はロシア・フォルマリズム以降の「ナラトロジー（物語学）」の系譜を生みだし、人間の語りをつかさどっている基本的な論理構造の分節システムを抽出したA・J・グレマスの「意味の四辺形（le carré sémiotique/semiotic square）[15]」といった考え方も、構造論的モデルの代表的な例と言ってよいものです。そのようなモデルを通して私たちの生活を意味の活動として理解すれば、私たちは日々、ヤコブソンの「音素の原三角形」の中で話し、レヴィ＝ストロースの「料理の三角形」の中で食事をし、グレマスの「意味の四辺形」を通して人生の物語を生きているといったとしても間違いではないのです。そこに起こっているのは、意味の分節という事態なのであって、私たちの生活の一コマ一コマは、それぞれが記号論的な場として日々組織され営まれていると言ったらよいでしょうか。

そして、ソシュールにおいて提唱された「記号の学」が、真に社会の読解の学として一般性をもつにいたったのは、単純で均質な一次的記号系ではなく、二次的な複雑な記号系を対象に分析・研究が行われるようになってからです。

L・イエルムスレウ[16]によって提唱され、R・バルト[17]が発展させた「コノテーション(connotation)」の理論が、そうした複雑で重層的な記号体系を扱うさいに一つの手がかりを与えました。イエルムスレウによればコノテーションとは、記号化されていない体系を記号表現(イエルムスレウのいう「表現質料」)にもつ「デノテーション」に対して、すでに記号化された実質を記号表現(「表現形式」)とする二次的な記号体系のことです(図2-10)。

例えば、「魚」という記号にはさまざまな神話的・文化的イメージが結びついています。そのレヴェルがコノテーションです。図2-6のクレーの魚の絵が第一の記号化だとすると、そのようにして記号化された魚は、「魚のまわり」(一九二六年)においては、さらに上位の神話的形象との関係におかれ、「魚」の二次的な(つまり神話的な)意味作用が生みだされることになります(図2-11)。

私たちの意味活動を構成している記号系は複数的であるばかりか、このように二次的・三次的に重層化していて、一つの記号実現は、より上位の記号系との関係でさまざまな意味作用を帯びることになるのです。

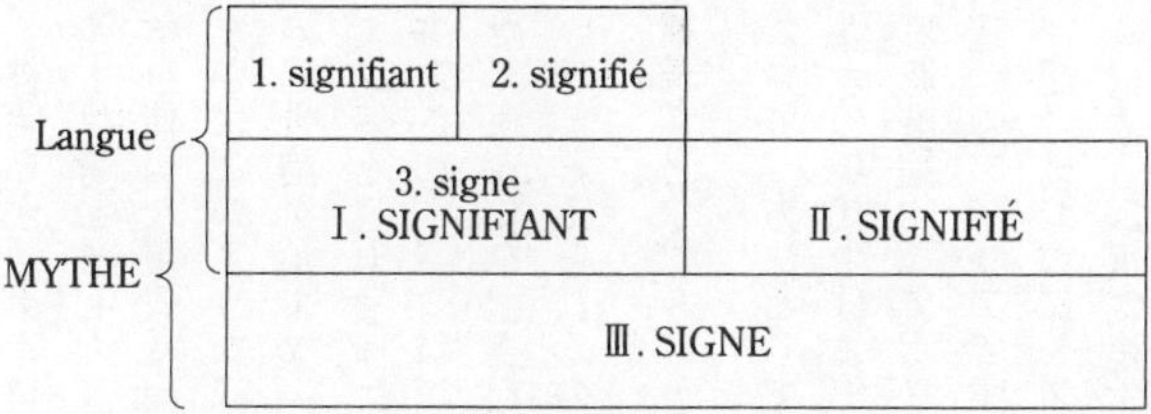

[「言語体系」(Langue) における一時的な意味作用 (1. 2. 3.) である「デノテーション」に対して、「神話」(MYTHE) は、一時的な記号 (3. signe) をシニフィアン (I. SIGNIFIANT) にもつ二次的な記号作用 (I. II. III.) の「コノテーション」である。]

図 2-10　バルト「コノテーションの図式」

図 2-11　クレー「魚のまわり」(1926 年)

神話とかイデオロギーと呼ばれるものが、そのような二次的な記号活動のあり方だとバルトは考えました。彼の『神話作用』(18)（一九五五年）は、そのようなコノテーションの記号学を使った現代社会の神話の最初の分析でした。ここで重要なのは、文化という次元が、まさにこのような二次的な記号活動によって成り立っているということです（現代ロシアの記号論グループ「モスクワ・タルトゥ学派」(19)によれば、文化とは、「二次的な言語活動」であるとされます）。そして私たちの意味活動は、デノテーショナルなレヴェルだけでは決定されず、つねに二次的な意味作用との関わりにおかれている。その高次な意味作用はたえず変化を引き起こしていて、それが私たちの意味活動の文化的無意識をつくりだしていると考えられるのです。「文化記号論」といった学問が要請されるのもここなのです。

構造とリズム

さて、方法としての記号が真に発見的な価値をもった時代は、構造主義の全盛時代、一九六〇年代半ばまでであると言われます。発見の方法論的な原理としての「構造」が、ある認識論的なアポリアを呈してしまうという事態が起こったからです。それが「閉じた構造」のアポリアです。

記号はつねにシステムにおいて働き、記号による意味の出来事は、つねに同一のシステムによる反復に規定されているという考えが、「構造」概念の出発点にはありました。この考え方は、それぞれが単独で固有な意味の出来事をシステムの「構造的同一性」の中に閉じこめます。ある意味実現を理解するためには、意味生成のメカニズムを規定している決まりである「コード」を理解すればよく、そのコードは意味実現に参加しているすべての行為者に等しく共有されているという考えがそこにはあります。例えば、コミュニケーションをコードの共有による対称的な活動であると考えたり、あらゆる意味実現は、同一のコードにより解読可能であると考えるとすれば、そこには、もはや「他者」や「外部」や「単独性」や「複数性」を消去した「閉じた構造」しかないということになるのです。あるいは、個々の意味実現をシステムの一般性の中に解消することにより、それぞれの意味活動の出来事性、一回性、不均質性、断片性などを消去するというマイナスをもたらすこともあります。じじつ、消費社会や情報化社会と呼ばれ、記号が一つの支配原理となった私たちの社会では、そのような記号やコードの規則によって私たちの意味の単独性は消去され、コミュニケーションは外部や他者に対して閉じてしまってはいないでしょうか。[20] 記号の思考のアポリアは私たちの世界のアポリアでもあるのです。

構造主義を超える思考として「ポスト構造主義」と呼ばれる思考が、一九六〇年代半ばから一九八〇年代にかけて登場してきたこともよく知られるところです。ポスト構造主義のテーマの一つに記号や構造の概念の批判あるいは「脱構築」があったことも忘れられません。[21] ここでは、そのような議論の詳細に立ち入ることはできませんが、このアポリアを超える可能性を一つだけ示すことにしたいと思います。というのもそれは、構造の発見の基礎にあったかたちの思考をもう一度考え直してみることから始まるように思えるのです。

再び、クレーの「歌手のホール」の例にもどってみましょう。クレーにあるのは、じつは、閉じた構造とは違うかたちの思考の実践なのです。画家が「非分割的な（＝個的な）線」と呼ぶかたちの固有な布置の差異線にしたがって、この図2-9では次々に新たな分節のシステムが現れ、差異線を導いていく。ここでは、複数の分節のシステムが共存しながら、しかし、一つのトータルなシステムをつくることは決してなく、つねに局所的な反復であり続けながら、そのつど固有な布置を描きだしていく。そのようにして、かたちの差異と反復による構造変換の無限のヴァリエーションが繰り広げられていくのです。

このような局所的な差異化と反復の運動は「リズム」とクレーによって名づけられています。リズムは、ここでは、同一なものの規則的な反復のことではありません。リズムの語源である「リュトモス（ρυθμός）」は、もともとは、「かたちの形成運動」という意味ですが（クレーなら「造形運動」と言ったでしょう）、そのような語源的な意味でかたちとリズムの問題は考えられるべきなのです。リズムはつねに局所的な反復のシステムをつくりだしていきます。そして、その局所的な分節のシステムを通して、「かたち」が差異の出来事として、そのつど単独な布置を描きだし変異していく。クレーにおいては、構造はたえず複数性、断片性の経験へと開かれていくのです。

このようなかたちの運動、それが分節する関係性の局所的で複数的な展開によって、私たちの意味の出来事はつねに新たな開放系へと導かれていくことができる。記号現象をそのようなリズムにおいて思考すること、それこそが構造を考え直すための一つの手がかりを与えてくれるかもしれないのです。

いま述べてきたことは、決して抽象的な理論上の事柄ではありません。私たちの生活のことを考えてみましょう。ソシュールの記号学が「社会における記号の生活」の研究を提起するように、私たちの日常生活は「記号の生活」として成り立っています。さまざまな「記号のシステム」が私たちの生の「意味」をつくりだしているのだとしたら、個々の私たち一人一人がつくりだす「意味」は、社会や文化を構成する「記号のシステム」とどんな関係にあるのかという問いが立つでしょう。私たちのそれぞれが生きている意味は「閉じた構造」としてのすでにある「記号のシステム」をたんに活性化しているにすぎず、私

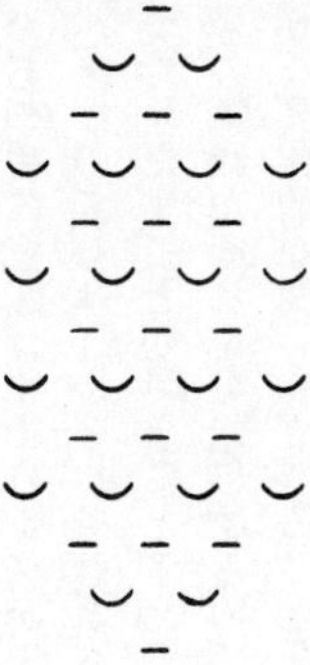

図2-12　クリスチャン・モルゲンシュテルン「夜の魚の歌——最も深遠なドイツ詩」(1905年)

たちの生の意味はすでにシステムのどこかに予定され書き込まれてしまっていると考えるべきなのでしょうか？　それとも、私たちのそれぞれが、未知で単独の固有の生の意味をつくりだすことができると考えるべきなのでしょうか？　そして、いったいどのような記号の実践がそれを可能にするのでしょうか？　クレーの絵画は記号と意味についてそのような具体的な問いを立てることを可能にするのです。

最後に、ことばと記号の出来事をリズムとして描きだして、クレーの「魚」とほぼ同じ水準でかたちとリズムの問題を提起した作品の例を示します。）と－という二つの記号の戯れだけからでも、かたちの出来事としての詩、「夜の魚の歌」（一九〇五年）が生まれるという例です（図2-12）。

❸

記号と意味についてのレッスンii

記号（sign）あるいは表意体（representamen）とは、ある人にとって、ある観点もしくはある能力において何かの代わりをするものである。記号はだれかに話しかける、つまりその人の心の中に、等値な記号、あるいはさらに発展した記号をつくり出す。

——C・S・パース「記号の理論についての断章」

1──プロセスとしての記号

パースの記号論

さて以上に見てきたのは、自然言語や絵画記号の形式性をベースにした意味経験のモデル化にもとづく「記号の論理」です。「意味するかたち」の構造と機能を、言語記号や視覚記号のシステムの内側から分析して記述しようとする認識論的な態度がソシュール派の記号学の系譜です。ひとことでいえば、それは記号現象や意味現象についての、さらには記号と意味が集まってつくりだされるマクロな意味単位としての、人間の社会や文化についての構築主義的な[1]「意味批判」の態度である、と特徴づけることができると思います。

この3章では、2章で見た記号の形式性や記号にもとづく主体の社会的・文化的構築性の問題から少し離れて、もう一つ別の記号論の系譜の紹介を試みます。それは、パース（図3-1）の記号論が生みだしてきた、記号の認知、解釈、推論をめぐる問題化の系譜です。意味の問題は、そこでは記号の形式的特徴をめぐって提起されるよりは、意味経験の論理的な処理をめぐる問題として現れます。記号という心的事実の組成をモデル化し、記号の解釈の過程を人工言語によってモデル化する可能性について、パースの記号論は多くの示唆を与えると考えられます。この系譜は、認知科学と呼ばれる、心理学や脳科学、人工知能やコンピュータ学を結ぶ知のインタフェースとも関係していて、新しい人間理解をもたらす可能性があると期待されているのです。

ソシュールが生みだしたのが言語記号をモデルとした言語中心的な記号学の系譜であるのに対して、パースが打ちだしたのは、人間と宇宙のあらゆる現象を記号のプロセスとして捉える汎記号説的（pansemiotic）な記号論の流れです。百科全書的な博識をもち、多岐にわたる研究分野で数千件にものぼる論文を残したパースの仕事を貫いていたのは、「宇宙全体とは、記号のみから成り立っていると言わないまでも、記号に充ち満ちているものである」という信念でした。「数学にせよ、倫理学、形而上学、重力、熱力学、光学、化学、比較解剖学、天文学、心理学、音声学、経済学、科学史、ホイスト、男女、ワイン、気象学にせよ、私にとって記号研究として行われなかったものは何もない」と彼は述べています。パースにとっては人間自体も記号現象にほかならず、宇宙は記号から記号へと現象が次々に送られる無限のプロセスから成り立っていると考えられたのです。

図3-1　C・S・パース（1839-1914年）

人間が使っている言葉や記号こそ人間自身である。なぜなら、すべての思考は記号であるということが、生は一連の思考であるということと一緒になって、人間は記号であるということを証明するように、すべての思考は外的な記号であるということは、人間は外的な記号であるということを証明するからである。つまり人間と外的な記号とはhomoとmanという言葉が同一であるというのと同じ意味において、同一である。こういう訳で、私の言語は私自身の総体である。というのは人間は思考であるから。(2)

ここで「思考」という言葉で示されているのは、感覚や意識の働きであると言ってもよいでしょう。「外的な記号」と呼ばれているのは、話したり書かれたりする言語記号や、イメージや絵に描かれる図像記号などの具体的な記号のことです。人間は無言でいろいろなことを感じたり考えたりしているときもじつは記号を使って思考を行っている。人間とは記号にもとづいた知覚や認知や推論の連続体であり、記号から記号へと向かう絶えざる解釈のプロセスを通して、宇宙全体の記号現象と結びついているというのです。このような記号解釈の無限のプロセスのことをパースは「セミオーシス（Semiosis 記号過程）」と呼びました。人間とは記号のプロセスである、宇宙もまた記号の無限連鎖から成り立っている、これがパースの汎記号説です。

記号処理のプロセスとしての人間

こうした考え方はじつはとても斬新な人間理解につながっていく可能性があります。それは記号処理のプロセスとしての人間という考えです。パースやソシュールの時代は、人間の脳の研究がようやく端緒についた頃でしたが、(3) その後約一世紀の間に人間の脳については非常に多くのことが解明され、人間の知覚や認知のしくみが明らかにされてきました(図3-2)。最近の認知科学の知見によれば、例えば、2章でクレーの絵画について私たちが論じてきたような「絵を視る」という活動は、対象の反射光が目から入って視覚情報として処理される、複雑な知覚と認知のプロセスであることが分かっています(図3-3)。

絵から反射した光が網膜に達した瞬間、一連の感覚・認知的機能が堰を切ったように働きだし、それが経験を決定する。目は、美術作品のある部分に注がれたかと思うと、すぐに別の部分に、さらに別の部分にというように、目まぐるしく動く。色、輪郭、形がほとんど即座に感覚信号に変換され、後頭部にある視覚野と呼ばれる脳の領野へと送られる。そこでは、特徴が分析されて、その結果が大脳皮質のほかの多くの領野を活動させる。そうした活動領野の一つが、皮質の中央に位置して筋運動の中枢の役目を果たしている運動野である。ここから、目の向きを制御する筋肉を動かす指令がだされ、目

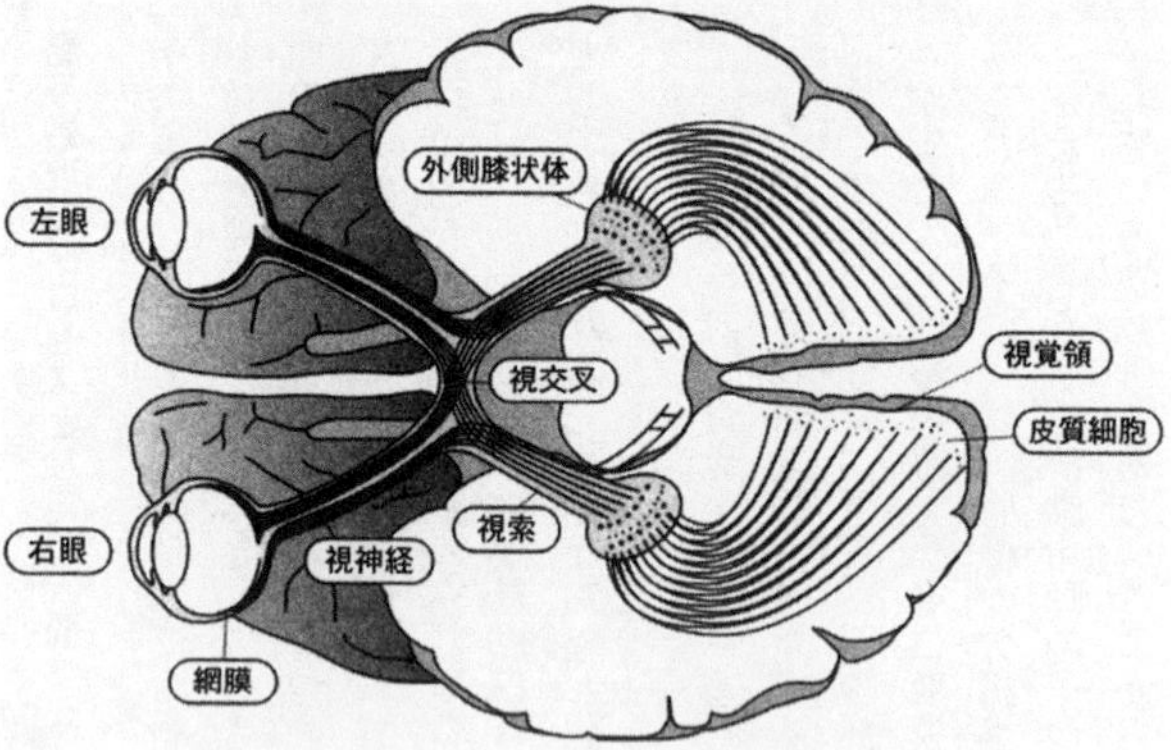

図 3-2　視覚系の全体図（佐藤隆夫「視覚情報処理理論」、岸野他 2000『岩波講座マルチメディア情報学 5』岩波書店、2 頁）

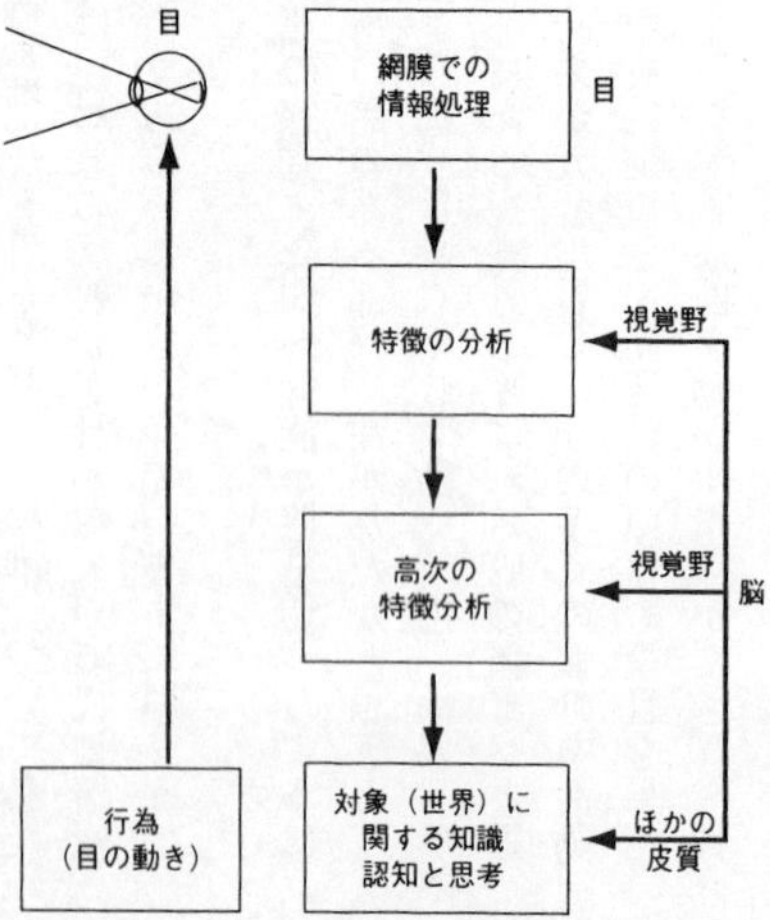

図 3-3　視覚情報の処理（ロバート・L・ソルソ 1997『脳は絵をどのように理解するか』新曜社、35 頁）

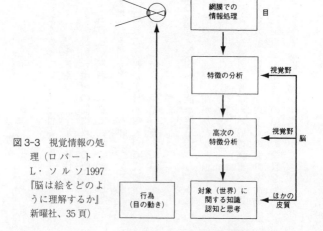

を絵のほかの部分へと向けさせる。目をある部分に向け、次に別の部分に向けるといった過程は、……何百回と繰り返される。得られた像は、皮質のニューロンのネットワークへと送られ、それまで貯蔵されていた情報と結びつけられて、絵についての解釈を生じさせる。(4)

このように、脳が行う絵の理解のプロセスを認知科学者のR・L・ソルソは説明しています。光という物理現象に始まって、それが「感覚信号」に変換され、いくつもの処理をへて「特徴」が抽出されて、それが「世界の知識」をも参照しつつ「解釈」を生じさせる。このような情報処理のプロセスとして絵の認知をモデル化すると、2章でクレーを題材に見たような絵画記号のかたちの論理を支えている絵を視る脳の働きが明らかになります。ソシュールやパースが「記号」という用語で仮説していた人間の意味活動のメカニズムが、フランスの脳科学者のシャンジュー(5)が「精神の物理学」と呼んだ脳科学から解明の光を受けることになるのです。

この点に関して、パース派の記号論は、ソシュール派の記号学よりも、積極的な役割を演ずることができると期待されています。ソシュールの記号学は「言語記号」を説明原理の中心とすることに特徴があるのに対して、パースの記号論は、抽象度の低い物理的・生理的な記号(あるいは信号)の処理から、高次な意味活動をささえる抽象度の高い記号にいたるまで、記号の成立と解釈のプロセス全般にわたる理論モデルをつくることを可能にするからです。宇宙が記号に満たされ、人間自体をいくつもの記号のプロセスから成り立つものと考えるパースの立場は、「セミオーシス」という概念を、情報科学や認知科学がいう「情報処理」と並行した、記号処理のプロセスとして理解させるのです。

2――記号の認知

存在の三つのカテゴリー

パースの記号論の哲学的な基礎には、独自のカテゴリー論があります。アリストテレスは、存在のカテゴリーとして実体・量・質・関係・場所・時間・状況・所有・能動・受動の一〇のカテゴリーをあげました。カントは量・質・関係・様相の観点から悟性の一二のカテゴリーを提示しました。これに対してパースが存在の普遍的カテゴリーとして掲げるのは、一次性・二次性・三次性というものです。これは、存在のあり方にはこの三つの基本的な様態があるということを意味しています。以下、記号の成立という観点から簡単に解説します。

「一次性（firstness）」とは、「それ自身として、他の何も参照せずにそれ自体として存在する存在の様態」であり、質的可能性や潜在性や直接性として存在している状態がこれにあたる。例えば、知覚を受ける前の「感覚的性質（qualities of feeling）」はこのようなあり方をしている。つまり、「赤い」という感覚的性質は知覚を受ける以前にも「赤さ」という性質として存在していると考えられる。たしかに「赤」の知覚を人間の感覚に引き起こす物理的な光は、人間に「赤い」という知覚を引き起こす前にはこうした直接的な存在をしているから、記号を生みだす元にあるそのような物理的—物質的なあるがままの存在の様態を一次性と呼んでよいでしょう。

「二次性（secondness）」とは、「そのものが、第二のものと関連し、しかし第三のものとは関係せず、そのものであるようなもののあり方」をいう。「他」とか、「比較」、「関係」、「効果」や「結果」、「依存」や「独立」、「否定」、「事実」、「経験」などという概念に現れるもののあり方は、二次性であるとパースは言います。例えば、知覚においては、物や観念はそれ自体として存在するのではなく、つねに他のものや観念との関連において存在しています。輪郭の成立ということを考えてみましょう。視野において区別が行われている、音調において分けられている、こうした差異の契機が、かたちが生みだされる条件であるということはすでに2章で見ました。パースにおいてはそれは「二次性」としての存在の様態であるとされます。

それに対して、「三次性（thirdness）」とは、「ある第二のものと第三のものとを相互関係にもたらすことにおいて、それ自身であるようなもののあり方」とされます。「媒介」、「習慣」、「記憶」、「総合」、「法則」、「コミュニケーション」、「表意作用」、そして「記号」などの概念に現れたもののあり方は、こうした三次性を示しているとされます。例えば、商売は売り手と買い手とが貨幣という媒介によって関係づけられて存在している状態です。習慣もまた人と行為とが第三項としての決まり事によって結びついていることを意味します。コミュニケーションにおいては、語り手と聞き手とが音声や身振りといった記号を使うことによって結びつけられている。このように媒介やコミュニケーションや表意作用の関係において現れる存在のあり方を「三次性」のカテゴリーと考えるのです。

パースのカテゴリー論は、一見とても抽象的に見えますが、物の存在の現れ方は、それ自体として未分化のままにあるあり方（一次性）、もう一つの物や意識が第二項との対立・対比においてあるあり方（二次性）、そして第三項に媒介されてあるあり方（三次性）、これら三つのタイプにもとづいてすべて整理できるという、関係論的な存在論――それをパースは「現象学（phenomenology, phaneroscopy）」と呼びました(6)――を、そこに認めることができます。

対象・記号（表意体）・解釈項

存在の三次性（第三項に媒介されてあるあり方）を示す代表的な例が、記号の関係における物のあり方です。パースは記号のことを三項関係で定義します。記号の関係とは人間が「表意体（representamen）」を通して「物」（＝指向対象）の「認知」（＝意味）を生みだすプロセスのことを言います。パースにとって記号とはこの三項からなる関係性のことなのですが、その中でも「表意体」は記号プロパーであると言います。この章の冒頭のエピグラフに引用したパースによる記号の定義を少し詳しく見てみましょう。

記号あるいは表意体とは、ある人にとって、ある観点もしくはある能力において何かの代わりをするものである。記号はだれかに話しかける、つまりその人の心の中に、等価な記号、あるいはさらに発展した記号をつくりだす。もとの記号がつくりだすその記号のことを私は、第一の記号の解釈項と呼ぶことにする。記号はあるもの、つまりその対象の代わりをする。記号がその対象の代わりをするのはすべての観点においてではなくて、ある種の観念との関係においてであり、この観念を私は表意体の根底と呼んだことがある。(7)

これを図式化すると図3-4のようになります。人が「対象（object）」を認知するのは「記号（sign）」を通してであるが、その記号はそれを解釈するもう一つ別の記号作用の項としての「解釈項（interpretant）」を通してしか意味をもたない。対象と記号、そして、

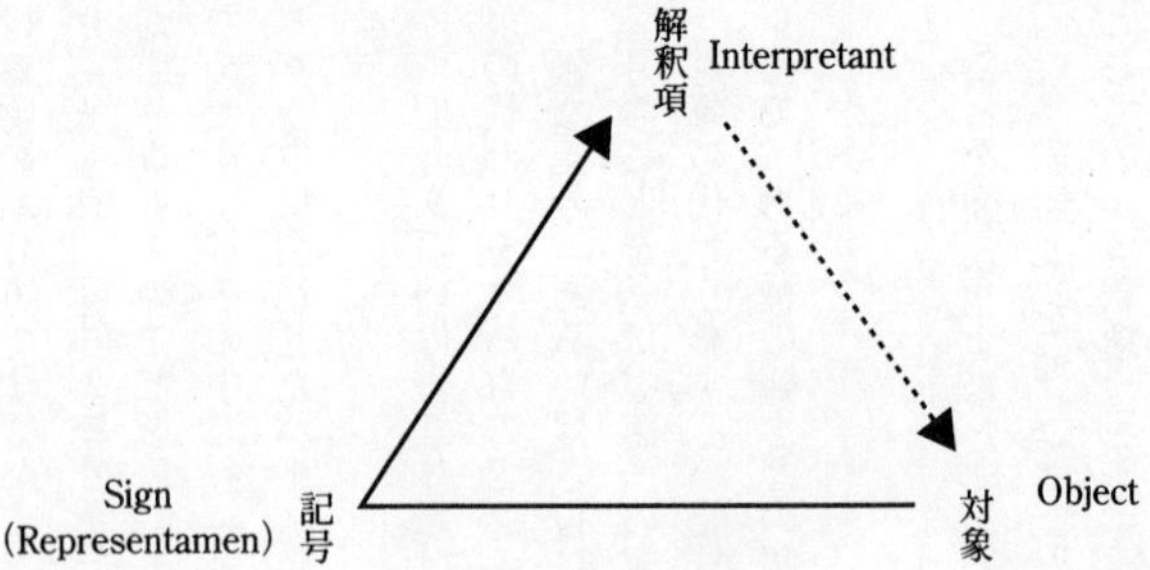

図 3-4　パースによる記号の三項図式

記号の解釈（記号の別の記号による解釈）のプロセス――これを「解釈作用（interpretance）」と言います――があって初めて対象の意味経験は成立するというわけです。

例えば、春の菜の花畑で紋白蝶が飛んでいるのをある人が目にしたとしましょう。この場合、飛び交っている紋白蝶がパースの図式における「対象」です。「モンシロチョウだ！」とその人は叫ぶことも、心の中で呟くこともできますし、たんに自分の頭の中にある「モンシロチョウ」のイメージを想い浮かべて目の前を飛び交っている蝶と結びつけることもできます。名前あるいはイメージとしての記号「モンシロチョウ」がここでいう記号プロパーとしての「表意体」です。

しかし、紋白蝶の意味経験は、「モンシロチョウ」という記号がどのような解釈項をもちどのような解釈作用の中で受け止められていくかによって異なります。

都会から行楽にやってきた家族が、飛び交っている紋白蝶を見て「春らしいのどかな風景だな」と眺めるとしましょう。その場合には、紋白蝶と菜の花の風景はどこかで見た春の風景として頭の中にある春のイメージ図式を解釈項として解釈されます。記号「モンシロチョウ」は、そのような解釈項を通して、対象である目前で飛び交っている紋白蝶に意味を与えることになります。ところがその菜の花畑のちょうど隣でキャベツを栽培している農家の人が紋白蝶が飛び交う光景を見たとしたらどうでしょう。記号「モンシロチョウ」の解釈項は、その場合、「害虫」のイメージ図式であり、「今年はずいぶん害虫である紋白蝶が発生してしまっているな→早く駆除しなくてはいけないな」というような解釈の連鎖を生むことになるでしょう。

このように対象は記号によって意味を付与されるのですが、記号の意味はそれを解釈する体系（＝解釈項）と不可分に結びついており、解釈作用を通して対象に意味を与えるのです。対象→記号（＝表意体）→解釈項というこうした記号プロセスの理解は、対象の知覚から、ことばやイメージによるカテゴリー化、そしてイメージ図式による解釈へという、現代の認知科学が行う説明原理と非常に近いことが分かります(8)。

無限のセミオーシス

「記号はあるもの、つまりその対象の代わりをする」が、「記号はだれかに話しかける、つまりその人の中に、等価な記号、あるいはさらに発展した記号をつくりだす」とパースが言うとき、述べられているのはこのような解釈作用のことです。じっさいすべての記号の意味はその記号がどのような別の記号との解釈関係に入るかによって決まり、解釈項として連想にのぼる別の記号もまたもう一つ別の記号との連想関係によってしか意味をもたない。そして、さらにそれ以下も同様です。

クレーの「腹話術師」(図3-5)の体内に生みだされるさまざまな形象のように対象を知覚する人間は、自分の心の中に「等価な記号、あるいはさらに発展した記号」を次々とつくりだしていく。一つの記号は、それを解釈する記号をつくりだし、その解釈する記号もさらにそれを解釈する記号をつくりだしていき、そのプロセスは無限の連鎖をかたちづくっていく。このプロセスが「無限のセミオーシス」です(図3-6)。

すべての記号は解釈項を生みだし、その解釈項は第二の表意体となり、さらにそのプロセス――セミオーシス――は「無限の解釈項の連続」をつくりだします。それでは、この図式で「対象」と言われている項は、記号ではない事物ということなのでしょうか? パースは、「対象」は思念や記号自体であることもあるし、また記号の外にある事物でもありうると言っています。ただしいずれにしても人は対象については「表意作用(representation)」の中、つまりセミオーシスを通してしか知ることができないと述べています。上に見た紋白蝶の例で考えると、蝶は記号の外の対象というよりは、記号の表意作用の中で

図 3-5　クレー「腹話術師」
（部分、1923 年）

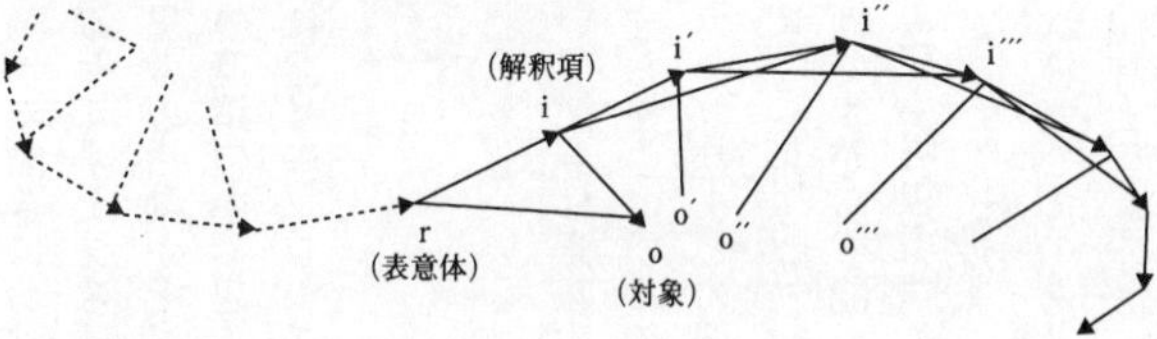

図 3-6　無限のセミオーシス

指向対象の位置を与えられているにすぎず、すべては記号の働きにおける位置の問題であると考えることもできます。またこの「対象」に始まるセミオーシスはこの「対象」との出会いによって始まったわけではなく、人間の知覚や思考の活動がそもそも記号の連鎖であるとすると、それ以前につづいていたセミオーシスの連鎖の中で起こった新しいプロセスであると考えることができます。つまり対象はつねに記号のプロセスにすでに巻き込まれてしか存在しないのです。

性質記号・単一記号・法則記号

「表意体」・「対象」・「解釈項」を結んだ三項関係において記号は意味するとして、それでは記号プロパーとされる「表意体」はどのような成り立ちをしているのでしょうか？　この問題を一次性・二次性・三次性という存在の三つのカテゴリーとの関わりで考えようとするのがパースの「記号分類（classification of signs）」です（図3-7）。

パースによれば存在には三つのカテゴリーがあるわけですから、記号は「表意体」それ自体としての三通りの存在があり、また、「対象」および「解釈項」との関係においても記号にはやはりそれぞれ三通りの存在の仕方があることになります。

表意体それ自体としての記号の一次性・二次性・三次性としてのあり方を、パースは、「性質記号（qualisign）」・「単一記号（sinsign）」・「法則記号（legisign）」という区別によっ

三項分類 ＼ カテゴリー	表意体	対　象	解釈項
一次性	性質記号	類像記号	名辞記号
二次性	単一記号	指標記号	命題記号
三次性	法則記号	象徴記号	論証記号

図3-7　パースの記号分類

て分類します。例えば、「赤信号」と「文字」という二つの場合を考えてみましょう。「赤信号」という記号（＝表意体）それ自体の存在の仕方を考えると、1記号自体が点灯するランプの赤の光の性質として存在しているレヴェル、2一回一回の点灯としての存在のレヴェル、3取り決めとしての存在のレヴェルを区別することができるでしょう。「文字」もまた、例えば黒板の上にチョークで書かれた文字を考えると、1チョークという白色の炭化カルシウムという物質が反射する「白色」の光という性質として存在しているレヴェル、2一個一個の文字としての存在のレヴェル、3取り決めとしての文字の体系としての存在のレヴェルを区別することができます。

つまり、1で示した「赤信号」が「赤い」という性質として存在しているレヴェル、「黒板にチョークで書かれた文字」が波長をもつ光として存在しているレヴェルが、一次性としての記号の存在、すなわち「性質記号」です。これは記号の物理的な存在とその知覚に関わるレヴェルであると言ってもよいでしょう。性質記号とは、表意体それ自体が性質として存在しているあり方を言います。

それに対して、2で示した記号はかならず単体として存在しています。「赤信号」の点滅でも一回一回の個々の赤信号の点灯は、それ自体が他の青や黄や、あるいはそれ以前および以後の赤の信号の点灯との区別において、ある輪郭をもった、そして非連続性の境界によって他と区別される、単独な記号として存在しています。そのような二次性としての記号の存在を「単一記号」と言います。あらゆる記号は具体的な実現としては単一記号として存在しています。文字記号のことを考えれば、黒板に書かれた文字はすべて単一記号です。「文字」になっていなくても絵でも、あるいは単なる徴《しるし》や、偶然に手がふれてできた跡であったとしても、それらすべては、この世界に一つだけしか存在しない単一記号です。それらの徴は、他の光や、背景としての黒板の黒や、黒板に描かれた他の徴など、他から自分を区別することによって記号となっています。こうした単一記号をパースは「トークン(token)」とも呼びます。

これに対して、記号の存在の仕方には、個々の記号の実現を可能にしている法則性としての存在があります。これが、3で示した、三次性としての記号の存在である「法則記号」です。赤信号も、あるいは黒板に書かれた「りんご」という文字も、交通信号という取り決めの体系、日本語の文字体系としての記号のシステムがそれぞれなければ、交通信号や文字という記号として存在することができません。そして、赤信号は「止まれ」という記号である、「りんご」とは/りんご/ringo/という果実の発音を表す音韻に対応する文字であるという一般的な取り決め――この取り決めを「コード(code)」と呼びます――としてまず存在するのでなければ、一回一回点滅する赤いランプの光や黒板にそのたびに書き込まれた文字列がそれぞれ単一記号として実現することはないのです。「りんご」という文字記号はまず法則記号としてシステムの中に存在し、それが現働化したものが書かれた「りんご」という単一記号としての文字であるのです。法則記号としての「り」「ん」「ご」という記号はどこにも具体的には実現していないのですが、観念として――あるいはソシュールの用語でいえば「心的実体」として――それが存在することによって、個々の具体的な記号実現が可能となるのです。こうした心的実体として存在する法則記号のことをパースは「タイプ(type)」とも呼びます。

以上をまとめると記号の存在のレヴェルは、まず記号の物質的存在のレヴェルとしての「性質記号」、次にそれぞれ一つの具体的な記号としての認知に関わる「単一記号」のレヴェル、そして、単一記号を一般的な意味作用の法則性へと結びつける「法則記号」のレヴェルという三つの存在の仕方において捉えることができることが分かります。これを記号の認知という視点から整理すれば、物理的な刺激を感覚的信号に変換するプロセス(=性質記号)、個別の記号の識別のプロセス(=単一記号)、そして、より一般性のあるカテゴリーの体系にもとづく処理(=法則記号)という三つの段階にわたる記号認知のプロセスとして理解することができるでしょう。

類像記号

表意体それ自体としての記号の三分類に加えて、記号はまた「対象」との関係においても分類されます。記号と対象との関係にも一次性・二次性・三次性という三つのあり方が考えられるからです。この関係にもとづいた分類が、有名な「類像記号(icon)」・「指標記号(index)」・「象徴記号(symbol)」という区別で、パースはこれを「記号の最も基本的な分類」であると述べています。

記号と対象との一次性の関係とは、記号がその性質のまま対象を意味しているような関係です。この一次性の記号が類像記号(アイコン)です。何か具体的な対象を表現するために描かれた絵はパースの記号分類では類像記号です。ある人物の似顔絵を画用紙に描いたとしましょう。丸い顔は、丸い輪郭線で画用紙の上に描かれます。黒い頭髪は黒い何本もの線で、丸く開いた目は丸い円で、尖った三角の鼻は三角形に……という具合に、似顔絵という記号(あるいは表意体)は、人物の顔という対象を表意していきます。このとき記号と対象との間の表意作用の関係は、丸い輪郭や幾本もの線、三角形やさまざまな色彩など、対象としての顔がもつ性質を、似顔絵という記号がそれ自身の性質として備えていることによって成り立っています。対象がもつ性質を記号自体も備えているという「類似性（similarity）」の関係が、記号と対象との間に成立することによって類像記号の表意作用は生みだされているのです。

パースは類像記号を「対象にたんに類似することによって、そのものの代わりをする記号」、「対象の性質に似た性質をもち、心の中に（対象と）類似の感覚を引き起こしてそれが似ていると思わせるような記号」であると述べています。[9] 似顔絵や、肖像、絵画のほか、写真や映画やテレビ画像、[10] 地図や建築の設計図、さらに擬音語や擬態語[11]は、それぞれ対象との類似性の関係にもとづいたアイコニックな記号であると考えてよいでしょう。パースの類像記号は、一般に「イメージ」という記号活動を考えるために重要な概念です。私たちは日々じつにさまざまなイメージを相手にしていますが、イメージ記号の構成原理とは対象との類似性なのであり、私たちはイメージを対象と似たものとして扱うことによって、記号を通して類推的関係を対象と結んでいるのです。

指標記号

記号と対象との二次性の関係にもとづいて成立する記号は、パースによって指標記号（インデックス）と名づけられています。記号と対象との二次性の関係とは、記号が対象と事実において結びつき、対象からじっさいに影響を受けることによって、その対象の記号となっている場合のことです。つまり、記号が類像記号におけるようにそれ自体において対象を意味するのではなく、対象と事実的な関係をもつことによって対象を意味しているが、しかし、対象との関係自体は三次的な約束事によって取り決められているわけではないような関係のことです。index とはもともとはラテン語で「人差し指」のことです。そこから、「指し示すもの」という意味で「指標」や「目録」といった意味、あるいは「痕跡」や「徴」という意味が派生しました。「指示」の関係が基本となっているような記号作用を担うのが指標記号です。

例えば、動物が雪の上に残していった足跡は、動物を指示する徴として指標記号であるということができます。風の方向を指し示す風見鶏の矢印もまた風向きを指示する指標記号です。遠くで立ちのぼる煙を見て火事だと理解するとき煙は火事を指示する指標記号となっています。人差し指で誰かを指さした場合、人差し指はその指さし行為の空間的延長上にいる人物を指示する指標記号となっています。あるいはまた、顔が上気して赤く額に手を当てると熱いという場合には、顔の赤みや額の熱は風邪か何かの病気に罹ったことを指示する指標記号です。つまりある経験の連鎖にもとづいて意味が読みとられるさいに、その読みとりを成り立たせるものが指標記号による記号過程であるのです。シャーロック・ホームズのような探偵は犯人が残していったさまざまな指標記号を収集することで犯人が誰であるのかを突き止めていきます。さまざまな証拠とは犯人が残していった指標記号なのです。

「指標記号は、その対象と物理的に連結しており、それらは有機的な一対をつくり上げている。しかし解釈する心は、この結合に関しては、それがつくりだされた後でそれに注目するのみである」とパースは述べています。(12) パースの指標記号の特色を研究書にしたがってまとめると、「第一に、それはその指示対象と特に重要な類似関係をもっていない。第二に、それはその対象と物理的につながっていて、したがってその対象が取り除かれたときには直ちにその記号としての性格を失う。第三に、それは個体的事物または事件を唯一無二的に指示する。そして第四に、それは強制的にわれわれの注意をその対象に向ける」(13)となります。つまり指標記号が担っているのは「指示作用（indication）」という、記号と対象との物理的あるいは身体的な結びつきにもとづいた記号作用であって、指標記号は人間にとって個々の事物の具体的経験と記号の意味作用とのインタフェースをつくっていると考えることができます。じっさい人間は自然の事物のいま、ここに残された痕跡（index）を読みとることによって自然の現象の意味を理解するのですし、自分自身や自分の前にいる相手を指さすことによって唯一無二の存在としての自分自身や相手を指示することができます。つまり、具体的な経験のレヴェルと一般的な意味のレヴェルとを結びつけることができるのです。

私たちが日常生活で使用しているメディアには指標記号の働きにもとづいているものが多く存在します。写真、映画、テレビの画像、あるいはレコード、カセットテープ、CDの録音音響などがそうです。写真、映画、テレビの画像は、被写体との類似性という観点から見れば類像記号に分類することができますが、被写体から放射される光が感光紙やフイルムやモニター画面に残す光の痕跡であるという観点からは指標記号として分類することができます。これらの画像がある人・事物が、「そこにいた・いる（あった・ある）」ことの記録となるのは、画像の指標性にもとづいているのです。私たちは写真という痕跡を通してかつてそこにあった被写体と物理的に接触しているのですし、テレビ画像を通してモニターの向こう側の「現にそこにいる」人物に物理的・身体的に触れているのです。

言語記号にもこのような指標記号の働きをする記号が存在します。一般に「ダイクシス（deixis）」と総称される、一・二人称の代名詞や「いま」、「ここ」などの指示詞がそれです。[14] これらは単語としては約束事にもとづいた言語記号――次で述べる「象徴記号」――ですが、指標記号としての働きをするというのがその機能とされています。このダイクシスがあるために、私たちは自分の唯一無二の存在や経験をことばという一般的な記号を使って表すことができるのです。

象徴記号

さて、記号とその対象との間の三次性の関係とは、両者の関係が取り決めにもとづいて決定されているような関係を言います。このような三次性の記号をパースは象徴記号（シンボル）と呼びます。「象徴記号とはそれが指し示す対象を、ある一つの法則つまり通常は一般的観念の連合によって参照する記号である」とパースは述べています。[15] 対象と記号との間の結びつきが約束や習慣にもとづいているような記号が象徴記号です。

その代表的な例が言語記号です。ソシュールは言語記号の恣意性を自分の学説の中心に据えましたが、じっさいオノマトペなどの例外的現象をのぞけば、例えば対象としての/木/をなぜ日本語では/ki/と呼び英語では/tri:/、フランス語では/arbr/と呼ぶのかは、それぞれの言語の「記号のシステム」の法則性にもとづいた恣意的な問題です。つまり、2章のソシュールの記号学で見た「記号のシステム」という約束事の体系がそれぞれの言語をつくっており、その規則の体系にもとづいて対象（記号論では正確には「指向対象(referent)」と呼びます）と記号との関係は決まっているのです。

こうした記号と対象との制度化された関係にもとづいた記号をパースは「象徴記号」と呼ぶのです。記号と対象との間の関係が法則という一般性にもとづいていることによって、象徴記号による対象の表意の仕方はそれ自体が一般性のレヴェル――「類」のレヴェル――に留まることになります。「象徴記号は特定の個々のものを指示することができない。[16] それだけでなく、それ自身が類であって個物ではない」とパースは述べています。例えば、私が「花」と言うとしましょう。その「花」という言語記号は、目の前にあるどの花も——たとえそれが真昼の庭で忘れがたい輝きを放つ真紅の薔薇の花であるにせよ、夜の帳の降りた部屋の窓辺でひっそりと清廉な匂いを漂わせている百合の花であるにせよ——「個物」として指し示すことはありません。「花」という言語記号から立ちのぼる意味は「類」としての花の「観念」であって、ある意味ではどこにもない——個物の世界からは不在の、——「花」であるのです。(17)

多元性の問題

以上の記号分類が示しているのは、記号が対象と三つのタイプの関係性を軸として結ばれているということであり、それにともなって、記号を通して人間は意味経験を立体的に構成しているということです。じっさい、記号が対象を表意するとき、以上の三つのタイプの一つのみから成り立つような記号活動はむしろ極めてまれです。絵のような類像的な記号であっても、モチーフやスタイルなどの絵画実践として見れば、約束事をもたない純粋に類像的な活動は考えられません。象徴記号にしても、純粋な法則性のみから成り立つ記号活動は、たとえ人工記号を用いてであってもまれであって、そこにはすでにダイクシスについて見たように指標性や、またことばの詩的機能に見られるような類像性も介在しています。対象に対する記号の活動はしたがって本質的に多元的な記号関係を通して現れるのです。

再びクレーの絵画を参照すると、彼の絵画作品には、矢印が介入する作品（図3-8）や、アルファベット文字が記入された作品、あるいは絵文字のような記号を配した作品（図3-9）がありますが、近代においては類像記号に占有されてきた絵画という芸術ジャンルを他の記号タイプに向けて開いていこうとする意図をそこに認めることができます。

こうした記号の多元性の問題は、情報学の分野でメディア技術に関して「マルチメディア（multimedia）」あるいは「マルチモーダル（multimodal）」という用語で呼ばれる問題と響き合います。「マルチメディア」とは、視覚・聴覚・触覚など、複数の感覚器官のチャンネルを使って成立しているメディアのことであり、「マルチモーダル」は、そのようなメディアにおいて介在する感覚モードが複数であることを指して使われます。ただし、留意しておきたいのは、マルチメディア、マルチモーダルという用語とパースの記号分類とは、重なりはするものの決して直対応するものではないということです。パースのいう類像記号は必ずしも図像という視覚記号のみのことではなく、聴覚にもとづく音声言語にも見られます。指標記号に関していえば、視覚記号のみでなく、聴覚、触覚、味覚にもそれぞれにもとづいて成立する記号が存在します。象徴記号については、文字や図像のように視覚にもとづくこともあれば、音声言語のように聴覚にもとづくこともあり、点字のように触覚にもとづく場合もあります。

図 3-8　クレー「狙われた場所」（1922 年）

図 3-9　クレー「ナイルの伝説」（1937 年）

このように人間の感覚モードおよび感覚メディアと記号の組成との間にはさまざまな組み合わせが存在するのであって、それらすべてがあいまって人間の意味経験はつくりだされているというわけです。そこから導かれるのは、たんに同一メディアにおける文字、画像、音声の共存を説明するだけでは十分でなく、各々の感覚モダリティにおいて成立する記号活動について、それぞれの類像性・指標性・象徴性を分析的に理解していく必要があるということなのです。

3——記号の解釈

名辞記号・命題記号・論証記号

記号それ自身のあり方にもとづく性質記号・単一記号・法則記号の三分類、記号と対象との関係にもとづく類像記号・指標記号・象徴記号の三分類に対して、パースの三項図式によれば、さらに記号とその解釈項との関係にもとづく分類も考えられます。記号はそれ自体では意味をもたず、記号はつねにそれを解釈する別の記号の連鎖と結びつくことによって意味を生みだしていくものであるというのが、セミオーシスの考え方であることはすでに見てきました。その場合に、記号（＝表意体）とそれを解釈するもう一つ別の記号

(=解釈項)との間には、やはり三通りの関係性が考えられるとパースは言います。

そうした解釈における一次性の関係とは、記号とそれを解釈する解釈項との関係が、例えば生成途上の命題における名辞(term)のような結びつきをしている場合です。「XはYである」のような関係によって結ばれる場合に、「XはYである」と言い終える前に「Xは〜」のところを言いだしている場合を考えてみましょう。この場合、記号Xは論理学でいう「名辞」のような非限定の状態で存在していることになって、このXのような存在の仕方をしている記号をパースは「名辞記号(rheme)[18]」と呼びます。これは記号が純粋にヴァーチャルな結びつき——結びつきのゼロ度——にある一次性の状態です。ソシュールの記号学と関連づけていえば、システムの状態にある言語記号が文を生成するために他の言語記号と結びつきかけている状態——ラングがパロールの途上にある状態——と言えるでしょう。クレーのデッサンでいえばかたちの要素がようやく輪郭をもち始めている状態です。

それに対して、「XはYである」という命題が成立したときのことを考えると、記号Xは、Yという解釈項との間でお互いに区別し合い限定し合う二次性の関係の中に成立していることになります。このような記号の存在の仕方を「命題記号(dicent)[19]」と言います。Xという記号は「Yである」という解釈の「主題(thema)」になっているということもできるでしょう。命題記号の場合、XとYとの結びつきが真であるか偽であるかは問われません。これは言語記号であれば文と同じ状態です。文はそれ自体が真か偽かは問われず、しかし文を構成する要素としての言語記号は十全に現働化し自己を文の他の要素との関わりで統語論的にも意味論的にも限定しています。クレーのデッサンとの関係でいえば、かたちが生みだされた状態にあたると言えるでしょう。

これに対して、記号とそれを解釈する記号との結びつき方自体が問題とされ規定を受けるとき、記号と解釈項との関係は三次性の関係となります。このとき解釈を受ける記号は「論証記号（argument）」というあり方をしているとパースは言います。論証記号においては、記号の解釈の妥当性が問われるということになります。どのような場合において、Aという記号は解釈項としてのBという記号をとることができるのか？　記号Aと記号Bとを結びつける関係とはどのようなものか？　記号Aはいつどのような場合に記号Bに始まる解釈関係を求めることになるのか？　記号解釈の性質についての問いがそこでは提起されることになります。ある命題は、どのような解釈関係においては「真」であり、別の解釈関係においては「偽」なのか？　一つの記号は、どのような解釈関係において妥当な解釈をもたらすのか？

「参照行為」や「文脈」や「言説」のジャンルに関わる問題系をパースの論証記号は提起します。記号の結びつきと意味の妥当性との関係がそこでは問われることになるのです。「いまのフランス国王は禿だ」という記号の列からなる命題があるとして、こうした命題記号の列が真であるための文脈（＝解釈項）は、「いまは、大革命前のアンシャンレジーム時代だ」とか、「これは小説のフィクションの世界だ」などとなります。このように論証記号としての記号の解釈関係は、記号を組み合わせるための規則の運用（＝文法）だけでなく、記号連鎖の妥当性についての知識の運用と、それにもとづいた推論とを必要とします。人間が刻々と行っている記号の解釈とは、世界の知識にもとづいたたえざる推論であるという見方がそこから導きだされます。

推論のプロセス

論証記号についての以上のようなパースの考えは、「推論（inference）」という人間の心的活動を記号解釈の連鎖として捉える見方を提示します。じっさい、「演繹（deduction）」や「帰納（induction）」といった人間の推論は、論理式で記述することができるような命題の組み合わせから成り立っています。例えば、演繹という論理は、「Pである。（前提）PならばQ、QならばRである。（帰結）Rである」という論理的手続きで示すことができます。帰納は「（条件）Pである。（前提）QならばP、SならばRである。（前提）Rである。（帰結）Qである」という論理的手続きで示すことができます。いずれも記号列としての解釈関係を、どのような解釈項の連鎖と結びつければ真の命題を導きだせるのかという手続きに関わるものであることが分かります。パースは演繹でも帰納でもない「仮説形成（abduction）」という直観的な推論についての理論も打ち立てています。[20]

論理というと何か難しい活動のように思えますが、私たちの日常の精神活動はじつはたえざる推論から成り立っていて、その記号活動を取りだしてみればさまざまな演繹や帰納や仮説形成などあらゆる種類の解釈の連鎖からできあがっているのです。出かけようとして空模様を一瞬ながめやる、ずいぶんご無沙汰している知り合いから電話がかかってきて「なぜ電話してきたのだろう」と考える、電車の中吊り広告を見ながら見出しの意味をぼんやり考える、街を行き交う人々の表情に何かを感じとる、そうしたごく日常的な活動が、じつは記号の解釈にもとづいた推論のプロセスであるのです。

意味論・統語論・行為論

パースによる対象・表意体・解釈項を結ぶセミオーシスの記号分類は、一九三八年にW・モリスによって、記号論の三部門の区別を生むことになりました。[21]対象と記号との関係を扱う「意味論（semantics）」、記号と記号との結びつきの関係を扱う「統語論（syntactics）」、記号とその解釈項との関係を扱う「行為論（pragmatics あるいは語用論）」という区別です。[22]それぞれ、記号が何を表意しているのかという意味の問題、記号同士の結合ルールというシンタックスの問題、記号はどのように使用され世界の経験と結びつくのかという記号使用の問題を扱う部門として、この分類は広く記号論・言語学の分野で行われるようになりました。

ただし、モリスは、対象を事物経験の次元、解釈項を記号を使用する人間と捉えていて、パースのラディカルな記号主義を十分に理解していたとは言えません。私としては、意味論・統語論・行為論の三つの次元を、記号と記号とを結びつける解釈作用そのものの問題として捉えなおす方がよいと考えています。名辞記号としての解釈作用が「意味論」の次元、命題記号としての解釈作用が「統語論」の次元、論証記号としての解釈作用が「行為論」の次元にそれぞれ対応するという立場です。じっさい、記号を意味論的に解釈するレヴェルと、統語論的に解釈するレヴェル、そして行為論的に解釈するレヴェルはそれぞれ違った次元の記号活動です。大ざっぱにいえば、前二者が記号の文法に関わる次元、最後の行為論的次元が世界の知識とそれにもとづく推論に関わる次元です。前二者は明示的なメッセージをつくる部分であり、後者はインプリシットなコミュニケーションを担う部分です。

冬の寒い日に教室に入ってきた教師が開いている窓を指して「窓が開いているね」と言ったとしましょう。「そうですね」と学生が言っただけだとすれば、この人は記号の意味論的および統語論的解釈はできたけれど、行為論的解釈ができなかった人です。「常識」と呼ばれる世界の知識が不足しているか、先生のメッセージはどのような行為論的な文脈で解釈されるべきか日常生活における推論ができないケースです（これを一般的には「気が利かない」人とも言います）。すべてを言葉にだして言わなくても意図が通じるのは、人間は言われた言葉の断片や読みとれた表情などの記号をもとに推論するからです。ほかの例をあげてみましょう。あるとき、私が同僚のお宅に電話をしたことがありました。四歳ぐらいのかわいい声の坊やが電話にでてきたので「お父さんいるかな?」と聞きました。坊やは「いるよ」という答えで、私が次に話すのを聞き逃すまいとじっと電話口で待っている様子……。これもまた解釈の「行為論」的次元とは何かを教えてくれる例です。この坊やは意味論も統語論も立派にできていて、ただまだ「お父さんいるかな?」という質問は、「いるとすれば、代わってください」という依頼の行為を意味しているという世界の知識がなく、それにもとづいた推論ができない年齢なのです。以上の例が示すように、私たちの「記号の生活」は、かならずしも明示的に表明された記号から成り立っているわけではなく、記号を手がかりにしたさまざまな推論という解釈のプロセスからも成り立っているのです。

普遍記号論の夢

さて以上にパースの記号分類と、それに対応した物理的・生理的な信号から、推論にもとづく意味解釈にいたる記号のプロセスの概要を見てきました。すでに述べたように、パースの記号分類は、表意体自体、表意体と対象、表意体と解釈項という三通りの関係にもとづいて記号を類型化しますが、そのうち対象は、具体的に目の前に現前している場合（パースのいう「直接的対象」）もあり、あるいは表象の中の対象として現前していない場合（「力動的対象」）もあります。あるいはまた、一つの記号を解釈する解釈項もじっさいに記号として表意されている場合（「直接的解釈項」）もあり、あるいは心の中の連想の効果として直接は表意されていない場合（「力動的解釈項」）もあります。

このように考えていくと、記号を定義する関係性の組み合わせはじつに複雑で入り組んだものとなります。パース自身は記号分類のクラスを決めるには最終的には「三の一〇乗つまり五九〇四九個の難問を注意深く考察しなければならないことになる」[23]と書いています。このように詳細を極めたパースの記号分類が示しているのは、関係性において定義される記号の無数の組み合わせであると同時に、記号の絶えざる解釈によって意味の宇宙をつくりだす無限の「セミオーシス（記号過程）」の連鎖です。じっさい、この汎記号説にもとづけば人間の心的活動はもちろん、宇宙に存在する自然現象を含むあらゆる現象は、少なくとも潜在的な――一次性において存在する――記号のプロセスとして扱うことができるようになります。

このように万物を記号として記述しようという「普遍記号論」の夢は決して恣意的な哲学的思弁というわけではなく、じつはパースやソシュールによる現代的な記号の知の源流となったライプニッツやロックによる近世記号論の系譜に直接根ざしたものです。宇宙を満たすすべての事象を記号として記述すること、人間の精神の働きを記号の操作としてモデル化すること、こうした普遍記号論の現代的な発展形態こそパースの記号論であって、それは、ライプニッツやロックがつくりだしたもう一つの系譜である人工言語の知（現代でいう情報科学や認知科学）とあいまって、人間の意味活動の理解に多くの示唆を与えつづけているのです。[24]

❹ メディアとコミュニケーションについてのレッスン

私たちの遺伝子プログラムに書き込まれていない振る舞いやパフォーマンスのすべてを技術と呼ぶことにしよう。自然言語とはよく言ったもので、自然言語はそれ自体としては技術ではない。どんな赤ん坊であれ正常に生まれれば、特別な習得なしに年齢とともに実現する言語能力を備えている。私たちはみな舌と喉頭をもって生まれるが、粘土板と楔形文字、ペンと紙とは「余分」なものである。この余分が任意なものである証拠に、アマゾンやニューギニアの奥地に言葉をもたない社会があるのを発見した民族学者は皆無なのに、「文字をもたない社会」は多数存在している。文字が技術であることを、文字を発明したシュメール人たちはすでに理解していた。彼らは言う、「話し言葉は神々から賜った贈与であり、文字は人間たちの発明である」。

――レジス・ドゥブレ『神、その行程』

「世界が距離を克服し、さまざまの考えを大気に乗せて伝播するようになれば、世界はもっともっと一体化され、もっともっと兄弟愛に満ちた社会に結ばれると考えている人たちがいる。しかし悲しいかな、このような結合があるなどと信じてはならない」。――グレン・グールド「パフォーマンスとメディア」

1——メディアとは何か

メディアという語

メディアというと、皆さんは何を想い浮かべますか？「メディアによって、私たちは、9・11事件を知っている」というときのように、メディアという語は、新聞、雑誌、ラジオ放送、テレビ番組など、私たちが世界の出来事をニュースとして知る情報手段のことを指して使われます。あるいは、「メディアが今日の世界を支配している」というときのように、メディアとは情報伝達の活動を行っている新聞社やテレビ局などの企業や団体の一般的な呼称であることもある。また、「メディアをさけて大臣は裏口から外へ出た」というときのように、ジャーナリズムの活動に従事している人々の総称として使われることもあります。このようなときメディアと呼ばれているのは、じっさいにはマス・メディア（mass media）——あるいはマスコミ（mass communication の略）——のことで、情報を大衆（＝マス）に向けて媒介する活動、それを行う組織や団体、またそれに従事する人々を指しています。

メディアという語は別の文脈ではまったく違った使われ方をします。「活字メディアの後退」が言われたり、「視覚メディアの優位」、「電子メディアの時代」が話題となり、「マルチ・メディア技術の開発」が語られたりする場合です。このとき、例えば活字本や新聞は「活字メディア」であり、テレビは「視聴覚メディア」、コンピュータは「電子メディア」という具合です。私が講義で「紙メディアでレポートを提出せよ」という場合にも、同じようなやり方で情報媒体を指定していることになります。その場合、視覚メディア、聴覚メディア、マルチ・メディアという言い方は、情報媒体を使うときの感覚モードにもとづいた区別に対応していますし、活字メディア、電子メディア、紙メディアという言い方は、情報媒体を生みだす技術を表していることになります。いずれの場合も、メディアは情報伝達を成立させる技術や、そうした技術にもとづいて生みだされた情報媒体一般を指していることになります。

そもそも、「メディア」という語は、ラテン語の medium の複数形 media を語源としています。「medium（メディウム）」という語は、一六世紀末から使用され、一七世紀には「仲立ち」、「中間項」の意味で使われるようになります。フランシス・ベーコンは「ことばというメディウム」という言い方をしてもいます。一八―一九世紀には新聞をメディウムとして捉えることが広まりますが、一九世紀には、「霊媒」とか「心霊媒」と言われるような他界の霊が乗り移り超自然的な能力を帯びた存在のことを指すこともありました。

そのような仲立ちという意味の言葉から「メディア」という現代的な概念が生みだされ

たのは、それほど昔ではありません。マス・メディアが発達した二〇世紀になって、とくに理論用語としては一九五〇年ごろから、情報の乗り物、情報の支えという今日的な意味で「メディア」という用語が使われるようになりました。本、新聞、映画、写真、コンピュータ、すべてが「メディア」と総称されるようになるためには、それらすべてが情報とその媒質という一般図式に還元されるようになるまで、メディアの種別が多様化するという二〇世紀的メディア状況が拡がる必要があったのです。「メディア」はそれらすべてを情報媒質として括る一般概念として通用するようになったのです。

人間社会の成立にとってのメディア

以上からも分かるように、メディアという語の意味は多義的であって、しかも、この語は私たちの生活のおよそあらゆる場面で見いだされます。それはメディアが、今日の世界にとって、社会、経済、文化、政治、技術など多次元に拡がる巨大な問題圏をかたちづくっていることを示しています。

私たちが、世界で起こっている出来事について知り、社会についてオピニオンを形成し、自分たちの政治を決定していくのもメディアを通してです。これがメディアによる「公共圏(public sphere)」の成立です。私的な領域においても、私たちが家族や個人の生活の意味をつくりだしていくのはさまざまなメディアの影響を受けてのことであって、私的とされる欲望や消費さえもが、テレビや新聞や雑誌などの働きに大きく左右されるものであることも明らかです。また、商品や企業の広告を見るまでもなく、現代社会においては経済活動もメディアの作用と切り離すことはできません。株式市場や価格市場などに見られるように、資本の流れは世界のニュースを伝えるメディアとじかに連動しています。そして、それらのすべての情報の流れは、メディアを可能にする技術と結びついているのです。

メディアがいま見たようないろいろな場面で、人間の活動の複合的な次元に関わっているとして、それではメディアとはいったい何なのか？　どのようにメディアは成立しているのか？　人間社会の成立にとってメディアとは何なのか？　それがこの章で考えようとする問題です。

記号の関与

いったいメディアは、原理として、いつ成立すると考えられるのでしょうか？「〜はメディアである」というかたちで、メディアをまず外延的に定義するとしましょう。私たちが理解するところでは、テレビはメディアです。電話、写真、本、新聞もメディアです。CD、カセット・テープもメディアです。絵や手紙も、たぶんメディアです。文字をもたない社会における口承的コミュニケーションを担う人間の声も、考えようによってはメディアだということができます。さらには、人間のメッセージを運ぶ飛脚や郵便夫、天界のメッセージを人間界にもたらすと考えられている天使もまた、メディアと考えることができるかもしれません。

それでは、メディアの内包としての定義を行うとどうなるのか?「テレビはメディアだ」という場合、私たちはブラウン管や集積回路といった電子技術のつくりだした物理的・工学的な箱としてのテレビのことを指してメディアといっているわけではありません。同様に、「本や雑誌がメディアだ」という場合にも、物質としての紙やインクを指してメディアといっているのでもありません。「口承的コミュニケーションのときの声がメディアだ」という場合にも、空気の振動として物理現象において捉えられた声を指してメディアと呼んでいるわけではなく、郵便夫や天使となれば事態はいっそう明白です。つまり、メディアは、物質としての実体ではない。物理的、化学的、あるいは生理的な現象や産物がそのままメディアというわけではないのです。

私たちが、綴じられた紙の堆積を指して、それが本や雑誌や新聞などの「メディア」であるといえるのは、それらの物体が、文字や図像といった記号が書き込まれるべき表面と化しており、メッセージ、つまり意味実現を読みとることができる環境となっているからです。その証拠に、物質としての紙はメディアとしてだけでなく、鼻をかむことにも、障子を張ることにも使うことができる。同様に、集積回路やブラウン管を組み込んだ物理的な箱がテレビというメディアであるのは、その電子の箱が、信号を音声や映像のシークエンスからなるメッセージに復号化しうる受信装置だからです。電話がメディアであるのも、送信受信の技術回路がメッセージを運ぶ手段となっているかぎりにおいてなのです。あるいはまた、声がメディアであるという言い方をするときには、人間の身体が生みだす生理・物理現象としての音響が、言語記号を運ぶ音調となっているという状態を指してのことです。

以上から言えるのは、メディアとは、決して物理的、化学的、生理的に定義できるような物質としての実体や現象なのではなくて、あるマテリアルな実体がメッセージや情報を運ぶために記号を帯びた状態にあることを意味しているのです。メディアが成立するためには、物質や生理の次元だけではなくて、そこには記号の次元が関与している。これがメディアの内包としての定義の第一歩です。

例えば、紙という物質は、文字が書き込まれることによりページとなり、メッセージを伝達するメディアとなります。つまり、メディアが成立するためには、紙という物質が存在するだけではだめで、その物質に記号が記入されている――あるいは白紙のページのようにそこに記号が記入されるよう予定されている――状態となる必要がある。物質が、記号活動の支え、つまり記号活動を媒介するエレメントとならなければならないのです。メディアとは、物質的なモノが、記号活動を支える媒質と化した状態なのです。また、例えば風のような自然現象でも、それを空気の熱力学的な運動であると捉えれば物理現象ですが、春を告げに来るメッセージの運び手と捉えればメディアです。このとき風は記号現象として捉えられています。同様に、ブラウン管に光のビームの筋が流れているだけでは物理的・光学的な発光現象にすぎませんが、走査線の光が映像記号を運ぶ機能をもった瞬間からブラウン管はテレビ画面というメディアとして成立したことになるのです。

メディアとは、記号活動の物質的な支え、記号が書き込まれるための表面と化した物質の状態である。これを式にすれば、

「メディア＝物質＋記号」

となります。

メッセージと情報

これまで「メディアはメッセージを運ぶ」とも「メディアは情報を運ぶ」とも述べてきました。「メッセージ（message）」も「情報（information）」も私たちの日常語の一部となっていますが、メディアに劣らずそれらの用語も精密な定義を求められます。

「留守電にメッセージを残した」、「Aさんのメッセージを伝える」というときのように、私たちの日常生活においては、メッセージは残されたり、伝えられたり、送られたりする

ことばや情報のことを指しています。メッセージの語源は、ラテン語の動詞mittere「送る」の過去分詞missus「送られたもの」です。このような日常言語での語義に対して、後に詳しく述べるクロード・シャノンの情報理論では、発信者から受信者へと送られる「メッセージ」をより厳密に定義しています。「メッセージ」とは、「情報源」が生みだすものであって、「発信項」は「コード」にもとづいて「メッセージ」を情報のまとまりとして物理的信号に変換して「受信項」へと送ります。「受信項」は信号を「コード」にもとづいて復号化して「メッセージ」へと再変換して「相手」に届けるのです。例えば、ラジオを考えると、人間の音声のメッセージが一定のコードにしたがって変換された物理的信号は、電波として受信器に到達したうえで復号化されて音声メッセージとして届けられるということになります。

こうした情報理論による定義に対して、記号論にとって「メッセージ」とは正確には記号が実現したものという意味です。記号論の観点からいえば、情報理論がいう「情報源」とは人間の記号活動にあたります。つまり、メッセージとは、人間の記号活動によって言語記号、視覚記号、身体記号などが実現したものであり、ソシュールの「ラング／パロール」の区別にいう「パロール」、あるいは記号の実現態としての「言説（ディスクール）」と呼ぶものにあたります。

「情報」についてはどうか？　「この出来事については新しい情報が入り次第お伝えしま

す」とニュースでアナウンサーがいう場合、あるいは「情報を総合的に分析する」という場合の「情報」とは、『広辞苑』の項目「情報（information）」がいう「1　あることがらについてのしらせ」、「2　判断を下したり行動を起したりするために必要な、種々の媒体を介しての知識」にそれぞれ対応しています。現象として捉えれば、「あることがらについてのしらせ」および「媒体を介しての知識」のいずれも言語や映像といった記号から成り立っていますから、「情報」とは記号から成り立つものであるということができる。じっさい、「情報」は、「しらせ」、「たより」や「はなし」、「ニュース」、「証言」などと交換可能な語として、こうした日常語の文脈では使われています。

情報とは記号が実現したものであると考える立場に立つとすると、情報は記号論がいう「メッセージ」とほとんど同義語ということになります。しかし、情報を量において捉えようとする情報理論の立場からは、まったく異なった定義が行われます。ここではこの問題は後回しにして、とりあえず情報理論にとって情報とは0と1のような人工記号の列によって表し信号化することができる量のことだと考えておきます。

メディアという用語で意味されているのは、記号論が考えるような記号であれ、情報理論が考えるような量としての情報であれ、いずれにしても記号のシークエンスを運ぶ支え、信号化された情報を運ぶ乗り物ということなのです。以上から分かるように、メッセージや情報を伝達する媒介となるもの、意味作用あるいは情報伝達の支え、情報やメッセージの乗り物というのが、「メディア」という用語の現代的な意味であるということになります。

精神と物質のはざま

「メディア＝物質＋記号」という図式は分かりやすいものです。しかし、じつはこれをつきつめていくとやっかいな問題にぶつかります。この図式には、物質と記号とは分けて考えられるということが前提とされています。しかし果たしてそう言えるでしょうか？　記号は物質をはなれて存在しているのかどうかを問い始めると、非常に難しい哲学的な問題に導かれることになります。しかし、この難問は一度深く考えてみる価値のあるものです。なぜなら、それは精神とは何か、物質とは何か、という人間にとって根源的な問いに直結するからです。

ためしに、紙に文字を書くということを考えてみましょう。紙は物質であり、文字はことばという精神の活動を記録する痕跡であると考えてみましょう。文字という記号は、このときことばという人間の精神の活動に属している側面と、物理的な痕跡として物質に属している側面との双方にまたがっています（図4-1）。ところが精神の活動とされることばもまた同じ両面性をもっています。ことばは精神的活動であると同時に音響という物質のエレメントなしに実現しないからです。

冒頭に引用した現代フランスの哲学者レジス・ドゥブレがいうように、「自然言語」としてのことばは遺伝子プログラムに書き込まれた脳の働きにもとづいた精神の活動ですが、それが外在化するためには話しことばにとっての空気の波や書きことばにとっての紙のような物質のエレメントを必要とします。これを2、3章で見たソシュールやパースの記号論に即して理解すると、ソシュールが潜在的な「記号のシステム」として捉えていた部分（すなわち「心的事実」としての「ラング」）が脳の働きにもとづいた精神の活動、「パロール」が物質のエレメントにおける記号実現ということになるでしょう。パースの区別では、これは「タイプ」と「トークン」に対応します。いずれにしても記号活動は、実現のための基本的なエレメントとして物質の次元を伴うことがこれで分かります。記号は精神の活動であると同時に必然的に物質の影を帯びている。記号があるところにつねにすでにメディアは生成していることになる。この意味でメディアとは記号のファンダメンタルな環境であるのです。

　したがって記号の活動はつねにメディアの成立を前提としており、またメディアという記号環境を通して精神は物質の次元に巻き込まれている。記号は精神と物質にまたがって成立する活動であり、メディアは精神と物質のはざまに位置する環境であるということになります。

　メディアにおける精神と物質の関係に関してもう一つの根本問題は、これまで「精神」というあいまいな呼び方をしてきた活動に関するものです。「精神」が脳の活動であることは現代では常識に属しますが、脳は約一〇〇〇億のニューロンとそれ以上の数のグリア細胞からなる組織体であり、フランスの脳生理学者のジャン＝ピエール・シャンジュー[1]の表現を借りれば「思考する物質」です。ニューロンはシナプスを通して他のニューロンと無数のネットワークで結ばれていて、それらの四方八方にのびるネットワークを通して電気信号が瞬時に送られていく。脳とは複雑で巨大な情報処理のメディア・マシンであると

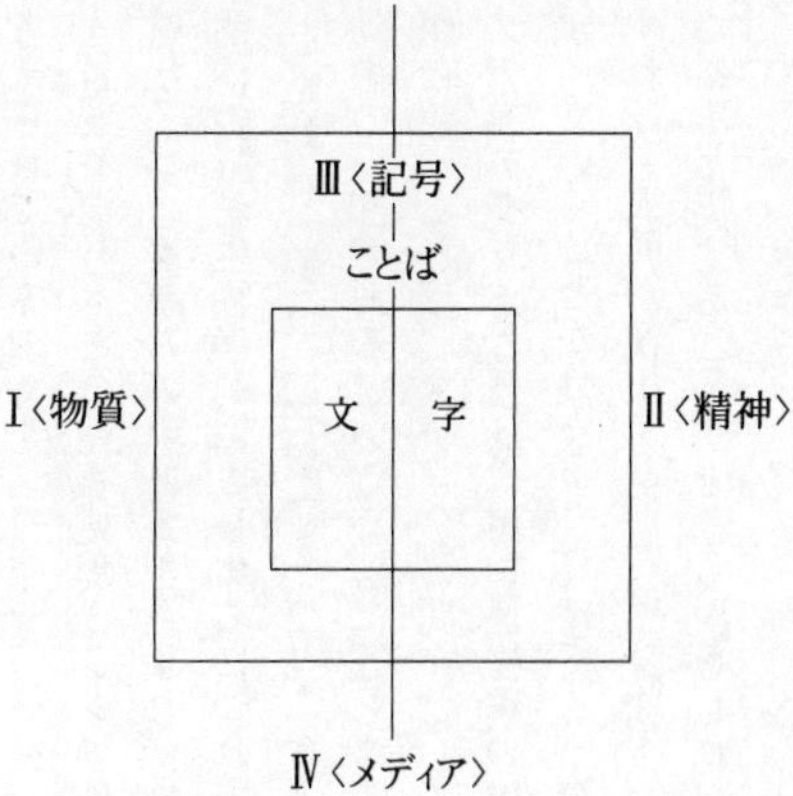

［ことばも文字も、Ⅰ〈物質〉とⅡ〈精神〉との両面にまたがって成立している。ことばや文字などのⅢ〈記号〉を、Ⅰ〈物質〉とⅡ〈精神〉の界面において成立させる環境が、Ⅳ〈メディア〉である。］

図4-1　物質・メディア・精神の関係

考えられているのです。

言語や記号もこの情報処理マシンの作用である。このマシンの発達の青写真は、人類の遺伝子プログラムの中に書き込まれている。そして言語のような情報処理の具体的能力は、個体の脳が生物学的に成長するにつれて開花していくと考えられます。このように考えると、「精神」とは「物質」と対立するものではなく、脳という巨大なメディア・マシンの効果の一部であるという理解に達します。そして、どこまでが物質でありどこからが精神かということは、メディアの問いとして問い直されることを求められるようになるのです。メディアを考えるとは、精神と物質の境界を問い直すというこの上なく重要な問題につながっていくことが分かると思います。人間の脳がそもそも精巧なメディア・マシンであるとすれば、人間が使用する通常の意味でのメディアは、このメディア・マシンを延長するものであると捉えることができるかもしれない、この点についてはあとで述べることにします。

技術の次元

声、本、新聞、映画、ラジオ、テレビ、インターネットもすべてをメディアと総称するようになり、メディアという一般概念の下位分類として、口承的メディア、書記メディア、活字メディア、映像メディア、電子メディアなどという名前で、それぞれが呼ばれるようになったのは比較的最近のことです。さまざまなメディアが共存する、あるいは競合する時代を、私たちが生きていることをそれは端的に示すものです。どのようにして複数メディアの時代を私たちは生きるようになったのか、そのことは私たちの文化をどのように特徴づけ、私たちの社会のどのような成立条件をつくりだしているのかを考えてみなければならないでしょう。そのとき私たちは「記号」と「技術」という人間存在の二つの次元が接するところに拡がる問題圏を見いだすことになります。

まずそもそも「技術（テクニック）」とは何でしょうか？　技術の例として道具の使用ということを考えてみましょう。スタンレー・キューブリック監督のSF映画『2001年宇宙の旅』の始まりを思いだしてみてください。「人類のあけぼの」と題された冒頭では、動物の骨を棍棒として使用する類人猿たちが道具を使わない他のグループを駆逐する場面が映しだされます。道具の使用が人類の始まりというわけです。つづいて上空に投げ上げられた動物の骨はすぐに宇宙空間を航行するロケットの姿に変わります。道具の使用に始まる技術の歴史が行きついたのが近未来の宇宙航行のテクノロジーであることを映画は示しているわけです。

じっさい道具の発生は、類人猿や猿人類における直立歩行と関係しています。先史学者のアンドレ・ルロワ゠グーランがいうように、動物の形態進化の観点からいえば、人間の祖先において直立歩行は手を解放すると同時に、脳を発達させる結果を生みました(2)。直立することによって前足は歩行という機能から解放されて手となり、身振りが可能になります。頭は地から離れ、脳頭蓋は鼻面との密着から解き放たれて容積が局大化します（図4-2）。ルロワ＝グーランによれば、これが「人類」を生みだした手と脳の解放という進化史上の出来事です。手の進化がもたらすのが「技術」であり、脳の発達がもたらすのが「言語」です。私たちが考えようとしている問題との関わりでいえば、手と身振りの解放につらなるのが技術の次元であり、脳の解放につらなるのが記号の次元です。

旧石器時代における石斧という道具の使用を考えてみましょう。この道具の発生は、人間の身体が獲物としての対象に働きかけるときに、身体の働きの延長となる人工器官が生まれたことを意味しています。道具という人工器官は、身体の代わりという意味では身体の拡張を意味しますが、それだけではありません。道具は用途を指定します。石斧であれば、獲物の捕獲という用途のために使用されるという、身振りと対象との関係が道具を通して予め指定されるということが起こってきます。人工器官（英語 prosthesis、仏語 prothèse、語源はラテン語 prothesis［前ニ立テル］）は、人間の身体のじっさいの所作に先立って、対象を予め前に（pro-）定立する（thesis）という役割を果たすのです。このような動作の指定および対象の前―定立（pro-thesis）は、道具を通して反復されることになります。つまり、道具は用途を指定して身振りの反復を導き入れ、同時にその対象を予め定めることになる。道具はそれをつくりだした個体でなくても使用することができ、その使用によって別の個体も技術がつくりだす環境の中に導き入れられます。道具の使用はこのように

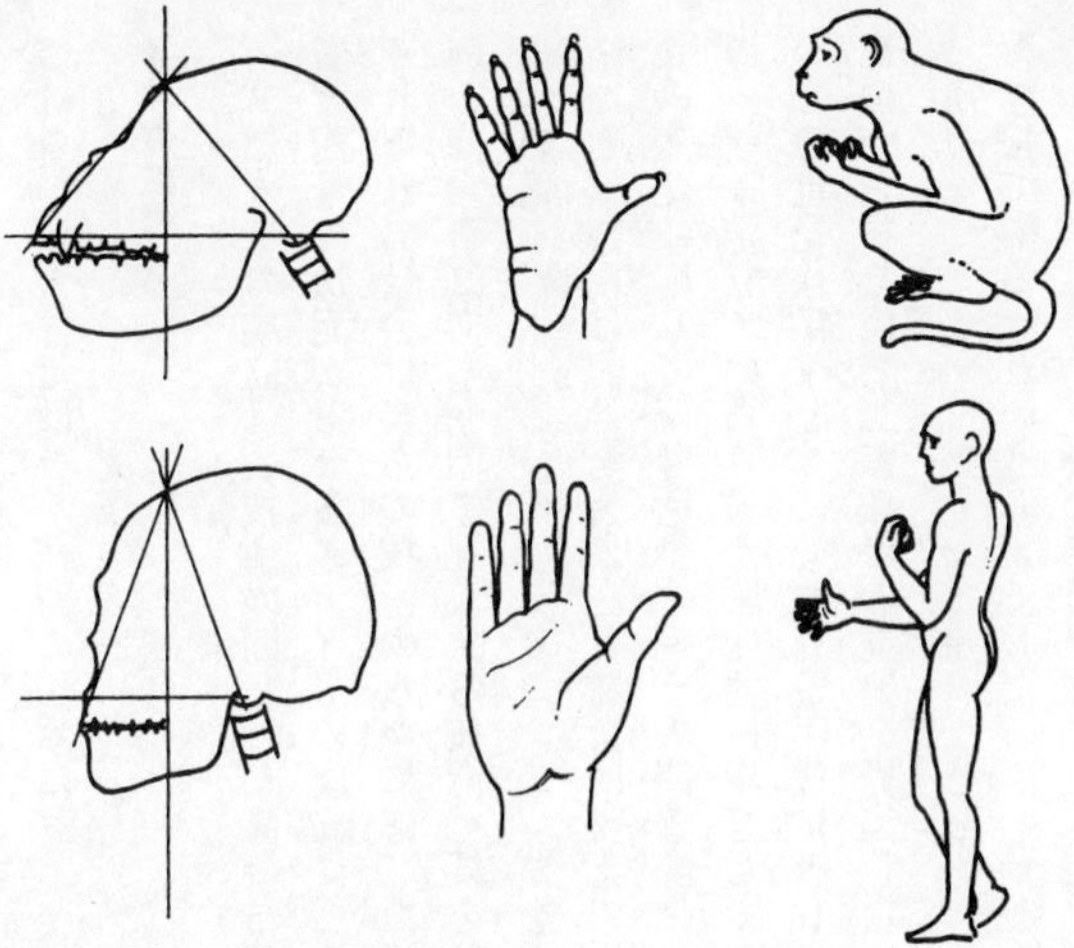

図 4-2　猿と人類

人間と自然との関係を集団的に決定づけることになります。

ヒトは自然の前に裸で投げだされているわけではなく、まず技術がつくりだす環境の中に生まれます。技術は基本的に集団的で次々と付け加えられていくもので、技術的発明は伝承されていきます。またそれゆえに、革新されたり淘汰されたりするものです。ドゥブレの引用がいうように、技術は遺伝子プログラムにもとづく生得的なものではなく、伝承され後天的に習得されるものであるということが重要です。旧石器時代における石斧に見られるように、道具使用は道具をつくりだす技術の伝承を必然的にともないます。この伝承は遺伝子プログラムによるものではなく、「文化（culture）」と呼ばれるべきものです。そして、民族（ethnicity）を特徴づけるのは人種ではなく技術の伝承にもとづいた固有の文化と言えます。

身体の拡張

メディアの成立は「技術の問題」と直接結びついています。物質を変形する技術は、物質と記号の次元からなるメディアの成立にとって内在的な役割を果たしているからです。それぞれの社会は自らの技術の水準に応じた違ったやり方で、メディアをつくりだします。例えば、石に文字や絵を記入する技術、紙を製造する技術、大量に印刷物をつくりだす技術、映像を再生する技術、シリコンチップを人工言語の記号列を記入する表面に変える技術など、技術は記号を書き込む物質的支えのあり方をさまざまに変化させてきたのです。この変化に応じて記号活動を担う人間の身体と精神のあり方が変化してきました。「人間」の「前－定立」のあり方が歴史的に変容してきたのです(3)。

二〇世紀後半、とくに一九五〇年代にテレビを中心にメディア革命が起こったとき、これにいち早く反応して独自の理論を提起したのはカナダのメディア理論家マーシャル・マクルーハンでした。そのマクルーハンによるメディアの定義は、「メディアは人間の身体の拡張である」という考えでした(4)。

たしかに、メディアは、記号活動を行う身体の活動範囲を拡張します。視る・聴く・話す・書くといった記号活動は、写真や映画やテレビ、ラジオや録音機器、電話やその他の通信技術、紙とインクや活版印刷、電子メディアなどのメディア技術によって延長され、それにともなって人間の記号的身体も拡張されていきます。生身の人間の視るという記号活動を担う眼は、例えば、写真や映画やテレビなどの視覚メディアによって拡張されます。肉眼では視られなかった大きな規模、あるいは大きな精度において視るという記号活動が成立することになるのです。人間の眼では見ることのできなかった範囲まで、記号的身体としての「視る身体」は拡張したというわけです。じっさい私たちはテレビの画面を通して、何万キロも離れた地点で起こっている出来事を即座に「視る」ことができます。「話す」という記号活動についても同じことが言えます。電話というメディア技術は「話す」という記号活動の範囲を飛躍的に拡大し、声の届く範囲内で成立していた「話す」という活動の成立の条件を全面的に変えてしまいました。この場合も、電話は、「話す身体」の拡張であると考えることができるわけです。

マクルーハンは、「メディアは人間の身体の拡張である」という定式化を行ったのですが、その考え方の基礎にあるのは、それぞれの文明を特徴づける「感覚比率（ratio sensorium）」という考えでした。人間は、五感を通して経験を構成しているのですが、マクルーハンの「身体拡張」の定義を適用するならば、どのようなメディアを通して人間の経験が構成されるのかに応じて、拡張される感覚の間の配分が異なることになる。例えば、口承によるメディアに多くを負っている文化においては、聴覚に重きがおかれるのに対して、活版印刷術が発達させた黙読の文化においては視覚に重点がおかれるようになるという具合です。メディア技術の変化は、メディアが延長する感覚の間の比率を変化させ、それにしたがって発達する文明のあり方が違ってくるという考え方なのです。これをマクルーハンはそれぞれの文明における感覚比率という概念で説明しようとしたのです。

脳の外在化

以上は、身体および感覚の拡張という観点からのメディア理解です。技術がもたらす人工器官が身体を拡張し、文化を特徴づける感覚モード間の比率を変化させるというわけです。ただ、技術がこのような身体拡張の側面をもつことは間違いないのですが、メディア技術が行うのはそれだけではありません。というのもメディアは身体の延長だけではなく、脳の延長という側面を際だった特徴として備えているからです。メディアが技術によって変形された物質のエレメントであるだけでなく、記号が書き込まれる支えであるということは、メディアが記号という脳の活動の外在化の場所になっていることを意味しています。紙の上に文字で記録するということを考えれば、紙と文字というメディアは脳の働きとしての記憶を延長していることになります。私たちが手紙や本を読むことで他の人の思念を辿ることができるのも、書き手の脳の働きが文字としてのメディアに延長されたからです。

本とはその意味で脳の拡張であり、図書館とは世界の記憶の外在化であると言うこともできます。さらにコンピュータは脳をモデルとした計算能力の拡張であり、人工知能は知性の働きそのものを外在化する試みでもあります。

郵便や新聞やテレビのような通信技術を念頭にして、メディアは記号の伝達を行う技術として考えられる傾向がありましたが、脳の記号活動の延長としてメディア技術を捉えるなら、文字の発明からコンピュータにいたるまですべてのメディアの発達は、脳の延長としてのメディア技術の歴史として捉えることができるはずです。『2001年宇宙の旅』に話を戻すと、道具が使用された瞬間に宇宙船が発明されたのと同じように、人類によって初めて文字が書き記された瞬間に原理的にはコンピュータは発明されていたということができるのです。ルロワ＝グーランの先史学との関連でいえば、人類を生みだしたのが手の解放（＝技術の発生）と脳の解放（＝言語の発生）であるとすれば、文字の発明はそれら手の進化（＝技術発達の系譜）と脳の進化（＝記号発達の系譜）とが最初に出会う記号技術の発生の出来事であり、手の進化と脳の進化との合流が行きついた地点に『2001年』の宇宙船とそれを統御するコンピュータＨＡＬが生みだされたということができるかもしれません。

2――コミュニケーションとは何か

コミュニケーションという用語

　AからBへと情報が伝えられるとき、メディアはその中間として介在します。だから、本というメディアは作者から読者へとメッセージを運ぶ媒介物であり、手紙は差出人から受取人へと送られるメッセージをとりもつ媒介の支えだということになる。そして、メディアは情報を伝える支えとしての役割を果たすわけですから、必ずしも物の形をとったものでなくても機能として捉えればよいわけで、例えばメッセンジャーや郵便夫は、メッセージを伝える存在としてメディアであるということができます。

　メディアが、AからBへとメッセージを伝達することを可能にする関係の中間項であるという視点からはどのようなことが見えてくるでしょうか。この角度からメディアを考えることは、メッセージを送ったり受け取ったりする発信者と受信者となっている、人と人、集団と集団、あるいは人間ともっと別の存在――動物とか自然とか神――との間を結ぶ関係の中間項としてメディアを考えることを意味しています。これがコミュニケーション（communication）の問題系です。

「コミュニケーション」という語もメディアと同様に私たちの日常生活の中でよく用いられる言葉です。「親子のコミュニケーション」、「企業のコミュニケーション」など、意見の交換や意思の疎通といったことがらに対して用いられたり、「コミュニケーション産業」という場合のように通信という意味で使われたり、「都市間の交通コミュニケーション」というように往来や交通を意味したり、多義的に使われている用語です。語源からいうと、communicate は、形容詞の common「共通の、共有された」から派生し、さらにラテン語にまで遡れば cum（英語 with に対応する前置詞）を語源としますから、「共にすること」、「共通なものとすること」、「分かち合うこと」を意味しているわけで、そこから「伝え合うこと」、「通じ合うこと」という今日的な意味が発生したということなのです。同じ語彙系列に属する単語としては、community「共同体、共同性」や communion「交感」があります。

メディアが介在するところでは、必ずメッセージを交換する活動としてのコミュニケーションが成立しています。メディアが記号活動の技術的基盤であるとすれば、コミュニケーションは、メディアという技術的支えによって、どのようにメッセージが分かち合われるのか、メッセージの送り手と受け手とがどのように結びつけられるのかという問題を提起しています。メッセージというのは、手紙の文面にせよ、電話での伝言にせよ、記号がかたちをなして実現したものですから、コミュニケーションとは、メディアをベースにし

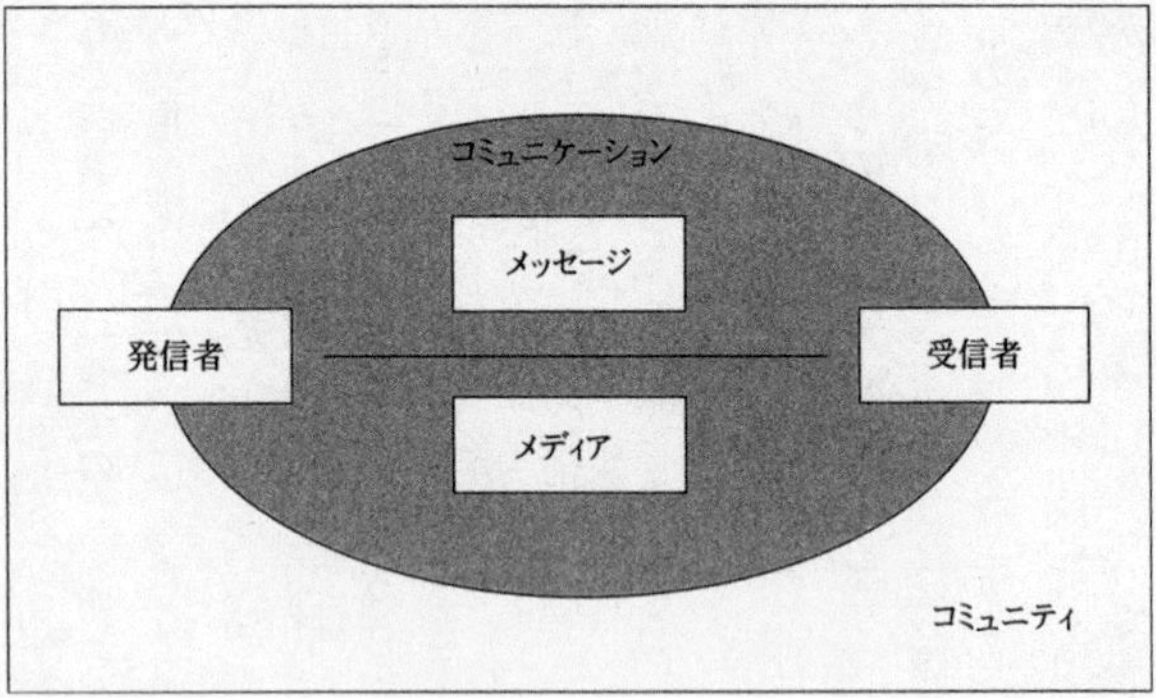

図4-3　コミュニケーションとコミュニティ

た、記号のやりとりである。つまり、コミュニケーションとはメディアに支えられた記号活動によってメッセージの発信者と受信者とが意味経験を分かち合うことであり、そのことによって共通の意味経験の拡がりとしての「コミュニティ（共同体）」、つまり「社会」を成立させるものということになります。これを図式化すると図4-3のようになります。

ソシュールの「ことばの回路」

人類史上かつてないほどメディア技術が急激な変容をとげた二〇世紀に、コミュニケーションという視点は、人間の活動を理解するために重要な役割を果たしてきました。しかも、「電話」に典型的に見られるように、新しいメディア技術はコミュニケーションのかたちをモデルにして考えることを可能にし、コミュニケーシヨンの一般理論はそのようなテクノロジーとともにつくりだされてきたという側面があります。事実、「電話モデル」は、これから詳しく見るソシュールの「ことばの回路」、シャノン・モデル、ヤコブソンの六機能図式などコミュニケーションを考えるうえで、特権的なモデルとしての役割を果たしてきました。

最初に「電話モデル」を利用してコミュニケーションを考えたのはソシュールです。この事実からだけでも、ソシュールの記号学が「メディアの世紀」と深い結びつきをもつことがわかります。ソシュールは、人間の言語活動を、個人間のコミュニケーションの図式を基本にして考えました。言語活動が成立する、最小の条件とは、個人Aと個人Bとを結ぶ、図4-4のような、電話で会話をしているような関係である、と彼は考えます。この最小の言語活動において成立している関係を、「ことば（パロール）の回路」と彼は名づけて、そこで起こっている出来事を図4-5のような図式で説明します。

ソシュールは、言語記号をシニフィアン（記号表現）とシニフィエ（記号内容）の結びつきとして考えたのですが、最もシンプルな言語活動は、AとBという二人の個人の「話し手／聞き手」の間に成立する、言語記号のやりとりであると考えています。シニフィアンとシニフィエの連合は、「話し手／聞き手」の脳の中にある心的な結びつきで、話し手Aは、この心的な結びつきのプロセスにおいてシニフィエとシニフィアンとを頭の中で結びつけ、彼の「発声」の生理的―物理的過程を通して聞き手Bへ記号を送ります。聞き手

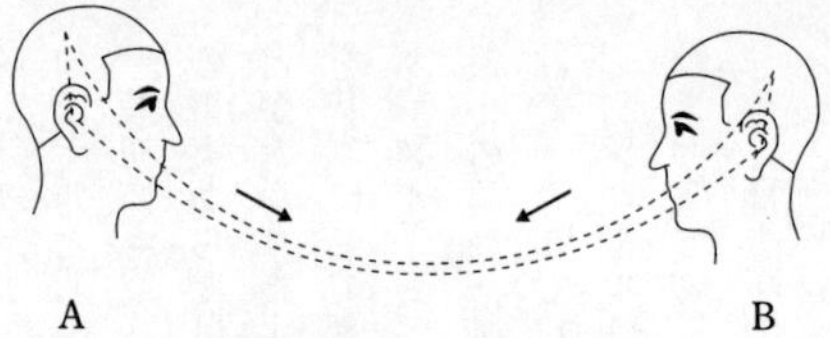

図 4-4　ソシュールの電話モデル

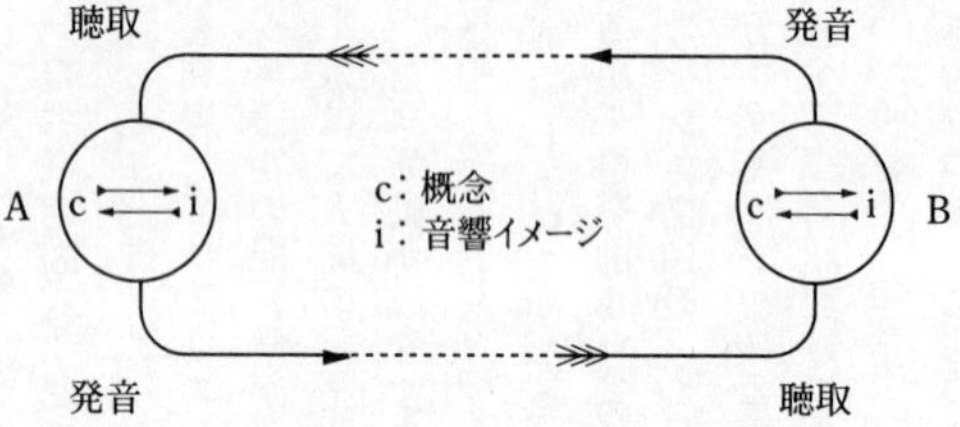

図 4-5　ソシュールの「ことばの回路」

Bは、「聴取」によって受け取った記号のシニフィアンを、脳の中でシニフィエに結びつけることによって理解するわけです。図4-5の中で、円に囲まれたc⇅iの部分が心的なプロセス、「回路」としてAとBを結んでいる矢印線の部分が生理的―物理的なプロセスにあたります。私たちの関心にひきつけていえば、この後者のプロセスが記号の伝達の支えとしてのメディアの部分です。この例のように、会話の場合には、身体がつくる空気の振動としての声がメディアであるということができるでしょう。

ただ、ソシュールは、言語学の対象はもっぱら心的事実としての「記号」と「意味」の部分(図4-5でいうと円に囲まれた脳内でのシニフィアン／シニフィエの連想関係）に関わるのであって、生理的―物理的プロセスは記号にとって外的な要因にすぎないと述べています。記号学はコミュニケーションの意味論的プロセスに固有に関わるという立場がそこには表明されているのです。

ソシュールの図式はプリミティヴなものですが、声というメディアによって「ことばの回路」がつくりだされている様子を見ることができます。しかも、「発話」と「聴取」とが常に交替可能な同時性の場において、「話し手／聞き手」が、個人対個人として、一本のメディアの回路によって結ばれて成立する記号のやりとりという、電話というテクノロジーが切り取ったコミュニケーションの状況にもとづいて図式が構想されていることにも注目しましょう。言語記号の活動を「共時態」において捉え、「話す主体」の意識において研究しようというソシュールの現代言語学は、このようなテクノロジーに裏打ちされた「コミュニケーション」をモデルにすることによって可能となったのです。

シャノン・モデル

「情報」という用語の日常的な用法についてはすでに述べました。情報科学においてこの語がどのように使用されているかを理解するためには、情報を量として扱う理論を知らなければなりません。情報とコミュニケーションをどのように考えてきたかを示す有名な図式は、数学的情報理論の創始者クロード・シャノンによって提唱された「シャノン・モデル」と呼ばれる図式です[5]。「情報」という語に厳密に数学的な定義を与えたのも、私たちが今日パソコンの演算処理能力を表すときに使っている「ビット（bit）」という情報の単位の概念を導入したのもシャノンです。さらにとても興味深いことに、シャノンは電話の発明者ベルが創始した通信研究所の主任研究員として、ソシュールが「ことばの回路」を考案したのとほぼ同様な「電話モデル」によってコミュニケーションを理論化しています。図4-6が、そのシャノン・モデルです。

「情報源」（発信元）は、話しことばにせよ、書記言語にせよ、あるいは、映像や音楽にせよ、「メッセージ」を選択します。そのメッセージは、「発信項」によって、「コード」にもとづいて「信号」に変換され、「受信項」に向けて「コミュニケーションの回路」を送られます。この回路に介在するのが信号の伝達を阻害する「ノイズ源」です。信号は「受信項」によって受け取られ、再び「コード」にもとづいて「メッセージ」に復号化され「送り先」に届くというわけです。

　コミュニケーションについての基本的な認識の図式は、ソシュールの「ことばの回路」とほぼ同じ電話モデルにもとづいていることが分かります。しかし、相違点は、シャノンの情報理論がもっぱら関わろうとするのが、「メッセージ」が「発信項」によって「信号」に変換されて、「ノイズ源」の阻害を受けたのちに「受信項」にいたるまでのプロセスで

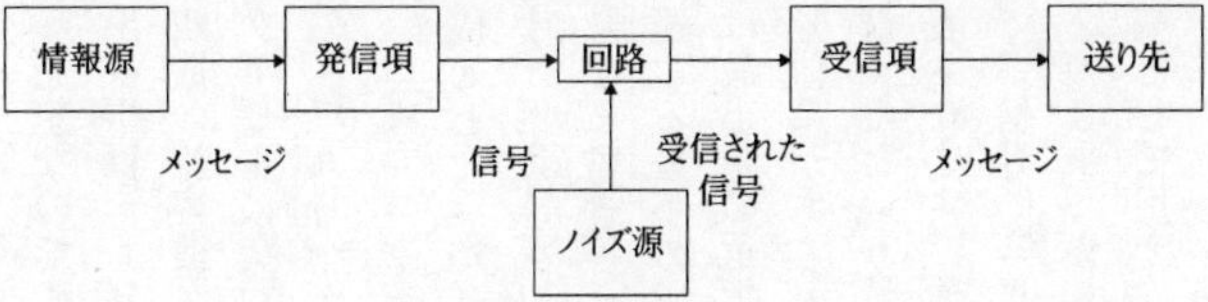

図 4-6　シャノン・モデル

あるという点です。このプロセスこそ、人間の自然言語や日常生活の記号がコードにもとづいて機械的信号に書き換えられたのちに辿る純粋に技術的な回路（チャンネル）なのです。「コミュニケーションの意味としての側面は、技術としての側面には属さない」とシャノンは述べているのですが、それは情報源にいたるまでの自然言語や自然記号にもとづいた「メッセージ」の意味論的過程と、「発信項」から「受信項」にいたる「信号」が辿る技術論的過程とを峻別しようという態度の表明であると理解できます。

　シャノンが定義した情報の数学的概念は、熱力学のいう「エントロピー」に比されるものです。「情報」とはコミュニケーションの情報源にある「自由の度合い」、換言すれば、「不確定性の度合い」として測られるべきものであるというものです。これは、一見分かりにくい定義ですが、情報を意味ではなく量として捉えた場合、予期しうる出来事とまったく予測されえなかった出来事を比べたとき、後者が「大きな情報」、前者が「小さな情報」と考えられるように、予測可能性と伝えるべき出来事や事態との落差としての「無秩序さの程度」の観点から数学的な量概念として「情報」を捉えようという発想なのです。旅客機は定刻通りに飛び立ち定刻通りに目的地の空港に着陸したという出来事はテレビ・ニュースで報道されたりはしない「小さな情報」です。これに対して、四機の旅客機が同時にハイジャックされ、そのうちの二機がニューヨークの世界貿易センタービルに突っ込み、一機がペンタゴンに突入、さらに一機は墜落したというのは、二〇〇一年九月一一日の時点では、(6)非常に「大きな情報」です。

コミュニケーションの技術的回路が伝達することができる情報量の単位が、二進法を基礎とした「バイナリー・ディジット（binary digit、二項指数）」、略称「ビット（bit）」です。例えば、コンピュータのデジタル言語は、すべての情報を「0」か「1」の二進法の数字に書き換えるわけですが、「0」か「1」かは、この人工言語において「情報」を伝達する最小の言語差異として、最小量の情報単位に対応するとされます。「1ビット」とは最小限の選択が表しうる情報の最小単位です。例えば、赤か青かという二項からなる信号体系があるとして、赤を「0」、青を「1」という二進法の数字で表すと、赤の信号が灯ったという情報は2の1乗分の1の確率で起こる情報であって、1ビットの情報として表されます。信号の前で車が「止まる／発車する」という出来事をそれぞれ0と1で表して、信号の「点／滅」と組み合わせるとすれば、「赤信号で車が止まった」という情報は2の2乗つまり2ビットの情報量で表すことができます。このように情報を二項関係の連続として捉え、二進法からなる人工言語（＝数学言語）で書き表すことができる量として扱うのが「デジタル化（＝二進法化）」の処理です。このような二進法化を行うことで記述された情報は、機械による計算処理にかけることができるようになります。機械による処理が何を可能としたかはコンピュータの発達が人類文明にもたらしたものを考えれば理解できるでしょう。

シャノンの情報理論によって、情報をどのように量として扱えるようになるのか、またコミュニケーションをどのように技術的回路として概念化することができるのかを私たちは知ることができます。この原理によってすべてのメッセージを量として数式で書くことが可能になります。同時に二進法の人工言語は、メッセージを機械信号に置き換えてコミュニケーションの回路を通して送ることを可能にします。「シャノン・モデル」が意味を排除して量のみを扱い、心的過程ではなく機械の技術的過程のみを情報理論の対象として取りだそうとしていることは、ソシュールの「ことばの回路」がもっぱら記号を扱い、生理―物理過程を括弧に入れて意味を生みだす心的過程にのみ関わろうとしたことと対照的です。じっさい、二つの図式は同じ電話モデルを共有しつつ、相互に補完的な領域をカバーしていることが分かります。それこそ、一方が意味の心的プロセスに固有に関わることをめざし、他方が量としての情報の技術的プロセスに特化しようとする、記号論と情報理論との間の補完関係を示すものなのです。

ヤコブソンの「六機能図式」

ソシュールの「ことばの回路」を発展させて、しかもシャノン・モデルも採り入れながら二〇世紀において最も総合的な記号図式を完成させたのはヤコブソンでした。彼が一九六〇年ごろに完成させた図式は、コミュニケーションを構成する六つの因子（factors）と、それらに対応する六つの機能からなる「六機能図式」と呼ばれるものです（図4-7）。これは、言語記号の働きを説明したものですが、多くの他の種類の記号によるコミュニケーションにおいても、それらの因子や機能については対応項を認めることができます。

コミュニケーションを構成する必須の因子として、ヤコブソンは、(1)「発信者」、(2)「受信者」、(3)「コード」、(4)「メッセージ」、(5)「コンタクト」、(6)「コンテクスト」という六つの因子を数えています。そして、それぞれの因子には、(1)「主情機能」、(2)「働きかけ機能」、(3)「メタ言語機能」、(4)「詩的機能」、(5)「交話機能」、(6)「参照機能」というコミュニケーションの六つの機能（functions）が対応するとされます。[7] このヤコブソンの図式は、ソシュールの「ことばの回路」を発展させて、「発信者」と「受信者」を結ぶ「メッセージ」のやりとりをコミュニケーションとして考えています。ソシュールの「ラング」と「パロール」はここでは「コード」と「メッセージ」という情報理論の用語に置き換えられています。「シャノン・モデル」では、「回路」と呼ばれていたメディアの部分は、ここでは「コンタクト（接触）」と呼ばれています。コミュニケーションが参照する場面を「コンテクスト」という因子として図式に組み込んでいます。

　ヤコブソンのコミュニケーション理解は、機能論と支配的要素（ドミナント）という考え方にもとづいています。六つの因子に六つの機能が対応し、それらの機能が合力をつくることによってコミュニケーションは成り立っているとされます。すべてのコミュニケーションにはそれら六つの因子と機能が介在しますが、どの機能が支配的要素として活性化し前面に出てくるか――どの因子にコミュニケーションの焦点が合わせられるか――によってそれぞれのコミュニケーションのタイプは決まります。

コンテクスト
（参照機能）

発信者　　　メッセージ　　　受信者
（主情機能）-------------（働きかけ機能）
（詩的機能）

コンタクト
（交話機能）

コード
（メタ言語機能）

図 4-7　ヤコブソンの六機能図式

　例えば、言語コミュニケーションを考えると、驚きを表す「おお！」とか、感嘆を表す「ああ！」といった「発信者」の感情を表す間投詞はことばの「主情機能（emotive function）」が表れたもの、「〜せよ！」とか「〜しろ！」といった命令や依頼を行う「受信者」に焦点がおかれた場合に前面に出るコミュニケーションが「働きかけ機能（conative function）」です。発話が成立する場面や世界の状況を「コンテクスト」として参照するルポルタージュのようなコミュニケーションにおいて支配的なのは「参照機能(referential function)」、どのように記号活動のルールを使用しているのか、どのように語彙の体系や文法の規則を使っているのかを確かめるときのように、言語記号の「コード」そのものに焦点をあてて活性化される働きを「メタ言語機能(metalingual function)」と言います。そして、コミュニケーションの回路が確保されているかどうか、例えば、電話で「もしもし」という場合のようにコミュニケーションを可能にする「コンタクト(接触)」が成立しているかどうかに焦点があたっていることばの働きは「交話機能(phatic function)」と呼ばれます。さらに、「メッセージ」としての記号の実現の形態そのものがことばの焦点におかれているような言語活動に表れる働きを「詩的機能(poetic function)」と名づけています。こうしたコミュニケーションの諸機能は言語コミュニケーションにかぎらず、身振りのようなパラ言語によるコミュニケーション、絵や文字を使ったコミュニケーション、映画やテレビのようなマルチモーダルなコミュニケーションなど、あらゆる種類のコミュニケーションに見いだされます。

モデルの理想化と限界

ヤコブソンの図式は、二〇世紀を通して成立してきた記号や情報についての基本的な考え方を一九六〇年という「メディアの世紀」のほぼ中央で一つにまとめあげたという位置をもち、これ以後、とくに言語学や記号論が「構造主義」と呼ばれる世界的な知の動きの中心となるのと相まってコミュニケーションを考えるための一つの参照点となってきました。それは一種の汎用モデルとしての役割を果たしてきたと言ってもよいかもしれません。任意のことがらについて「電話」をどこからでも誰にでもかけることができるのと同じく、この「コミュニケーション図式」もさまざまな場面で使うことができる。電話が一対一の送受信項、一本の回路、共通した信号コード、リニアーに送られるメッセージ、発信者と受信者の同時の現前といったコミュニケーションの前提条件の中に人々を引き込むことによって、すべてのことがらについてコミュニケーションすることをすべての人々に可能にするように、コミュニケーションの汎用モデルはあらゆる種類のコミュニケーションを理解することを可能にするというわけです。

しかし、私たちはこのようなコミュニケーション・モデルが行う理想化とその前提条件に十分注意深くなければならないでしょう。じっさい、「コミュニケーション」の概念自体が、この電話モデルに見られるように、話すこと、書くこと、聞くこと、読むこと、伝えること、書き残すことなど、一連の記号活動を一つに括るために、電信テクノロジーと密接に結びついて発明された一つの理想化を表していると考えることもできるのです。電話モデルにもとづいたコミュニケーション図式は、「発信者」／「受信者」の対称的な関係を前提にしていますが、現実の社会関係においては、対等で相互に可逆的なことばの交換はむしろまれであり、記号は非対称的な力関係において作用することが頻繁です。複数言語使用だけでなく、方言や、ことばの社会性を見れば明らかなように、メッセージの理解をつかさどる「コード」は、均質的でも完全に共有されるものでもないことの方が一般的です。また文字、写真、電子メールなどを見ればコミュニケーションは同時性ではなく時間性をその構成要因として成り立つことが多いということも分かります。さらに発信者や受信者は、必ず個人であるとはかぎらず、集団的存在や匿名的存在であることもよくあります(8)。そのようなさまざまな限界をむしろ前提としつつ、「コミュニケーション」という括りが二〇世紀には一般化したということを私たちは理解すべきなのです。

3――メディアの文明圏

記号・技術・社会

この章ではメディアとコミュニケーションを原理として考えることを試みてきました。メディアの問題系に現れる記号と技術の次元が、コミュニケーションの問題系においては記号のコミュニケーションが共同体をつくるという社会の次元と相関している事情が分かってきます。

コミュニケーションにおいては、「メディア」の回路を通して、「メッセージ」の流通、「発信者」と「受信者」の相互関係、メッセージを解読可能としつつ人々を結びつける「コード」、共有される世界の「コンテクスト」という諸因子をつらぬく活動のプロセスがつくりだされている。このプロセスを通して、記号と技術と社会という三つの次元が、トポロジーのいうボロメオの三つの輪のように、相互に内と外が連続した問題圏の位相の結び目をつくっていることになるのです（図4-8）。人間の活動のこのボロメオの輪こそ「文明」と呼ぶべきものであろうと私は考えています。

「メディアはメッセージである」

メディアが文明にとってもつ決定的に重要な意義を指摘してメディア論の新しい地平をもたらしたのはマクルーハンの「メディアはメッセージである（The Medium is the Message）」という定式でした。

マクルーハンは「活字人間の形成」という副題をもつ主著『グーテンベルクの銀河系』（一九六二年）の中で、人間の歴史を、グーテンベルクの活版印刷術がつくりだした活字文化（それが「グーテンベルクの銀河系」です）、それ以前にあった口誦や写本にもとづいた声の文化、そして活字文明を過去のものとしつつある「電気メディア」（現在でいう

「電子メディア」）の文化圏という三つの段階として捉え、メディア技術の変化にもとづいた人間の文明の変容を「星雲」に喩えて理解しようとしました。

すでに述べたように、マクルーハンのメディア理解は「メディアは人間の身体の拡張である」というもので、その基礎にあるのは感覚比率論でした。黙って本を読む個人的な行為としての黙読という読書の習慣は、活字本の普及によって生まれ（活字本の流布する以前の写本の時代にあっては、本を書く（＝写す）ときも読むときも声に出して音読することが習慣でした）、それによって黙って読み考えるという個人の「内面」が発生し、また視覚に重点がおかれ本の行を辿るように、経験を線条的に分析的に理解して構成する近代的な世界経験が成立したと考えられます。マクルーハンによれば、活版印刷技術がつくりだした文化圏としての「グーテンベルクの銀河系」は、視覚を優位に成立した文化でした。活字を基礎に世界を微分して構成するような世界が、二〇世紀には電気メディアによって別の文化の圏域――「電気メディアの星雲」――に移行しつつある。人類は別の感覚比率によって経験を組織する文化圏に入りつつあるというわけです。一つの文化圏は、一つのメディア技術と一対一の関係で結ばれているのではなくて、層が重なり合うように一つのメディア圏はそれ以前のメディア圏の上に成層していく。星雲に別の星雲が覆い被さるように、メディアの文化圏は相互に貫入しつつお互いに位置づけられていく。例えば、テレビという電子メディアの登場によって、活字本や新聞は消え去るわけではないのですが、これらはテレビという新しいメディア媒質が導入する新しい感覚比率にもとづく経験と相互関係の中におかれるようになるというのです。

マクルーハンの「メディアはメッセージである」という電子メディア時代の幕開けを告げる標語は、メディアとはメッセージを運ぶニュートラルな乗り物であるというメディア道具説からの脱却をめざすものです。メディアはメッセージの単なる伝達手段ではなく、メディアこそむしろメッセージのあり方そのものを決定する力をもっていること、人間の感覚や経験の存立そのものを変える可能性をはらんでいること、またそれにともなって人と人、人と技術との結びつき、つまり、社会と文化のあり方を変える大きな要素であることを表した言葉なのです。

『グーテンベルクの銀河系』では、活字メディア技術が生みだした「活字人間」の間近な終焉、電子メディア圏の到来による人間の文化の大きな転換という問題を提起しました。『メディア理解 (Understanding Media)』(一九六四年) では、「メディアはメッセージである」のほか、情報媒質の精度をめぐって「クールなメディア、ホットなメディア」という区別など刺激的

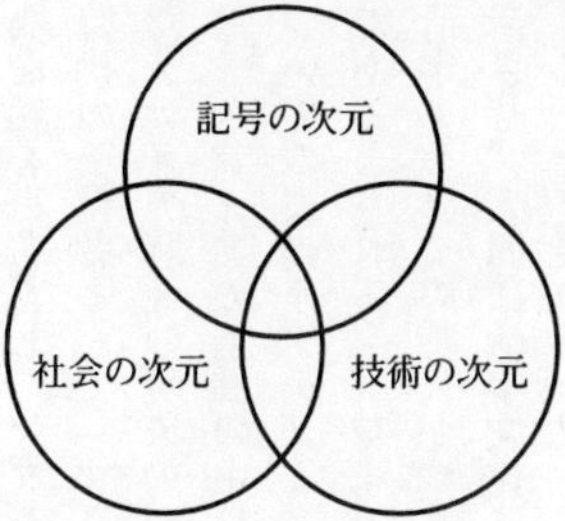

図4-8　記号・技術・社会のボロメオの輪

な命題を打ちだし、マクルーハンはにわかに世界中の脚光を浴びて、新しい電子メディア時代の予言者として「マクルーハン旋風」と呼ばれた流行を引き起こしました。これもまたメディア時代の現象の一コマです。それにしたがって、理論家としての厳密さを失って、電子メディアの星雲の中にのみこまれてしまったかのようでした。電子メディアの時代についての彼のオプティミズムは、テレビや電気メディアが可能にする新しいコミュニティであるとされる「グローバル・ヴィレッジ（global village）」論にとくに顕著です。[9] それは、活字メディアの時代がつくりだした視覚優位の文化に対して、電気メディアは口承性を復活させ、人間に活字文化によって抑圧されていた五感を回復させ、個人の中に閉じこめられていた連帯の絆を取りもどさせ、近代の国民国家が分断していた人類を地球規模で結びつけるようになるというものです。この「グローバル・ヴィレッジ（地球村）」の考えは、テレビに代表される新しいマス・メディア資本の世界規模での支配をイデオロギー的に表現したものとしかいまでは読むことができないものです。

グールド「寛容の劣化をたてなおす」

マクルーハンと同時代を生きた同じカナダの天才ピアニスト、グレン・グールドは、ロシアのように「西欧の様式慣習にかぶれないように努める疑似ナショナリズムの世界を何世紀にもわたって生き抜いてきた」国における文化的実験について、ドストエフスキーの

『カラマーゾフの兄弟』に登場するゾシマ長老の説教の中の「エレクトロニクス文化をおどろくほど看破する」言葉を引いています——「世界が距離を克服し、さまざまの考えを大気に乗せて伝播するようになれば、世界はもっと一体化され、もっともっと兄弟愛に満ちた社会に結ばれると考えている人たちがいる。しかし悲しいかな、このような結合があるなどと信じてはならない」。

グールドは書きます——「マクルーハン教授の「地球村」という概念、すなわちマクマード湾（南極ロス湾入江、米国の観測基地）からムルマンスク（ソ連邦ロシア共和国北西部ムルマン沿岸地方にある不凍港）まで、台湾からタコマ（米国ワシントン州西部港市）までが同時に応答するという考え方には不安を感じる。マクマードにいるだれかが、時代的に「波長がずれていても」、接触がなくても、モーツァルトが夢にも思わなかったようなハ長調を生き返らせることだってあるかもしれないではないか」[10]。このころからグールドはコンサート活動から撤退しレコーディングのみによって演奏を公表する演奏家に変貌します。同時化し画一化する世界から撤退して、記憶と記録の中に沈潜することで、メディア化された世界における「寛容の劣化をたてなおす」創造戦略を芸術家は探ることになるのです。

新しいテクノロジーによる世界制覇とそれが撒き散らすバラ色のイデオロギー、同時的に競争する世界における「寛容の劣化」とそれに抗する創造の戦略について、私たちは現在もう一度よく考えてみる時期に差しかかっています。マクルーハンの電気メディア革命の時代とまったく同様に、「グローバル化」の予言と喧噪、世界の同時化のオブセッションと瀰漫する非寛容を、私たちは「インターネット」や「IT革命」をめぐって再び目の当たりにしているからです[11]。

「マクルーハン旋風」が去ったのち、私たちは自分自身を電子メディアの時代のただ中に見いだすことになりました。新しい「感性（feeling という語が一九六〇年代にはよく使われました）」や、ポップ・カルチャーやサブ・カルチャーなど新しい電子メディアに乗って一般化した文化現象など、人間の「感覚比率」はたしかに確実に変化を起こし、私たちの人間の条件を変化させてきたと言ってよいでしょう。そのようなメディアがつくりだした新しい意味環境の成立のしくみを理解することこそ、私がセミオ・リテラシーと呼びたいと思っている批判の力を養うことであるのです。

❺ 〈ここ〉についてのレッスン

僕は自分をもっと空き家という存在にぴったりと重ね合わせようとした。僕は自分が柱であり壁であり天井であり床であり屋根であり窓でありドアであり石であると思う。そうした方が理にかなっているように思えたからだ。……僕の意識の一部はまだ一軒の空き家としてそこにある。それと同時に僕は、僕としてこのソファーの上にいる。そしてこれからどうすればいいのだろうと考えている。どちらが現実なのか、僕にはまだうまく決められない。「ここ」という言葉が僕の中で少しずつ分裂していくような気がする。僕はここにいる、でも僕はここにもいる。僕にとってそれらは同じくらい真実であるように思える。

——村上春樹『ねじまき鳥クロニクル』

1――意味を帯びた空間・場所

私たちの意味の世界

私たちの意味活動は、すべてある場所を占めることによって成立します。部屋や家や建物などの私たちが生活している空間、学校や仕事場の空間、街路や広場などの都市空間、あるいはまた想像の中の見知らぬ場所……。

私たちの意味の世界は、そうした空間や場所の問題とどのように結びついているのでしょうか？　空間や場所が意味作用をもつとして、それらはどのように意味するのでしょうか？　どのように空間は意味をもち、意味はどのように場所をもつのでしょう？

ことばの意味活動のみを問題とする言語学の場合には、ことばのやりとりが行われる空間やことばが言及する場所は、ことばの実現である言説（discourse）を取り巻いている言説宇宙（universe of discourse）あるいは場面（context）として、言語外事象の次元として扱われるのが一般的です。しかし、意味の問題系を言語以外の複合的な次元にまで拡大して捉えようとする記号論の立場に立つならば、さまざまな意味活動が行われている〈そこ〉・〈ここ〉は、具体的な意味活動を担う主体の身体が場所をもち、知覚が組織され想像力が活性化する場所であると考えられます。そのさい、そのような空間や場所がどのように組織され、どのように意味活動の基礎となっているかを問うことが必要となります。

文化の本質を構成する空間・場所

空間というと、誰しも、幾何学や数学、物理学や地理学や天文学の問題であると考える傾向があるのではないでしょうか。それはおそらく私たちが、ガリレオに始まる近代科学の「無限の延長としての空間」という考え方に慣れ親しんでいるからです。そして、じじつ、神学的な宇宙観から脱したそのような空間観の成立は、近代の自然科学と技術の成立に大きな役割を果たしたのです。しかし、空間は意味作用にとって最も基本的なカテゴリーでもあるのです。なぜなら、人間は空間内の任意の点を占めるというのではなく、空間に住まう存在であり、そして、空間は生きられるものであるかぎりにおいて意味を帯びた空間——意味空間——として経験されるからです。

ハイデガーの存在論は、世界内における人間の存在の仕方を、現—存在（Da-Sein）という中心概念で表しますが[1]、そのときこの語は、「そこ」・「ここ」（Da）において「ある」（Sein）、という意味です。人間においては、「そこ」・「ここ」においてあるという場所の問題が存在の基本に横たわっている。存在するとは住まうことであり、空間性が人間の存在にとって最も基本的な次元であるという考えがそこにはあるのです。

一方、記号学者のロラン・バルトは、「人間の空間とはつねにまず意味空間でありつづけてきた」と述べて、空間を意味論の研究対象にすることを提唱しました。[2] あるいはまた「ゲニウス・ロキ（genius loci 場所の霊）」といった表現に示されるように、人間の空間はつねに意味づけの問題として生きられてきたことは文化人類学の教えるところでもあります。つまり人間にとって空間は意味の場——意味場——として経験されるのであって、私たちは空間の意味を生きているということができるのです。

さて、それでは空間とか場所の意味はどのように成立しているのか？ 空間はどのようにして〈意味空間〉として成立し、場所はどのように〈意味場〉として立ち現れてくるのか？ 意味の問題を分節やかたちの問題として考えるのが記号論の立場だということはすでに述べました。ところが、その場合、「かたち」や「分節」といった概念自体も空間の問題をはらんでいるのです。

プラトンは、宇宙が分節化し、かたちをとる以前にある広がりとしての空間を「被造物、可視のもの、何らかの方法で知覚されうるものすべての母なる容器（コーラ）」として空白の場所（空なる間）を語りました。[3] 記号とは関係性のかたちであり、意味とは関係性の布置の出来事だと考えるとき、すでにそこには空間と分節、出来事と場所といった一連の問題系が現れてくるのです。

この章では、空間や場所の問題が、どのように文化の本質的な次元を構成しているものなのか、そしてまた、〈意味空間〉や〈意味場〉が私たちの日常世界にとってどれほど中心的な問題であるのかを考えてみるために、建築を出発点として取り上げてみます。

建築を手がかりとするのは、空間や場所の問題系が、身体や表象の制度といった文化の基礎的な次元、あるいはまた、権力や支配、報道や環境といったあらゆる問題領域にまたがる人間の意味活動の根本的な問題系であることを論じるためでもあるのです。

阪神大震災で傾いたビル

まず二枚の写真を見比べることから始めましょう。図5-1は一九九五年に起きた阪神大震災で破壊され傾いたビルの写真、図5-2は脱構築（Deconstruction）と呼ばれる前衛建築の運動の代表的存在である建築家ピーター・アイゼンマンが一九九二年に東京・新小岩に建てた傾いたビル「布谷東京ビル」の写真です。

この二つの光景から見てとれる一定の類似と根本的な差異を考えてみることで、建築が提起している文化の意味空間や意味場の問題系に接近することにしましょう。

図5-1は何よりもまず「意味空間の破壊」を示すものです。どこにでも見受けられる近代的なビルが、地殻変動の衝撃である地震によって壊れ傾いてしまっています。建築がつくりだすような私たちの日常空間は、重力という自然の力に打ち勝ち均衡をとることによって文化の空間として成立しているわけですが、その意味活動の場が崩壊してしまった

図 5-1　阪神大震災で破壊されたビル

図 5-2　アイゼンマン「布谷東京ビル」

光景と考えてもよいでしょう。

このような建物の倒壊はおそらく地震によってしか起こらないものなのですが、このビルの写真を見ていると何か捉えどころのない意味の構図の歪みのようなものを私たちは感じます。ここでは、都市の意味空間自体がある断層を露呈させています。写真をよく見ると、傾いたビルの周囲では、すでに交通信号が灯り、後景に見えているガラス張りの高層ビルはもとのままに立ち、人々が交通している。建物の崩壊の現場だけが、ある時間の停止、空間の途切れに見舞われて沈黙にも似た静止の中に取り残されている。建物から荷物を運びだそうと立ち働いている人の後ろ姿が奇妙に現実感を失って見えるのは、カメラが捉えた画面の中で意味空間の構図があるところで急に崩れているからなのです。

意味場の崩壊（カタストロフ）の光景が示すのは、おそらくいつも、このようなエアポケットに似た私たちの意味空間の中断、宙づり、ある捉えどころのない不条理な無意味さの露呈なのではないでしょうか？　それは、一瞬、文化の意味空間の外が垣間見られるときでもあります。

アイゼンマンの傾いたビル

図5-2のアイゼンマンが設計した傾いたビルの方はどうでしょうか。二つの写真を見比べると、この傾いたビルが、図5-1の写真が見せているような空間のカタストロフと

驚くべき類似を呈していることに打たれます。じじつ、この建築は、地震を説明する理論であるプレート・テクトニクスと呼ばれる地殻岩板（プレート）の移動の理論を参照して構想されています。地球の表層は固定された地殻ではなく、さまざまなプレートが相互に移動し、せめぎあい、衝突しながらつくりだされているというのがその理論ですが、まさしくここで建物は、複数の地殻の相互干渉が生みだす地層の襞——褶《しゆう》曲——において構想されている。建物自体が複数の異なった地面の隆起にもとづいて設計されているのです。垂直と平面の軸x、y、zが重力に対して少しずつ傾けられ、建物を構成する建築単位としての直方体はそれぞれ相互にずらされて、まさに地震でずれ落ちたかのように建てられています。なぜこのような建築の試みが行われたのかというと、大地の上に垂直に築かれ、垂直と水平の面からなるという建築空間の前提に衝撃を与えるためなのです。ここでは、建築という文化空間のあり方についての根本的な問題提起が行われているのです。

じじつ、この建築は垂直と平面の軸からなる空間の設計という前提に立っていません。床面とは何であるのか、壁とは何であるのか、空間に住まうとは何であるのかなど建物についてのすべての前提を問うこと、自明性をはぎとり、自明性とは異なるものを導入することによって、建築空間の異化が試みられているのです。土地は決して均質な平面ではなく、さまざまな力のせめぎあうプレートの間の褶曲から成り立っているとすれば、建物自体も地面のそのような運動と一致し、ねじれや折れ目にもとづいてつくりだされるべきではないのか。その場合に、従来の建築を構成していた平面、壁、ファサード、柱などといった空間成分とは何であるのかを、いわば空間を脱臼（脱—分節化）することによって問おうとするのです。

場所への問いは、このビルの内部に入るといっそう感じとれます。そのときに生みだされる空間は、折り紙がつくりだす空間のように、連続体でありながら、ねじれのせめぎあいが生む折れ目によって床面、壁面などが定義されており、建物内部を統一する座標軸にもとづいて位置を測ることができないようになっています。フロアーの個々の場所が、空間のその他の折れ曲がりの折れ目との徹底的に相対的な関係性においてしか位置づけられないような空間なのです。地中に半ば埋没することによって、地下の運動から空間の生成の運動をくみ取り、それによって建築空間の存在の原理を問い直そうとする、そのような振動する空間がここではつくりだされているのです。

アイゼンマンは、これは、〈場〉というものが生みだされる以前の場と場との〈間〉——非—場所——を原理とした建築であると語っていますが、折り紙の例で分かるように、ある力が加わることによって、低次元の平面から次々と異なった空間の布置とかたちが生みだされていく、そのような折れ目＝襞の運動を空間の生成原理としていることが理解できます。建物自体を地震のメタファーとしてつくりだすことによって、文化の空間の構築原理の問い直しが建築の内側から遂行されているのです。

「脱構築」という用語は、現前の原理として構想されてきた西洋の形而上学を問い直し、〈構築〉の思考を支えてきた言語や記号のあり方を鋭く問おうとする哲学者ジャック・デリダがつくりだした用語なのですが、(4) 建築における脱構築もまた文化の空間という現前の原理の自明性を覆し、それを構成してきた建築の言語や記号性を問い直そうとするものなのです。

この建物の内部においては、床面のどの場所に立つかによって空間の様子はまったく違った配置を見せます。一つの場所を成り立たせている壁や床の折れ目は他の折れ目との関係においてしか成立しないのですが、それぞれの折れ目がつくりだす場所は、他のどの折れ目とも異なった場所の分節として空間の配置を生みだしていくというわけです。ねらわれているのは、建築によってそのつど単独な場所が生みだされるという出来事の回復なのです。床面の折れ曲がり、壁面の折れ曲がりにしたがってそのつど固有な場所が生みだされていく、そのような関係性の場所の出来事がここでは空間の成立の運動になっているのです。床面も壁面もそれが空間を構成する関係性の成立であるかぎりにおいて建築にとって記号成分なのですが、ここではそれらの記号成分の分節とはどのようなものであるのか、どのようにして記号成分は空間を成立させるのかが、襞の反復を通して示されようとしているのです。

この「布谷東京ビル」から見れば、周囲の風景自体がいわばその自明性すら失って異化されてしまいます。これは図5-1の地震で傾いたビルとちょうど対照をなす光景と言ってよいかもしれません。また同じ建築家が東京・秋葉原に設計したもう一つのビル「小泉ライティングシアター／IZM」（図5-3）では、別の建築家が設計した格子状ビルの上部と下部に「アイゼンマン・キューブ」と呼ばれるねじれた立方体がはめこまれ接ぎ木されています。このキューブは、多様な大きさと色のL字型の建材フォルムが、こちらも重力軸に対してさまざまな角度に傾いて配置され組み合わされることでできている。建物内部では、大きさ、色彩、角度を変えて繰り返されるLのかたちの反復が、非安定化した、空間と空間、場所と場所の〈間〉を次々に分節しつつ、ここでもそれぞれの場所に固有な出来事をつくりだしていくのです。宿主となった格子状ビルと接ぎ木されたキューブとのずれが、建築の空間とは何かという問いを遂行（パ

図5-3　アイゼンマン「小泉ライティングシアター／IZM」

フォーム）するのです。

破壊と脱構築

さて、二枚の写真が示している破壊（Destruction）と脱構築（Deconstruction）を比較することで見えてくる問題系はどのようなものでしょうか？　これらは、いずれも私たちが自然を文化の空間に変える建築という技術を通して、自明なものとしてきた日常生活の〈場所〉を激しく揺さぶっています。私たちは文化によって構築された空間に生活することにあまりにも慣れ親しんでいるせいで、意味活動の場所としての空間の成立条件を問うことをしません。しかし、例えば、地震のような動きが加わればそのような空間の自明性は崩れてしまう。それは、たんに物理的な破壊を意味するだけでなく、私たちの意味活動と場所との関係が揺らぎ問われる出来事でもあるのです。空間は、私たちの意味活動がつねに生みだしつづけているものである。空間が途切れたときほどそのような意味空間の問題が感じとられるときはないのではないでしょうか。

自明化した空間は、空間のそれぞれの場所の意味、場所の出来事性を忘却させてしまう傾向があります。それに対して、アイゼンマンの脱構築がその空間の異化の運動によって明るみに出すのが、それぞれの場所の出来事としての固有性＝単独性と、それを生みだす空間の記号成分の運動なのです。

もう一つのアイゼンマンの脱構築の重要なポイントは、場所の意味が、空間を占める心理的主体の中にあるわけでもなく、また物理的―物質的な属性や効果に還元できるものでもないということです。場所を生みだすのは関係性の形式としての記号の運動だということなのです。脱構築は、建築の空間を現前の場所として生みだす関係性の形式としての記号の運動を、折れ目やL字型の反復によって指し示すことによって、建築空間が主体の現前の自明性として成立する以前の建築記号のプロセスをこそ経験させようとするのです。

空間は自明ではない。私たちの現前もまた自明ではない。壁も床も、垂直性も窓も、すべては自明ではない。そのような前提がすべて揺らぐとき、問われるのは文化による空間の構築（それは文化そのものと言ってもよい）とはいったい何なのかという巨大な問いでもあるのです。

2――記号と構築

人間の文化における構築

建築においてなぜ記号が問題なのか、なぜ意味空間ということが論じられねばならないかというと、それは建築が空間を関係性の場として分節するからです。すでに2章で述べたように、私たちは、記号を関係性の形式、意味を関係性の出来事として定義していました。そして分節という問題が、記号現象の基本にあるということも思いだしておきましょう。

建築という営みは、もっと一般化していえば人間による空間の構築（construction）のことであって、それこそは人間の文化にとっての基本的な次元をなすものです。教会や寺院といった象徴的で固有な意味を帯びた建築を除くならば、現代の建築が生みだす空間においては、個別の場所が必ずしも特別な意味をもっているとは考えにくいかもしれません。とくに、機能を建築言語の中心に据えたモダニズム建築以後、場の意味はその機能であるという常識、モダニズムの代表的建築家ミース・ファン・デル・ローエのいう「形式は機能にしたがう」という考え方が一般化しています。[5] こうした機能主義もそれはそれで場所の意味を考えるために重要な役割を果たしたのですが、そのことは後でふれます。

しかし、どのような建築であれ、構成要素（柱、梁、屋根、壁など）から成り立ち、それらの要素は文化と歴史に応じて形式化されているとともに、建物の構造（structure）の要素としても形式化されています。「構造」という概念が何よりもまず建築の用語であったことをここで思いだす必要があります。構造という、重力の力を関係性の形式に変換する原理がなければ建築は成立しないのであり、この問題は人間の文化における〈構築〉という営為の基本にあるのです。そして、建物を構成する要素の形式化が生みだす関係性の場においては、空間の中の〈ここ〉は、その空間をかたちづくる他の場所とつねに分節化されているのです。〈構築〉が、いかに重力との均衡をとるかという土木技術の問題（人間の文化による自然の支配＝統御の問題）であると同時に、関係性の形式によって生みだされる場という記号と意味の問題としても現れる理由はそこにあるのです。

人間文化にとって基本的なものとしての〈構築〉という問題は、空間に関する自然／文化の対立をふくむものです。人間の空間の経験には、建物といった人工の空間だけでなく、自然の空間の経験もあるではないか、といった疑問もあるだろうと思います。しかし、人間にとって自然は、何よりも自然／文化というそれ自体、文化によって規定された基本的な分節を通して経験されるものなのです。

図5-4　ミッテラン国立図書館

一八世紀のロココ建築における田園の流行（マリー・アントワネットの田舎家や、イギリスにおける廃墟の流行）などは、自然へのあこがれがこのような分節を通したものであることを如実に示すものです。また、現代建築においてもビルの建築の内部に植物の空間を設けた例（巨大な森のような庭園をガラス建築の内部に抱え込んだフランスのミッテラン国立図書館（図5-4））などは多数存在します。この意味では、自然の意味づけは、文化による構築の場所との関係において分節化されていて、自然／文化の分節を通して意味作用が生みだされていると考えられるのです。自然はそれ自体としては存在しない。環境やエコロジーが、本質的には直接自然の問題なのではなく、文化のあり方の問題であることを考えるうえでこれは重要な点です。

ヘーゲルのピラミッド

アイゼンマンが脱構築しようとしている建築の歴史、それは人間が自然を幾何学的で均質な空間、すなわち、そこにおいては時間さえもが均質に流れ、人々が自然から独立した文化を生きることができる空間へと変えてきた歴史でもあります。そしてその建築の歴史に、「始まりの建築」としてピラミッドを考えてみることができます（図5-5）。

哲学者のヘーゲルは、「記号とは、無関係な魂が運び込まれたピラミッドである」と述べて、ピラミッドを記号について考える場合の特権的な喩えとしているのですが、これは人間の文化の基本にある〈構築された空間〉と〈記号〉とがある深い結びつきをもっていることを示すものです。[6] ピラミッドについてのヘーゲルの解釈を敷衍すると次のようになります。

図5-5　ペイのピラミッド（ルーヴル宮）

エジプト建築の特徴は、迷路からなり象形文字に覆われた地下の部分（地下神殿）と、正四角錘の結晶体として地上に隆起した部分（ピラミッド）からなっていることにあります。この建築は、大地に穿たれた穴という非-構築的な段階から、地上に構造物を築くという構築の段階への移行を示していることになります。

地下建築というものが、土地という自然の部分に場所をつくりだすという人間の文化の第一の否定性の働きかけを表しているものだとすれば、ピラミッドに見られるような地上建築の登場は、その第一の否定性の働きがつくりだした雛型がさらにもう一段階の否定をへて自立した空間（＝文化の空間）として成立したことを示しているというのです。そして、このプロセスは、ヘーゲルにおいては自然的な事象との感性的な結びつきをもった象徴（象形文字がそれに当たる）の段階から、そのような結びつきを否定して自己体系化した恣意的な記号の段階への移行とパラレルに論じられています。

さらに、ヘーゲルによれば、ピラミッドは、自然的生死の否定によって生みだされる魂の不死という、観念の自立を示す記念碑なのですが、ピラミッドが内部に宿しているのは、いまだ死者の魂の空間であって生者の生きる空間ではない（生者のための空間の誕生はヘーゲルにとってギリシャの建築の出現ということになります）。記号としての建築が人間文化の自立した空間を生みだす瞬間をピラミッドは示している、ということになるのです。ピラミッドは死者の魂の記号なのですが、その記号の特徴は死者との感性的な類似性をもはやもたない、したがってそれは「無関係な魂が運び込まれた」記号、つまり恣意的な記号であり、それによって自立した精神の活動を宿すことができる記号である、ということになります。(7)

ピラミッドという記号空間の成立によって、文化という意味活動（＝精神活動）が自然から切り離され、自立した空間として生まれつつある。自然空間からの文化空間の分離—自立を、ヘーゲルはピラミッドという記号体の成立に見ているということになります。

たしかに、ピラミッドはその正四角錘の幾何学的構築によって砂漠という無定形な自然から自立した空間を切りとっています。ピラミッドの正四角錘の空間は何か他の自然物との類似関係をもつのではなく、完全にそれ自身において自己関係化された構造をもっています。そして、自然界の流れるままの時間を、ピラミッドはその構造体の中に封印しようとしています。空間が自己関係化されるにともない、時間もその空間において均質化され、自然の流れから分離され、形式化をうけることになるのです。

ピラミッドは、さらにまた自然的な死に抗う人間の魂の記号です。そのような意味でヘーゲルはピラミッドこそ魂の容器としての記号の最たるものであると述べています。時間や空間を自然過程から自立した文化の意味作用として切りとることを可能にし、魂を構築物の内側に保持しつづけることができる〈内面〉として生みだした記号体、それこそが〈記号の記念碑〉としてのピラミッドだと言ってもよいでしょう。

建築の言語

ピラミッドについて、タレースによるその高さの計測の伝説に見られるような幾何学の起源にまつわる物語が発生したことも、このピラミッドの記号性とおそらく無関係ではないのです。(8) ピラミッドという完全に幾何学的な構造をもった——記号としては完全に自己関係的な——記号体によって、時間—空間は均質な場となり人々は安定した意味作用の世界に住まうようになったと考えられる。記号による構築によって、人はその空間における任意の場を占めて、自由な——恣意的な——活動を行うことができるようになる。建築とは、その意味で、自然の時間と空間を文化の意味作用に変える役割を果たす記号装置と言えるのです。

幾何学（geometry）とは、もともと geo「大地」と metry「測量」からなる、その語源「尺度による大地の測量」が示すように、大地の分節化、かたちのシステムによる空間の理解と、技術による自然の支配＝統御のための知であるわけですが、空間の分節化＝自己関係化による自立した文化空間の創出がそこには賭けられているということなのです。

建築は、大地の穴に住むという非—構築の段階から、重力という自然の力に抗し、それと築の段階にいたって初めて出現することになります。重力という自然の力に抗し、それとの均衡をつくりだすことにより構築は始まります。柱が立つことで垂直方向の空間の分節が開始され、すでに見たように、構築物には重力の力を関係性の形式へと変換する〈構造〉が与えられていきます。分節化された空間、そして、そこから分節化された時間が開始するのです。

建築家の隈研吾は、建築を「空間的な構築」であるとし、地中に穿たれた住まいとしての洞窟から地上建造物への移行を建築史の始まりとしています[9]。その中で、洞窟の非構築性として三つの特質をあげて特徴づけています。すなわち、1．洞窟の空間は内部空間のみで形態をもたない。2．分節も秩序ももたない迷路性。3．空間が分節されていないことに応じて、時間も非分節である。それに対して、構築としての建築の基本特徴として、1．かたちの概念の出現、2．柱によって経験されるような垂直性とその対としての水平面の概念の成立、を挙げています。そして、重力に打ち勝つ形式としての構造への意志が出現するとして、「構築は構造を表現しようとする」と述べています。建築史の成立についてのこの見方は、私たちが見てきた意味空間の構築の問題系——地中からの構築体の隆起と、関係性の形式としての場所の成立——と完全に一致するのです。

これ以後、建築の歴史は、文化による空間の形式化という記号体系の歴史と完全に重なることになるのです。それぞれの社会は、その技術の水準にしたがって柱、屋根、壁などの基本要素からなる建築の〈語彙〉をもち、文化体系や都市の中のコンテクストに応じて、建物を生みだす様式的な文法をもつことになるのです。そして、内／外、上／下、光／闇などの基本的な対立にもとづく意義素の分節から始まって、建築全体が与える効果の計算（例えば比率）にまで及ぶさまざまな建築言語の言説（ディスクール）が可能になるのです。現在では、多くの建築家が建築を言語のタームで語る（建築の語彙、シンタックス、文法など）ことが一般的ですが、このことこそ建築がすぐれて記号的な活動であることを証すものなのです[10]。

3——意味空間の成立条件を問う

遠近法と視覚のピラミッド

建築という記号的構築による時間―空間の形式化という、人間の文化に基本的な次元の成立がもたらした影響は、しかし、じっさいに建築によってつくりだされた広がりとしての空間にとどまりません。均質な時―空間の始まりの記号体としてのピラミッドに見られる構造の問題は、私たちの近代の表象空間をも深く規定しています。建築の技法から派生した〈遠近法〉の問題がそれです。

「線遠近法」(linear perspective、以下遠近法と略)という作図法は基本的にルネサンス以後の西欧近代が発明した幾何学的図法ですが、その根底にあるのは「視覚のピラミッド」の原理(図5-6)です。遠近法は、視野の中心を一つの点――視中心――とみなし、描かれるべき対象の諸点をこの一点に結びつけることで生じる「視覚のピラミッド」の切断面を画像として定着させる技法です。そこには二つの前提があって、一つは動かない一つの眼で視ているということ、もう一つは、「視覚のピラミッド」の平らな切断面はそのまま視像の適切な再現とみなされてよい、というものです。「視覚のピラミッド」という約

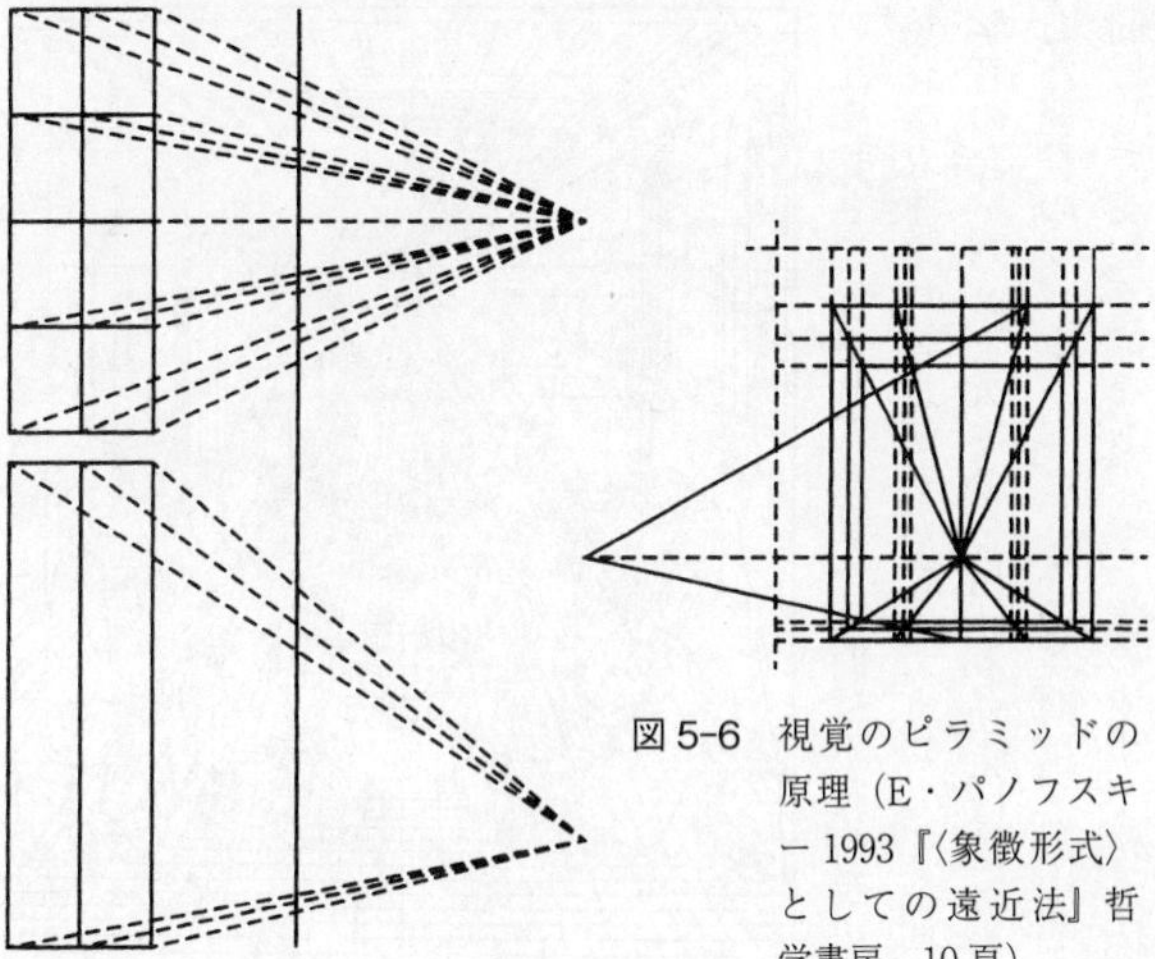

図5-6　視覚のピラミッドの原理（E・パノフスキー 1993『〈象徴形式〉としての遠近法』哲学書房、10頁）

束事によって、画面内の奥行き方向の線はすべてが眼から画面に向かって下ろされた垂線の交点である唯一の「視中心」に収斂する。また同時に、すべての平行線はどのような方向に向いていようと、地平線上の共通な唯一の「消失点」に向かっていくとされるのです。

このようにして成立する遠近法においては、描かれる事物はすべてが大きさと距離との関数へと翻訳されることになります（図5-7）。画面に描かれた対象（a1, a2, a3……an）は、それぞれの大きさと視中心からの距離に応じて完全な相互関係性において捉えられるのです。遠近法によって空間の広がりは距離と大きさ

図 5-7　遠近法（同書、57 頁）

の比率へと還元され、運動や時間は不動の視中心から視て計算可能な距離の関数として抽象化されます。遠近法とはそのようにして空間を表象へと変換する一つの記号形式（図像学者のE・パノフスキーの用語を使えば象徴形式（symbolic form）[11]）なのです。偶然に満ちた経験のフィールドとしての空間は、視中心と消失点との間に横たわる計測可能性の空間として支配可能なものとなるのです。遠近法によって、視中心を占めにやってくる人間の主体は、消失点にまで拡がる客体世界の無限の経験性を、「視覚のピラミッド」によって記号化し、意味づける原理を手にいれるのです。

これ以後この記号形式は一つの先験的な原理として機能することになります。パノフスキーの言葉を引用すれば、「遠近法的な空間観は、実体を現象に変えることによって、神的なものを単なる人間の意識内容に切り縮めるように見えるが、しかし、その見返りに逆に、人間の意識を神的なものの容器にまで拡げもする。それゆえ、こうした遠近法による空間観が芸術の発展のこれまでの過程で二度にわたってゆるぎない地歩を占めたのも偶然ではない。その一度は古代神権政治が崩壊したときにその終焉の徴としてであったし、もう一度は人間の政治が台頭したときにその出発の徴としてであった[12]」ということになる。諸々の事物の実体は、不動の視点から視たそれらの事物の見かけ(=現象)の表象から演繹可能なものとして、先験的な存在を与えられる。こうして、事物の実体と主体の眼差しとの安定した対応関係を保証する再現=表象(representation)の空間と、実体論的な認識の図式が生まれたのです。

近代の表象空間を成立させた決定的な記号装置とも言える遠近法が示しているのは、ピラミッドに始まるような記号体による空間の構築のシステムこそが、知覚世界や客体の世界と、知覚する主体の位置――それぞれの主体が占める場所の〈ここ〉――の双方を分節化するものであるということです。文化の中の人間が占める場所の〈ここ〉は、それぞれが任意の自由な経験の場所と考えられるとしても、それは、上に見たように先験的な記号のシステムに捕えられ構造化をうけた意味の場所だということになるのです。

私たちの〈ここ〉は、つねにすでに文化の中の〈ここ〉であること、記号により生みだされた〈ここ〉であって、決して自然で自明な〈ここ〉ではないのだということ、それを私たちは認識すべきなのです。〈ここ〉の意味を問うとはそのような文化空間の成立の記号的条件と根拠を問うことでもあるのです。

場所の意味論

さて、以上に見たのは建築にせよ遠近法にせよ、人間の文化によって様式化された記号空間の成立こそ、私たちの生活の場所を組織しているのだという事実です。ピラミッドや遠近法の例が示しているのは、空間の基本的な分節化、尺度化によってメトリカルな空間がどのように成立するのか、空間がいかに関係性の場として組織されるのか、空間はどのように記号化されて意味空間となるのかといった最も基本的な問題なのです。私たちの〈ここ〉の経験は、つねにすでに文化による分節化を受けた空間の中に場所を占めている。私たちの意味活動が場所をもつ――英語でいえば take place「起こる」――のは、あらかじめ意味を帯びた場においてである。そして、遠近法が示しているように、私たちの経験の〈ここ〉、つまり私たちの身体による経験の〈ここ〉でさえも、客体世界の現れ方と主体の知覚の位置をもあらかじめ指定された〈ここ〉であるという構図が以上の考察から見えてくるのです。

私たちの〈ここ〉とは、とりあえず私たちの身体の位置づく〈ここ〉なのですが、そのときすでに身体は記号の制度によって意味空間の中の場所を当てがわれて、その場に従属させられ、そのかぎりにおいて〈主体〉となっている。これを意味空間における／による主体化＝従属化（フランス語で assujettissement、英語で subjection）と言います。

文化が分節するメトリカルな意味空間が、人間の身体の／による意味づけの問題と深く結びついていることは、すでに、ギリシャの古典建築の成立以来述べられてきたことです。またレオナルド・ダ・ヴィンチなどのルネサンスの人体図式にもとづいた建築理論から二〇世紀モダニズムの建築家ル・コルビュジエのモデュロールの理論[13]にいたるまで、近代の建築は空間を人間的尺度において分節化し、その比率において人間的な意味空間を考えようとしてきました。

空間を人間的な意味空間として分節化することは、同時に空間の社会化、それにともなう支配や権力の問題と切り離すことはできません。古代以来の呪術的構造物、寺院、神殿、宮殿など、そのような例には事欠きません（それは、どのような支配的な記号体系が空間を構成しているかによって、場所の意味が生みだされることを示します）。あるいはまた、近代における身体の記号空間の中への主体化による権力の支配の例としては、M・フーコーが分析してみせたような監獄や学校の建築と空間配置をあげることもできます。中でも有名なのは、ベンサムが考案した一望監視装置（パノプチコン）ですが、このような装置も建築という記号体によって道徳的主体の意識を生みだすという権力の例なのです。[14]

ここではひとことしかふれることができませんが、二〇世紀において新しい建築言語を生みだしたモダニズムの建築運動（私たちが今日住んでいる近代的ビルはほとんどこの建築の延長上にあります）もまた、「形式は機能にしたがう（Form Follows Function）」という命題が示すように機能を核に建築言語を生みだすことによって新たな意味空間を生みだしました。それは新たな世界をつくるユートピア的な運動という側面をもった意味空間の変革の運動だったのです。そして、モダニズムの機能主義のもつ意味作用が自動化したときに、建築に意味を取りもどす動きとして装飾性、建築の文化的記憶、引用のゲームなどを取りいれたポスト・モダン建築の運動が起こり、そして、ポスト・モダンという用語は建築の領域を超えて時代の意味に対する大きな問いへと発展していきました。[15]

このような建築の歴史をふり返りつつ、私たちがここで確認しておきたいのは、関係性の場、関係性の形式という記号と意味の問題系が、人間の文化による構築の中心部に横たわっているということ、そして、私たちの場所の〈ここ〉を問うとは、そのような場所の意味批判——場所の意味論——として行われなければならないということであるのです。

破壊と脱構築の問いへの post scriptum

本章で紹介した、アイゼンマンによる「布谷東京ビル」は所有会社の倒産により競売に付されたのち竣工後わずか一〇年足らずで解体されて姿を消しました。他方、阪神大震災で倒壊したビルもすぐに解体され区画は整理されて新しい建物に姿を変えました。あたかも「脱構築」の問いはバブル経済のあだ花であったかのごとく、また大震災による「破壊」がもたらした構築の根拠への問いはすみやかに忘却されるべき事故であったかのごとくです。しかし、抑圧され外部に閉めだされた問いは必ず回帰する。文化的にも思想的にも閉塞状況の感じられるいまこそ、意味空間をめぐる問いをあらためてラディカルに提起すべきときなのだと私は思います。

❻ 都市についてのレッスン

東京は、物語。東京は、写真なのだ。

——荒木経惟『東京物語』

賢きフビライ汗よ、都市を描きだす言説と都市そのものとを決して混同してはならないことを、あなたほどよくご存じの方はおられますまい。ところがしかし、都市と言説の間には関係があるのでございます。

——イタロ・カルヴィーノ『見えざる都市』

1——都市の意味を問う

言語活動としての都市

5章では、建築を題材にして、人間の活動の空間が意味の場として成立することを学びました。この章では、人々の日常のさまざまなコミュニケーションが行われている生活空間としての都市について考えてみます。ここでの私たちの問いは、都市はどのような意味活動の場として生きられているのかという問いです。単一で均質なメディアのうえに成立する記号現象とは違って、都市は人々の活動がもつ多様な側面に関わる複雑で多層的なメディア空間です。都市では、経済や技術が建物や区画や交通網を変形しつづけ、それにともなって人々の意味環境が多様な変化を繰り返している。キュービストたちの絵画やフォトモンタージュを使った作品（図6-1）が取りだしてみせたような不均質で断片化した場が寄り集まってつくりだしている複合的で力動的な都市の意味空間をどのように考えればよいのか。これが、都市の意味論の問題系です。

都市を人間の意味活動の総体と考えようとする都市の意味論の方法は、まずとりあえずは、都市を言語活動のように考えることから始まります。フランスの作家ヴィクトル・ユーゴーの長編小説『ノートルダム・ド・パリ』には「コレがアレを殺す」という不思議な題名をもつ章があって、そこでは大寺院やゴシック建築の石の街並みが体現していた中世の意味の世界（石造建築による中世都市のメディア空間）から、グーテンベルクの活版印刷術がもたらした活字本のメディア空間への移行が語られています。パリのノートルダム寺院の司教代理のクロード・フロロは、ニュールンベルクで印刷されたばかりのグーテンベルク活字本を手にして、ノートルダム寺院の石の大伽藍と見比べながら「コレがアレを殺すことになろう」とメランコリックに呟くのです。石造りの街自体が大寺院という「聖書」の対応物を中心に組織された一つの大きな書物であった時代（それは、建築家のル・コルビュジエが『カテドラルが白かったころ』[1]で描いているような教会の建物が共同体の交感の中心であった時代です）から、活字本の普及によって紙と活字の書物によるコミュニケーションの時代への移行、つまりユーゴーが描きだしてみせるのはコミュニケーシ

図6-1　P・シトロエン「メトロポリス」(1923年)

ョンの変化にともなう中世の世界から近代の世界への移行という事態なのです。同時に、都市は書かれた物のように、あるいは、テクストのように読むことができ、都市を一つの言語活動のように考えてみることができるという考え方もそこには込められています。それが、都市を意味活動の織物のように考えてみることへの第一歩です。

この章では都市を言語活動のように読む記号論の方法の導入者であるロラン・バルトの理論を手がかりにして、この問題を考えてみます。それと同時に、「天才アラーキー」と呼ばれる才能豊かな写真家、荒木経惟の作品を手がかりに都市を考えてみます。荒木はヘア・ヌードや猥褻写真がマスコミでセンセーショナルな扱いを受けて話題にのぼることが多いのですが、ここで焦点を当てたいのは、彼による東京の写真です。写真集『東京物語』（一九八九年）[2]を通して、東京という都市のどのような意味活動が写真の眼によって捉えられているのか、どのような「都市の物語」が語られているのかを見てみたいと思います。じじつ、『東京物語』の中で、荒木は「東京は、物語。東京は、写真なのだ」と述べています。「東京は物語」というのは、東京という都市が、物語のように語られたり語ったりするものである、ということを述べているのでしょう。そして、「東京は写真」だというのは、写真とはそのような都市の「物語」――ここでは都市の意味形成力（signifiance）というバルトの後述する専門用語を使ってもよいでしょう――を析出する装置として機能しているということを表しています。荒木の東京の写真は、優れた写真家の都市写真がそうであるように、都市の意味活動を析出する記号活動——写真それ自体も一つの記号活動です——となっているのです。

ロラン・バルト自身も、一九六〇年代の数度の日本滞在をもとに書かれた日本をめぐる美しい記号の書『記号の帝国』(一九七〇年)(3)をはじめ、著作のいくつかの箇所で、東京を題材に都市の記号論の可能性についての考察を行いました。バルトの理論言説と荒木の写真とを手がかりにして、東京をめぐって都市の意味作用について考えてみたいと思います。

都市は/を語る

まずバルトが都市論と記号論との結びつけを試みている文章を少し読んでみましょう。

都市は一個の言説(ディスクール)であり、その言説は、まさしく一個の言語活動なのです。都市はその住民に話しかけ、私たちは自分の都市を語る。ただ住んだり、動きまわったり、眺めたりしているだけにしても、私たちは、自分が現にそこにいる都市を語っているのです。(4)

「都市は一個の言説(ディスクール)である」という表現は分かりにくいかもしれませんが、「言説(ディスクール)」とはすでに2章で見たようにじっさいの意味活動が生みだしたもの——記号の現働態——ということですから、都市を意味活動の現働態として考えてみることができると述べたものです。そして、都市の言説は「一個の言語活動」だというのは、都市の記号の現働態を言語活動のように考えてみることができるという意味です。都市を記号活動の実践系として理解することが、都市の意味論の手がかりになるということなのです。

「都市の言語活動について語るとき、喩え［＝都市と言語活動との喩え］から分析に移行するにはどうすればよいのでしょうか」とバルトは自問するのですが、その基本となる考え方について次のように述べています。

都市の意味論的研究にとっての最良のモデルは、少なくとも最初のうちは、ディスクールの中の文によって提供されると思います。そして私たちは、ここでまた、ヴィクトル・ユーゴーの昔の直観に出会います。すなわち、都市は、一個の書かれた物（エクリチュール）なのです。都市の中を移動する者、つまり都市のユーザー（私たちはみなそうです）は、何をしなければならないか、どのように移動するかに応じて、同じ言表（エノンセ）のさまざまな断片を取り上げ、それをひそかに現働化する一種の読者なのです。都市の中を動きまわるとき、私たちはみな、クノーの詩集『百兆の詩』の読者と同じ立場に立っています。そこでは、ただ一行の詩句を変えるだけで異なった詩（ポエム）を見いだすことができるのです。都市の中にいるとき、私たちは自分でも知らぬ間に、いわばこうした前衛的な読者になっているのです。(5)

「ヴィクトル・ユーゴーの直観」というのは、『ノートルダム・ド・パリ』の記述のことです。言語学的にいえば、言説（discourse/discours）の最小の単位は文（sentence/phrase）ですが、文を生みだす言語活動のように、私たちが都市を生きることによって刻々と生みだしている意味活動を考えてみようというのです。都市は「書かれた物（エクリチュール）」なのだというのは、都市は住民の記号活動が生みだした痕跡の総体であるということを述べたものですし、「言表（エノンセ）」という用語もここでは、記号活動の出来事が生みだしたものぐらいの意味で使われている――「テクスト」ということばで呼んでもよいかもしれません――と理解しましょう。

文章中で参照されているクノーの『百兆の詩』（一九六一年）は図6-2のように各頁のソネット（一四行詩）を一行ずつに切り、一〇頁にわたってそれぞれの詩行を選びとることができるように工夫をこらした「コンビナトーリア（組み合わせ）」にもとづく作品です。この仕掛けによって読者は一〇の一四乗通りの「詩」をつくりながら読むことができるのです。(6)つまりバルトの見方では、都市を構成する無数の通りや区画や目印などのそれぞれの要素は、都市という巨大なテクストの集合をかたちづくっている記号要素のように

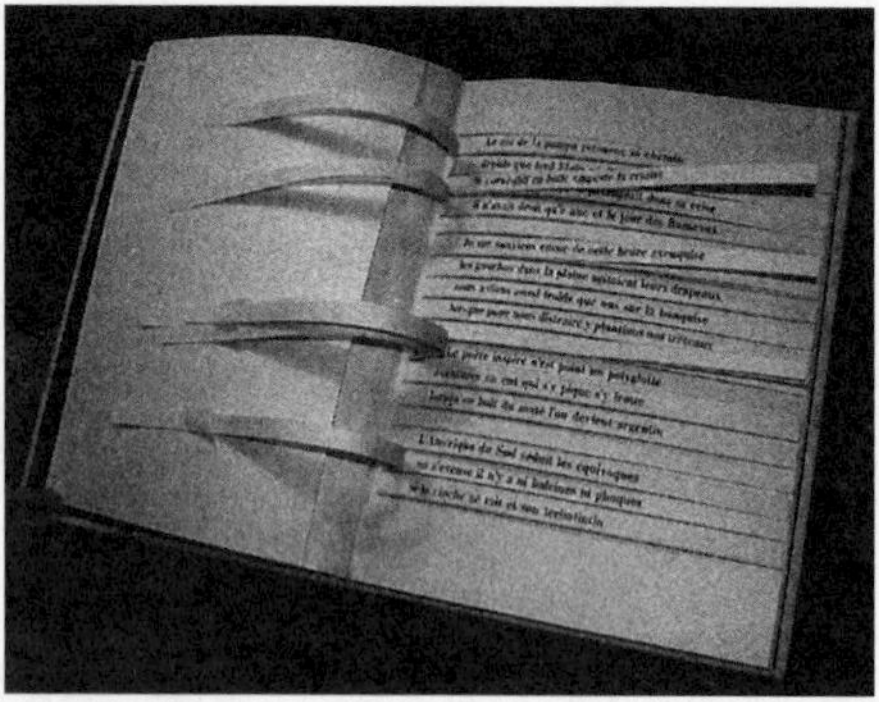

図6-2　クノー『百兆の詩』

考えることができて、都市の中を移動する者は、それらの要素のいくつかを取り上げて、そのつど意味を生みだしていく「読者」のようなものだというのです。詩のテクストの断片を拾い上げて読んでいく読者がそれらのテクストを読むことでテクストの意味を活性化する、つまり読者がそのテクストのことばを語ると同時に、それを通してそのテクストが語り始めるように、都市を歩くとき私たちは都市を語ると同時に、私たちの日常の交通を通して都市は私たちに語りかけている、というわけなのです。

　例えば、私たちが街を歩いているとき、ある場所から別の場所へと移動しているとき、私たちは無数の読み方のできる巨大な書物のある一頁を開いてその何行かを拾い読みし、つづいて別の頁の別の行へと移っていくようにして都市の意味空間を現働化しているのだ、と考えられるわけです。

イメージの形成

それでは、都市の記号作用はどのような要素から成り立っているのか、どのような意味作用の単位を考えてみることができるのか、ということが次に問題となります。言語の意味作用であれば、その構成要素を音素から形態素、構文の統語規則にいたるまで画定することができますが、「都市の記号作用」については、同じように要素単位や文法的規則性を考えることができるのかという問いです。私の考えでも、都市の意味作用に何らかの要素単位と規則性とを見いだすことができるかどうかという点に、都市の意味論（＝記号論）の可能性がかかっていると思われます。

バルトがこの論文を書いていた時代に想い描いていた方向は、都市の住民や交通者が共有する「都市のイメージ」の側から都市の意味作用についてのアプローチを試みるというものでした。彼が手がかりにしたのは、知覚心理学から都市のイメージャビリティー（imageability イメージ喚起性）を研究しようとした都市学者ケヴィン・リンチの仕事です。[7]

一つの都市で生活をしたりその中を移動したりするとき、私たちはその都市について何らかのイメージを形成し、その形成されたイメージをもとに自分の位置や状況を把握しています。ある意味では、私たち一人一人の心の中にカーナビのような、しかし、もっと心的な印象にもとづいたメンタルな地図が描かれていて、それにもとづいて、私たちは街の中を移動していると考えてみることができるわけです。そのようなときに住民の心の中に形成されるイメージはどのような構成をもっているのか、街のどのような要素がそうしたイメージを形成することに役立っているのか、これが都市のイメージの問題です。住民がいだく都市のイメージには、個人差や社会階層やグループによる差異が存在します。しかし、そのような個人差や社会グループの差をこえて都市のイメージが形成されるときに共有されるイメージの体系としての「パブリック・イメージ」はどのようにつくられるのか、そのことを捉えようというわけです。

私たちがある街を想い浮かべるとき、どのような構成要素と規則性にもとづいて、その街全体やある一角をイメージとして構成しているのか。そのようなイメージの要素がはっきりと分節されやすい街は心に想い浮かべやすく分かりやすい――つまり、街としての読解可能性が高い――のに対して、そうした要素がうまく分節をつくりだしえない街は分かりにくい――読解可能性が低い――と経験される。

『都市のイメージ』の中で、リンチは、都市のイメージの分析に三つのレヴェルを想定しています。それは、1同定性（identity）、2構造（structure）、3意味作用（meaning）の三つのレヴェルです。1同定性とは、都市のイメージを構成する要素がどのようなものであるかを同定することができるかどうか、どのような要素が同定されるのか、という分析のレヴェルです。2構造とは、そのようにして同定された要素間にどのような相関関係と相互作用が成立しているのかを研究する分析のレヴェルです。1と2は、じっさいの都市の物理的―現実的な構造との対応を抽出することができる〈形式〉のレヴェルです。それに対して、3意味作用は、1と2をふまえて、それぞれの都市生活者が都市に与えている意味づけのレヴェルで、個人差や社会的なカテゴリーや階層による差異にも関連するとされ、1と2の形式的要素や構造にもとづいてどのような意味づけがされているのかという具体的な意味現象を示します。

つまり、1と2のレヴェルが、言語でいえば、形式的な構成要素とそれらの要素間を結びつける〈範列〉や〈連辞〉の構造規則というレヴェルに対応するとすれば、3はそれらの言語の構造にもとづいてどのような意味がじっさいに生みだされるのかという意味経験の具体的成立のレヴェル――〈言説〉のレヴェル――に対応させて考えてみることができるでしょう。

リンチによる都市の要素

リンチは、都市のイメージの形式的要素と構造のレヴェル――つまり、1と2のレヴェル――に自分の分析を設定します。そして、都市の要素の同定を許す構成要素として、通路（path）、境（edge）、結び目（node）、区域（district）、目印（landmark）の五種類の構成要素を提示し、それらが相関することによって、都市のイメージの構造が成立しているのだという仮説を提出します。

〈通路〉とは、都市を経験する者が、じっさいの生活において、あるいはただ街を想い浮かべるときに、そこを通って街を移動するとみなしている通り路のことです。具体的には、道路、歩道、高速道路、運河、地下鉄、鉄道などです。人々が都市のイメージをつくるのは、この通路を通してなのですから、都市イメージの構成要素の中でも通路は第一義的に重要な役割をになうものです。

〈境〉は、海岸、河岸、地区を限る鉄道線路や道路、壁、開発の途切れる端など、街の中の場所の拡がりの境界をつくっている「辺」にあたる要素で、その境界を手がかりにして、人々が都市のイメージをつくりだしているものです。〈通路〉のようにそこを通ることによって都市のイメージがつくりだされる役割を果たすものではありませんが、一つの区域をまとまりとして想い浮かべたり、都市のアウトラインを想い描いたりするために重要な働きをする要素です。

〈区域〉は、二次元の拡がりをもつ共通の特徴によるまとまりをなしている区分で、人々がその中に入ることができると想い浮かべている拡がりのことです。人々は、その中にいると自分たちをイメージしたり、あるいは、外から眺められる場合は、それに対して自分を位置づけることができるものでもあります。私たちは多かれ少なかれそのような区域の区別にもとづいて都市をイメージしています。

〈結節〉は、都市において交通が交差する戦略的な地点のことで、人々が移動するときに、そこを経由することによって行き先を決定する焦点となる場所です。具体的には、交差点や駅付近などの交通の乗り換え地点、公園や広場、商業センターなど、〈通路〉が交叉する点、一つの構造から別の構造へと転換が起こる場所のことです。都市生活の諸構造や機能を結びつけるものであると同時に、そのような諸構造が合流している場所と定義できます。あるいはさまざまな活動が集中している地点であるということを考えれば、都市の核と呼んでよいものでもあります。

〈目印〉は、外から見られる参照点で、周囲のものから際だって目立つ特徴をそなえていて、人々がそこに準拠することによって自分の方向や位置を組み立てることができる役割を果たすものです。具体的に、何が目印になっているかについては数え切れないほどの可能性があり、それはタワーやドームや特徴のあるビルや目印になる小高い丘であることもありますし、もっと小さなもの、例えば、渋谷のハチ公のような彫塑像だとかドアのノブであったりすることもあります。

リンチが挙げる以上五つの構成要素は、私たちが都市のイメージをつくるうえでの分節の単位とでもいうべきものに相当します。街を想い浮べたり、その中を移動しているとき、私たちはそのような分節単位を範列（パラディグム）と連辞（サンタグム）の関係にしたがって現働化しながら、都市の意味を心の中に次々とつくりだしていると考えることができるのです。

もちろんこれらの単位はいってみれば都市のイメージを構成している最小限の要素レヴェルのことであって、具体的にはそれぞれの単位は、どのような素材とどのような組織から成り立っているのか、そこにはどのような社会的・文化的意味作用が結びつけられているのか、どのような地理的配置がその分節を可能にしているのかなどに応じてさまざまなヴァリエーションがあり、より細かな形態分類[8]が必要でしょうし、どのような組み合わせが構造をつくりだすのか分析も必要でしょう。あるいはまた、時代が変わり新たな要素が書き込まれることによって構造がどのような組み替えを受けていくのかという視点も必要となるでしょう。いずれにしても、街の意味やイメージは、人間が生活領域でくりひろげる意味活動に結びついて、それぞれの人や社会グループに固有な意味（それが、リンチのいう「意味作用（meaning）」のレヴェルです）として、いわば住民の数だけ多様な都市の意味として日々つくりだされているわけです。リンチの分類は、人々の都市イメージの基本的な構造とその原理とを考える糸口を与えてくれるものと考えてよいでしょう。

2――東京という物語

空虚な中心

東京という都市を例に、都市の意味作用について何が言えるのか。ケヴィン・リンチのいう〈通路〉、〈結節〉、〈境〉、〈区域〉、〈目印〉が組み合わさり、さまざまな集合のレヴェルが交錯し合って、複雑で巨大な構造をつくりだしているメガロポリス（巨大都市）、それが東京です。巨視的な視点から見れば、東京は皇居を中心に組織された首都の構造をもっている。「空虚な中心」の周りに組織された「都市複合体」という有名になった言葉で、バルトはこの巨大都市の基本構造を言い表しました。

東京は意味論的観点からみて、想像しうる最も入り組んだ都市複合体の一つですが、やはり一種の中心をもっています。しかし、その中心は、深い濠をめぐらし緑につつまれた皇居に占領されていて、空虚な中心として生きられています。[9]

リンチの分類との関連でいえば、皇居が東京という都市全体の「読解可能性」の最も基本的な構造を決定している〈目印〉だということですし、東京の区域の組織のされ方について、一つの区域から別の区域への交通の〈結節〉を、皇居付近はつくっているとも言える。さらにまた、それぞれの〈区域〉がそこで境界を引かれているという意味では、皇居の濠は〈境〉の機能を果たしているとも言えます。このように、都市の「文法」の核になる部分は、多くの場合いくつもの機能を同時に果たしているのです。

バルトが、東京の「空虚な中心」というとき、通常の西洋の近代国家の首都の中心部が政治や経済の活動の中心部として充満した内容に裏打ちされているのに対して、東京においては中心点がそのような活性化した機能から切り離されて、ただ〈記号〉としてのみ存在している、したがって、都市の〈シニフィアン〉としての組織がよく見えるようになっている、ということを述べたものです。(10)

パリンプセスト都市

バルトは、東京が「想像しうる最も入り組んだ都市複合体の一つ」であるというのですが、都市の複雑性は、じつは、多くの区域から成り立ち、都市の機能的単位が極めて多様であるといった量的な問題だけによるものではない。あるいはまた、それぞれの要素がいくつもの働きをもっているという多義性のみによっているわけでもありません。東京のような都市の複雑性をつくりだしている最大の原因は、むしろ、東京という都市の記号としての「成層」にあると言ってもよいのです。江戸の城下町としての構造から、最も現代的な世界都市としての東京まで、東京という都市の表層には、さまざまな構造が書き込まれてきました。大きな災害（明治時代以後だけでも、東京は、一九二三年の関東大震災、一九四五年の東京大空襲、一九六〇年代の高度経済成長、そして、一九八〇年代のバブル経済による土地投機というように何回にもわたる大規模な都市破壊を経験した都市です）によってそれ以前の構造が消し去られ、新たな構造が書き入れられるという具合に、記号が書き込まれては消され、新たに記号が書き込まれる、ということを繰り返してきた都市空間なのです。

江戸の町の肌から、最も現代的な建築まで、消しては書き込まれてきた記号が成層をつくっている。このような事態は、西洋の中世に使われていた羊皮紙、「パリンプセスト（palimpsest 消された羊皮紙）」に喩えられるものです。一度写本として記号を記入された後で再び鞣《なめ》されて写本に再使用される羊皮紙は、新しく書き込まれた記号の表層の下に、それ以前に書き込まれた文字の層をとどめていて、ときにそれが現在の表面に浮かび上がってくることがある。そのように幾度も記号の層が書き込まれては消され、さらに新たに書き込まれていくという記号の成層状態、これを〈パリンプセスト状態〉と呼びます。

東京は、この意味で、「パリンプセスト都市」という特徴を強くそなえている。無数の記号が幾層にも堆積した都市となっているということができます。構造の意味作用は共時態において成立するという記号の作用原理については2章で述べましたが、都市の記号作用の共時態が、歴史的な不連続に横切られているという事態をパリンプセストはもたらします。しかも現在の記号の表層に浮かび上がってくる記号の諸層は、それぞれが断片的なものですから、記号作用は決して均質的な空間として一元的には成立せずに、いくつもの意味の層が作用し合って混成的に成立する。〈通路〉にしても、〈区域〉にしても、それぞれがいくつもの時代の層をとどめて複雑な記号のひしめきをつくりだしている街、それが一見無秩序に見える東京という都市のもつ特有の面白さを生んでいるのです。

遊歩

私たちは日常、何らかの目的にしたがって、都市の意味空間を構成する無数の要素の中から、自分の意識的な行動のための要素だけを取りだして読みとり、都市空間を通した活動の意味をつくりだしています。例えば、買い物に行くとか、仕事に行くとか、大学に行くというとき、私たちはそうした一定の目的行動のために必要な情報（＝記号）を読みとって都市の中を移動します。そのときには、所期の行動のために活性化する記号以外には意識化されることはむしろ少ない。都市がどのように私たちの移動の意味を生みだすのか、その意味生成のしくみについて意識化される契機は少ないのです。それはあたかも、私たちがことばをしゃべっているとき、伝達しようとする観念や事実の方に意識は集中していて、伝達の手段とみなされていることば自体は半ばぐらいしか意識化されない、どのようにことばが意味を生みだす構造と働きをもっているかについて意識の対象とされることが少ないということに似ています。精神分析の用語を使えば、都市という記号のシステムは、

「意識」ではなく「前―意識」の状態にとどまっていると言ってよいかもしれません。

都市が記号のシステムとしてどのように意味を生みだしていくのか――どのようにして意味生成を行っているのか――が可視的になるためには、都市を移動するときの目的行動を一度カッコに入れる必要があります。無目的に街の意味生成のメカニズム――記号作用――に身をまかせる必要がある。それが〈遊歩〉の態度です。目的もなくブラブラ街を歩くこと、そのようにして街の記号作用に身をまかせてみること、そのときどのような街の「表情」――表情も一つの記号です――が視えてくるのかを読み解いていくこと、こうした態度こそ〈遊歩者の態度〉です。

写真家「荒木経惟」

〈遊歩〉が可能にする都市の読解について優れた省察を行ったのは、一九世紀のパリにおける詩人ボードレールの「近代性」を論じたヴァルター・ベンヤミンでした。(11) 東京の街に関してなら、「日和下駄」を書いた永井荷風を挙げることができます。(12) 写真家の荒木経惟もじつは東京に関して荷風に通じるような遊歩者の視点から写真を撮りつづけている写真家です。

それでは、荒木という遊歩者の視点からの写真がどのように東京という都市の意味作用を捉えているのかを追ってみましょう。荒木の都市写真は、〈写真〉を〈遊歩〉と一致させることから始まります。

豪邸（ウィンザースラム豪徳寺）を出ていつもの道を歩きながらどこに行こうかと考えた。小田急のプラットホームでやっぱり根津あたりにしようと決めた。

……

異人坂をあがり弥生町をぶらついた。サトウハチロー記念館があったりしてなかなかイイ。[13]

だれでもが、ぶらぶら散策するときに頭の中でつらつらと考えていることですが、この遊歩のプランニングは、すでに〈通路〉（＝「いつもの道」）、〈結節〉（＝「小田急のプラットホーム」）、〈区域〉（＝「根津あたり」）、〈境〉（＝「異人坂」）、〈目印〉（＝「サトウハチロー記念館」）という都市の意味作用の基本的な要素単位が働いていることを示しています。遊歩はこのように都市記号を分節化してシンタックスをつくっていきます。そして、そのような〈遊歩〉を通して、都市がどのような表情——「なかなかイイ」というコメントは都市の表情の読解です——を露わにするのか、その意味の出来事を捉えようというのが荒木の写真なのです。

もちろん、ケヴィン・リンチのいう、〈通路〉、〈結節〉、〈区域〉などの諸要素は、あくまでも目安としての大まかな範列（パラディグム）にすぎません。具体的な都市の意味作用の範列は、じっさいは無数のヴァリエーションをもつ複雑な記号の集積から構成されている。その意味では、都市の記号作用の範列を構成している具体的な場所は、人々の生活の無数の痕跡と自然記号の集積であると言ってよいでしょう。そして、写真は事物の痕跡を捉えるパースの用語にしたがえば「指標的」なメディアですから、そうした無数のヴァリエーションからなる記号の一瞬の配置を捉えることができます。

荒木の遊歩は、それぞれの写真が、通路、結節、区域、境、目印という具合に都市記号のシンタックスを辿り、それらの記号要素によって、どのような人々の生活の表情（＝意味）が生みだされているのかを撮ろうとするのです。

例えば、図6-3は、世田谷の住宅街の路地の光景ですが、この小さな通路がつくりだす〈結節〉を通して住宅街という〈区域〉が示されています（以下、図のキャプションは本書著者が付したもの）。一戸建ての住宅が立ち並び、庭の植え込みや電柱や電線がリズムをつくり、道路標識や住所番地のプレートの記号が刻まれて生活の光景をつくっている。そこをおじいさんとまだよちよち歩きの孫らしい女の子が、早春の午前の光の中をとぼとぼ散歩していくというのどかな日常の一コマを捉えたショットです。ここにすでに示されているのは、街の非常にミクロな構造を使って住民がどのような日常の物語を生みだしているか——都市の意味生成作用——を写真が捉えようとしているということなのです。もちろん、〈通路〉は無数のヴァリエーションをもちますし（二つとして同じ道はこの世に存在しません）、〈区域〉や〈目印〉の配置も数え切れないほどの可能性があります。例えば、図6-4の新興団地の〈通路〉の図は、ごみ焼却炉がつくる〈目印〉と団地という〈区域〉を示していますが、ローラースケートをして遊ぶ女の子たちの街の「使用」の仕方は、ま

図6-3　荒木経惟「孫と散歩」

図6-4　荒木経惟「光ヶ丘のローラースケート少女」

さにそれらの環境要素の線分を使って少女たちがどのように瞬間の物語を生みだしては、そのつど意味を消費するものであるのかを見事に捉えています。

マクロ構造とミクロ構造

図6-5　荒木経惟「国会議事堂」

都市は、基本構成要素にあげた単位をもとにすれば極めて大きな〈マクロ構造〉から、無限に小さな〈ミクロ構造〉にいたるまで階層を分けて考えることができます。それらが、いわば機能的な集合の階層構造をつくっていると考えられるのです。

荒木の作品では、東京の路地裏や街角の微細なミクロ構造を取りだしてみせる写真が、人々の生活がかもしだす「東京という物語」を見せており、重要な部分を占めています。しかし、都市全体のマクロ構造をまとめあげている目印や区域や境などについての鋭い視角もまたそなえています。前で触れた東京の「空虚な中心」

図6-6　荒木経惟「渋谷の駅前」

図6-7　荒木経惟「道玄坂小路」

についてのバルトの文章は、このマクロ構造についての文脈で述べられたものです。
とくに、昭和の終わりをテーマに、首都空間を写真にした『東京物語』では、〈マクロ構造〉が、国会議事堂（図6-5）や日比谷公園などの〈目印〉や、渋谷の駅前（図6-6）などの〈目印〉と〈結節〉、銀座などの商業地区の〈区域〉などを通して提示され、国民国家の首都としての都市空間、政治・経済的な公共空間が示されています。これに対して、狭い路地裏や風俗街（図6-7）、下町の界隈などの〈ミクロ構造〉に住まう住民の生活空間のつくりだす物語が対置されています。いわば、東京という首都の公式言語（＝「大きな物語」）をマクロ構造が担っているとすれば、人々の語らいの「小さな物語」を、路地裏や街角のミクロ構造が担っているというようにです。その場合に、マクロ構造の公的空間を特徴づけている環境要素は、記号としての均質性と滑らかな幾何学的空間ですが、ミクロ構造の方は、不均質な記号素材の堆積により成り立っているというように対比的に捉えることができます。

都市はツリーではない

東京のミクロ構造が、どのような意味で人々の共生空間になりえているのか。この問題を、荒木は、都市の「ディテール」の問題として提起します。この点に関して、荒木が陽子夫人との対話を通して与える自己解釈を見てみましょう。

夫　その頃、アッジェとかエバンスに凝ってたろう。要するに街のディテールを撮るのが好きなんだよね。汚ないからとか、写真的ドキュメンタリーとか、そういうことは絶対思わないわけ。感性というか、感覚でディテールとか濃淡を撮る。

妻　こういうポリバケツとかがゴロゴロ倒れてるのがディテールになるわけ？
夫　そうそう。壁の染みとか窓のデコボコとか……。従来の写真家の基準から言うと、全くダメな記録作家になるわけよね。線路はこうなっていましたよとはっきりわかるように撮る方が、あとの人にはわかり易いわけよ。〔中略〕どこだかわからなくてもいいわけよ。東京のどっかが出るだろう、それでいいわけ。(14)

都市を機能的な意味空間へとまとめあげようとするビジネス街や官庁街の合理的で機能的な近代的空間と対照的に、東京の下町の路地裏を特徴づけているのは、幾層にも重なった、まさしくパリンプセストとしての都市が示す「ディテール」の襞なのです。
都市の記号素材が断片化し重なり合うことで、複数の言語規則によって生みだされた記号たちが断片的に重なり合って活性化し、同じ都市の〈通路〉の肌理の無限に多様なニュアンスをつくるようになる。もちろんそれは乱開発が引き起こした街並みの破壊と、都市計画の貧困の結果生まれた街並みのつぎはぎ状態であったりするのですが、そのことによってかえって住民による街の意味生成の物語は、さまざまな意味の層と結びついていく。それぞれの街角の断片はシニフィアンに喩えられますが、シニフィアンが均質で定まった意味作用を生むのではなく、またシニフィエが安定した記号の体制ではなく、数々のヘテロジニアスなシニフィアンがその都度活性化する、意味の複数性の物語へと、〈パリンプセスト〉となった街は誘うものなのです。荒木の写真が描きだしているのは、意味生成のゲームの規則が断片化し複数化した街に生きる人々の生活の物語です。バルトが指摘したように、都市がクノーの『百兆の詩』のように無数の意味を生みだす瞬間はそのようなときなのです。

ここで、意味の〈複数性〉や〈パリンプセスト状態〉を考えるうえで手がかりとなる都市デザイン理論のモデルは、建築家のクリストファー・アレグザンダーが「都市はツリーではない」という有名な論考で示した、「ツリー構造」と「セミラティス構造」という区別です(15)。これらは集合論による区別で、一つの集合の中に下位の諸集合がそれぞれのレヴェルできれいに階層をなして組織された集合をツリー集合というのに対して、一つの集合の構成要素がいくつもの下位集合に包含され、集合の包含関係が入り組み絡み合った集合をセミラティス構造といいます(図6-8)。

機能主義的な集合は、一つの要素の意味(=機能)が一義的に決まっていて、要素間の集合関係がはっきりと分かりやすい全体をつくっていますから、ツリー型集合に近づきます。ル・コルビュジエが考えたように都市が機械のような機能集合体であると考えることができるのであれば、都市はツリー集合を描くことができます。ところが、アレグザンダーは、都市の構成要素は、そのような機能集合としてツリーを描けるものではなく、街角にあるドラッグストアの例を引いて、機能関係が複数の集合へと延びていることを指摘します（ドラッグストアの例は、いまの日本の都市状況では、例えば、コンビニのような店が果たしている機能に置き換えてみるとより具体的に分かりやすいかもしれません）。

バークレイのヒーストンとユークリッドの街角にドラッグストアがあり、そのドラッグストアの入口の新聞スタンドにその日の新聞が並んでいる。赤信号のあいだ道路を横断しようとする人々は陽を浴びてなんとなく待っている。所在なく目についた新聞スタンドの新聞をながめる。信号を待つあいだ見出しを読む人もいるし、実際に新聞を買う人もいる。このことは新聞スタンドと信号とが関連していることを表わす。(16)

さまざまな文脈によって結び合わされ、包含関係が混在している街角ほど、さまざまな意味が生みだされつづけている面白い場所だということなのです。それに対して、ツリー集合の関係がはっきりした機能的な公的空間は、さまざまな人々がそれぞれの物語を交通させる人間味をもった空間とは対照的に、一義的で「冷たい空間」とならざるをえない。『東京物語』では、国会議事堂や首都の中心部の公園が、国民国家の一義的空間として、多くの場合無人で撮影されています。それとは対照的に、下町では、路地という通路の場所を同時に遊び場や庭や出会いの場でもある多義的な場として多くの住民の生活の光景が撮影されていることに注目しましょう（図6-9）。

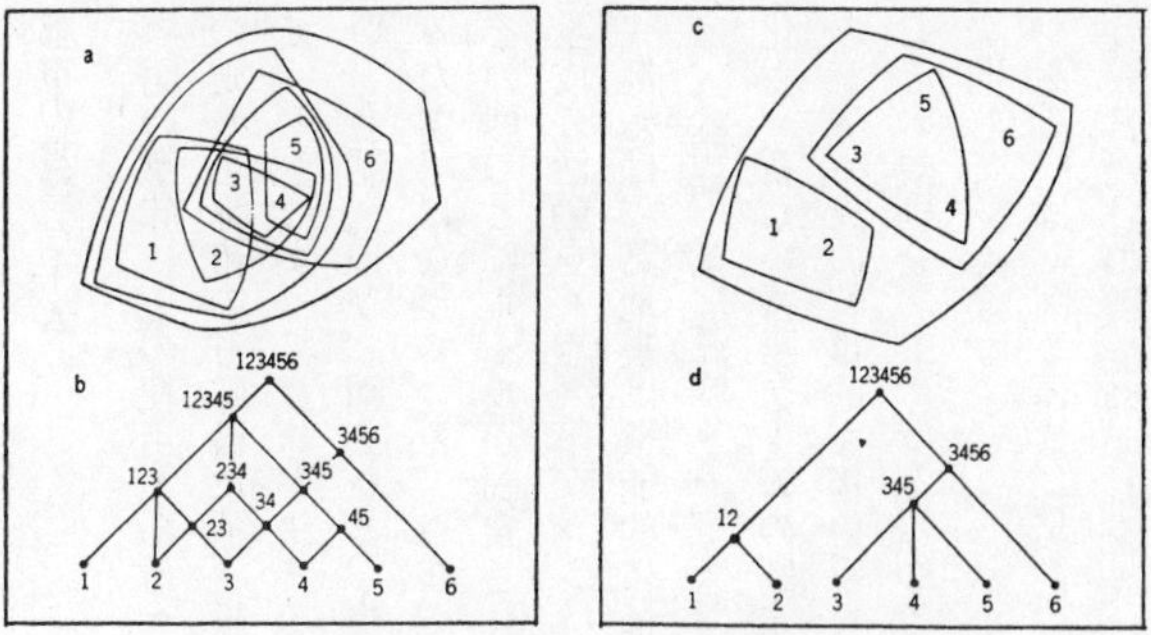

図6-8　都市のツリー構造（右）とセミラティス構造（左）（瀬尾文彰 1981『意味の環境論』彰国社、62頁）

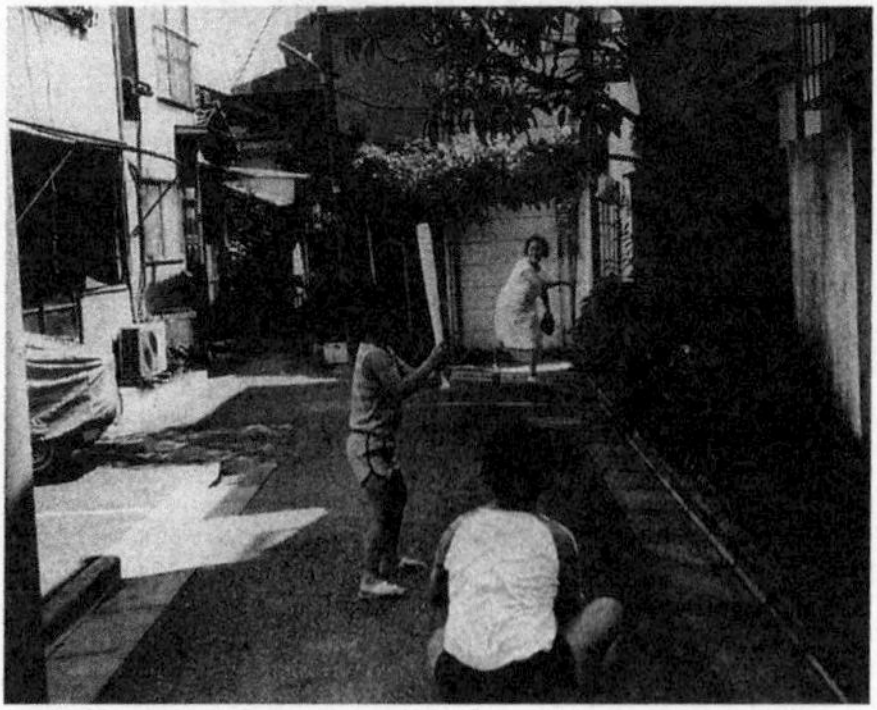

図6-9　荒木経惟「下町」

都市の言語ゲーム

「語の意味はその使用である」というヴィトゲンシュタインの有名な定式があります。この定義を都市の意味論に置き換えてみますと、都市の要素は、それがどのように使用されているかによって意味が決まるものだと理解できます。東京の街の路地裏は、通行、出会い、会話、遊び、園芸など、複数の仕方で「使用」されることで、多義的な「意味」を生みだす場になっている。さまざまな物語がそこで生成する場になっているというわけです。その度ごとにルールが制定され、それによってゲームの要素の使用が意味を生みだす意味生成の活動を、ヴィトゲンシュタインは「言語ゲーム」と名づけました(17)。

例えば、路地裏は機能的には〈通路〉であっても、そこを遊び場として使用してしまえば、〈結節〉の意味をもつようになります。子供たちはそのような都市の生活空間の多義化や、新しい言語ゲームの制定のための天才的な想像力をもっています。子供たちは都市の意味生成の特権的な担い手なのです。ゲームすること、戯れること、固有のゲームを演じその規則をアドホックにつくり上げることによって、彼らは都市の言語ゲームを次々に発明していきます。

あるいは、図6-10の神楽坂の歩行者天国の写真のように、〈通路〉が、歩行者天国という一日だけの機能のずれを受けるだけで、〈結節〉と化すばかりか、人々が語り合い、子供たちが遊び、さまざまな人々が出会うといった多義性の場へと一挙に変容することもあります。街角が、多声的（ポリフォニック）な物語を語り始めるのはそのようなときです。それぞれの人々が、街角を、それぞれの人たちのやり方で、使用し、固有の意味を生みだして生活しているときこそ、彼らは、それぞれが都市の言語ゲームの主体となっているのです。

図6-10　荒木経惟「神楽坂の歩行者天国」

荒木が撮っている東京の路地裏は、多義的な使用を行うことができる雑多な様相を集めている。しかも、パリンプセスト状態と述べたように、いくつもの断片化した都市の肌が成層してさまざまな意味の層につながっている。このような状態は、個々の要素をさまざまな意味集合の中に記入し、都市集合を中心の方へまとめあげるのではなく、さまざまな記憶の層がつくる意味のネットワークへと開き、日常を都市のことばの記憶の多数性へと結びつけていく。さまざまな人々の生活の日常の意味が出会い、それが集団的な記憶の成層と響き合っている。

〈一〉と〈多〉とのそのようなネットワークのあり方を、ドゥルーズとガタリは、ツリー構造に対するリゾーム状組織ということばで表しました。[18] 路地の中の日常の〈私〉とは、そのような意味の複数性のネットワークに成立する都市の言語ゲームの〈主体〉のあり方なのです。荒木は、そのような日常の〈日付〉と〈私〉との結びつきを写真にしようとしている写真家です。彼は「私小説こそもっとも写真に近いと思っている」と書き、「私は日常の単々とすぎさってゆく順序になにかを感じています」と述べています。[19]

3――意味空間のエコロジー

政治空間としての都市

さて、都市には、さまざまな人々の生活のテクストが書き込まれていて、それが、私たちが都市を移動するときにその記号のシステムを現働化することで、さまざまな意味を生みだすことを見てきました。しかし、それだけでは、まだじっさいに都市空間において起こっている意味の出来事について積極的なことを言ったことにはなりません。そのように刻々と生みだされる意味作用がどのような「意味の体制」をつくっているのか、基本的な意味作用の要素から、都市空間が社会空間としてどのように組み立てられ、生きられているのかを考えてみること、それが「社会における記号生活」(ソシュール)を明らかにすることであるはずです。「政治(polis)」ということばの語源が、都市共同体を指すことを想い出しましょう。都市は意味空間として、この政治空間であるのです。すなわち、人々がどのように共同体の主体になるかが、つねに問われている場所なのです。そして、そのような「象徴の政治[20]」の舞台として、都市はつねに機能してきました。昔から多くの国の首都は、そのような政治空間としての特徴をそなえています。荒木の写真にしても、たんに都市に住んでいる人々の表情を小気味よく捉えている作品としてのみ理解されるだけでは不十分なのです。都市はどのように生きられているか(=どのような意味空間として生きられているか)は、都市はどのような政治空間として生きられているか、という問いと重なるのです。

この点において、都市の意味作用を、それが「文のようにつくりだされる」と理解するだけでは不十分です。それはあくまでも出発点であって、その文が集まってどのような「文の体制」をつくっているのかという問題にまで、踏み込んでいく必要が生じてくる。どのような文をつくるように規則づけられ統御されているのかという〈記号の体制〉についての問いが生まれてくるのです。

例えば、表通りや大通りが公的な空間であるのに対して、路地裏の奥まった日常空間は私的な空間であるといった配置から始まって、都市の組織のされ方と人間の社会の組織のされ方とは切り離すことができないという点にいたるまで、都市は私たちの社会生活の姿そのものであると言ってもよいのです。

しかし、社会的な意味作用が、都市の言語としてどのようにして生みだされ生きられているのか、どのような都市の意味作用の主体となることで社会が生きられているのか、都市の言語ゲームはどのような都市のディスクールの配置と記号の体制にもとづいてつくりだされるのか、それが〈都市の政治学〉を意味論として考えるときに問われるのです。

国民国家の空間

荒木の『東京物語』は、昭和の国民国家の首都において、人々がどのような都市の言語ゲームを演じているのか、そこにはどのような都市の意味の体制（記号の体制）がつくられているのかを取りだしてみせています。じつは、『東京物語』は、昭和の最後の年代に、初春の一日の朝の散歩から始まり、最後に昭和天皇に似た人物の消えかかった後ろ姿の肖像で終わる、〈遊歩〉によって踏査された〈国民国家の首都空間〉をめぐる物語となっているのです。(21)

荒木の写真は東京のマクロ構造を撮っています。臨海公園の海に面した〈境〉や〈目印〉、〈目印〉や〈区域〉としての新宿副都心の高層ビル群、あるいは、〈境〉であると同時に〈目印〉でもある日比谷公園、国会議事堂、銀座の商業中心地区など。そして、そのマクロ構造のそれぞれにおいて、人々がどのような都市の言語ゲームの主体になっているのかを写真の中に捉えているのです。そこから明らかになるのは、東京という首都空間がどのような〈意味の体制〉として成立しているのかという問題なのです。

それぞれの場において人々がどのような都市の言語ゲームの主体となっているのか、そして、その際だった特徴を明らかにするために、荒木は都市写真の中に演じられた場面を挿入したりしています。大きく区別するならば、荒木が捉える東京の空間は、公的空間／私的空間という区別のほかに、近代的な空間／歴史的に成層した空間、機能的な空間／遊戯的な空間などの対立軸にしたがって組織されているという特徴をもっています。

例えば、図6-11のように、高層ホテルの近代的な機能空間と、鯉のぼりを立てた民家の空間とが対比されている構図は、現代建築の機能的な空間が打ち立てようとする都市の言語ゲームと、それに抗する住民の路地裏の言語ゲームとの対比を示すものです。あるいは、都心部の目印としての国会議事堂周辺や官庁中央街がほとんど無人のままに撮影されていて、路地裏で人々がつくりだしている無数の言語ゲームと対照的な光景を示していることも、国家の公的空間と人々の生活の私的空間における都市の言語ゲームのルールの差を浮きぼりにしています。あるいはさらに図6-12のように、新しい団地の人工的な広場に取り残されたおばあさんと孫が切り取っている意味空間と、周囲の機能空間との隔絶――「場違い」というのは、このような意味のずれを指す言葉かもしれません――もまた、現代的な機能空間と人々の記憶にとどまる場所とのずれを表しています。

あるいはまた、現代的な機能空間に住まう人々の表情を捉えた写真、さらにまた、CM写真（図6-13）など、フィクション写真や「やらせ」の写真を、荒木は、近代的な機能空間や商業空間にしのび込ませています。そして、フォーカスや奥行きといった、他の都

図6-11　荒木経惟「高層ホテルと鯉のぼり」

図6-12　荒木経惟「団地のおばあさんと孫」

市写真には使用していない技法を用いて、テレビ・ドラマの心理劇の登場人物となったり、商業イメージの言語ゲームの主体となっている姿など、新しい「公的なイメージ」――ひとことでいえば、テレビや新聞やその他のジャーナリズムによってつくられるイメージ――の主体と化している人々の姿を捉えています。近代的で幾何学的な均質空間では、人々の住まう意味空間も主体のあり方も変わってしまうことを、写真の映像言語を駆使することで、荒木は示してみせるのです。これは、写真というイメージ言語を使って、人々がどのようなイメージによる主体化＝従属化を受けているのかを取りだしてみせるという、表象による表象批判、イメージによるイメージ批判を実行しているのだといえます。

その中でも、「東京アリス」と名づけられた女の子が日の丸の小旗をもって、天皇誕生日の祝賀に参列しにいくという「やらせ」の写真はいったい何を意味しているのでしょう(図6-14)。それは、天皇という国民国家の「象徴」を前にして、「国民」という「主体」になることの虚構性を、都市の言語の中から取りだしてみせる物語となっているのです。そして、そのような都市の近代的なマクロ構造の中に引き入れられれば引き入れられるほど、人々は〈公的なイメージ〉の言語ゲームの主体になってしまうことを暴いてみせているのです。

それに対して、路地裏の多義性の言語ゲームの場、子供たちの遊ぶ空間では、自由な言語ゲームの場が、そのような政治的―経済的な中心化――ツリー状化――の都市の言語ゲームを逃れるように、リゾームをのばしています。そのような絶えざる葛藤の場として、東京の無数の物語が荒木の写真では描きだされているのです。

図6-13　荒木経惟「CM写真」

図6-14　荒木経惟「東京アリス」

「ノーパンのマリリン」

このように『東京物語』を見てくることで、私たちはタイトルに使われている渋谷の駅前広場付近の広角レンズによる写真（図6-15）のもつ意味を理解することができるようになります。渋谷の駅前広場は、バルトのいうように「多核的な都市」としての東京の五つか六つのハードコアの一つとして結節をつくっている。リンチの用語を使っていえば、渋谷という商業地区を指し示す〈結節〉の位置を駅前広場は示しています。

図 6-15　荒木経惟「渋谷の駅前」

しかもそこには「109」という商業資本の〈目印〉がそびえ立っている。この目印は、シルバーメタルの塔がスクリーンの役目を果たすようになっていて、そこにさまざまなイメージを記入しては書き替えることができる仕掛けになっており、それがイメージ資本主義の時代を象徴するような仕組みになっている。まさに、一九八〇年代の「高度資本主義時代」と呼ばれた頃のイメージと街との関係を端的に示すような目印（＝ランドマーク）なのです。そして、この写真には、その目印に、マリリン・モンローというイメージ資本主義の〈神話素〉が降臨している。街全体が、イメージ神話の記号の下におかれているという象徴的な光景です。

ここには昭和の最後期におけるイメージと街との結びつきが示されています。しかしそれだけではない。この広角レンズの撮影した画面には、イメージ資本主義のランドマークが支配する写真上部とは対比的に、画面下方ではごちゃごちゃと雑居する歓楽街の界隈の多義性の場が錯綜した様子が捉えられている。この写真全体が示しているのは、下部の人々の交通する猥雑な多義性の都市のリゾーム組織と、上部の消費社会の神話の仕掛けとの対比の構図なのです。そして、この写真に付された荒木のコメントは、「ノーパンのマリリン・モンロー、だれも見上げない」という痛快な言葉なのです。これはまさに、人々の〈都市の言語ゲーム〉と、〈消費社会の言語ゲーム〉との無関心なすれ違いを示している。ここにこそ、都市の抵抗線がひかれているんだぞということを示す写真なのです。

都市のアルゴ船

荒木の写真は、東京の街の破壊の光景を、そして、投機資本主義が街に与えた暴力の実態を暴きだしてもいます。人々の生活の痕跡を更地にもどしてしまう乱開発はまさに都市のパリンプセストを消し去ってしまう。東京を一九八〇年代におそった土地投機は、大地震や大戦争の災害にひとしい荒廃をこの都市に与えました。それはたんに人々の生活の場を取りあげたというだけでなく、人々の都市のことばを生みだす手段を奪いさる野蛮の横行でもありました。そのような都市破壊の暴力の光景を『東京物語』は多く証言しています。

図6-16　荒木経惟「破壊された街並み」

図6-16のように、昔からの街並みが「地上げ」により破壊され、どじょう料理屋の女将さんと猫の居住空間だけがぽっかりと取り残されてしまっている。街の言語が生みだしていた多様な意味の世界が、ここでは破壊し尽くされ無に帰してしまっています。そして、そこに建つであろう新しい機能的空間はこれまでとはまったく違った意味空間と、それによる違った主体化の作用を生みだして、人々の生活世界を変えてしまう。環境（エコロジー）の問題とは、この場合、そのような意味環境の問題であるといえます。そのような街の変更にさいして、どのような意味環境の変化が生まれるのかという問題に自覚的になることによって、私たちは都市生活の意味を考えさせられることになります。

「日本には建築家はいるが、都市計画がない」とは日本の都市をめぐってよく言われる評価です。東京を代表例とするような都市の乱開発の連続は、ほとんど全体的な都市計画の政策なしに実施されてきた結果と言われます。これは、例えば、一九世紀半ばにパリの大改造を行った「オスマンの都市改革」と比べると、はっきりした日本の都市政策の特徴です。そして、そのように景観や場所に対する全体的な視点ではなく、空間そのものを互いに不均質な場の連続体として組織するのは、日本の文化の空間言語の特徴であり、それが都市政策にも影響しているのだという指摘もなされています[22]。

政策的な部分までが、そのような文化の文法に支配されているのか、それとも、より即物的に経済的実利主義という日本の近代化の過程での価値観のゆがみがその主たる原因であるのかは、議論の余地のあるところだと思います。しかし、不均質な場の連続――ヘテロトピア――として空間の経験を組織していくという、近代以前から日本の文化のある層がもっている空間言語が、路地裏などの生活の意味空間の組織のされ方に表れているということは十分に考えられることです。けれども、それと同時に、近代的な機能空間が、均質で奥行きのある心理主義的な空間を公的空間としてつくりだしていることも上に見た通りです。

さまざまな空間言語がせめぎ合って都市空間は生みだされている。東京は、とくに、近代のこの空間の葛藤を、その街並みや地区の組織の内部にとどめつづけてきました。永井荷風は、隅田川を境界にして、西と東を、近代的な都市空間（＝東京）と江戸の空間とに分けようとしました。現在でも、近代化＝「機能空間に向かう空間の住まい方」と、多義的＝「リゾーム化に向かう路地裏の空間使用の言語」とのたえざる葛藤をあらゆる場所で観察することはできるはずです。近代的な首都の政治的、経済的空間と、解釈し直しにくく多義的な記号活動が生みだす都市の言語、そのようなたえざる葛藤の運動の中で都市は生きつづけている。

一つ一つの部分は破壊され消え去っても、全体としての都市の意味活動は絶えず組み替えられて無数の言語ゲームをつくりだしている。このような都市のあり方をバルトは、ホメロスの『オデッセイア』に出てくるアルゴ船に喩えています。パーツは次々に波間に消えても、修理を重ねることでついにどの部分も始まりの状態をとどめているところはなくなっても船自体の輪郭は失われずに航海を続けている。そのようにいきいきと生まれ変わることができる都市こそが、本来の都市なのかもしれない。都市は記念碑ではありませんから、すべてを保存するということが都市環境の基本ではありません。ただ、意味の環境はどのようにつくられているのか、どのような意味作用をつくりだす言語をもつのか、その可能性を何が保証するのかなど、それらすべての意味作用の理解なしに都市のかたちを方向づけることはできないのです。そのためにも、〈都市〉という人間の意味活動の場所を考えるセミオ・リテラシーが求められるのです。

❼

欲望についてのレッスン

モモは吸いつけられるように人形をながめました。しばらくそうしていたあとで、手をのばしてさわってみると、人形はまぶたをなん回かパチパチとさせ、口を動かして、まるで電話から聞こえてくるようなキーキーした声でものを言いました。

「こんにちは。あたしはビビガール、完全無欠なお人形です。」

モモはぎょっとしてとびずさりましたが、思わずこうこたえてしまいました。

「こんにちは。あたしはモモよ。」

するとまた人形は口を動かしました。

「あたしはあなたのものよ。あたしを持っていると、みんながあなたをうらやましがるわ。」

「あたしのものだなんて、信じられないわ。」とモモは言いました。

「だれかがここにわすれていったんだと思うけど。」

モモは人形をもちあげました。するとまたそのくちびるが動いてこう言いました。

「あたし、もっといろいろなものがほしいわ。」

——ミヒャエル・エンデ『モモ』

1——欲望と意味

本能論から意味の問題へ

この章では、人間の活動のもっとも根本的な次元の一つである〈欲望〉について考えてみます。私たちは、「〜したい」、「〜がほしい」、「〜すればよいのになあ」と考えたり感じたりして生きています。そういう意味での欲望は人間の行動のもっとも根本的な原動力であると言ってもよいでしょう。

欲望を説明する伝統的な理論は生物学的な本能論といったものが多かったのですが、フロイトの精神分析の成立が示すように、二〇世紀の社会や文化の知は、欲望を生物学的な本能として捉える前提から次第に離れ、欲望を意味の問題であると考えるところから開始されました。じっさい、フロイトは初期にはヒステリー患者の症例研究から出発していますが、有名なヒステリー患者アンナ・Oのトーキング・キュアの例に見られるように、患者の症状を身体に表れた欲望の意味の問題であると理解し、意味の問題系が欲望にとって本質的な次元をつくっていることを示したのです(1)。この章でこれから扱おうとする欲望は、性的な欲望とは限りません。欲望は、人間の〈身体〉と、言語や記号にもとづく〈意味〉

の次元との間に生まれる問題であることをお話しするつもりです。そして、欲望が、〈他者〉や〈想像〉と関わるのもそもそも、それが意味の問題だからということを明らかにします。

ここでは、広告を題材にします。そこから、意味を欲望するとはどのようなことなのかを考えてみます。というのも、私たちの時代の消費社会は、経済自体が〈欲望〉と〈意味〉を中心として成り立つということが歴史上かつてないほどに全面化した社会だからです。

「ほしいものが、ほしいわ。」

「〜したい」、「〜がほしい」という人間の欲望は、「〜」のところに該当する記号によって自分の生活の意味を生みだしたいという、主体による意味実現の欲望だということになるでしょう。幻想、想像、夢などが欲望にとって重要なのも、欲望は基本的に意味の問題であるからです。また、物語や空想のシナリオなどが必要とされるのも、まさしくそれが意味の実現にとって不可欠なものだからです。

記号と化したモノを欲望するとはどういうことなのか。欲望の原理そのものをコピーにした有名な広告があります。糸井重里の制作になる西武百貨店のポスターで、一九八〇年代に日本の消費社会が絶頂期に達した頃の、まさに「欲望の経済」の原理そのものを取りだしてみせたものです（図7-1）。
このポスターには、求め合っている若い男女のキス直前のシーン（「ほしがっている」シーン）に、「ほしいものが、ほしいわ。」とコピーが打たれています。活字が小さい部分は、近寄らないと読めませんが、そこには次のように書かれています。

ほしいものはいつでも
あるんだけどない
ほしいものはいつでも
ないんだけどある
ほんとうにほしいものがあると
それだけでうれしい
それだけはほしいとおもう

ほしいものが、ほしいわ。

ほしいものこそほしいものだ、という同語反復的なコピーと一応は理解されるのですが、じつはここには、ほしいものの存在と非存在（「あるんだけどない」「ないんだけどある」）、欲望の真理（「ほんとうにほしいもの」）と主体（「それだけはほしいとおもう（私）」）、悦楽（「それだけでうれしい」）といった、欲望の問題系のおよそすべてが提示されているのです。これは戦後日本の欲望の文化の絶頂期において、「欲望とは何か」をこのうえなく明確に表した哲学的なテーゼであると言えるでしょう。

ここに言われている「ほしいもの」こそ、欲望を意味するもの、欲望の記号、あるいは、〈欲望のシニフィアン〉と呼ぶべきものです。「ほしいもの」としてのモノは、欲望を意味する記号であって実体としては存在しない、欲望を意味するかぎりではしかし存在する（「あるんだけどない」「ないんだけどある」）。記号は意味するかぎりで存在するが、それ自体としては実体として存在しない。欲望の記号もまた欲望を意味するかぎりで存在するが、それは孤立してではなく他の記号とともに意味するかぎりでのみの存在である。そのような欲望の記号の存在と非在の戯れを理解するには、欲望の論理をフロイトとソシュールから出発して独自に定式化したジャック・ラカンの精神分析の理論を手がかりにすると分か

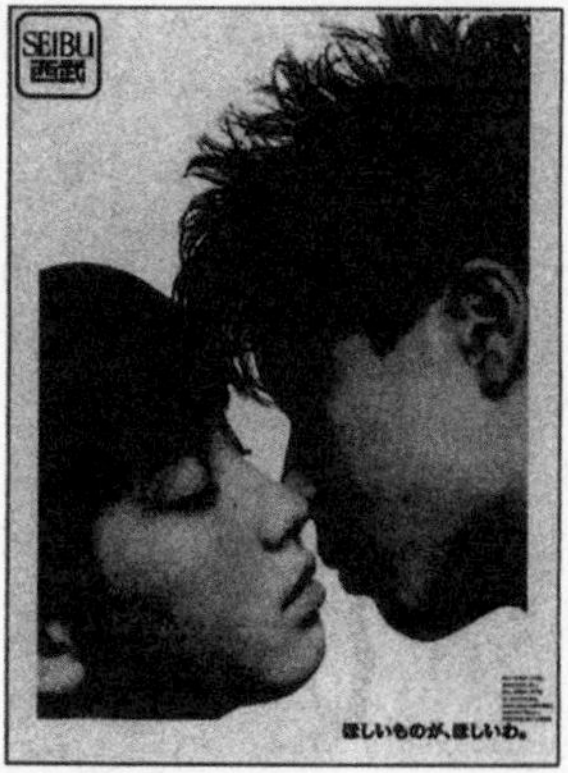

図7-1 「ほしいものが、ほしいわ。」ポスター（1988年）

りやすいでしょう。

ラカンの考えを援用すると、糸井重里のコピー中の「ほしいもの」とは主体の欲望を表す記号のことであると理解できます。[2] ソシュールによる図式では言語記号はシニフィアンとシニフィエの対から成り立つとされていましたが、欲望の文脈において問題とすべきなのは、コノテーショナルな二次的な記号の働きに関わるレヴェルです（図7-2）。欲望を誘発するモノが意味するのは、デノテーショナルな意味作用に還元することのできない欲望のイメージであり、「ほしいもの」はコノテーショナルなシニフィアンの位置にくることになります。1章で取り上げた／クツ／の例に戻るなら、あるタイプの／クツ／がフェティシストにとって強く欲望を喚起するのは、それが歩行に役立つ用具というデノテーショナルな意味をもつからではなく、それとは別に欲望を引きつける何かを意味するからです。つまり、ほしいものとは、主体を欲望の二次的な意味作用へと媒介する〈欲望のシニフィアン〉であるというわけです[3]（図7-3）。

どんなに取るに足らないモノでも、ひとたび主体の欲望を誘発する意味づけの中におかれれば〈欲望のシニフィアン〉となることができます。単なる白い木綿のハンカチでも、嫉妬に身を焦がすオセロにとってはデスデモーナの不貞の記号となるように、欲望は日常的な意味作用をもつ記号の中から、しかしそれらの記号の意味作用とは一致せずに、自らの欲望の物語を発動するシニフィアンを選びとるのです。

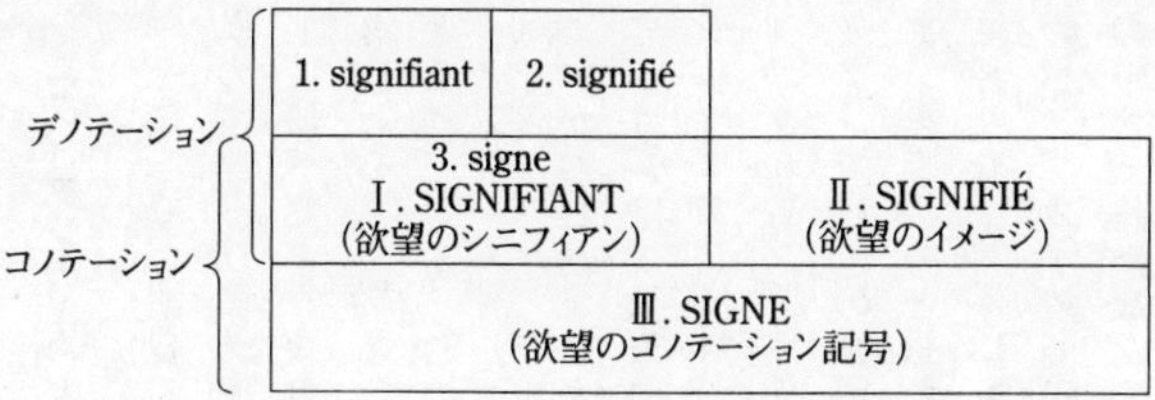

［事物の一次的な意味作用（1. 2. 3.）である「デノテーション」に対して、〈欲望の問題系〉は、事物の記号（3. signe）を〈欲望のシニフィアン〉（I. SIGNIFIANT）として成立する二次的な「コノテーション記号」の働きである。］

図7-2 〈欲望のシニフィアン〉の図式

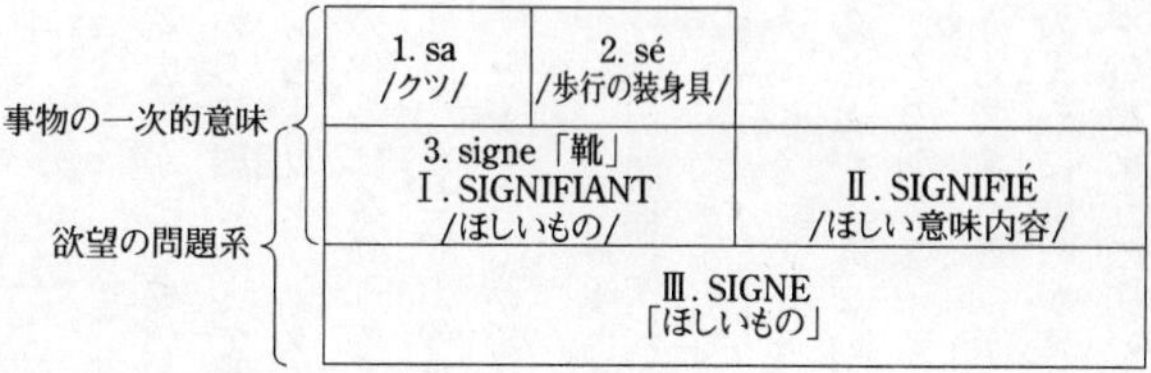

［「ほしいもの」は何らかの事物（ここでは「靴」）を〈欲望のシニフィアン〉として成立する二次的記号だが、何がそのシニフィアン（I. SIGNIFIANT/ほしいもの/）であるのかは、〈記号の戯れ〉の中にいつもすでに見失われかかっている。］

図7-3 〈ほしいもの〉の図式

シニフィアンのネットワーク

ところで、消費の欲望をかき立てる広告が示しているように、モノが記号として相互差異のネットワークをかたちづくっている状態を考えてみましょう。そのときモノたちは、上に述べたような意味でシニフィアンのネットワークを形成し、消費のシーンに向けて繰り広げられている。どれもが、欲望の代表になりうるという意味で、ほしいものの予備軍となっている。この潜在的な状態こそ、「ほしいものはいつでもあるんだけどない　ほしいものはいつでもないんだけどある」と表されている状態です。欲望のゼロ度と名づけてよいかもしれません。

ラカンは、欲望の主体とシニフィアンの関係について、「シニフィアンは、主体を他のシニフィアンに対して代表する」という定式を与えています。シニフィアンはつねに他のシニフィアンと差異のシステムをかたちづくっている。欲望の主体は、一つだけのシニフィアンで自己の欲望の意味を実現することができない。というのも、ある特定のシニフィアンをほしいと思わせている意味は、そのシニフィアンが他の諸々のシニフィアンとの間にとりもつ関係にもとづいたものだからです。商品ディスプレーに並べられた色とりどりのパンプスが波間に漂う熱帯魚たちのように鮮やかに美しく映えているとしましょう。その中で一瞬あなたの心をそそる一品を魚のように掬いあげたとしても、手の中のパンプスの意味はもう砂漠の砂の輝きのように消えかかっているのです。
欲望の主体をS、シニフィアンをS_1、S_2、S_3……S_nのように表記すると図7-4のように表すことができる。欲望の主体に斜線が引かれているのは、主体はシニフィアンを介してしか自己の欲望の意味を実現できない――自己の欲望を記号という他者の次元を通してしか意味しえない――という原-抑圧を表したものです。

主体の欲望のシニフィアンとしてのほしいものは、他のシニフィアンとの関係においてのみ、その意味作用が成立する。主体の欲望の意味は、いつも別のモノたちの方へとつねにすでに逃れ去ってしまっている、ということなのです。ほしいものの意味は、いつでもシニフィアンのネットワークの中に埋もれて消えかかっている（それは「あるんだけどない」）。しかし、そのようなシニフィアンの意味の呼びかけは、主体に欲望のシニフィアンの存在を想い浮かべさせる（それは「ないんだけどある」）。主体の欲望の真の代表者としてのシニフィアン、「ほんとうにほしいもの」は「ある」と主体は「おもう」し、「それだけはほしいとおもう」。しかし、主体の「うれしい」とおもう悦びは、シニフィアン全体の戯れからしかその所在を明かしはしない。ラカンは、欲望のシニフィアンがつくる連続性の関係（$S_1 \downarrow S_2 \downarrow S_3 \downarrow \cdots\cdots \downarrow S_n$の関係）をメトニミック（換喩的）な連鎖、欲望の主体を代表するシニフィアンの関係（上辺のS_1以

$$\frac{S_1 \to S_2 \to S_3 \to \cdots\cdots \to S_n}{\cancel{S}}$$

図7-4　欲望の主体とシニフィアン

下と下辺のSを分けている関係）をメタフォリック（隠喩的）な関係と呼んでいます。シニフィアンは、欲望の主体の代わり（＝置き換えのメタファーの関係）にあるのですが、その主体の意味は、他のシニフィアンとの連鎖（＝メトニミーの関係）としてしか実現しない。私の欲望の真の意味（＝私の欲望の真理）へはつねに部分的にしか到達できないというわけです。

私が身につけ、私を取り巻き、私が気に入っているさまざまなしるしは、私の欲望の真理の代理（＝メタファー）として、私を想像的に示しているわけです。しかし、その意味は他のすべての記号のネットワークの働きを通してしか実現しない。「ほしいものがほしい」という欲望の論理は、そのような意味作用の回路に宿命的に身をおくことを示しています。「ほしいものがほしいわ」というコピーが表しているのは、ほしいものxはつねにn個のシニフィアンの中で、それらのうちにつねに−1個として欠けている〈欠如のシニフィアン〉としてしか存在せず、ほしいものをモノの無限連鎖を通して求めつづけることも、ただ一つのほんとうにほしいものをモノの負のかたちで希求することも、ともに無限のシニフィアンの連鎖がつくるシニフィアンからシニフィアンへ、モノからモノへという無限の欲望のゲームへと導く以外にないということなのです。

意味を欲望するというあり方には、じつはもう一つの大きな問題論的次元が横たわっています。それは〈他者の次元〉です。

ラカンは「人間の欲望は他者の欲望である」と述べましたが、じつは、これは以上に見てきた主体の欲望の意味をつかさどるのが記号の差異のシステムであることと深く結びついています。私という主体が記号によって実現する意味は、私という主体だけが決めることはできません。意味とは、実現した記号だけによって生みだされるのではなく、他者たちと共有している記号のシステムとの関わりにおいてしか成立しないからです。そして、実現した記号の意味作用は、他のすべての記号との差異の関係によってのみ成立します。

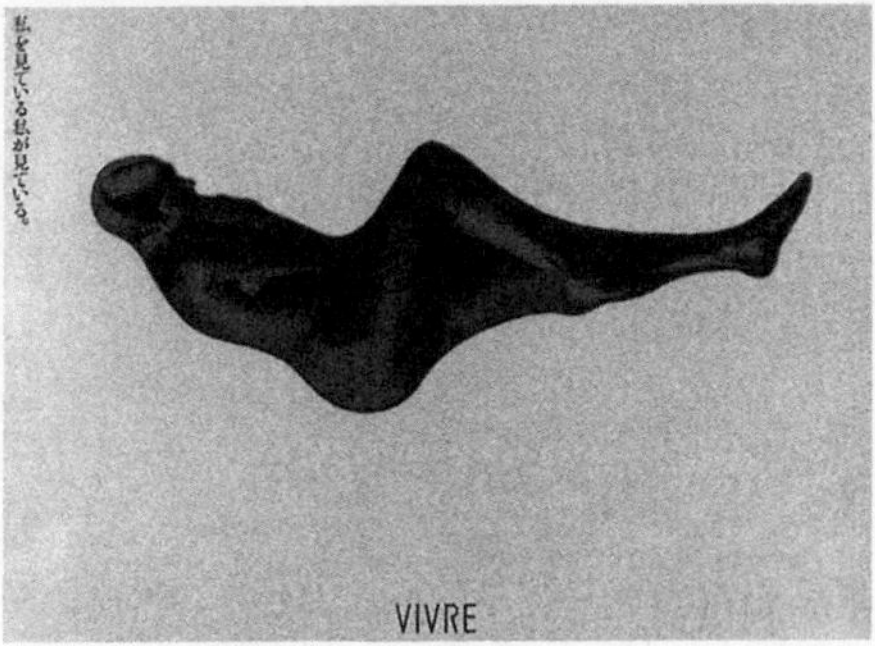

図 7-5　「私を見ている私が見ている。」ポスター（1992 年）

　このとき記号のシステムは、私以外の他者による記号実現の潜在的な場として立ち現れることになるのです。そのような〈構造的な他者〉の次元を「大文字の他者（L'Autre/The Other）」とラカンは呼びます。私は、自分自身の記号実現の意味（メッセージ）を、記号のシステムとしてのこの〈大文字の他者〉から受け取るのです。

私たちが自分自身を捉えようとするとき、私たち自身のイメージ、つまり自己像が問題となりますが、ここにもまた〈他者の次元〉が介在しています。ラカンの精神分析は、ことばにおいて「私」が成立するためのもとにある自我の原像を説明した「鏡像段階」の理論から出発しました。それは、人間の子供においては、自己のイメージは他者の場において初めて像を結ぶということを説明したものでした。(4) これは精神分析の用語では「原ナルシシズム」の問題と呼ばれるものです。人間の自己像は、まず他者の場において像を結び、その後、人間の意味活動は、記号のシステムという構造的な他者の場（ラカンは「象徴的次元」と呼びます）において分節されているということになります。

一九九二年のVIVREのポスター（図7-5）にあるように、「私が見ている」はいつも「私を見ている」でもある。これが人間にとって基本的な構造的ナルシシズムのあり方です。そして「私が」も「私を」も、ともに他者の場からしか意味することができない。身体像から言語による意味活動まで、いかに他者が人間にとって構成的な次元であるかが分かるはずです。図7-4において、主体のSに斜線が引かれSとされているのは、このように、主体はそれ自体としては意味化されず、他者の場所としての記号（象徴）の次元を通してしか意味を実現できないという〈分裂した主体〉（Ich-Spaltung）のあり方を図式化したものなのです。

欲望のシナリオ

私の欲望の意味は、他者へとつねにすでに開かれている。私は自分自身の意味を他者から受け取っている。他者の欲望が、私の欲望の意味の成立にとって本質的な次元であるということがこれで分かります。

人間の欲望が〈意味〉の欲望であり、意味を生みだす記号が他者へと開かれており、しかも〈自己像〉さえもが他者の場において像を結ぶとすると、〈欲望〉はつねに他者の場において〈主体〉の意味が分節される光景として経験されることになります。精神分析は、欲望はつねに想像的なシナリオをもっているとしますが、「ファンタスム（fantasme 幻想）」と呼ばれる欲望実現の光景を通して、欲望の意味は主体を捉えているのです。

欲望はつねに舞台（シーン）をもつ、そして欲望のシナリオはつねに主体の意味を分節している。他者の欲望の光景の演出こそ、私たちの日常を取り巻いている広告の核心にある問題なのです。「こんなふうにしたい、こんなふうになりたい」という欲望のシナリオの意味作用は、〈他者の次元〉としての記号のシステムから規定されている。以上をまとめてみると、およそ次のようになります。

1 〈欲望〉は意味の実現の欲望である。
2 〈意味〉は差異のシステムによってのみ実現する。
3 差異のシステムはつねに〈他者の次元〉を前提としている。
4 主体の欲望はつねに〈他者の場〉において実現する〈光景〉を通して表象される。

以上の欲望＋差異＋他者という基本的な連関を知ったうえで、広告という記号活動についてさらに見ていくことにしましょう。

なぜ広告なのかという問いには、広告こそ、すぐれてメディア化され情報化された現代社会を代表する記号活動の一つだからと答えることができます。広告は、欲望に舞台とシナリオを与える、しかも他者の欲望の光景を通して消費を演出する活動です。それはまた、イメージの生成・流通・消費を通して、物がどのように商品として生産され消費されるのか、私たちの経済社会に直結した記号活動でもあるからです。

2――広告の仕事

商品の意味を生みだす

広告は物を売るという活動に関連しているため、第一義的には経済の問題です。より根本的には、それは商品の価値に関わる活動です。近代的合理主義の論理は、その商品がどのように役立つのかという「使用価値」として商品を捉えようとします。しかし、広告が関与する価値は、労働と生産によって物の使用価値を生みだすというよりは、物を売り買いする場合の「交換価値」に関わっています。「価値」をどのように考えるかという大問題をここで詳しく扱うことはできませんが、私としては、ソシュールが記号を差異のシステムと規定していたときに、価値が問題とされていたことを指摘しておきたいと思います。ソシュールは、記号を差異のシステムと考えましたが、そのとき一つの記号の価値は、同じシステムを構成している他の記号との差異の総和であるとされていました(5)。一つのモノがそれ自体で何であるかということよりも、それが他のモノたちとどのような差異において捉えられるかがモノの価値です。そして、広告はある固有のレヴェル(=意味のレヴェル)において商品の交換価値に関わろうとする活動なのです。

広告は、まず、モノの意味の新たな差異化を行うことによって、固有のやり方で新たな交換価値を生みだそうとします。経済学者の岩井克人は次のように書いています。

資本主義社会とは、マルクスによれば「商品の巨大なる集合」である。しかし、広告を媒介にしてしか商品を知りえない消費者にとって、それはまずなによりも「広告の巨大なる集合」として立ち現れるはずである。そして、この広告の巨大なる集合の中において、あらゆる広告は広告としていやおうなしに同じ平面上で比較されおたがいに競合する[6]。

広告は商品の使用価値を伝えるのでも、それについて偽りの情報を与えて商品を買わせるごまかしの活動でもなく、商品の意味を生みだすという、商品の表象に関わる活動です。岩井がいうように商品が広告として現れるとは、商品がシニフィアンとして現れるということに他なりません。

そして広告のシニフィアンは「同じ平面上で比較されおたがいに競合」する。コカ・コーラという商品の意味は、コカ・コーラの広告の意味に他ならず、しかも広告としてのコカ・コーラは広告としてのペプシ・コーラとのたえざる競合においてしか存在しない。缶コーヒーの/BOSS/という商品はそのキャンペーンCMによって生みだされるシニフィアンのことであり、その意味とは、/GEORGIA/や/FIRE/や/WONDA/、あるいは他の商品にまつわるテレビCMという同じ平面上でのシニフィアンとの差異のゲームに他ならない。こうしたすべてが広告という活動なのです。そしてそこに資本主義社会における広告の仕事の固有な問題系、すなわち、目に見えない資本の運動を、商品や企業をめぐる記号に置き換えるという問題系があるのです。

フロイトの「夢の仕事」

「広告の仕事」というとき、ここではたんに広告代理店やテレビ局といった広告業界の仕事を指しているわけではありません。私は広告の仕事という言葉を一つの理論的概念にまで抽象度を高めて使用する必要があると考えているのです。J・ウィリアムスンがすでに述べていることですが、[7] 広告の仕事という場合の「仕事」(ドイツ語のArbeit、英語のwork)を、フロイトの「夢の仕事」(Traum arbeit, dream-work)という概念との類比で考えてみることができます。

フロイトは有名な『夢解釈』で、夢の仕事とは、無意識のままにとどまっている夢の「潜在内容」を、意識にのぼりうる夢の「顕在内容」へと加工する作業であると定義しました。[8] 夢の仕事とは、人間が潜在意識のうちにとどめている心的な力を、いかに意識にのぼりうるような表象へと変形するかということがかかっている活動であり、その作業は、「圧縮、置き換え、形象性への配慮(＝表現可能性)、二次的加工」といった「夢のレトリック」に関わる仕事であって、この作業によって無意識のさまざまな心的欲動のエネルギーが、意識にのぼりうるつじつまのあった光景に加工されるというのです。これはもとのままでは表象が不可能な無意識の力が夢のレトリックを通して表象可能になることを示しています。同じように、広告の仕事とは、生産力の変化、労働と時間、資本の流れ、投資

図7-6 「オールド　ウィスキー／KONISHIKI篇」
テレビCM（1999年）

の運動といった資本主義の目に見えない力を、いかに表象の体系に翻訳するかということがかけられている活動であると考えられます。数年前に、過酷な取り立てでスキャンダルとなった金融業の会社が、そのCMでは花に囲まれて幸せな暮らしをいとなむ家族をテーマにしていました。これなどは、高利率の無担保サラリーマン金融という資本の目に見えない運動が、どのように広告のレトリックを通して花に囲まれた幸福な家庭の表象に姿を変えるかを示しているといえます。

広告は商品の使用価値に直接働きかけることはありません。広告は商品の意味に働きかけることによって、その交換価値を変えるのです。しかも、じっさいに売るプロセスに関わるわけではなく、メディエイトされた交換——意味の交換——に関わる記号活動だと考えられます。例えば、いまではもうオジさんしか飲まなくなったウィスキーのサントリーオールドという商品は、典型的に一九六〇—七〇年代の高度成長期的なイメージをもっていましたが、タレントのKONISHIKIという意味変換子の役目を果たす記号と結びつけてやれば、〝ユーモラスさ〟、〝力強さ〟、〝心優しさ〟、〝陽気さ〟、〝（相対的な）若さ〟といった、コノテーショナルな諸々の意味と結びつくことができます（図7-6）。そのことによって、シニフィアン〝サントリー オールド〟の意味は変化するのであり究極的には他のウィスキーやそれ以外のアルコール飲料との交換価値に変化が起きることになります。〈商品〉〈広告の仕事〉についての特徴を、以下に整理して考えてみることにしましょう。〈商品〉はデザインされ、メッセージとしてプロデュースされ、ポップソングの曲のようにリリースされる。広告の仕事は、そのような意味づくりの仕事であって、この日々分泌される資本主義の夢は私たちの日常生活に大きな影響を与えているのです。

広告のレトリック

広告のメッセージにはさまざまなレトリックが駆使されています。広告においてはレトリックこそが、表象としての価値を生みだす〈広告の仕事〉の中心部分をなしているのですが、モノの意味を組み換える〈転移〉の活動のあらゆる技法がそこでは働いています。ロラン・バルトは、広告のメッセージにおいて、商品の直示的な意味としての「デノテーション（denotation）」に対して、共示的な意味としての「コノテーション（connotation）」があると捉え、後者を生みだすコノテーターとしてのシニフィアンの働きをレトリックの

図7-7　「ボス／工事現場篇」テレビCM（2002年）

コノテーション	C　M	浜崎あゆみ的世界
デノテーション	/缶コーヒー/	

図7-8　CM広告のレトリック

領域として考えています。

例えば、商品ボスはデノテーションとしての意味は/缶コーヒー/であったとしても、コノテーションとしての意味はCMの「ガッンといわせる」シリーズや「まいっている」シリーズのペンギン家族のギャグが繰り広げる笑いとストレス解消のイメージ群であったり、「-love-」を工事現場で歌う浜崎あゆみによるマリリン・モンローを想わせる〝解放的な夢〟のイメージ（図7-7）であったりというように、CM広告のレトリックによって商品のコノテーショナルな意味がつくりだされるのです（図7-8）。

具体的に、このコノテーションのシニフィアンがどのように組織されているのか、また、そのことによって広告のディスクールはどのような意味作用を生みだしているのかを読みとるのが広告のレトリックの分析です。

メタファーとメトニミー

意味の転移を引き起こす基本的な手法は、記号実現の二つの軸である「範列（パラディグム）」軸と「連辞（サンタグム）」軸にそって、レトリカルに記号を働かせることから始まります。レトリックとはそもそも記号を、置き換えたり、省略したり、転用したりすることによって生みだされる記号表現の綾《あや》の技術であると考えられますが、そのような置き換え、省略、転用が可能であるのは、記号実現にとって範列・連辞の二つの作用軸が存在するからです。

「彼女は僕の太陽だ」という表現が可能なのは、/太陽/という記号が、/ただ一つの大切な光源/、/かけがえのない存在/、/熱い想いの源/、/崇め祀る対象/といった一連の意義単位との範列の関係において、かけがえのない愛の対象を表す記号となっているからです。これは「メタファー（隠喩）」と呼ばれ、それ自体が抽象的で姿形をもたない事物や心理状態を具体的な事物・事象によって表すときによく使われる喩えです。これに対して、「今日赤シャツに会った」というような表現は「メトニミー（換喩）」と言われ、これは、/赤シャツ/という記号が/赤いシャツを着たあの男/という連辞関係によって成り立つ表現対象の人物を省略して、その一部によって全体を指すという関係から成り立っています。

メトニミーはそれによって表される事象と記号との経験的・身体的な結びつきによって成立する喩えであることを特徴としています。記号実現はこのように必ず二つの作用軸を想定しているので、レトリックは置き換えや省略によって「言外の意味」を表す――またそのことによって言外の意味を、表現された記号に転移させる――ことができるのです。広告のレトリックは、こうした記号の作用を使って商品や企業にまつわる記号の意味を変化させるのです。

意味の転移のもっとも単純な手法は、記号実現の隣接関係にそって人物や風景の価値を商品に転移するやり方です。焼酎の iichiko という商品は、無色透明の液体であるという属性を生かして、「風景」の価値を製品のイメージに転移させることを、広告戦略の基軸にしています。一九九二年の広告、「風、花に遊ぶ。」(図7-9)でも、風景全体のメトニミーとして、ここでは商品が記号化されています。この換喩性において、iichiko は花咲く野の光景のシニフィアンとなることができるのです。そして、「風、花に 遊ぶ。」というコピーが示しているように、たんに風景のメトニミーであるばかりではなくて、iichiko はそのような/遊び心/の置き換えとしてのシニフィアンでもある。つまり/遊び心/という主体の心的状態を置き換えによって表わすメタファーとしても機能しているのです。iichiko は、花咲く野のメトニミーであると同時に、それらの風景の中で遊ぶという欲望の主体のメタファーでもある。それこそが広告がつくりだした iichiko のコノテーショナ

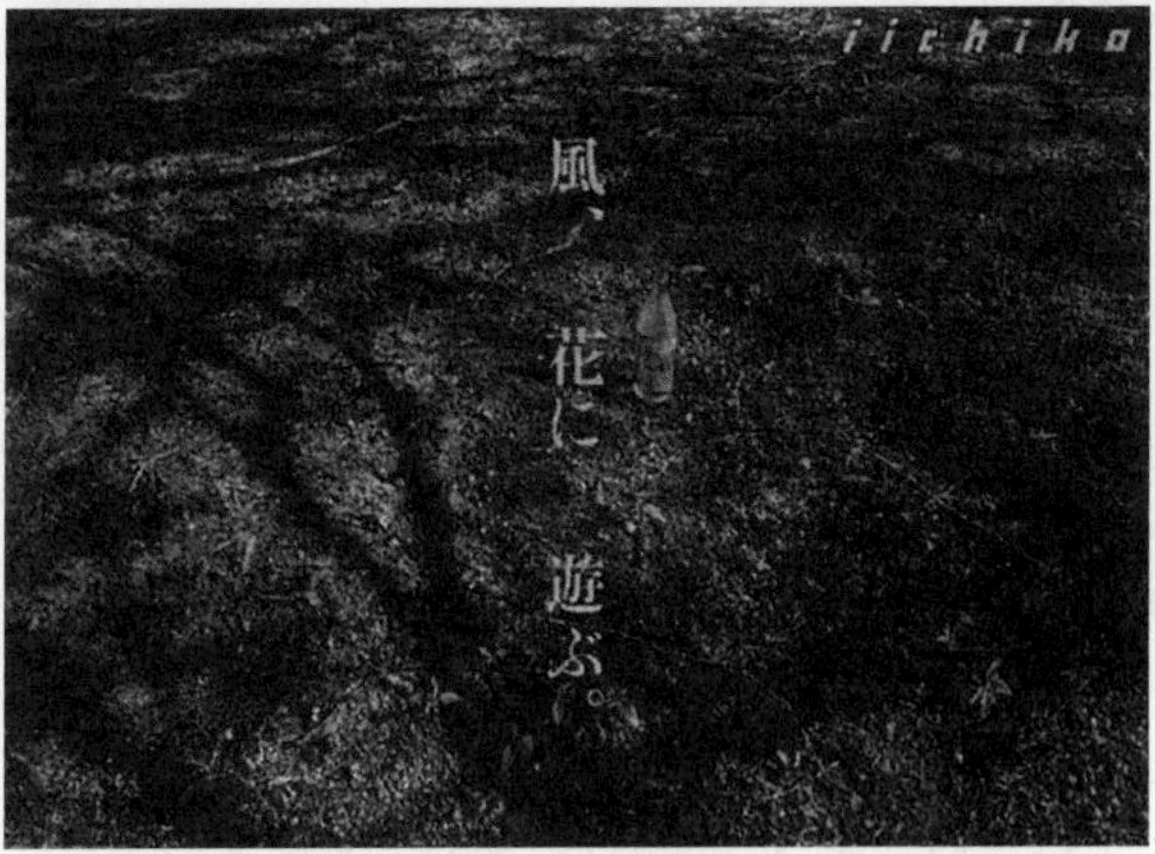

図 7-9 「iichciko　風、花に遊ぶ。」ポスター（1992 年）

$$\frac{\text{/iichiko/ → /水辺/ → /船遊び/ → /空/ → /花々/ → /春の野/ →}}{\not{S}\text{（欲望主体）}}$$

図 7-10　シニフィアンの連鎖と主体のメタファー

ルな意味作用なのです。これを図7-4で示したラカンの図式で示すと図7-10のようになります。

商品や企業のシニフィアンが、メトニミック（隣接的）に記入された欲望の光景をイメージとして繰り広げることで、シニフィアンを欲望の主体のメタファーとして提示するという基本的なメカニズムは、どの広告にも共通しています。例えば、二〇〇〇年にタレントの藤原紀香を起用した「JAL沖縄」のキャンペーン広告（図7-11）においても、/JAL OKINAWA/というシニフィアンは、/ゆるやかな夏の日。/というキャッチ・コピーを通して/藤原紀香/の眼差しや彼女の優雅な肢体とメトニミックな関係に導き入れられ、白いデッキや紺碧の海、青い空と結びつけられていく。あなたの視線がそのように広告イメージのメトニミー的連関に引き入れられていくと同時に、あなたは/JAL/によってもたらされる/ゆるやかな夏の日。/を、自分の欲望の代理表象（メタファー）とする欲望の主体へと構成されることになるのです。このように、広告メッセージの記号レトリックには、欲望の主体を立ち上げるという役割があります。

風景の意味を転移するという一見単純に見える手法から、もう少し明示的な意味の転換ゲームを広告メッセージが表している例を見てみましょう。図7-12のIBIZAは、「かわいがられるワタシより、おもしろがられたいワタシ」というコピーのハンドバッグの広告の例です。ここで、商品のバッグは、それと形象的に対をなす記号相関物としてのシニフィアン（貝殻、石、植物）に結びつけられることによって、絵の中のさまざまな形象と結合関係（連辞的関係）の中に導き入れられています。そして、そのような形象として導き入れられた画面の構図が、カンディンスキーを想わせる絵画の引用となっている。この引用を通して、芸術性のコノテーションが成立しているわけです。

そして、バッグは、持ち主のメトニミーとしてのモノですから、バッグはそれをもつ「ワタシ」の換喩的な記号の位置を占めている。コピーの文は、パラレリズム（対句）を使って、「かわいがられるワタシ」から「おもしろがられたいワタシ」への変身という意味の転換へと誘いだしている。「ワタシ」とカタカナで書かれているところが、「わたし」とは少し違った新しい「ワタシ」に変貌できるのだという、私の変化をテーマ化しているのです。このコピーによって、私は、まさに、たんに「かわいがられる」私ではなく（と言っても「かわいがられるワタシ」ではすでにあるということを表現は前提にしていますが、それが広告の「誘惑」のディスクールの前提です）、IBIZAバッグという記号によって、ユーモラスな絵画の世界と同化し、「おもしろがられたいワタシ」という新しい主体としての意味を獲得することができるのだ、と語りかけているのです。「私」の意味の変換（チェンジ）をバッグというシニフィアンが担うことができるかもしれない。IBIZAというシニフィアンを通して、いわゆる「アートな」光景と結びつき、「かわいがられるワタシ」であったり、「おもしろがられたいワタシ」であったりしたいという〈欲

図 7-11 「ゆるやかな夏の日。JAL OKINAWA」ポスター（2000 年）

図 7-12 「かわいがられるワタシより、おもしろがられたいワタシ。IBIZA」ポスター（1992 年）

望の主体〉へのメタフォリカルな変身が演出されている例です。

動機づけ

広告のメタファーやメトニミーの働きを通して、広告の仕事には商品の意味を「動機づける」という役割があります。商品や企業を表す任意の記号は、恣意的なものであって、それが必ず一定のポジティヴな意味内容を示すとはかぎりません。こうした記号とその意味内容との結びつきを、あくまで必然的な「自然な」ものであるかのごとくに、記号を配置するやり方が動機づけ（motivation）です。

女性月刊誌『フラウ』の「アタマのキレイなひと。フラウ。」の広告を見てみましょう（図7-13）。このグラフィック広告では、「アタマ」の図像を雑誌名の「a」という文字の記号相関物とすることによって記号の連鎖をつくりだし、知性とこの雑誌との等号関係をつくっています。同時に、「アタマ」・「キレイ」・「フラウ」というカタカナによって強調された三音節の語の間に成立する平行関係（パラレリズム）によって、三つの語の意味上の等価性をつくりだしています。カタカナがかもしだす新奇さの効果によって、知性とファッショナブルさをもつ女性雑誌というイメージをつくりだしています。「アタマ」・「キレイ」・「フラウ」という意味の転移が、以上の記号操作によってつくりだされたのです。雑誌名の「フラウ」は、孤立した記号としては、知性とも美とも結びつかない。せいぜい、ドイツ語の女性の尊称を想い浮かべさせる程度です。しかし、「アタマ」・「キレイ」・「フラウ」と三音節のカタカナ表記が重ね合わせられ、「FRaU」の「a」の文字が、レタリングを通して、「頭」のかたちに（しかも、あたかも、「キレイ」な「アタマ」のかたちに）くっきりと描きだされることによって、「フラウ」という記号と、「アタマ」（＝知性）、および、「キレイ」（＝美）という二つの記号によって示される意味領域とが、必然的な結びつきを獲得することになるのです。

「アタマ」や「キレイ」といった普通の名詞・形容詞をカタカナで表記することで、単語として「異化作用」をつくりだし、さらに「アタマのキレイな」という矛盾語法（オクシモロン）を採用することで、「アタマ」・「キレイ」・「フラウ」という範列は、さらに強調され強化されている。これは、広告のレトリックによって、雑誌の名前という記号が、美とか知性といった意味の広がりの圏域とコミュニケートするようになるという点で、意味の転移が行われ、孤立したままでは恣意的なものにとどまっていた雑誌名「フラウ」が動機づけられたケースです。

以上のようなパラレリズムにもとづいた記号の動機づけの手法は、広告にはよく見受けられます。じっさい「語呂合わせ」や「駄洒落」は、キャッチ・フレーズやスローガンなど、言語記号の動機づけが強く働く場面には多く登場する手法です。それらを用いた広告からは、意味の転移の運動が記号においてどのようにつくりだされるものなのかを理解す

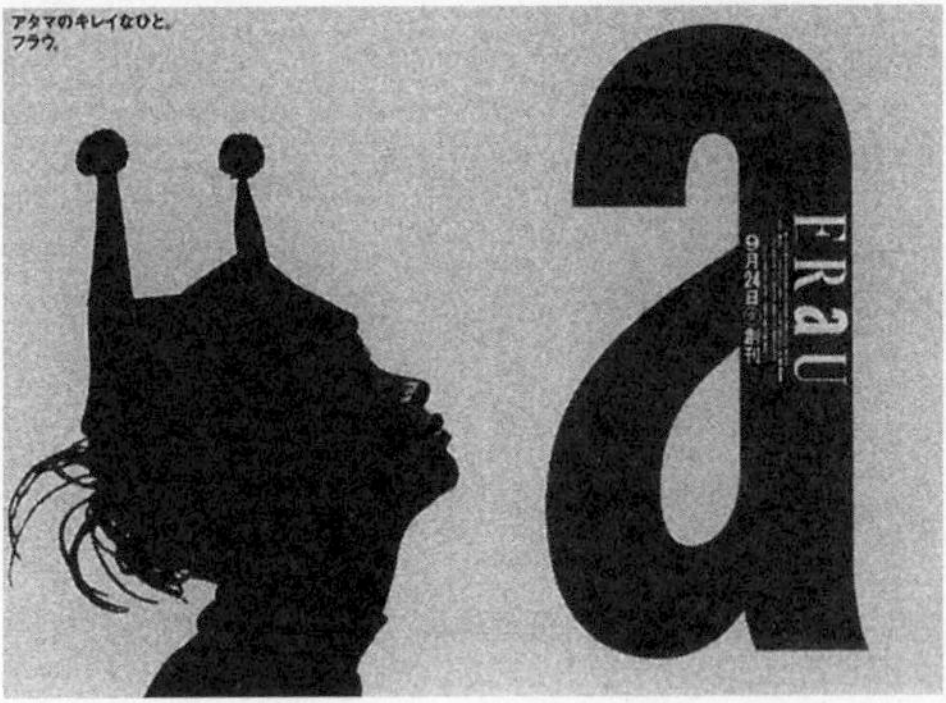

図 7-13 「アタマのキレイなひと。フラウ。FRaU」ポスター（1992 年）

図 7-14 「たわわな AKA、なかなか RECIENTE」ポスター（1992 年）

る手がかりを得ることができます。そうした例を次に見ることにしましょう。

まず、資生堂の口紅の広告の例です（図7-14）。この広告では、コピーの「たわわなＡＫＡ、なかなか」が、メッセージの読解の方向を指示する、主導的な役割を担っています。このコピーは、文としては非完結文で、「なかなか……いい」なのか、「なかなか……なものだ」なのか、メッセージとしての意味は非限定なまま、オープンなままに残されているのですが、まさに、その非限定性にこそ、「漂流するメッセージ」としてのねらいがあるといえます。この「ＡＫＡ」の記号は、非限定的な意味の冒険の可能性に開かれているというわけです。

さて、このコピーにおける記号の動機づけをつくりだしているのは、第一に、文の音韻組成（母音と子音の配列）です。商品テーマの「赤」をローマ字で、その他をすべてひらがなで書いているのは、その音韻性を強調するねらいからなのですが、全部をローマ字化してみれば明らかなように（「TAWAWANAAKANAKANAKA」）、じっさい、文を構成する一〇のシラブル（音綴）のすべては、ａの母音から構成されています。しかも、この音韻列は、aka の二音節を中心に、4/2/4という対称的なシラブル配列をもち、ｗが二回、ｎが三回、ｋが三回の繰り返しをつくっている。

このような音韻組成によって、商品のルージュ（商品名「RECIENTE」は、ここでは、画面の左上の部分にいわば署名のように記入されているだけです）の「ＡＫＡ」が、「たわわなＡＫＡ」、「なかなか」な「ＡＫＡ」として、波紋のように意味の輪を拡げていき、メッセージはつくられているのです。音韻組成の内部形式に反復を組み込むことで、流行として流通することばがつくりだされているわけです。

さらに、動機づけの第二には、図像的にも、赤いルージュをぬった唇のイメージが、/a/の発音の口のかたちをして増殖している点があげられます。「たわわなＡＫＡ、なかなかなか」という発話の運動自体が、図像的に描きだされている。そして第三に、非完結なメッセージは、発売時期の「秋」を、「たわわなＡＫＡ」と「たわわな秋」との連想によって言外に指示し、「ＡＫＡ」を「秋」と関連づけて季節の流行色として打ちだすとともに、「なかなか」なＸという新しい経験へと誘っているというわけなのです。文の意味の非限定性と、図像の過剰な動機づけとが同時に実現することで、新しい流行をつくる言語的・図像的な広告のメッセージが成立しているわけです。

詩的機能

ここでは、ロマン・ヤコブソンが定式化した「詩的機能」という記号原理を説明しましょう(9)。ヤコブソンの「六機能図式」については、すでに4章で紹介しましたが、コミュニケーションを構成する六つの要素のうち「メッセージ」に焦点が当てられたことばの働きは「詩的機能」と呼ばれ、二つの定義が与えられていました。第一の定義は、詩的機能は、

「言語によるメッセージそのものの志向である」というものであり、第二の定義は、詩的機能は、「等価性の原理を、選択軸から結合軸へと投射する」というものです。

私たちがここで扱っている広告という記号現象との関連において考えるとすれば、第一の定義が述べているのは、記号からなるメッセージが自らの記号としての形式、様態、作用を際立たせ、自らの記号性を前景化するような働きこそ、「詩的機能」あるいは「美的機能」と呼ばれるような記号作用だという考えです。そして、商品の記号としての側面がクローズアップされ、かたちや配置や作用といった記号性が前面に押しだされているという点で、広告のメッセージは、「詩的機能」あるいは「美的機能」が強く活性化する活動だと考えられます。

これに対して、広告のメッセージがいかに商品の記号の意味作用を、意味の転移や動機づけによってつくりだすのかを説明する原理は第二定義によって明確になります。ヤコブソンが第二定義を説明するためにあげている例は、一九五〇年代のアメリカ大統領選挙におけるアイゼンハワーの陣営のスローガン「I like Ike」（Ikeは、アイゼンハワーの愛称）です。「I like Ike」というスローガンは、通常「パノロマシス（畳語法）」と呼ばれる内部エコーの組織によってつくられています。ayが三回繰り返され、laykとaykとが内部韻を踏んでいる。

I like Ike.
ay ay ay
layk ayk

この音韻構造により、「I」と「like」と「Ike」という同じayという同一の音韻特徴によって範列（パラダイム）をつくり、したがって、「等価性」によって結ばれた言語記号が、連辞（サンタグム）軸において文をつくっている。詩的機能は、「等価性の原理を、選択軸から結合軸に投射する」というのは、範列軸においてもとめられる等価性が、連辞軸においてシークエンスを構成している要素間にも認められるような記号の配置となっていること、それによって、本来、孤立した状態においてはなんら共通の意味特徴がない要素間に、意味の響き合いが生まれることを述べているのです。「I」と「Ike」、「like」と「Ike」とは、単語としては、なんら必然的な結びつきも類義性もないわけですが、音韻的に呼応関係にある配置が生みだされることで、意味論的なエコーの関係に導き入れられるというわけです。このスローガンの組織によって、人は「Ike」の中に「I」が包含され、「like」という語の中に「Ike」という対象がすでに含まれているのを聞き取るようになる。これは、「Ike」という固有名詞に「I」および「like」という言語記号の意味論的価値を投射することによって、それ自体では恣意的なものにすぎない選挙候補者の人名を動機づけているのです。

詩的動機づけ

「アタマのキレイなひと。フラウ。」でも、「たわわなAKA、なかなか」でも、すべては同じ「詩的機能」にもとづいた「詩的動機づけ」の手法によって、商品の記号の動機づけを行っています。詩的機能は文字記号や音韻にかぎらず、視覚記号や図像的パターンによって同じようなパラレリズムをつくりだす例もよく見うけられます。

一九九二年のアリナミンVの広告（図7-15）の例を見てみましょう。ここでは、商品名のうち「V」の記号が、「だいじょーブイ」によって、音韻的な動機づけをうけ、それが画像の読解を導くようにできている。もともと、まじないのことばである「ちちんぷいぷい」に「ブイ」を代入することで、「ブイ」に呪術的な価値を付与すること、さらに「だいじょうぶ」の語尾を「だいじょーブイ」に変えて、呪術性を帯びた合い言葉にすること、この二つの操作がコピーによって実行されています。もちろん、そのメッセージ自体の呪術性を誰も信じるわけではないのですが、呪文のことばをとなえることによって、願いがそのまま実現するような、精神分析のいう「思考の万能」の世界と戯れるコノテーションがつくりだされるというわけです。

この誇張語法的なレトリックは、ここでは画面の構成にも表れています。疲れ切った

「現実」の世界は、モノクロの写真によって表され、その白黒の世界に、超自然の力として、赤色カラーの「V」の視覚的メッセージが介入するという演出がそれです。そして、その「V」の記号の図像記号相関項として、俳優の「シュワルツェネッガー」のV字形の巨大な顔が、超自然の魔神のように出現している。俳優やスターは、それ自身、記号と化した人間たちなのですが、広告は、その記号化した人物たちを登場させることで、彼らが担っている神話作用を利用しようとします。ここでは、シュワルツェネッガーは、『ターミネーター』などの近未来SF映画の世界を代表する超人的な記号として、アリナミンVの呪術的な力を代弁する記号として使われているのです。

図7-15 「ちちんブイブイ、だいじょーブイ アリナミンVドリンク」ポスター（1992年）

物語による動機づけ

文字広告やグラフィック広告などに表れた詩的動機づけが、空間的なレトリックであるとしたら、テレビCMにおいて働いているレトリックは、時間軸にもとづいた、〈物語〉による動機づけと説得の手法と言えます。テレビCMは一五秒あるいは三〇秒（たまに六〇秒）という限られた時間を使った短い物語から成り立っています。時間的な制約の中でも、ＣＭはほぼ三ないし四のシークエンスからなる物語構造を備えています。そして十分に効果的な〈広告の仕事〉を行っています。

例えば、人材派遣会社のスタッフサービスの一五秒ＣＭは「桃太郎」の昔話の枠組を借りて「オー人事、オー人事（022 022）」に電話をかければ問題は解決すると語りかけます（図7-16）。

もっとも単純にいえば、〈物語〉とは出来事の推移を語ることであると定義できますが、〈物語る〉とは無秩序に生起する個別の出来事を、時間の順序に導き入れることでもある。〈物語〉という時間の秩序づけは、この意味では出来事の説明という性格をもち、論理に近い構造――〈擬似論理構造〉――をそなえています。[10] テレビＣＭのような〈微小な物語〉でも、基本構造は同じです。この「部下にめぐまれない桃太郎」の一五秒のＣＭ物語は四つのシークエンスからなり、1主人公桃太郎とその家来の鬼ヶ島への到着という「初期状態」に始まり、2部下のサボタージュという「逸脱状態」へと移行し、3電話番号「022 022（オー人事、オー人事）」を合い言葉にしたナレーションによる「超越的な声の介入」が起こり、4主人公と「スタッフサービス」との間にコミュニケーションが成立し、「秩序の回復」が予測されて終わるという説話論的回路の分節化を行っています。

ここではＣＭはじつは単一の物語ではなく、二重の物語から成り立っています。まず

（鬼ヶ島に到着した舟で犬・猿・雉に向かって）桃太郎「さあ着いた。みんな行くぞ！」犬「冗談じゃないよ」猿「吉備団子ぐらいで命賭けられるかよ！」雉「ケケケケケケケ」（バカにした笑い）
音楽。桃太郎の困惑した顔のクローズアップ。ナレーションの介入「部下にめぐまれなかったら、スタッフサービス、フリーダイヤル 0120 022（オー人事）022（オー人事）」
赤鬼・青鬼に囲まれて電話する桃太郎の涙顔ショット。桃太郎「もしもし」電話の声「はいスタッフサービスです」桃太郎（救われたという声で）「あ〜」

図 7-16　「株式会社スタッフサービス／桃太郎篇」テレビ CM（2001 年）

1「桃太郎」の話のような上司と部下をめぐる第一の〈下敷きになる物語〉が初期状況において提示され、2その〈下敷きになる物語〉が上司あるいは部下（または同僚）が機能しないという第二の〈逸脱の物語〉へと移行し、3秩序を回復してその逸脱状態を〈常態〉へと復帰させる超越的介入の役割を果たすものこそが「022 022」によるスタッフサービスへの連絡であり、4スタッフサービスとのコミュニケーションの成立にもとづいた正常な物語へ復帰する、という説話論的経路を示しているのです。2の〈逸脱の物語〉が誇張的に拡大されることによってギャグとしての笑いを誘発します。そしてこうした〈笑い〉には一種の心理的な発散の効果があります。

同じ人材派遣会社のＣＭは「部下にめぐまれなかったら」、「上司にめぐまれなかったら」、「同僚にめぐまれなかったら」という三種類にシリーズ化されていて、同じ「桃太郎」にもこれ以外に上司にめぐまれない家来たちを題材とした「帰路」篇、上司のゴルフのために芝生をもって走らされる部下たちを題材とする「ゴルフ」篇、バッテリーを組んでいるキャッチャーが野球の代わりに焼き鳥を七輪で焼いていて、同僚にめぐまれないことをテーマにした「野球」篇などがありますが、いずれも同じパターンを維持しています。誇張された〈逸脱の物語〉を提示したあとで、上司にめぐまれなかったら・部下にめぐまれなかったら・同僚にめぐまれなかったら、スタッフサービスに電話をすれば正常な職場の物語に復帰できますよ、と語りかけるのがこのＣＭシリーズが採用している〈物語的分節化〉なのです。

グラフィック広告における〈詩的動機づけ〉の手法が、風景や人物のイメージ作用を広告のシニフィアンへと転移させ、導き入れることによって商品の意味をつくりだしていたとすれば、こうした〈物語による動機づけ〉こそは、テレビＣＭの基本的な手法の一つなのです。テレビＣＭは、人々の間に流布しているさまざまな〈物語〉との関係において自己の〈物語〉を分節化し、そうすることで商品の意味を動機づけるのです。

テレビＣＭの機知

一つのCM物語が世間に流布している多種多様な物語と関係をつくりだす分節化のやり方は、パロディ、引用、ギャグ、寓話、擬人法、例示などじつにさまざまです。例えば、サントリーの清涼飲料DAKARAのCMシリーズは、「小便小僧」を物語のフレームに借用した擬人法による語りです（図7-17）。

「カラダバランス飲料」の効能は、体内の不要物質（「余分なもの」）を尿といっしょに体外に排出することにあるのですが、理屈っぽいませた小便小僧たちという人物設定はこの商品の効能を説くうえで、ある仕掛けになっています。つまり、排尿というそれ自体ではテレビ映像に上らせることができない身体生理に関わる活動を、可愛らしさによっておおっぴらな放尿を文化的に許容されている存在としての小便小僧たちのユーモアの物語に包んで迂回的に表現しているのです。小僧たちの白い石膏色と背景画面の白色、リーダー小僧の胸に描かれたピンクのハートのマークは、商品の缶の色彩と合わせられて/DAKARA/色に染まった意味論的世界を繰り広げています。DAKARAを飲んだ小便小僧はカラダの「余分なもの」を体外に排出する。他の小僧たちはそれを見て感心している。小僧たちの会話のこましゃくれた理屈っぽさは、製品の効能の説明という論理性のレヴェル（説得のレヴェル）と、小便小僧たちの子供の会話という物語内設定（物語のレヴェル）との接合面を表すものです。この接合を通して、視聴者は小僧たちの無邪気な会話に立ち会うと同時に、状況の外からその会話の「生理学的」含意を製品の効能の説明としてメタ

リーダー（DAKARAを飲んでおしっこを出しながら）「見てみ、コレすごいんだぜ、ゴク」
仲間A（おしっこをかけられて）「うわっ！　なんだよー！」
リーダー（再びDAKARAを飲んでおしっこを出しながら）「あ〜ゴメンゴメン、もう1回ね」
みんな「あれっ！」
仲間A「余分なものが出ているの？」
仲間B「余分なものが出ているの？」
リーダー「そんなワケないだろ……。しかし、その可能性は否定できないな」
ナレーション「カラダバランス飲料、サントリーダカラ」

図7-17　「DAKARA／小便小僧登場篇」テレビCM（2001年）

レヴェルで聞きとることができる。「カラダ」の畳語であると同時に、論理順接の接続詞でもある「ダカラ」を商品名として提示しているところにも、身体と商品をめぐる遊びと説得の連続性が示されています。

ここでは、物語がフロイトの述べたような「機知（ウィット）」(11)の機能を果たしているといえるでしょう。フロイトによれば、〈機知〉は性的な願望など無意識に抑圧されている意味内容を、直接表現することなく受け入れることを可能にします。同じ機制はここでも働いていて、それを図示すればおよそ次のように単純化することができるでしょう。

カラダ（は排尿を必要としている）

ダカラ（は排尿を促進する）

だから、ダカラ（を飲んで）カラダ（から排尿しよう）

このうち、カッコ内の部分を小便小僧たちの物語が代行しているというわけです。物語の〈機知〉によって、排尿という直接に喚起することが不快な身体生理的行為の表象を直接意識に上らせることがないまま、〈笑い〉を通して意味内容を受け手に含意として伝えることができるのです。

物語のメタ物語的二重化

CM物語の基本的特徴は、物語の〈メタ物語的二重化〉による〈説得〉にあります。CM物語は必ず何らかの〈小さな物語〉を語ってみせるのですが、その物語にはつねにオチが存在します。

上の上司・部下の物語や、小便小僧の物語における物語Pは、「もしP（語られているような状況）であれば、Qしよう」という説得のための例としてのステータスを与えられているのです。つまり、「物語形式（Na）／物語内容（Ne）」のセットからなる「文字通りの物語（N）」は、もう一つ別の「説得のメタ物語（M）」（「説得の形式（Ma）」＋「説得内容（Me)」）として機能しているのです（図7-18）。つまり、どういう〈小さな物語〉を使って〈メタ物語〉をつくるかが、CMの〈物語の仕事〉であるということになります。

タレント・システム

テレビCMで、何といっても目立つのは「タレント」の起用です。〈タレント〉とは何かを簡単にいえば、およそ次のように性格づけることができます。(12)〈タレント〉とは、舞台俳優や映画スターのように人間がメディアの世界において記号化した存在ですが、とくにテレビに特有な存在です。舞台や映画の〈スター〉が、銀幕に展開する映像物語の残像として、パースの記号分類のいう図像性（iconicity）を基本として成立するイメージ存在であるのに対して、〈タレント〉はテレビという同時的なコミュニケーション・メディアにおいて指標性（indexicality）を基礎に成立する記号存在です。(13)

一人のタレントは、彼／彼女が体現しているテレビ的コミュニケーションにおける〈コミュニケーション・タイプ〉（いわゆる「タレントのパーソナリティ」）と、ドラマ等を通して彼／彼女が演じうる物語の類型としてのコノテーショナルな〈物語タイプ〉（いわゆる「タレントの役柄イメージ」）という二つの要素の組み合わせから定義されます。〈スター〉の映像的能力に対して、〈タレント〉は視聴者と潜在的にコミュニケーションのチャンネルをつくりうる〈交話的能力〉——この交話的能力の類型が〈コミュニケーション・

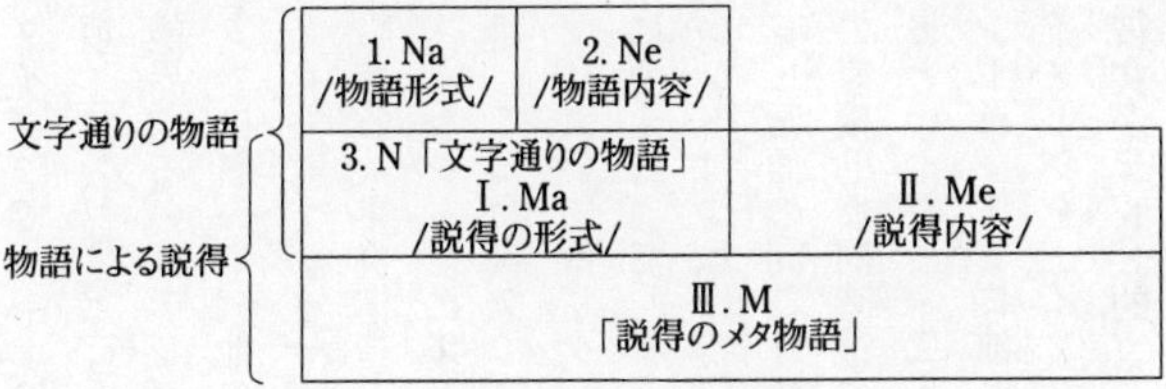

[CM において、〈説得〉は、文字通りの小さな物語（3. N）を〈説得の形式〉（I. Ma）として成立する〈メタ物語〉（M）の働きである。]

図 7-18　〈メタ物語〉の図式

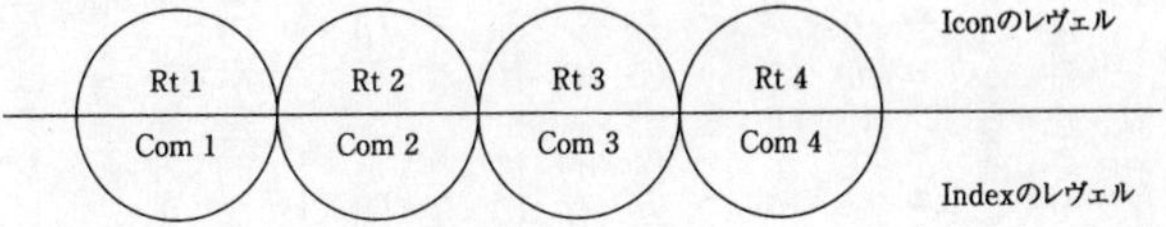

Rt（Récit）＝物語タイプ
Com（Communication）＝コミュニケーション・タイプ

図 7-19　タレントという記号のシステム

タイプ〉です——に特徴があり、彼／彼女はテレビ・コミュニケーションにおける〈交話項〉（いわゆる「テレビ顔」）として存在します。〈タレント〉は孤立しては存在せず、芸能界あるいはテレビ界における共時的な「差異のシステム」としての〈タレント・システム〉において、他のすべてのタレントとの示差的な相互規定性の関係で結ばれた記号として存在しています。〈タレント〉を〈コミュニケーション・タイプ〉と〈物語タイプ〉からなる〈半身構造〉として定義し、その相互規定関係を示すと図7-19のようになります。〈タレント〉の場合、〈コミュニケーション・タイプ〉の方が基底構造であって、そこを通して〈物語タイプ〉が活性化するという仕掛けになっています。例えば、テレビ・ドラマにおいては、タレントのコミュニケーション的存在が、ドラマにおける役柄の下に完全に消え去ってしまう（＝映画におけるように俳優が役になりきる）ことはありません。タレントはつねに物語の手前に「顔を出している」のであって、少なくとも潜在的には、テレビ画面の向こうから視聴者の〈あなた〉に向かって一・二人称的なコミュニケーションの直接的な同時性において、いつでも語りかけている存在です。トークショーやバラエティといった一・二人称型のコミュニケーションこそ、タレント活動の基本なのです。タレントは、すでに演じてきた、あるいはこれから演じうるさまざまなステレオタイプ物語のイメージを〈インターテクスト〉[14]として活性化させるのです。そして、それはつねに彼／彼女がテレビ的コミュニケーションにおいて体現している、〈コミュニケーション・タイプ〉を通してなのです。

テレビを視る側についても、例えばテレビ・ドラマの視聴においては、物語や役を視ることよりも、まずこうした〈タレント性〉を視るということに主眼がおかれる傾向があり、その場合「タレントを視る」とは、タレントが体現している〈コミュニケーション・タイプ〉を通した〈物語タイプ〉の活性化を楽しんでいることになります。テレビにおける〈物語〉の視聴は、〈タレント〉によってこうした〈コミュニケーション的な屈折〉を受けていると言うことができます。

タレントのテレビCMへの起用は、この〈コミュニケーション的屈折〉と、前でみたCMにおける〈物語の二重化〉による〈説得〉とを組み合わせることを可能にします。CMにおけるタレントの登場は、そのタレントが背負っているさまざまな〈物語ステレオタイプ〉の断片を引き寄せ、一五秒や三〇秒の短い物語の中でも多彩な意味のゲームを繰り広げることを可能にします。これが、タレントの〈物語タイプ〉が活性化させる〈インターテクスト性〉の効果です。同時にタレントは、そのように繰り広げられた意味世界を視聴者とのコミュニケーションの方へ屈折させ、すでに親しく人格化（パーソナライズ）されたコミュニケーション・チャンネルを通して、なかば無意識のうちに〈説得〉――共感〈シンパシー〉にもとづく説得――へと〈物語〉を転調させることができるのです。

コミュニケーション・ゲーム

富士写真フイルムのCMシリーズ「写ルンです」には、樹木希林、岸本加世子、田中麗奈という三人のタレントが登場します（図7-20）。フジカラーの写真スタンドを舞台に、独特のズッコケたおばさんキャラクターの樹木希林を「客の綾小路さゆり」、妹役や娘役、若い母親役や叔母役など明るい家族的な女性キャラクターを演じてきた岸本加世子を「店長」、明るく現代的な娘役を演じてきている田中麗奈を「店員」としたコント劇の体裁をとっています。これら三人のタレントは、いずれも女優として濃密なキャリアをもち、それぞれが〈物語タイプ〉として発動するインターテクストは豊かであり、またそれぞれの女優の固有な「パーソナリティ」の認知度が極めて高いことを特徴としています。彼女たちの〈コミュニケーション・タイプ〉に共通するものは家族的女性性という用語で括れるでしょう。このシリーズが繰り返し活性化するのは、三つの異なる〈コミュニケーション・タイプ〉間のコミュニケーション・ゲームです。

三人の人物の会話は、商品「写ルンです」のメリットをトピックにしながら展開されますが、こうした状況設定は三人のコミュニケーション・ゲームを発動させるための仕掛けにすぎません。じっさい、このCMシリーズでは、この三人のコミュニケーション・ゲームは万華鏡の模様のように次々と配置を変えて見せます。ここでの〈広告の仕事〉は、商

岸本店長と田中店員がいるお店に綾小路さゆりさん(樹木希林)がやってきます。

スペリアを手にした綾小路さんが「これ、特に美しく写ります？」と質問します。

すると岸本店長が「第4の感色層のフジカラースペリアなら美しい人はより美しく、そうでない方は……。」と意味深に答えます。

その先が気になる綾小路さん。間髪入れずに「そうでない方は？」と聞きなおすと、田中店員が「超それなりに写ります。」とさり気なく答えます。

「超それなりに……。」を聞いた綾小路さんはちょっとショックを受け、その意味を真剣に考えだしてしまいます。

そして最後に今回の「当たルンですキャンペーン」の賞品告知を強烈に行います。

図7-20 「写ルンです／超・進化それなりに篇」テレビCM（2000年）

品の表象としての意味に働きかけるのではなく、商品が誘発しうるコミュニケーション行為を提示することによって、商品の交話的価値をテーマ化することにかかっている。このCMシリーズは、さまざまな〈コミュニケーション・タイプ〉とのコンタクトを通したコミュニケーション関係の中に商品の記号を分節化する、つまり、コミュニケーション・ツールとして「インスタント・カメラ」を位置づけるという戦略を成功させているのです。「キムタク」こと木村拓哉が出演する富士通のパソコンFMVのCMシリーズも、キムタクとゲスト・タレントとのコミュニケーション・ゲームをテーマとしています（図7-21）。このシリーズでは、富士通パソコンの新機能を使って一人楽しんでいる木村の生活場面に、ゲスト共演者である中年の男性タレントたちが闖入して、いやがる木村を無理やり自分たちとのコミュニケーションの中に引き込もうとするという状況設定のもと、商品としてのパソコンの周りで、木村のクールな若者としてのコミュニケーション・タイプと、中年のおじさんを演ずるゲスト・タレントのそれとの間にコミュニケーション・ゲームのヴァリエーションを繰り広げて見せます。事務機器としてのパソコン使用をめぐって、プライヴェート空間と仕事空間、若者のコミュニケーションと中年男たちのそれなど、異なったコミュニケーション生活圏の間に共鳴現象をつくりだすことがここでは目指されていると考えてよいでしょう。

広告が芸能人やスポーツ選手を起用するとき、その効果は、それらのスターたちが帯び

夜、部屋のベッドでヘッドホンをしながら寝そべっている木村拓哉。かなりリラックス気分。インターネットの音楽サイトにアクセス中で、お気に入りの曲をダウンロードしようとすると、不意にヘッドフォンをはずされ聞き慣れない男の声が……。

木村「こいつもゲットかな……」(インターネットにある曲を視聴している)

三谷「ダウンロードしてマイベストをおつくりですね？」

木村「誰？　誰？」(びっくりして振り向く)

三谷「私もよくつくるんですよ」木村「何やってんの？」

三谷「私もよくつくるんです」木村「どっからはいったの？」(突然の侵入者に慌てる木村)

三谷「非常に趣味が合いますね、どうぞ」(鞄からマイベストカセットテープを取りだし、木村に渡す)

木村「いや、結構です」三谷「差し上げます」

木村「結構です」三谷「差し上げます」(強引に木村にテープを渡そうとする三谷)

三谷「ほんとに、ここにおいとくから、あの……暇なときに聴いてみてください」

ナレーション「FMV でブロードバンド」

三谷「あの全然 (気にしないで)」木村「早く帰ってくださいよ、じゃ」

三谷「まだやることがあるから、あのどうぞ (気にしないで)」

木村「何やるんすか？」(遠慮しながらも、まだ居座ろうとする三谷に思わず苦笑する木村)

図 7-21　「富士通 FMV／マイベスト篇」テレビ CM (2001 年)

ているイメージの商品記号への転移であるとよく言われます。しかし、以上の富士写真フイルムと富士通パソコンの例からは、CMでは、たしかに物語状況や役柄という物語のレヴェルでのインターテクストの活性化はあるものの、〈タレント〉の役割はむしろ自らの〈コミュニケーション・タイプ〉の発動であり、そのように起動されたコミュニケーション・ゲームの中に商品の記号を巻き込むことにあると分かります。視聴者は〈タレント〉という交話項に出会うことで、即座にそのCMのコミュニケーション・タイプをチューンすることになる。そのことによってCMが繰り広げるコミュニケーション・ゲームの中に引き込まれる仕組みになっているのです。これがテレビという指標的メディアが可能にした〈交話的コミュニケーション〉の働きです。

〈交話的コミュニケーション〉においては、メッセージ内容よりは〈接触（コンタクト）〉が重要な役割をもちます。〈接触〉は、指標的な記号活動ですから、象徴記号の意味作用や、イメージの想像的な働きが立ち上がる以前に、身体的・感覚的なチューニングによって瞬時に受け手に選び取られ、コミュニケーションの前提的フレームを決定してしまいます。タレントの声、タレントの表情やまなざしは、テレビ画面を通してそのような〈接触〉をつくりだす指標として機能し、コミュニケーションのチャンネルをつくる役割を果たしているのです。メッセージ内容の視点からいえば、キムタクは「CM物語の中で役を演じている俳優」という位置にあり、富士通パソコンのCMは「キムタクが出ているC

M」であるはずですが、人々がそれを「キムタクがやっているCM」と表現する傾向があるのは、当該CMのコミュニケーションのフレーム自体を「キムタク」という〈タレント〉が決定しているという知覚にもとづいているからです。

3――資本主義の白日夢ともう一つの時間性

『モモ』のビビ・ガール

ミヒャエル・エンデの『モモ』（一九七三年）の中で「灰色の男たち」は悪意をこめて着せ替え人形「ビビ・ガール」をモモの近くに置き去りにします。[15] 本章の冒頭に引用したように、「あたし、もっといろいろなものがほしいわ」という言葉を繰り返すこの人形は、主人公の女の子モモに欲望を与えて、彼女を消費社会のゲームの中に誘い込むべく、「時間貯蓄銀行」の手先である灰色の男たちが指し向けたものであるのです。エンデの『モモ』は、作品全体が資本主義の原理による人間の疎外の進行と、それに対抗する人間性の回復のための戦いを描きだした寓話（副題が示すように「時間どろぼうと、ぬすまれた時間を人間にとりかえしてくれた女の子のふしぎな物語」）であって、いまの世界の文脈に引きつけて読むとすれば、大都会のはずれに残された円形劇場の廃墟に住む孤児の女の子モモ、その友だちの道路掃除夫のおじいさんベッポ、観光ガイドの若者ジジは資本主義社会の市場原理から排除された社会底辺のマイノリティの人々であり、時間貯蓄銀行とその手先である灰色の男たちはグローバルな資本を表すものであるといえるでしょう。

この章で見てきた商品の意味をめぐる人間の欲望は、『モモ』の寓話が描きだしている、資本による人間の意味世界の支配と重なる問題を提起しています。『モモ』の物語では、〈欲望の主体〉の代理となって「もっといろいろなものがほしいわ」と叫ぶのは、ビビ・ガールというお人形の役割でしたが、私たちの消費社会では、そうした役割を果たすのはバービーやリカちゃんなどの着せ替え人形だけではなく、広告ポスターの中のスター、新聞や雑誌の広告に現れる有名人、テレビCMに現れるタレントであったり、あるいはまた必ずしも人物の姿をしていないキャッチ・コピーやテレビの映像であったりします。

そのメカニズムを、私たちは〈広告の仕事〉という概念を手がかりに、〈シニフィアン〉と〈欲望の主体〉とをめぐる問題系として見てきました。とりわけ、シニフィアンの組織による意味転移の現象、メタファーにもとづく欲望の主体の構成、詩的動機づけの原理、物語による説得のしくみ、タレントという交話項を通したコミュニケーション・チャンネルの成立などに注目して考察してきました。私たちは広告ポスターに一瞥を加えるだけで、メタファーを通して容易に欲望の主体として潜在的に構成されるのであり、広告コピーや写真にふと目をとめるだけで、周囲のモノたちの意味が変容し始めるのです。また、テレビCMを一五秒眺めて思わず笑いをもらすだけで説得をうけ、見慣れたタレントの顔を認めるだけで、広告コミュニケーションの前提的フレームを自動的に受け入れることになってしまう。このようにまるで魔法にかけられたように、広告においてはすべては起こるのです。そしていまでは、私たちの日常生活を構成するあらゆる記号がこうした資本主義の記号ゲームの中に投入されているのです。

固有なコミュニケーションの回復

フロイトにおいて、無意識が圧縮や置き換えなどの〈夢の仕事〉を通して「欲望実現」としての〈夢〉を表出するとされていたように、資本主義の経済の力も、〈広告の仕事〉を通して商品による「欲望実現」の〈夢〉を分泌します。しかも、資本主義の〈夢〉は、まどろみがもたらすものではなく、〈世界〉への目覚めと同時に生みだされるという意味において、〈覚醒〉と同義である〈見果てぬ夢〉、紙面と紙面の間、番組と番組の間に挿入された数十秒間の〈白日夢〉です。岩井克人が述べるように、商品はそれぞれの広告という記号によって媒介され、〈市場〉は「広告の巨大なる集合」として立ち現れるとすると、私たちの欲望は、広告という資本主義の白日夢の巨大な集合を通して市場社会と交通していることになります。

このような次々と紡ぎだされる資本主義の白日夢を前にして、私たちはいったいどのような態度をとればよいのでしょうか？　まず本書のライトモチーフとして繰り返してきましたように、こうした現象を読み解くリテラシー（私たちの用語で言う「セミオ・リテラシー」）をもつことが重要であるということは、すでに分かっていただけたと思います。欲望と意味をめぐる記号のメカニズム、広告のレトリックについての知識、タレント・システムをはじめとしたテレビ記号の特性についての理解などが、そのような理解のための手がかりになります。

実践的な処方として重要なことは「相対化」と「成熟化」の態度です。たしかに、資本主義市場という「広告の巨大な集合」は世界を覆っていますが（これが市場のグローバル化です）、しかし世界の人々の全文化領域を覆いつくしているわけでも、人々の生活世界のすべてを「植民地化」してしまっているわけでもありません。広告に見られるメディアの活動一般は、世界を一元化する傾向をもつものですが、人間の意味実践の方は多様で多元的なものです。私たちの意味生活のエコロジーにとって重要なことは、メディアの活動を否定することではなく、それを位置づけなおすことなのです。エンデの物語の中で「ぬすまれた時間を人間にとりかえしてくれた女の子」モモの才能とは「あいての話を聞くこと」だとされていました。

小さなモモにできたこと、それはほかでもありません、あいての話を聞くことでした。

なあんだ、そんなこと、とみなさんは言うでしょうね。話を聞くなんて、だれにだってできるじゃないかって。

でもそれはまちがいです。ほんとうに聞くことのできる人は、めったにいないものです。そしてこの点でモモは、それこそほかには例のないすばらしい才能をもっていたのです。(16)

そこで語られているのは、それぞれの人に固有のことばを回復させるような「話を聞く」能力の大切さであり、一人一人の人間に固有なコミュニケーションのあり方の回復というテーマです。そして、このテーマは『モモ』においては、それぞれの人間の生活における固有の時間性の回復というもう一つのテーマと深く結びついています。人々の固有のことばに耳を傾ける時間を回復すること、それはメディアとどのようにつきあうかという問題を考えるうえで重要なポイントになります。毎日、毎週、毎月更新されつづけるメディアの共時態の記号ゲームに身を任せるだけでなく、また一五秒、三〇秒刻みで切り売りされるＣＭのコミュニケーション・ゲームに引き込まれるだけでなく、テレビやパソコンをときには消して自分自身の固有の時間と向かい合うこと、そしてときには人々のことばに静かに耳を傾けること、そのようなだれにでもできる当たり前の実践から、メディアとのもう一つ別のつき合い方が生まれるのではないか。そのことを、私たちの欲望についてのレッスンは逆に示してはいないでしょうか。これが皆さんにぜひ考えていただきたい意味生活のエコロジーの問題です。

❽

身体についてのレッスン

わたしが意図するのは、新しい姿への変身の物語だ。……世界の始まりから現代にいたるまで、とだえることなくこの物語を続けさせてくださいますように！

——オヴィディウス『変身物語』

今年こそ、逞しく美しいカラダを手に入れる！

——『Tarzan』一九九七年二月号

1——イメージとしての身体

記号が書き込まれる身体

私たちは、日頃じつに多様な身体の問題を生きています。病気とか健康とかの問題だけでなく、カラダのかたち、カラダの使い方、カラダの鍛え方、他者のカラダとの関係など、さまざまなカラダの問題……カラダとつきあうことは言ってみれば人間の条件みたいなものなのですが、その身体の問題を通して記号や意味の問題を考えてみるとどうなるかというのが、この章での問題設定です。

身体というのは、どのような社会においても、まず人間の記号が真っ先に書き込まれる場所でした。人間の身体には必ず記号がつけられています。例えば、名前をつけることによって身体には記号が書き込まれます。しかし、それだけではありません。入れ墨、割礼、その他さまざまな身体の変形の儀式から、服装、化粧、髪型を変えたり、アクセサリーで飾ることまで……身体を記号に変え意味のあるものにすること、そのことに人間は昔から情熱を注いできました。そもそも文化とは人間の身体を意味に変えることから始まると言ってさえよいかもしれません。

現代人の生活においても、身体は人間経験のもっとも基本的な次元であり、カラダはじつにさまざまな問題を投げかけています。しかも、「生身の」と言われるような身体のあり方とともに、イメージとしてのカラダが重要性を帯びるという、身体の記号化や、脱—現実化と言われるような現象も進行しています。例えば、現代ではカラダをめぐるさまざまなイメージが流通し、人々はそのようなカラダのイメージをもとにして、自分の身体を整形し、欲望をかたちづくり、自分を感じとるようになってきている。かつてのビートたけしのギャグでいえば、「健康のためなら死んでもいい！」と考えるほど健康を気づかい、美容やダイエットをこころがけ、フィットネス・クラブでカラダを鍛えたりすること、その他いろいろな仕方で「セラピー」し「癒す」ことなどは、私たちの日常生活におけるカラダをめぐるモード現象の端的な例です。

また、4章で見たように、現代のメディア技術は、人々の身体感覚を生身の身体の範囲よりもはるかに大きな規模にまで拡張しました。そのような身体拡張の技術の発達によって、現代人の感覚はすでに生身の範囲を超えて、視たり聴いたり味わったりしています。あるいはまたメディアは、「記号と化した身体」であるスターやタレントやスポーツ選手を通して、身体のイメージをコミュニケーションの社会回路の中に導き入れ流通させています。カラダの意味は、「今年こそ、逞しく美しいカラダを手に入れる！」と呼びかける雑誌『Tarzan』のコピーのように（図8-1）、街にあふれ、雑誌、広告、テレビといった

図8-1　『Tarzan』表紙（1997年2月12日号）

メディアを通して、日々私たちのもとに届けられ消費されているのです。

他方では、しかし、身体は社会的な行為連関の基体として、権力の作用と不可分の関係にあります。社会空間において、権力が働きかけるのは人々の身体に対してです。人々の身体は知らず知らずのうちに記述や観察の対象となり、標準化や矯正を施され、場所を指定され同定され、規律化され、監視されています。そのようにして人々は自らの身体において、社会のそれぞれの場所で主体となり、行為規則に従ってロール・プレイを行うことになります。社会が、記号による表象の秩序ではなく、無数の実践の集合態として現れるのは、身体が記号使用に先立つそのような行為論的規則に従うからであり、身体に直接働きかけて統御しようとするこうした働きこそが権力と呼ばれるものです。

そこで身体には、いったいどのようなことが起こっているのか？　記号と身体をめぐって、また身体と権力をめぐって、いったい何が問題となっているのか？　そのメカニズムとはどのようなものか？　それを考えるのがこの章の目的です。

ナルシスの神話

身体はだれもが一つしかもたないと考えられている意味では、統一的なものです。しかし、身体が感覚や意味として成立する次元は複数で、しかも複雑に絡み合ったものです。生物学的身体、技術的身体、社会的身体、芸術的身体、性的身体、人工身体（サイボーグ）など、そこでは人間の経験の複数の次元が入り組んでいます。これら多元的な領域に人間の身体はまたがっている。その連関を、身体の記号と意味という視点からまず考えてみましょう。

人間が「人間」となるための条件としての、記号やイメージの原初的な場——後にメディアとなるもの——と身体との関係を考えるときに、手がかりとされるのは「ナルシスの神話」です。人間の心理の発生状態における「自我」とか「主体」の成り立ち（この場合、自我と主体とは同じではありません）を考えるためにも、この神話は鍵になります。なぜなら、この物語には、1身体の問題、2イメージに始まる記号の問題、3自我および主体の問題、そして、4それらの要素を分節化し成立させる表面としてのメディアの問題、という人間をめぐる問題系の四つの基本線分のすべてが語られているからです。

ナルシス（ギリシャ語では、ナルキッソス）の神話は、ラテン詩人のオヴィディウスの『変身物語』に読まれる「ナルキッソスとエコー」の話が有名です。[1] また、図像としては、

図 8-2　カラヴァッジオ「ナルシス」（1597-99 年）

一六世紀末のイタリア画家カラヴァッジオによって描かれたナルシスなどがよく知られています（図 8-2）。ナルキッソスというのは、青い水に住むニンフ、レイリオペが、河の神ケピソスにレイプされて生まれた子なのですが、この子が老年まで生きながらえることができるかどうかたずねられた両性具有の知恵者テイレシアスは、「うん、自らを知らないでいればな」と答えている。これらの、生まれとか予言はそれ自体いろいろと面白い要素を含んでいますがここでは触れません。とにかく、ナルキッソスは一六歳の大変な美少年で、男の子も女の子も彼に言い寄ったと書かれています。しかし、「そのきゃしゃな体つきの中には、非情な思いあがりが隠れていて、一人の若者も、一人の娘も、彼の心を動かすことはできなかった」と語られています。そして、エコーというニンフが彼に恋をするところから、ナルキッソスの物語は始まります。泉の水に映った自分の姿に恋いこがれて死んでしまうという結末にいたる物語の展開については、皆さんご存じかもしれませんし、その解釈については少し後回しにします。

さて、ここではジャック・ラカンが提唱した「鏡像段階」の理論をまず参照しながら、[2] 身体の問題はなぜかくも私たちにつきまとっているのか、しかも、それはどのようにつきまとっているのかを考えてみたいと思います。私たちが「自分」を感じることと、自分の「像（イメージ）」を経験することは切り離せない関係にある。どのようにしてそうなるのか、なぜそうならざるをえないのか、人間はいったい「自分」と「像」とのどのような関係を生きているのか。これらの問いは、私たちがどのように「記号の生活」の中に入っていくのかという問いと完全に重なることになります。それを示すのがまずここでの第一段階です。

ラカンの「鏡像段階」論

「鏡像段階」論は、なぜ人間は他の動物と違って、コトバをはじめとする記号によって自分の世界をつくりだしていかなければいけないのかを説明したものです。その概要は次のようなものです。

人間の子供は早く生まれすぎるという特徴をもっている。他の動物、例えば馬の子供は生後数時間後には立って動くことができる。ところが、人間の子供は運動調節能力をもたない。つまり、身体を統一的に把握し、コントロールすることができない。生まれたとき身体はまだカオスのような状態で、さまざまな興奮のエネルギーに横断された無秩序な状態のままなのです。おっぱいを飲みたかったり、満腹だったり、うんちをしたり、それぞれの身体部位がばらばらに勝手なことをしていると考えればいい。ラカンは、人間はそのときまだ、「人間（homme）」ではなくて「人間もどき＝卵の殻から出たばかりのオムレッ（hommelette）」の状態なのだと述べています。このようなカオスとしての身体の状態から、どのようにして一つのカラダとして人間の幼児は〈自分〉を把握するようになるのか。

ラカンは臨床研究にもとづいて、幼児にはこうしたカオスの状態から「自分の身体」のかたちを獲得する段階へと移行する時期があることに気がついた。その段階をこそ「鏡像段階」と呼びました。生後六カ月から一八カ月の間に当たる時期、人間の子供はまだ自分で自分の運動を統御することができない。しかし、鏡を前にした幼児の行動を観察していると、鏡に映った自分の像を非常にうきうきとして見ている。この時期、道具を使う知能においては人間の幼児はチンパンジーより劣っているのですが、人間の子供はすでに自分の像を鏡の中に見てとることができる。猿であれば、それが生き物でなくて像であることが分かってしまえばそっぽを向いてしまうのですが、人間の子供はいろいろな仕草をして鏡に対して遊ぶようになる。自分の身体や周囲の人物や周囲の物に自分の鏡像を結びつけて遊ぶようになる。この遊びという行動は、自分のおかれている環境世界をマスターする（＝統御する）という、記号や象徴の次元の活動の成立を考えるうえで、とても重要な意味をはらんでいるのです。

そのように、まず像（イメージ）において自分の身体のまとまったかたちを把握し、統一した「自分の身体」を運動調節によって組織していく。これが、人間が〈自分〉をつくりだしていくやり方だとラカンは言います。〈像〉というものを発見して、それを通して、〈自分〉というものをつくりだしていく、そうやって自分が〈かたち〉づくられていくというわけです。しかも、鏡の表面には自分を支えているお母さんとか周囲の人物の像が映っていて、さらにさまざまな周囲の物も映っている。そうしたさまざまな配置の中で、自分の像として幼児は自分をつくりだしていくわけです。このように像が先にあって、それによって自分が成立するのだというところが重要な点です。

考えてみれば、これはとても変なことです。私たちは、鏡の表面上の像が私の像だと思って見ているわけですが、ここで問題となっている鏡像段階においてあるのは、私をやがて成立させる〈元になる像〉であって、その像が成立する以前に私の本体があるかといえば、それはないのです。そこにあるのは、あるランダムな興奮のマグマの塊で、統一を欠いたバラバラな身体のようなものだということなのです。ラカンは精神病者の夢にはバラバラに寸断された身体のイメージがよく出てきて、それは身体を統一する〈像〉が崩れさった夢なのだと述べています[3]。

〈想像する〉というのは、このように、像を想い描く、像を自分の心の中につくることによって自分自身をつかむという働きなのです。こういう想像という人間経験の次元を、ラカンは「想像界（イマジネール）」と呼んでいて、その成立を経て自我の元がつくりだされ、それが〈私〉という一人称の雛型になるのだと述べています（ちなみに、私たちがここで取り上げているラカンの「鏡像段階」についての論文は、「精神分析の経験がわれわれに明かす〈私〉の機能を、形成するものとしての鏡像段階」という長いタイトルをもつものです）。

「鏡像段階」論の重要点

さて、ラカンの「鏡像段階」説が提起している重要なポイントを整理すると次のようになります。

1　〈私の身体〉という統一された〈かたち〉は、鏡面という媒介物を通してしか成立しない。つまり鏡面は〈私〉の元になる〈像〉を成立させる原初的な媒質（メディア）だということです。この原初的なメディアが介在する以前には、映しだされるべき「元の私の身体」が存在するわけではない。このメディアの表面の下には、身体を横切る無秩序な興奮のエネルギー状態、すなわち、そこでは人間のかたちが崩れてバラバラになってしまうような欲動のカオス——フロイトのいう「死の欲動」[4]——が渦巻いているというわけなのです。ナルシスの神話が語っているのは、まさにこのような物語です。自らの像の向こう側には死しかない、身体の外にある像から自分は出ることができない、そのような状況がナルシス神話には描かれているのですが、この点については後で詳しく述べます。

2　しかも、その鏡面に成立する像は、他者たちの像との関係につねにおかれている。これを人間の自我を構成する「間主観的 intersubjective」な関係と言います。人間はまず自分として孤立して成立するのではなくて、つねに他者の方へと開かれた間主観的な場に生みだされる。〈私〉の〈像〉は、つねに〈他者〉たちの方へと引き渡されてしまっているということなのです。

3　さらにいえば、〈私〉が成立する以前の段階ですから、将来〈私〉になっていくであろう〈像〉は、「私の身体」（まだ私が成立していませんからあくまでカッコ付きの私の身体）のカオス状態から離れたところに形成されていく。その像と、快・不快の交錯する身体のカオスとの間は分裂していることになります。内界と外界、身体のこちら側とあちら側とがスプリットされたままで自我像は打ち立てられる。このことが人間の無意識や、コントロールできない欲動の問題系を引き起こすことになるのだとラカンは考えます。自己像が、つねに不安や居心地の悪さをともなってしばしば知覚される原因には、そのような原初的な問題系が潜んでいるといえるかもしれません。

さて、以上に紹介したラカンの「鏡像段階」論からだけでも、人間の意味世界の成立について、興味深い一般的特徴が明らかになります。

1　人間が自分をつくりだすためには、鏡面のような〈メディア〉が必要である。メディアは人間にとって原初的な環境であり、人間にとってはメディアの表面において〈自己の原像〉と〈可視性の空間〉とが同時に成立する。

2　その原初的なメディアにおいては、自己の像はつねにすでに他者の場へと差し向けられたものである、つまり人間は〈間主観性の場〉において〈主体〉になる。

3　そして、自分は、像に先だって成立するのではなく像によって「先取り」されるものである。このことが、人間の主体性の成立にとって不可欠な要素として〈時間〉の問題を引き入れます。〈私〉とは、私がそのようになっているであろうと予想（＝先取り）される時間性（これを、ラカンは、「前未来時制（le futur antérieur）」と呼んでいます）において成立するものである。

この三番目の特徴は、人間の欲望のシナリオが、自分がそうなっていてほしいという前未来時制において語られるものであることと深く関係しています。雑誌『Tarzan』のコピーでいえば、今年はこうなっているであろうというカラダの像の先取りを欲望のシナリオの核に据えている。「夏までに逆三角形になる」とか、「今年こそ手に入れる」とか、未来の時点において自己の像が完成している姿を前未来的に欲望させるように広告のコピーはできています。

人間は、想いだしたり、期待したりするときに、「想像」という像（image）の活動によってそれを行うのですが、そのような像の働き（「想像力（imagination）」とか「想像的な次元（l'imaginaire）」と言います）には、このように人間の自我の成立にとって非常に重要な契機が潜んでいるわけです。

ところで、像（イメージ）も、何かの代わりにあるモノ、代わりをしているモノという意味では記号です。しかし像は言語記号とは違った記号です。言語記号に代表される社会的な記号が構成する掟や法の次元を、ラカンは「象徴界（Le Symbolique）」と呼びます。それは、像によって映し・映しだされるという二項関係をこえて、そのような関係全体に意味を与えている第三の秩序としての〈ことばの次元〉のことです。鏡像段階に見られる像は、こうした社会的な記号としての象徴界の方へ人間の身体を組み込んでいく手前にある、媒介の役割を果たしている次元――ラカンのいう「想像界（l'Imaginaire）」――を示すものとされます。それに対して、欲動や生物学的な興奮をふくめてイメージ――想像界――も記号――象徴界――も関与する以前の、あるがままの活動の次元が「現実界（le Réel）」です。ラカンは人間の心的活動を決定している次元を、これら三つのオーダーによって説明します。

原ナルシシズムの機制

さて、ここで、先ほどのナルシスの神話にもどってみましょう。ラカンの「鏡像段階」論に照らしてみれば、この神話は、じつは、ほとんど「鏡像段階」をへて、ことばの次元へと向かっていく人間の自我の成立とは逆のベクトルをもつ物語であることが分かります。この神話において、ナルキッソスに激しく恋をするのは「響きわたる声をもった」ニンフのエコーなのですが、しかし、彼女には「話の終わりだけをくりかえすこと、聞いたことばをそのまま返すことが許されているだけだ」と書かれています。エコーは、〈他者のことば〉へとナルキッソスを誘う存在であるのですが、しかし、彼女にはナルキッソスのことばを反射することしかできない。ナルキッソスは、言語の面でも〈他者のことば〉の方へと分節化される契機を欠いてしまっているという状況です。しかも、このエコーという〈ことばの存在〉も、ナルキッソスにはねつけられることによって、身体を失って空気のこだまになってしまっている。〈間主観性〉の人間関係は、ここには成立していない。ナルキッソスはそういう意味でも人間の成長とは逆のベクトルの中におかれている。

じっさい、彼は〈ことば〉を通して、〈他者〉の方へと向かう道を自ら断つことによって、〈鏡像〉の方へと立ち戻っていくことになります。

狩猟と暑さで疲れ切った少年は、ここに身を投げ出した。あたりのたたずまいと、泉とにひかれてやって来たのだ。渇きを静めようとしていると、別の渇きが頭をもたげた。水を飲んでいるうちに、泉に映った自分の姿に魅せられて、実体のないあこがれを恋した。影でしかないものを、実体と思いこんだ。……不覚にも、彼はみずからに恋い焦がれる。相手をたたえているつもりで、そのじつ、たたえられているのはみずからだ。求めていながら、求められ、たきつけていながら、同時に燃えている。(5)

ナルキッソスの悲劇は、自己像には、〈他者の場〉との関係づけを通してしか近づくことができないのに、自己像をじかに欲望することによって、自己の身体像から外に出られなくなるという背理にあります。彼が、鏡像を成立させていた水の表面をかき乱して、自己像の成立以前の身体的興奮のカオスのような「狂乱状態」へともどって死を迎えるのは、ちょうど「鏡像段階」とは逆の方向へと向かった結末なのです。ナルキッソスの言葉は、そのような事態を明白に示しています。

みずからに恋い焦がれて、燃えていたのだ。炎をたきつけておいて、その炎をみずからが背負いこんでいる。どうしたらよいのか？　わたしが望んでいるものは、わたしのなかにある。……このわたしのからだから抜け出せたなら！　愛する者としては奇妙な願いだが、わたしの愛するものがわたしから離れていたら！(6)

「わたしの愛するものがわたしから離れていたら」、私の像が私の手前にある欲動の興奮状態から離れていたら、そして、私の像が、他者たちのコトバに媒介されていたら、おそらくこのような悲劇は起こらなかったのだとナルシスの逸話は言いたいのです。身体は〈像〉だけでなく、〈象徴〉だけでもなく、〈現実〉だけでもない。それら三界の間に分節化されることによって、初めて〈意味〉をなす。これが、精神分析が明らかにする、人間にとっての「原ナルシシズム」の機制についての説明です。

ところで、ナルシシズムには心理的な「癒し」の効能があるということも、じつはこの原ナルシシズムの機制から導きだされます。「人間関係」に疲れてしまったとき（ストレスを感じたとき）、一度他者たちとの関係から自己を切り離して〈自己像〉をつくり直すこと。そのようにして、自己を〈想像〉し直し（＝〈想像界〉の再構成）、自己の身体感覚を再調整し（＝〈現実界〉に根ざす欲動の調節と調和）、他者たちの社会的コードとの距離を取り直す（＝〈象徴界〉との関わりにおける再調整）を行うこと。そのために、世界を一度離れてリビドーを自我の方へと回収して「癒す」こと。そのような自己の身体像をめぐるセラピーへの訴求もまた、現代のメディアにはよく見うけられます。しかも、この新しい自己を見いだしたいという「癒し」の希求は、前章で見た〈欲望〉の機制とも通底している。原ナルシシズムの機制は、癒しと欲望とを連続させる回路として成り立っているのです。

2――メディア社会と身体イメージ

森村泰昌のセルフ・ポートレイト

このように、身体のイメージが、人間の心理にとって重要な問題であることが分かっていただけたのではないかと思います。そこで次に、よりアクチュアルな問題にまで論点を拡大して、身体イメージの問題を考えてみます。身体は鏡面というメディアを媒介にして初めて像（イメージ）を結ぶものであり、その像こそが、人間の主体の元型であり、しかも他者の次元や意味の問題系へと人間の主体を向かわせるものでした。しかし、こうした原ナルシシズムの構造自体は、人間の歴史を貫通している恒常項であるとしても、メディアの成り立ちの差、身体イメージを取り巻いている環境の変化、他者の場としての社会の編成原理の違いによって、身体の意味作用は大きな影響を被ると考えられます。私たちのメディア社会は、身体イメージをどのように位置づけているのでしょうか。

図8-3　森村泰昌「赤いマリリン」(1996年)

古今東西のさまざまな名作絵画の中に入り込む、セルフポートレイト写真によって活躍している芸術家に森村泰昌がいます。彼をご存じの方もたくさんいるのではないかと思うのですが、いまこの人はマリリン・モンローのピンナップの中に入り込むことで、何をしているのでしょうか(図8-3)。その問いに対する答えは本人の言によると次のとおりです。

最近私は「女優」というテーマに凝っております。ホンモノの女優さんというものは、クレオパトラとかスカーレット・オハラとかいろいろな役どころを演じるわけですが、私は大それたことに、演ずることがプロである女優さん自体を変身型セルフポートレイトの展開として演じようと挑戦しています。まあ身のほど知らずです。

……

私はなにも「懐かしのナントカ」ってやつをやりたいわけではないのですね。それにソックリショーにならないといけないとも思っておりません。ではなにがやりたいのか。なんのために自分がいろいろな女優に化ける「女優シリーズ」なるものを手がけているんだろうか。

ものすごく漠然とした答えかたをすると、「そうしたいから」としか本当のところ答えようがない。モノ作りには万事そういうところがあります。これがないと手間暇かけての制作はやれませんもの。でもこんな答では、誰もわかりはしません。独りよがりかなとも思います。それでもうすこし考えてみたのですが、こういうのはどうでしょうか。やはり飛躍に聞こえるかもしれませんが、「自分はこれからどう生きようかな、ということを考えるためにやっている」。現在は二〇世紀の終わりで、やがて二一世紀になりますから、「これからどう生きるか」というときの「これから」というのは確実に二一世紀を含みます。この二一世紀としての「これから」を考える手立てとして二〇世紀のことを振り返ってみるのも無意味ではない。

そしていろいろな二〇世紀的産物のなかで、私は映画という文化を取り上げてみました。映画という切り口から二〇世紀を検証できるのではないかと、なんとなく感じたのです。この映画というスクリーンの輝きの中心でさらに輝くのが女優です。女優の存在なしに映画は語れない。女優を語ることは映画を語ることであり、映画を語ることは二〇世紀を考えることであり、二〇世紀を考えることによって見えてくる二一世紀的なものがあるとすれば、そのことをテコにして「私はこれからどう生きるのか」の指針を見出すことも可能かもしれない、とまあこんなふうに逆算したのでした。女優という存在と自分自身をどう切り結べるかという実験と二一世紀の世界像を発見することとはつながっているのでは、という思いにいたったわけです。(7)

二〇世紀について考えている、ということなのですが、この森村泰昌の問題提起は、現代世界における「身体の変容」と人間の「自己像（セルフ・ポートレイト）」のあり方について、かなりのことを教えてくれそうです。メディアの鏡面が映画のスクリーンにおいて成立し始めたような「像」の時代、しかもその像がハリウッド映画のような文化産業によって生みだされる「大衆イメージ」の時代こそ、二〇世紀だったという問題系が示されている。そのような大衆メディアの時代において、自己とか主体はどうなっているのか、こんなふうな問いがここでは立てられていく余地があるのです。

二〇世紀の「変身物語」

ナルシスの鏡面が、像のかたちづくられる「他者との関係性の場」であると同時に、「感覚の表面（＝膜）」であったことを想い起こしておく必要もあります。スクリーンというメディアが、人間の願望の技術的鏡面として成立する時代は、原理的には人間の身体がメディア上のイメージとして問題化する時代でもある。しかも、それはメディアが大衆の感覚の皮膜=皮膚になる時代でもあるのです。「女優」という問題提起も、森村の説明には語られているのですが、女優とは〈男優はその補完的相関項ですが〉ここでは〈記号化された人間〉のことであるというように一般化して理解すると問題の所在がはっきりすると思います。普通の人間――あなたとか私のような――もまた、例えばラカンの鏡像段階論などで説明されるような意味では記号化された人間であるわけですが、俳優というのは〈そして、ウォーホルが描いたようなスターとなるとさらに〉、そのような人間の記号性をスクリーン上に代表〈represent〉するような存在、言い換えれば二乗された〈記号人間〉――記号人間×二乗――と考えてもよいかと思います。しかも、ここで森村の「変身型セルフポートレイト」の対象となっているのは、映画産業がつくりだした二〇世紀の「セックス・シンボル」であるマリリン・モンローのピンナップ写真です。

このように見ると、自己とか主体というのは二〇世紀のメディアにおいてはどんなふうに身体の変容をへて成立してきたのかという問いを、このピンナップ写真の中に入ることで森村泰昌は考えていることが分かってきます。森村の場合には、メディアの時代における「自己像」の問題が、「美」の歴史の問題と重ねられ、美術史の内側から〈視る/視られる〉ことの関係を捉え返そうとするパフォーマンスを導きだしているのですが、それはここでは問いません。しかし、ラディカルな批評の戦略が立てられていることは見てとれます。

この「変身」のパフォーマンスは、マリリン・モンローの有名なピンナップ写真を演じていますが、決してそれに完全に一致することをめざしているわけではありません。緋色の幕を背にしたどぎつい化粧、性差を際だたせたプラスチックの乳房、男性であることを隠さない肢体と無理なポーズ……文化産業によって生みだされた視られるものとしての〈女性の身体〉と、視る者としての観客（＝大衆＝男性）としての〈欲望の主体〉という、大衆メディアがつくりだした〈性現象（セクシャリティ）〉の配置そのものが、ここでは批判的に問題化されていることが分かります。(8)

ここで森村の身体は、二つのパフォーマンスを行っています。一つは、栗毛のアメリカ女性ノーマ・ジーンの身体を、金髪の映画女優マリリン・モンローに変容させた変身のプロセスを演じているという意味では、ハリウッド映画というセクシャルな大衆メディアの鏡面における一人の女から「スター誕生」へといたる〈女優〉の「鏡像段階」をパフォームしています。二つには、そのマリリンの像の中に男性の身体を紛れ込ませることによって、〈視られる対象＝女〉／〈視る主体＝男〉という分割図式に混乱を引き起こすという〈性差横断（トランス・ジェンダー）〉のパフォーマンスも行っています。マリリンの身体イメージの立ち上がりは、それを見つめる〈欲望の主体〉の成立の場面でもあるのですが、視られる者と視る者が、メディア上で身体に注ぐ〈性の眼差し〉を微妙に交差させ、反転させようという〈批判の身振り〉がここでは主題化されているのです。この光景はあたかも「汝自身の身体を知れ」と視る者すべてに対して呼びかけているかのようです。

文化産業と身体イメージ

じっさい、二〇世紀の文化産業が大量につくりだしたものの一つは、ここに演じられているような女性身体のイメージであって、こうしたステレオタイプやクリシェ（ともに紋切り型という意味）を通して、性に関する想像力のパターンと配置はつくられることになる。ステレオタイプとかクリシェという語は印刷の「版型」を指す用語から派生したのですが、メディアによって反復可能な記号のセットがつくられ流通することで、それにもとづいて想像的に〈欲望の主体〉が形成され整形されることになるのです。マス・メディアとは、この意味で〈想像的な主体〉の形成＝整形を行う巨大な社会装置と言ってもよいかもしれません。例えば、いまの日本では、電車などに乗れば中吊り広告に必ず週刊誌などのヌード写真に関する見出しを目にしますが、そこにあるのはやはり同じ性現象（セクシャリティ）をめぐる大量のステレオタイプです。定型化した欲望の物語や誘惑の光景は、そのようにマス・イメージとして産出されて流通します。この記号とイメージの回路に引き入れられた〈大衆〉は、多くは男性中心的な（精神分析用語でいうと、「男根中心的」な）均一化した性をめぐる意味図式の中で、〈欲望の主体〉として形成＝整形されること

になる。これが、身体イメージの流通にもとづいた、欲望の産業による〈誘惑の戦略〉なのです。(9)

こうした誘惑の戦略を担っているのは、性的なステレオタイプにかぎりません。身体は、メディアの圏域に転位されてイメージに変容すると、あらゆるタイプの欲望や幻想のシナリオを担うことができます。逆にいえば、すべての欲望実現のシナリオは、ステレオタイプとして流通可能です。例えば、バスや地下鉄の車両にも掲げられている結婚式場の広告を見てみましょう。そこにある写真には、人々の記憶の中に、童話やおとぎ話にはじまって少女漫画やテレビ・ドラマなど、多様なメディアを通して紡がれてきた「結婚」をめぐる社会的ステレオタイプが像を結んでいるはずです。そこにも欲望(=願望)の主体の形成=整形の現象を見て取ることができるはずです。

フロイトの精神分析理論では、このようなところに現れる欲望実現の想像的図式を「ファンタスム(空想、幻想)」と呼んでいます。(10)このような想像的図式の作用は、欲望の主体をかたちづくることとなのです。メディアは、身体イメージのエレメントとして感覚の皮膚と化すと上に述べましたが、大衆メディアは、人々のファンタスムにステレオタイプ表現を与えることで、大量に欲望を同型的に生産することができるようになるのです。

以上、映画や写真などのメディアに転位された身体イメージによって、欲望や幻想の主体が想像的に形成されるメカニズムを論じてきました。身体がこのようにイメージに転化することによって、さまざまな記号作用が身体に想像的に働きかけを行うことが可能になります。消費社会と呼ばれる大衆メディア社会では、こうした誘惑の戦略が極めて重要な位置を占めていることは「欲望」を扱った前章でも見たとおりです。これらは現代社会において、身体に働きかける「記号支配（セミオクラシー）」のあり方を示す例です。

3——権力と身体

身体の二重性

さて、身体は、「私的」な領域において欲望、誘惑、癒しといったパーソナル（＝個人的）な消費の記号活動の支えとして現れるだけでなく、「公的」な領域においては、学習、労働、兵役、懲役、医療といった非人称で集団的な社会的存在の基体としても現れます。じっさい近代以降の社会において、身体は、ひとたび家族や個人をめぐる欲望や幻想の領域を離れるなら、精神分析のいう象徴界や法だけでなく、社会の規律的秩序の中に従えられて訓練されて、社会にとって役に立つ担い手（＝社会的主体）をつくりだすための生理的—物理的な支えとされるからです。

近代社会においては、身体は欲望の戯れの中に分節化されると同時に、権力の網の目の

図8-4　メイプルソープ「セルフポートレイト」(1971年)

中に配置される。そのような身体の二重性を、サド・マゾ的な自己裸像を作品化に定着して見せたメイプルソープのセルフポートレイトに読みとることも可能かもしれません(図8-4)。生産と消費、労働と余暇、学習と娯楽、このような近代以降の社会における人間生活の二大分割の中で、身体はどのように分節化されるものなのか、それを「権力」という視点から考えてみます。

想像することに身体のイメージや誘惑のメッセージがともなっていたとすれば、身体に働きかけ個人を社会的な組織の歯車に変えるためには、そのようなイメージにもとづく想像力は必要ありません。その働きをするのは、むしろ「権力」と「ディシプリン(la discipline 規律、訓練)」というものです。権力というと、人々を強制力によって従えようとする個人権力を私たちは思いがちですが、近代以降の社会にとって本当に必要とされたのは、人々の身体に非個人的に働きかけることによって、主体を知らず知らずのうちに社会の合理的な役割に従わせるような力でした。近代的な権力は、人々の身体に物理的に働きかけはしますが、しかし、それは暴君が気に入らない人物を殺してしまうとか投獄してしまうという場合のような個人的で恣意的な意志によって発動されるものではないのです。

権力とディシプリン

近代的な権力のあり方から社会の成り立ちを説明したのは、フランスの思想家ミシェル・フーコーですが、彼によれば、近代的な〈権力（le pouvoir）〉は、身体を訓練し規律化することによって人々を社会の担い手——社会的な身体の〈主体＝臣下（sujet）〉——に変えるという「規律型権力（le pouvoir disciplinaire）」としての特徴をもっています。(11)

西欧における規律型権力の発生を、フーコーは近代の始まり（一六世紀以降の「古典主義の時代」）における監獄の誕生から説き起こしています。近代社会では、犯罪者や違反者に対して、古代社会のように追放したり、中世社会のように烙印を押すような懲罰を行うわけではありません。処刑台に代わる「人間的」な制度とされる近代監獄において、犯罪者は監禁、監視され、一定の規則的な身体実践に従わせることにより人格を矯正し改善することが目指されます。これは、諸個人を社会にとって「従順で有益な主体」に変えるテクノロジー（技術体系）が、この時代に西欧社会に出現したことを意味しています。

そのテクノロジーとは、犯罪者たちを一つの空間に閉じこめて絶えず監視し、彼らを訓練してその結果を評価し、クラス分けや居房配置によって管理し、試験や検査を行い、一人一人を記録するなどの一連の手続きからなるものです。つまり、人々の身体を一定の座標にもとづいた規則に従わせて、人間としての多様性を徹底的に均質化したうえで、人格と能力を操作可能にする技術の総体のことです。それが〈ディシプリン（規律、訓練）〉というものであって、近代社会においては、権力はこのディシプリンを通して社会成員の身体を管理下におき、個人を社会の担い手――社会的な〈主体＝臣下〉――に変える。権力のあり方は、このようにディシプリンを通した身体の〈主体化＝従属化（l'assujettissement）〉であるとフーコーは考えるのです。

ディシプリンはたんなる暴力ではありません。むしろ、それは人間についての知に裏打ちされた規則的体系です。人間を徹底的に調べ上げ、人間の心身が備えるべき調和した姿、辿るべき正常な発育、従うべき生理的かつ心理的規則性の見取り図を、知にもとづいて正確に設計したうえで、「異常」をきたした個人たちを矯正しようという、「人間的」な実践であるのです。逆にいえば、人間科学と総称される心理学、精神医学、社会学などの人間についての知は、権力によって、監視可能な空間に個人を閉じこめ観察することによって生みだされたものでもあります。人間についての近代的な知と、「規律型権力」にもとづいた近代的な社会とは、このように本質的な意味において表裏の関係にあるのです。これが近代的な規律社会を特徴づけている、知と権力との結びつきなのです。

ディシプリンの世界

フーコーにとって、近代監獄はディシプリンを通した知と権力の結びつきを理解するうえでモデル・ケースになりました。そこでは、人間の身体が完全に管理された空間の中に閉じこめられ、監視と観察の対象とされる。人間についての知に則って決められた基準や規範に見合うように、身体は訓練され直す。身体訓練は規則的な時間にしたがって組織され、その成果はさまざまな角度から点検されて、主体の道徳意識の改善についての評価に資することになる。このように、知によって設計された座標空間の中に人間を閉じこめて監視し、時間軸にそって人間の心身に規則的・継続的に働きかけ、人間をつくり直すという一連の技術が、近代社会の権力の働きとして制度化されることになったのです。

この場合、フーコーのいう〈ディシプリン〉は、身体において知と権力とを交錯させる技術的プロセスです。それは、パースの記号論の用語を使えば、「指標的（indexical）」と特徴づけることができるような一連の技術および装置──フーコーのいう「身体のテクノロジー」──を通して実現することになります。例えば、監獄におけるディシプリンとは、囚人たちに科される作業の時間割、監房を監視する配置、囚人たちの達成度を測る検査・試験など、一連の装置を使って身体に働きかける技術行使の体系のことだと考えてよいでしょう。身体のテクノロジーが指標的な記号テクノロジーであるというのは、それらの装置が、囚人たちの身体を知が見通す時間―空間の「そこ・ここ」に指定して監視し観察し評価する指示作用のスキームを使用するものであり、またそれらの指標的記号装置を通して、権力が囚人たちの身体に対して定まった機能と活動とを一定の準拠点において指定し命令することになるからです。

私たちの日常活動において、命令や指令といった行為が前面に出ている状況のことを考えてみましょう。そうしたときには、「これ／それ」や「ここ／そこ」といった、言葉や身振りによる指さしの活動が支配的になります。つまり、身体に対して、場所や時間、活動や行為を指示する指標的な記号活動が活性化することになります。身体があらゆる時点および地点において取るべき活動の指定をうけているような時間―空間の枠組み、身体が取るべき行動の指標を正確に理解して行動に移すための言説と身振りのセット、身体の指標を読みとることができる点検と評価のシステム、そうした身体をめぐる一連の指標装置がシステムとして組み上がったとき、知が身体を配置すべき見取り図を描き、権力が身体に継続的に決められた働きを指示することによって個人を社会的な主体として塑型するような、〈ディシプリン〉の世界が立ち上がるのです。

ディシプリンに完全に支配された世界は、「記述的なもの（descriptive）」と「命令的なもの（prescriptive）」とが表裏一体となった関係性の場から成り立っています。そこでは「～である」という記述的な言表は、同時に「～しなければならない」という命令的な言表でもある。例えば、「起床は六時」というニュートラルな言表は、「人は六時に起きる」という事実確認の陳述であると同時に、「みな六時に起きよ」という命令的陳述でもある。

「規律的世界」とは、そのように事実確認と命令との区別がつかない世界のことです。そして、こうしたシステムの稼働は、主観を超えた全体的な眼差しによってつねに捉えられ監視されている。このような指標的テクノロジーのシステムとして、ディシプリンの世界は成立していると考えられるのです。

パノプチコン

こうした身体のテクノロジーが建築として具体化された例として、フーコーは『監視と処罰』の中で、有名なベンサムの「一望監視装置（パノプチコン）」を取り上げています（図8-5）。パノプチコンはベンサムが考案した監視施設で、中央の監視塔を中心に、その周囲を取り巻いて、犯罪者や狂人を収容する建物が円環状に建てられている。その収容棟の各々には仕切が施されて、収監者はお互いに隔離されている。中央の監視塔に対して内側の面と外側の面は光が透過する建築になっていて、外側から光がつねに差し込んでくる。監視塔の内側は、収監者からは見えないように設計されている。この装置によって、収監者の身体は、隔離され、個別化され、全体的な監視の眼差しから一方的に視られる対象としての位置におかれている。知と権力の眼差しが、建築の記号装置として具体化した例です。この権力の配置によって、収監者の身体はその一挙手一投足が知の眼差し——理性の秩序——の対象となる。と同時に、この建築そのものが権力の秩序——政治の秩序

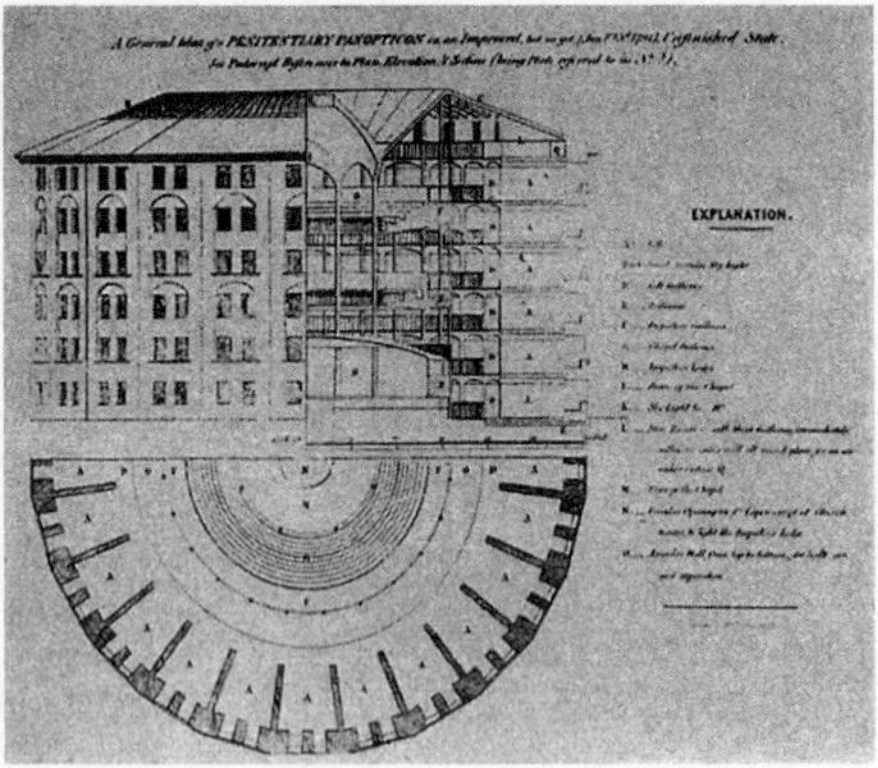

図8-5　ベンサム「一望監視装置（パノプチコン）」

――ですから、それぞれの身体は自らが観察の対象になる場に権力によって従えられている。

身体はこのように、知と権力の眼差しによって、理性的―政治的秩序の「いま・ここ」の場所に記入（assign）されているということになります。収監者を正常な主体として矯正し塑型するためには、この場において身体に訓練を科してそれを評価していけばよいというわけです。他方、このように身体の監視と訓練によって内面的な主体としての意識の「正常化」を本当に行いうるのかという点については、じつはこの建築構造自体にそれがプログラム化されていることに気づかされます。というのも、パノプチコンの中央の監視塔は、監視する側から一方的に見える仕組みになっており、収監者からは見えない構造になっているからです。この建築によって、究極的には監視者が不在の状態でも監視の眼差しは維持される。収監者の意識は自ら監視の眼差しを内面化して、自らをつねに監視しつづけることになるのです。

このような記号論的な場に収監者は身体を記入することによって、理性的―政治的秩序の臣下として自ら主体化＝従属化されるようになるというわけです。一般的に言って、建築という記号装置には、このように身体に働きかけることによって主体化を実行するという働きがあります。パノプチコンは、身体に働きかける権力が、どのような記号装置によってそれを実践するかという問題を示してもいるわけです。

規律社会と身体管理

フーコーが描きだしているような規律社会は、私たちから遠い西欧の歴史的な事例というわけではありません。それどころか、日本の近代はある意味ではもっとも忠実に規律社会を実現することに成功した社会であるとさえ言えるのです。

例えば、日本の監獄を考えてみましょう。拘置所や刑務所といった日本の監獄制度を規定していたのは、つい最近、二〇〇六年に「刑事施設ニ於ケル刑事被告人／収容等ニ関スル法律」に改題されるまで、一九〇八（明治四一）年に制定された「監獄法」でした。しかもベルギーのルーヴァン監獄を模して明治四五年につくられた網走監獄の五翼放射状舎房（図8-6）の建築構造が示しているように、日本の監獄は西欧近代の典型的な〈規律型権力〉による監視の制度と装置とを移入してつくられたものです。二四時間の監視、収

図 8-6　網走監獄の五翼放射状舎房

容者の詳細な分類、入所時調査、身体検査や服装や髪型の指定、心得の習得、反省の実践、「改善更生計画」の作成と実行、矯正と更生のための作業、定期的な再調査による評価と等級づけ、そしてそれらすべての綿密な記録化というように一連の手続きの中に収監者の身体は従えられることになる。網走監獄には、パノプチコンと同じ原理による「中央見張り」を中心にして、五本の指を伸ばした建物形状の構造が採用され、監房には「斜め格子」が嵌められて監視する廊下からは見えるが内側からは見通せない監視システムが採用されている。収監者はここでもフーコーが描くような〈規律＝訓練（ディシプリン）〉を通して、社会にとって「従順で有益な」主体へと矯正され、「良き意識（＝道徳心）」をもつことができるようになるとされるのです。

フーコーの権力理論の射程は、たんに監獄の歴史的研究にあるのではありません。近代監獄において出現した〈ディシプリン〉が、懲罰の社会実践にとどまらず、同じようなかたちで病院、軍隊、学校や教育機関、そして仕事場や工場にも一般化し、近代社会の全体が規律社会として成立したことを示したことにあります。じっさい、病院でも軍隊でも学校でも職場でも工場でもディシプリンは機能しています。そして監獄のケースと同様、現在の日本の社会において、〈ディシプリン〉にもとづいた社会システムが一九世紀とそれほど変わらないかたちで稼働しているのを見ることは難しくありません。

「学校」という管理システム

例えば、〈学校〉です。中学校や高校時代に「制服」や「標準服」が定められていたり、「頭髪」についての規制があったり、「持ち物検査」や「服装検査」が行われたりしたことを覚えている人は多いでしょう。また、やたらに身体・体力測定が多く、朝礼では整列させられ校長が古めかしい訓辞を行い、教室では「起立、礼」の号令による儀礼が強要され、学校の内外での規則を守るよううるさく言われ、教員による生活の絶えざる監視が行われていたことも記憶にあるかもしれません。こうした制度は、明治時代の日本が近代化の中で西欧から導入した〈ディシプリン〉にもとづく管理システムであり、一九世紀の知が有効性を失い時代後れになった後も、道徳化の秩序として綿々と維持されていることを示しているのです。あるいはまた、近代日本の国民国家という文脈では、〈ディシプリン〉にもとづく「生徒管理」が一九世紀的な知ではなく、「忠孝」や「報国」といった天皇制国家のイデオロギーと接続することによって「訓育」を目的とする規律実践として制度化されたとも言えます。このことはまた、日本の学校では軍隊をモデルとして〈ディシプリン〉の体制がつくられたこととも深く関係しているでしょう。皆さんは日本の学生服が、軍服をモデルにしたものであることを知っていますか。「起立、礼」、「気をつけ」などの号令の多くが、兵隊の号令と類似したものであることを感じとっているでしょうか。

一九八五年に行われた日本弁護士連合会による中学・高校の校則調査の報告書は「生徒の身体に対する過剰な管理への志向」を指摘していると、教育学者の斉藤利彦は書いています。(12)「挙手」の仕方を、「右手四五度右ななめ前へ、つま先揃えて」、「右腕を約七〇度前方に挙げ、五指を揃えて、手のひらを前に向ける」と規定している学校の例、「気をつけ」のさい、「つま先等分四五度から六〇度開き、指そろえて軽くのばし、手のひら体側につける」と規定している例、食事のさいの食べ方の規制の例として、「前にパン、左上に牛乳、右上におかずをおくこと。パンは三つに分け、最初の一〇分間で一きれ、次の一〇分間でもう一きれ、残りを最後の五分間で食べること」、「パン、牛乳、おかずのように順序を立てて食べましょう」、「ミルク、パン、おかずは交互に食べる」など。このように、生徒たちの身体所作の一挙手一投足が幾何学的に定義されて、学校管理の時空間に位置づけられているのは、まさに〈ディシプリン〉の延長です。内面化の規則もそのまま維持されています。「起立のとき心の中でお願いしますという」、「休み時間廊下では自分の判断で

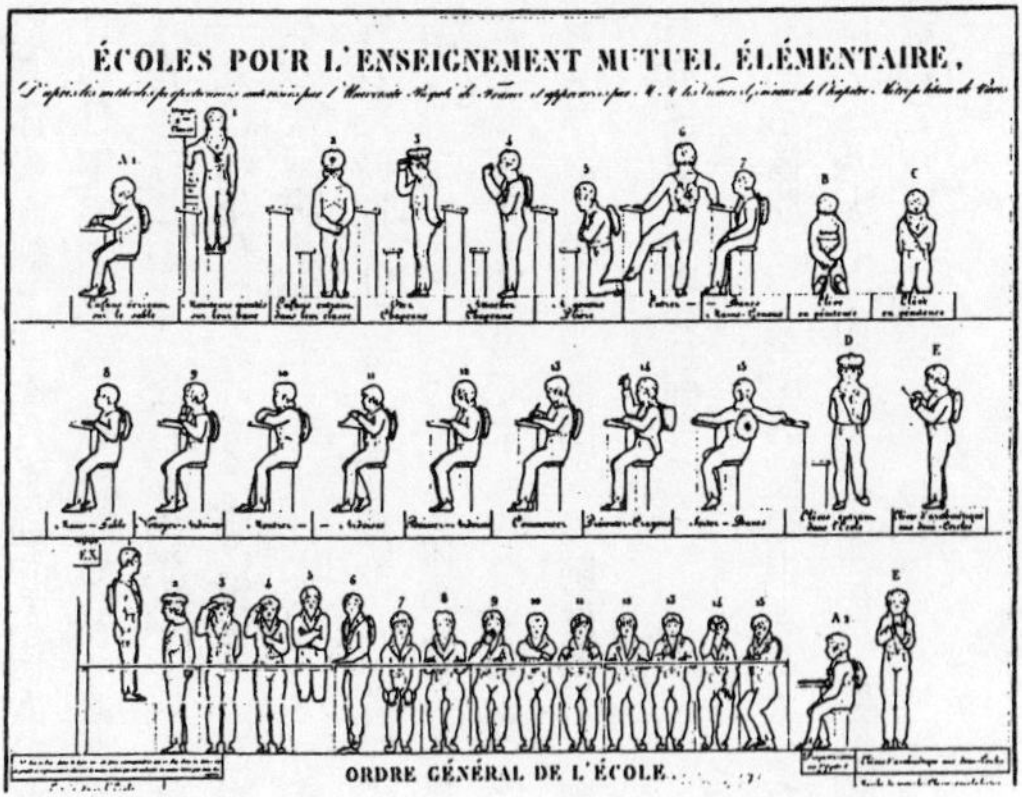

[ナポレオン帝政期の1815年にイギリスからフランスに輸入された「相互教育学校」は、「教師」の指揮の下、「級長」の生徒たちが他の生徒に教えることにより、数少ない教師により多数の生徒を教えることができる合理的な規律秩序として構想された。生徒たちの身体所作が細部にいたるまで設計され、「黒板」や「壁掛け教材」を使用した教育の始まりでもある。]

図8-7 「相互教育初等学校」の図（1818年）

しゃべる」、「清掃が終わったら必ず反省」、「食事の後は反省する」等々。[13] 規律にもとづいた身体の訓練と、それを通した個人の道徳的主体化という〈ディシプリン〉の図式が、今日の日本の学校でも継続していることが分かります（図8-7）。

斉藤はこのような日本の学校の「生徒管理」の制度の歴史的発生を、一八九〇年代から一九〇〇年代にかけての明治後期に遡って研究しています。この時期は先に述べた近代日本の監獄法が制定され、日本のパノプチコンともいえる網走監獄の五翼放射状舎房がつくられた時期と一致します。明治憲法を制定して天皇制を掲げた日本の近代国民国家が、〈ディシプリン〉による身体のテクノロジーを基軸として国民統合を進めた時期を確認することができるのです（学校や監獄だけでなく、警察、軍隊、官僚機構などあらゆるディシプリン組織が明治国家の制度として整備されたのがこの時期です）。

明治後期の「生徒細則」

明治後期に、全国の模範中学とされた東京府立第一中学校（現東京都立日比谷高校）では、一八九七（明治三〇）年の「生徒細則」で授業を受けるさいの身体姿勢を次のように定めていました。[14]

上体ハ直立シテ机ニ正シク相対向シ

臀部ヲ椅子ノ上ニ安置シ
両肩ヲ稍後方ニ退ケ
胸部ヲ稍前ニシ
頭ハ成可ク前ニ傾カサル如クシ
両肘ハ自然ニ垂レ
両掌ハ股ノ上ニ置キ
両股ハ水平ニシテ頸部ヲ直立シテ
両踵ハ自然ノ位置ヲ保ツコト

こうした規律の言説が、記述的レヴェルと命令的レヴェルとが循環する言説構造から成り立っていることに注意しましょう。無機質に客観的に定義することが、同時に有無を言わさず命令することでもあるという言説の力の例です。筆記等の姿勢に関しては次のように規定されていたといいます。

用紙ヲ机上ニ正シク安置シ
左手ノ指先ヲ用紙ノ後端ニ
左掌ヲ机ノ後端ニ置キ

左臂ハ殆ド正角ニナス
右手ハ用筆ニ従ヒテ
自然ニ運動セシムルコト

斉藤が述べるように、ここにあるのは「生徒の身体を肩、胸、股、踵、臀部等に細分し、そのふるまいの一挙手一投足までをも統制し管理しようとする志向[15]」であって、これこそはフーコーが描きだす〈ディシプリン〉の技術そのものです。

フーコーは〈ディシプリン〉の身体技術の特徴を次のように挙げています。

1 〈ディシプリン〉の身体技術は、ミクロなレヴェルで作用し、「身体にその細部において働きかけ、身体に詳細な統制を行い、動き、身振り、姿勢、速度といった力学自体のレヴェルで身体を支配しようとする、運動する身体に対する微分的な権力」である。

2 〈ディシプリン〉の身体管理の対象は、「身体の振る舞いや身体の言語ではなく、運動のエコノミー、効率、内的組織化であって、拘束が及ぶのは記号に対してではなく力に対してであり、ほんとうに重要な唯一の儀式とされるのは訓練の儀式である」。

3 〈ディシプリン〉の身体管理の様態は、「絶え間ない、恒常的な統制であり、活動の結果よりはそのプロセスを監視し、時間、空間、運動を綿密に座標化するようなコード化にしたがって行使される」ものである。

そして、「身体の動作の詳細な管理を可能にし、身体の力の絶えざる従属化を保証し、身体の力に従順の関係を強制する、こうした方法こそ〈デイシプリン〉と人が呼ぶことができるものだ」(16)とフーコーは結論づけています。

このような〈ディシプリン〉の体制においては、生徒個人のことばや記号は教育の重要な要素ではなく、身体的レヴェルで働きかける訓練の儀式こそが唯一重要となる。また、個人の活動の目的や結果が問われることはなく、プロセスこそが関心事になる。しかも、従属化によって、身体の力に従順の関係が絶えず強制される。こうした〈ディシプリン〉としての教育こそ、近代日本の学校を決定づけたパラダイムだったのです。生徒たちの自由なことばや表現は排除され、目的についてのディスカッションもなく、全般的にコミュニケーションなどというものは無視され、ただただ身体的に「従順の関係」が強制される、こうした教育は決して過去のものになったわけではありません。

「従順な身体」と「国民の制作」

斉藤によれば、東京府立一中が、制服を初めて制定したのは一八八八(明治二一)年のことです。「従来本校には職員生徒の服制規定せられざりし結果、各人区々して統一なかりしが、明治一八年軍事教練を課するに及び、生徒には角袖を禁じたり。後明治二〇年文部省令にて発布せられたる中学校師範学校制服規定に基づき、同二一年一〇月職員生徒の制服を制定せり」として制定された制服は、「一般に陸軍下士官の軍服を直接のモデルとしたものであり、これにより従来の筒袖和服に袴を着けるという服装は大きく変化し、詰め襟・金ボタンの制服が生みだされた」のです(17)。現在の学生服の起源はこの時代にあり、同時に校門での服装検査などが実施されるようになったといいます。「服装ハ精神ノ持チ方ニ影響スル頗ル大ナル故ニ其取締ハ最モ厳重ニス(18)」という当時の中学校長の言明は、いまでも日本の中学校の「服装の乱れは心の乱れ」などという標語に生きつづけています。

こうして、徹底的に管理され規格化された身体、時間表にもとづき規則化された学校生活、そして定期的に繰り返される検査や試験、序列づけなどの〈ディシプリン〉の技術は、従順な身体の訓練を通して国家に奉仕する〈心〉をつくる道徳的従属化＝主体化の国家装置として、天皇制国家の〈国民＝臣民〉を制作する役割を果たしてきたのです。二一世紀の今日にいたってもなお、「奉仕活動」を教育の中に義務化するような文部科学省の教育改革の動きは、いまだに日本の学校教育が一九世紀的な〈ディシプリン〉のパラダイムから抜けていないことを示しているのです。

ディシプリン社会の最大の問題は、公的なものが、個人を集団へと服従させる体系として現れることです。その場合、服従化は個人の抹消を意味せず、むしろ身体に対して不断に規律的に働きかけることによって「意識」をつくり、個人の内面に「道徳的な心」や「愛国心」を制作する主体化として実現されるのです。こうした〈国民の制作〉が、近代日本の国民国家の形成のために果たした役割はよく知られるところです。私たちは、国民国家の教育や軍隊による規律的統合が、いかに人々の身体の自由な表現を矯正・訓練して「従順な身体」に変えたか、それが人々の自由なことばによるコミュニケーションや社会生活の目的についての自由な議論を排除することによっていかに可能になったのかをあらためて考えてみる必要があるでしょう。社会への「奉仕」が唱えられ、「公的なもの」の復活が叫ばれるとき、私たちは一九世紀以来のディシプリン社会の歯車が再び動き始める音を耳にすることになるのです。そしてまた、こうしたディシプリン社会の体制が、国家の共同体のシンボルと結びつくと象徴政治の問題が発生します。この点については9章で扱うことにします。

4――私たちの身体のいま

「身体化された歴史」

この章では、まず、イメージとしての身体の心理的成り立ちをナルシス神話にもとづいて考え、文化産業によって媒介される身体イメージと欲望の主体の形成という記号支配のメカニズムを検討しました。次に、身体に働きかける権力とそのディシプリンを取り上げ、近代社会における身体の秩序編成を通じた、個人の従属化＝主体化の技術も考察しました。私たちの日常生活との関連でいえば、前者はむしろ私的領域で、消費の活動に関係するイマジナリーな支配のメカニズムであり、後者は公的領域において、社会的な生産や動員に関係する支配のメカニズムであると言えるでしょう。一方におけるステレオタイプ・イメージによる記号支配、他方における規律的統合による身体支配という二つの支配のはざまで、私たちの身体は、どのような意味で自分の身体でありうるのか？　どのようにしたら私たちは自分たちの身体の意味をもう少し自由に捉えることができるのか？　どのようにしたらより自立した身体文化を培っていく展望をもつことができるのでしょうか？

私たちの身体を記号化している文化は、極めて多様で根深いものであり、出身地方、出身階層、家族、教育などによって異なっています。例えば、身体の使い方、仕草、表情、理想とする身体像、あるいは発音の仕方などのすべてにわたって、身体は弁別的な記号のシステムによって構造化を受けており、それが個人にとって世界の意味づけの体系をつくりだしています。一人の人間にとっての文化とは、社会的にどのようなグループ（家族、階層、エスニシティ、宗教など）に生まれ、そのグループおよび個人がどのような社会的軌跡を歴史的に経験してきたかに応じて身につけられた世界の意味づけの体系なのです。

と同時に、社会的行為者としての個人は、歴史的に身につけられた体系を元手に、世界の意味を生みだす行動の軌跡をさらに自ら描いていきます。

それぞれの個人が身につけている象徴的能力は、一方では弁別的な記号の体系を認知することを許し、他方では認知された記号にもとづいて意味を生みだしていきます。そうした主体の能力のことを、フランスの社会学者のピエール・ブルデューは「ハビトゥス(habitus)」と呼んでいます[19]。社会はさまざまな象徴活動の交叉する場なのですが、さまざまな記号が流通するその場において、個人がどのような記号を通して自己の世界の意味を実現していくのかは、多くはその個人が身につけてきた象徴体系に負っています。「好み」とか「趣味」といった文化行動に端的にそのような問題は現れているとブルデューは言います。料理の好み、どんな音楽や絵画が好きか、どんなスポーツが好きか、どんな本が好きかなどは、社会階層やカテゴリーによって分布が異なることを社会学の調査は教えますが、それは社会グループによって身につけたハビトゥスが異なるからだというのです。社会的および歴史的に形成された記号化のシステムによって身体が構造化され生みだされるハビトゥスのことを、ブルデューは「身体化された歴史」であると述べています。身体をめぐる問題系との関連でいうと、社会的な記号環境による身体の主体化=従属化のプロセスと、そこから生みだされた主体のあり方が、そのようにブルデューにおいては理論化されているのです。

ブルデューによると、社会とはさまざまなハビトゥスをもった社会行為者たちが、自己の意味実現をもとめて競合するいくつもの「社会場（champ. field）」から成り立っている。それぞれの社会場において、行為者は自分がつくりだしていく意味づけの価値の序列をめぐって他の行為者たちとの絶えざる「象徴闘争」を繰り広げているといいます。文学場、芸術場、政治場、ファッション場など、それぞれの社会場において、新しい支配的価値の創出をめぐってそれぞれの社会アクターたちの「創造戦略」が交叉しせめぎ合っているのです。

記号に働きかける政治／身体に働きかける政治

このようなブルデューの理論は、私たちの身体を上に見た「記号に働きかける政治」、「身体に働きかける政治」という二つのベクトルの交点において考えることを可能にするものです。「身体に働きかける政治」の側面としては、フーコーのディシプリン論を援用して考察した学校のように身体に働きかけて「身体化された歴史」をつくる社会装置の役割を説明します。学校は社会の再生産の装置であると言われますが、学校は社会階層や出身カテゴリーの異なる子供たちを受け入れて馴致・訓練し、生徒にその学校出身者のハビトゥスをもたせて社会に送りだします。学校はディシプリンによる均質化を行いますが、同時にディシプリンの内実はどの学校でもまったく同じではなく、自校の「校風」に見合ったハビトゥスをもつ子弟を養成するという面をもっています。個人の生の軌跡からいえば、個人とは家族的ハビトゥス、学校的ハビトゥス、職業的ハビトゥスというように何重にも自己の性向を決定づけられたうえで社会場に参入することになるのです。

他方、「記号に働きかける政治」の側面としては、それぞれの個人が自分自身のうちに身体化された弁別的な記号体系にもとづいて、どのように記号やイメージを選択して意味活動を実現していくのかを説明します。個人の選択や趣味として現れる「社会的判断力」の問題に関して、ブルデューのハビトゥス論は有効です。なぜあるタイプのタレントやキャラクターは、一定の社会的カテゴリーの人々を引きつけ、別のスターやタレントは他のカテゴリーの人々に好まれるのか。あるいはまた、なぜある種のスポーツや遊びは一定の人々の共感を呼び、他の人々からは反発をうけるのか。服装や趣味についても同じです。こうしたほとんど身体的な「センス」の決定には、じつはブルデューがいうようなハビトゥスが絡んでいます。ですから、メディアが流通させる身体イメージやステレオタイプの受け容れられ方には、それぞれの人々をしるしづけている「身体化された歴史」による社会的偏差が存在するのです。

「身体のコミュニケーション」と「意味のエコロジー」

こうして、身体に働きかける社会的権力の作用と、身体記号のディスプレイによって人々の想像力を誘惑しようとする記号支配の作用の双方が出会う地点で、「身体化された歴史」としての主体の記号活動が位置づくというわけです。人々の生活世界が歴史的成層をなしていることに比例して、個人の身体文化も重層的な構造をもっています。6章で都市を取り上げたときに、「パリンプセスト」のメタファーを使いましたが、個人の身体もまた、さまざまな記号が記入されては鞣《なめ》され重ね書きされた「身体化された歴史」の成層として成立しています。これを理解したとき私たちは身体に関しても「意味のエコロジー」を考える一つの視点を手に入れることができるのではないでしょうか。

私たちが自分の、そして他者たちの身体に接するときに、その意味のエコロジーにとって大切なのはおよそ次のような態度であろうと思われます。まず、身体文化の多様性に注意深くなり、メディア社会の記号支配による身体の意味の一元化、ステレオタイプ化を相対化するような眼差しをもつことです。それぞれの人にはその人なりの身体的想像力の働かせ方があり、それはその人の「身体化された歴史」に根ざしているという発想から出発することが重要です。身体はすぐれて私的な活動の領域に関わるとしても、身体は消費活動のみのために植民地化されてしまってよいわけではありません。身体に根ざした豊かな文化の次元が人々の生活世界の中に回復される必要があるのです。

他方、身体は社会空間において有無を言わさず規律的に統合されてしまったり、規範的コードに服従させられてしまってよいわけではありません。それぞれの個のレヴェルにおいてさえ多様な文化と歴史を背負っている身体が、集まって社会的協調をつくりだすためには、身体には身体としての自由な対話の環境が必要であり、合理的なルール制定を行うためには身体を取り巻く自由なコミュニケーションが必要なのです。そのためにはコトバが重要な役割を果たします。規律や命令の言表ではなく、対話と説明の言表を身体の社会的実践にともなわせること、そのような環境を用意することが社会における身体の位置を変えるのであり、私たちの社会を規律社会から脱却させて、より共生的な公共空間へ向けて開くのです。

❾ 象徴政治についてのレッスン

アフリカ系であっても、南米生まれであっても、江戸っ子であっても、その国（地域）に住めば国の代表選手になりうる。「代表」という言葉を、包容力のない人々の先入観や偏見にはゆだねたくない。私にとっての「代表」は、客観的で、平等で、デモクラシーの理念を尊重する言葉だから。そう、あなたの子供もある日、サッカーのフランス代表チームに入れる。そして私はいま、サッカーの日本代表の一員である。二一世紀はそのような「時」になっている。

——フローラン・ダバディー『朝日新聞』（二〇〇一年一二月一九日夕刊）

Imagine there's no countries:
It isn't hard to do
Nothing to kill or die for

——John Lennon, *Imagine*

1――記号と共同体

水平と垂直のコミュニケーション

皆さんの中には、記号論が扱うのは、消費社会の流行や世界のニュースのように流通し、変化する記号現象にかぎられると思ってきた人もいるかと思います。たしかに、記号は本質的にコミュニケートする、したがって流通するものであって、人々を新しい意味環境の中に組み込んでいきます。記号のコミュニケーションによって、コミュニティはつねに更新されつづけていると言えるわけです。しかし、私たちの生活は、こうした記号の水平的と呼べるコミュニケーションによってのみ成り立っているわけではありません。人間のコミュニケーションには、垂直的なコミュニケーションもまた存在します。特定の記号を固定して反復的に使用することによって、その記号の下に、さまざまな記号の流通を統御し、コミュニティを固定的に組織するようなコミュニケーションです。このとき、生みだされるコミュニティは〈共同体〉と呼びうるものです。

水平的なコミュニケーションにおいて、人々は記号の送り手であると同時に受け手であって、お互いがお互いに対する〈自者（the one）〉／〈他者（the other）〉であり、コミュニティとは、常に変動しつづける無数のコミュニケーションの配置のことであって、それ以上でも以下でもありません（図9-1）。

ところが、共同体をつくる垂直的なコミュニケーションになると、流通する記号の上位に特定の記号が制度化され、それは共同体を「代表」する記号として固定されます。人々は、その記号を通して、共同体とコミュニケーションすることになる。ただし、この記号は共同体を創設する〈大文字の主体（the Subject）〉がつくりだしたとされるものですから、水平的コミュニケーションにおけるように、人々はその記号に対して自者／他者の関係を相互に結ぶわけではなく、共同体の起源としての〈大文字の他者（the Other）〉から一方的に贈与されるそれらの記号を受け取るという関係が固定されることになります（図9-2）。

もともと、主体（subject）という語の語源はラテン語 subjectum（ギリシャ語の hypokeimenon）であり、その意味が「下に投げだされた、下位におかれた」という領主に対する臣下をさすことばでした。垂直的コミュニケーションにおいて、人々は共同体の下に従属した〈小文字の主体（the subject）〉（＝臣下）になるのだと言えます。人々は、共同体を代表する記号を超越としての大文字の主体（the Subject）つまり、大文字の他者（the Other）から受け取ることによって、共同体の小文字の主体（the subject）（＝臣下）となる。これが共同体の創設による〈主体化＝臣下化〉の原理です。

図 9-1　水平的なコミュニケーション

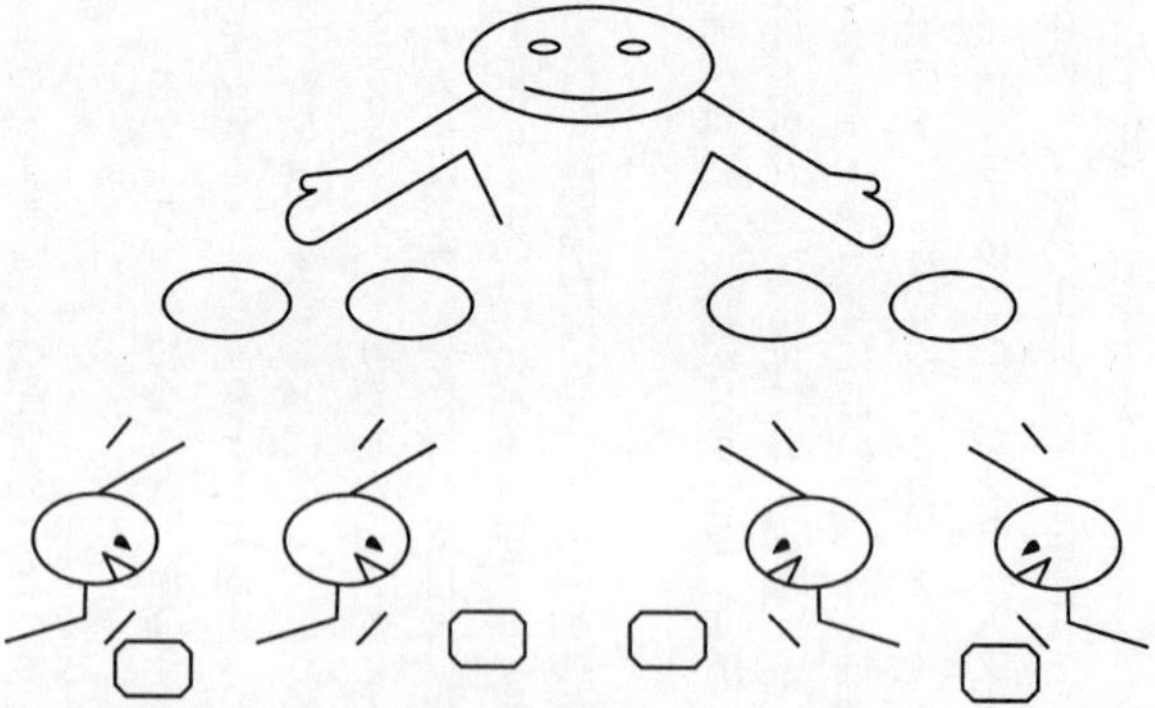

図 9-2　垂直的なコミュニケーション

このようなプロセスに介在する固定的な記号を、共同体の「象徴（Symbol）」と呼ぶこともできるでしょう。この語の語源であるギリシャ語 *σύμβολον* は、二つに割った札を符合することによって認証するための割り符をさしていました。取り決められた記号によって人と人を結びつけ、共同性をつくりだすという象徴の機能が、この語源にはこめられています。大文字の主体と小文字の主体との間には、想像的な同一化（identification）の関係が生まれます。共同体の象徴を通して、小文字の主体は〈共同体〉に帰属することになる。小文字の主体としての自己同一性（identity）は、大文字の主体から共同体の象徴を贈与されたことに由来するからです。

具体例としては、紋章、旗、記念碑、墓といった共同体の象徴のことを想い浮かべてみるとよいでしょう。それらの象徴の意味は、象徴にまつわるいわれ——神話、伝説、出来事の記憶など——によって固定されています。そして、そのような固定した意味をもつ記号の反復的な使用が儀式や祭式です。例えば、墓や記念碑は、死んだ者や出来事の記憶をいわれとして、家族や団体などの共同体の象徴として機能しています。また、村の祭りにおける御輿や神楽は、村の共同体を活性化させる象徴として機能します。儀式や祭式によって象徴を共有することで、人々の間で共同性が生まれ、共同体への主体の帰属、すなわちアイデンティティが確認されます。そして、それは必ずしも昔から伝わっている古い記号ばかりではないのです。例えば、校章や企業のロゴなど、人々が所属する集団の共同性をつくる象徴はしばしば新しくつくりだされます。

象徴の政治的操作

この章では、人は記号を通していかに共同体の主体となるのか、そのメカニズムを扱うことにします。とくに、そうした共同体への帰属を担う象徴の中でも、国家における象徴の問題を考えてみます。国家(state)という政治的共同体は、国旗や国歌、標語や図像、儀式といった象徴の政治的な操作によって、どのように国民(nation)をつくりだそうとするものなのか。それについて考えるのが、国家の〈象徴政治(symbol politics)〉を考えるということです。

周知のように、近代の国家は国民国家(nation-state)として成立しています。「国民国家(ネイション・ステイト)とは、国境線に区切られた一定の領域から成る、主権を備えた国家で、その中に住む人々(ネイション=国民)が国民的一体性の意識(ナショナル・アイデンティティ=国民的アイデンティティ)を共有している国家のことをいう」と木畑洋一は定義しています(1)。

じっさい、例えば「私たち日本人は」という言い方をよく耳にします。「私たち日本人は」と言うとき、すでに「日本」という記号で示される政治的共同体の成員である「日本人」として、自らのアイデンティティを規定しています。そこには、大文字の主体(=

「日本」）と小文字の主体（＝「日本人」）をめぐって、共同体による主体化と成員による自己同一化のメカニズムが働いています。その場合、「日本」という共同体は、象徴の政治的操作によってどのように成立させられ、そのとき「日本人」とはだれなのでしょうか。「日本人」が自動的に「私たち」であるような図式は、どのような記号のメカニズムを働かせるのか。さらにまた、どうしたらそのような無条件の同一化から距離をとり、冷静に国民国家という政治的共同体と私たちの関わりを考えることができるようになるのでしょうか。

二〇世紀末から二一世紀にかけて、世界は経済・技術・情報・文化のグローバル化が進行し、近代的な世界システムが変容を起こし、国民国家という政治単位が再定義を受けつつある時代と言われています。この事態は国境を越えた人間・物・情報の動きを加速すると同時に、さまざまな国や地域でかえってナショナリズムの動きを誘発してもいます。日本という国民国家もまた例外ではなく、グローバル化が進むと同時に、第二次大戦後かつてないほどにナショナリズムが蔓延し、たんに言論や社会運動の領域だけではなく、政治的にもナショナリズムが公認されて法制化・政策化され、市民の諸権利が侵されかねない状況と言えます。だからこそ、このような問題には正確な知識と認識をもっておく必要があるのです。

ここで扱うのは、アクチュアルな政治的問題ですから、私の基本的な立場を簡単に述べておきます。国民国家についての議論は極端に走りがちです。「戦争にいきますか、それとも日本人やめますか」と偽りの二者択一の問いを突きつける小林よしのりの漫画に見られるように、(2)現代のナショナリズムは共同体の脅迫として「日本人」のアイデンティティの問いを占有しようとします。また、国民国家への無前提の同一化は、歴史や文化の多様性を抹消して、すべてを「国民の歴史」に統一するような情緒的な言説を生みだしています。しかし、人々の文化的アイデンティティは長い歴史を通してかたちづくられてきたものであって、人々の所属するさまざまな共同体と、国民という政治的共同体との関わりは多様で重層的なものです。国民国家による統合は、政治的理性にもとづくものでなければならない(象徴政治は、政治的理性に統御されたものでなければならない)、また、その政治的理性は、人類に普遍的な政治的価値にもとづくものでなければならないでしょう。

国民的共同体への同一化をもたらす象徴活動には、現在では、国家が組織する儀式や祭式のほかに、スポーツやさまざまなイヴェントがあります。この章の後半では、スポーツとナショナル・シンボルがどのように結びついているのかを検討することによって、シンボルによる〈遊び〉と〈支配〉との関係を明らかにします。

2――国民国家と象徴

同じ道を通って、いつか来た道

日本中が史上空前の投機的資本主義を謳歌していたバブル期と呼ばれた一九八〇年代には、東京の表参道や青山といえばファッションやモードに代表される消費社会現象の中心でした。そこは、柴門ふみ原作の『東京ラブストーリー』のようなトレンディ・ドラマの舞台であり、田中康夫の小説『なんとなくクリスタル』に描かれたような女子大生やＯＬの消費生活のメッカとされていたのです。欅の緑が木陰をつくるファッショナブルな界隈として人々が消費の記号を追い求めていた時代にあっては、表参道とはその名が示すごとく明治天皇を祀る明治神宮に通じる参道であり、神宮外苑を含むこの地区一帯が大日本帝国の中心的な国家装置であったという歴史的事実はまったく忘れ去られていました。

ところが、九〇年代にバブルがはじけて経済の停滞期に突入し、閉塞感が社会全体を覆うようになると、消費社会の記号と入れ替わるようにナショナリズムの「国家の記号」が頭をもたげてきました。恋人たちが寄り添ってその下を歩いていた表参道のクリスマスのイリュミネーションは、一九九七年を最後に商店街によって廃止され、代わりに年末年始の表参道では日の丸の旗と提灯が通りを飾るようになりました（図9-3）。表参道は、再び戦前の天皇制国家の聖所へと導く道としての性格を取り戻しつつあるのです。かつて日本の資本主義が繁栄を誇っていた表参道の此処かしこが、二〇〇三年のいまは外国資本

図 9-3　2001 年の東京・表参道

に買われて Gucci や Armani や Saint-Laurent や Chanel などさまざまな外国ブランドが君臨する地帯へと変貌しつつあることもまことに皮肉な現象というべきでしょう。しかし、まさしくこれこそ資本のグローバル化の進行と、だからこそせり上がってくるナショナリズムの関係を端的に表す光景だといえるでしょう。

近年の東京には、いたるところに日の丸が掲げられています。祝日には日の丸の小旗が飾られたバスが行き交い、デパートやスーパーマーケットの商店の軒先にも日章旗が飾られています。私はこうした光景に息苦しさを感じます。そして、いつかどこかで見たという既視感（デジャ・ビュ）に襲われます。この現在の光景から、一九一九年七月一日にタイムスリップしてみましょう。

永井荷風の回想

一九一九年七月一日、作家の永井荷風は、東京市が開催した第一次世界大戦の平和条約調印記念祭の花火の音を聞いていました。

午飯《ひるめし》の箸を取ろうとした時ポンとどこかで花火の音がした。梅雨もようやく明けぢかい曇った日である。涼しい風が絶えず窓の簾《すだれ》を動かしている。見れば狭い路地裏の家々には軒並に国旗が出してあった。国旗のないのはわが家の格子戸ばかりである。わたしは始めて今日は東京市欧州戦争講和記念祭の当日であることを思出した。(3)

この前年、下町の築地の路地裏に引っ越してきた荷風は、いつもはにぎわっている人々の喧噪がやんでいることに気づきます。

路地の内は不思議なほど静かである。表通りに何か事あればたちまちあっちこっちの格子戸の明く音と共に駈け出す下駄の音のするのに、今日に限って子供の騒ぐ声もせず近所の女房の話声も聞えない。路地の突当りにある鍍金屋《めっきや》の鑢《やすり》の響《ひびき》もしない。みんな日比谷か上野へでも出掛けたにちがいない。花火の音につれて耳をすますとかすかに人の叫ぶ声も聞える。わたしは壁に張った草稿を読みながら、ふと自分の身の上がいかに世間から掛離れているかを感じた。われながら可笑しい。又悲しいような淋しいような気もする。

自分を除いて、近所の人々が皆戦勝記念の祝賀式に出かけている。誰もが家の軒先にいっせいに国旗を掲げ、国家が組織した「日比谷か上野」での行事に喜びいさんで出かけてしまっている。いつからそんなことになってしまったのか。人々はいったいどうしてしまったのか。それが、荷風の書き残したこの短編作品「花火」の主題なのです。

(4)

高まる花火の音を聞きながら作家は、このように国家が大衆を動員する政治的な祝祭がどのようにつくりだされたのか回顧に耽ることになります。一八七九（明治一二）年生まれの荷風には、国家の祭式は昔からつづいていたわけではなくて、つい最近につくりだされたものにすぎないことがよく分かっている。

花火の響はだんだん景気がよくなった。わたしは学校や工場が休になって、町の角々に杉の葉を結びつけた緑門が立ち、表通りの商店に紅白の幔幕が引かれ、国旗と提灯がかかげられ、新聞の第一面に読みにくい漢文調の祝辞が載せられ、人がぞろぞろ日比谷か上野へ出掛ける。どうかすると芸者が行列する。夜になると提灯行列がある。そして子供や婆さんが踏殺される……そういう祭日のさまを思い浮べた。これは明治の新時代が西洋から模倣して新に作り出した現象の一つである。東京市民が無邪気に江戸時代から伝承して来た氏神の祭礼や仏寺の開帳とは全くその外形と精神とを異にしたものである。

氏神の祭礼には町内の若者がたらふく酒に酔い小僧や奉公人が赤飯の馳走にありつく。新しい形式の祭にはしばしば政治的策略が潜んでいる。

日の丸と提灯、日比谷や上野の公園で開催される祝賀式典、夜繰りだされる提灯行列、それらすべては「明治の新時代が西洋から模倣して新に作り出した現象」であり、江戸時代から伝えられる祭とは性格の違う政治的な目的（「政治的策略」）をもつものだ、と荷風ははっきり言っています。つまり、そこにあるのは人々が拠っていた地縁的な共同体の祭ではなくて、近代化の中で西洋の模倣によって発明された「国民国家」という政治的共同体の祝祭なのだ、と述べているのです。荷風が目にしている「軒並に国旗が出してあった」築地の路地裏の光景は、下町にまだ生きつづけていた江戸っ子たちの文化が、国民国家の象徴によって根こぎにされてしまった姿なのです。

「万歳」の発明

じっさい、こうした国民国家の祭日は、日本が近代国家として成立した大日本帝国憲法の発布時に始まったものであり、そのときから「国民が国家に対して「万歳」と叫ぶ言葉を覚えた」ことを荷風は想い出しています。

明治二十三年の二月に憲法発布の祝賀祭があった。おそらくこれがわたしの記憶する社会的祭日の最初のものであろう。数えてみると十二歳の春、小石川の家にいた時である。寒いのでどこへも外へは出なかったがしかし提灯行列というものの始まりはこの祭日からであることをわたしは知っている。また国民が国家に対して「万歳」と呼ぶ言葉を覚えたのも確かこの時から始ったように記憶している。なぜというに、その頃わたしの父親は帝国大学に勤めて居られたが、その日の夕方草鞋ばきで赤い襷を洋服の肩に結び赤い提灯を持って出て行かれ夜晩く帰って来られた。父はその時今夜は大学の書生を大勢引連れ二重橋へ練り出して万歳を三呼した話をされた。万歳というのは英語の何とやらいう語を取ったもので、学者や書生が行列して何かするのは西洋にはよくある事だと遠い国の話をされた。しかしわたしには何となく可笑しいような気がしてよくその意味がわからなかった。(5)

荷風が英語の「何とやらいう語」の訳語だと言っていますが、「Long live the king!（国王万歳！）」という英語や「Vive le Roi!（国王万歳！）」、「Vive la France!（フランス万歳！）」、「Vive la République!（共和国万歳！）」といったフランス語を翻訳することによってつくりだされたのが「万歳」という叫びでした。元首や国家に対して、永らえる生を祈願することが、超越的な政治権力とその臣下としての国民とを結びつける交感のかたちであるという図式が、生みだされたわけです。しかも荷風の証言が示しているのは、そうした「国民が国家に対して「万歳」と叫ぶ」制度が決して民衆から発生したのではなく、「帝国大学に勤めて」いた文部省の高官であった父や「学者や書生」のような官僚やエリートたちによってつくりだされた官製の発明であったという事実です。(6)

「社会的祭日」とはそのようにして国家官僚たちによって生みだされました。その日から提灯行列がくりだすようになり、宮城（現在の呼称では皇居）の二重橋に書生たちが練りだし、国民が天皇に対して「万歳」を唱えるようになった。これはなんとなくおかしいと思ったと作家は述べているのです。

荷風の「花火」は、自身の個人史と重ね合わせて同時代の国民国家の出来事を回想していきます。大津事件、日清戦争、日露戦争、大逆事件、「国民新聞」事件……一八八九年から一九一九年七月一日までの三〇年の間、それらの出来事に自分はどのように立ち会ったか、それを世間はどのように迎えたか、人々のナショナルな感情はどのように生みだされ変化してきたのか。第一次大戦の戦勝国として日本がついに帝国主義国家の仲間入りをした日である一九一九年七月一日、荷風が跡づけて見せるのは象徴政治によって、近代日本の国民国家がどのように立ち上げられてきたのかなのです。

大正四年になって十一月も半頃と覚えている。都下の新聞紙は東京各地の芸者が即位式祝賀祭の当日思い思いの仮装をして二重橋へ練出し万歳を連呼する由を伝えていた。かかる国家的並に社会的祭日に際して小学校の生徒が必ず二重橋へ行列する様になったのも思えばわたし等が既に中学校へ進んでから後の事である。区役所が命令して路地の裏店にも国旗を掲げさせる様にしたのもまた二十年を出でまい。この官僚的指導の成功はついに紅粉売色の婦女をも駆って白日大道を練行かせるに至った。現代社会の趨勢はただただ不可思議と云うの外はない。

一八八九年に唱えられ始めた「万歳」が、一九一五年の大正天皇の即位式の日には芸者たちにまで拡がる。一九〇〇年頃には「国家的並に社会的祭日に際して小学校の生徒が必ず二重橋へ行列する様に」なっていた。また、「区役所が命令して路地の裏店にも国旗を掲げさせる」ようにしたのも一九〇〇年頃からで、これらは、「官僚的指導の成功」によるのです。この日の芸者たちの行列は、見物の群衆に押されて混乱状態に陥り、「行列と見物人とが滅茶滅茶に入り乱れるや、日頃芸者の栄華を羨む民衆の義憤はまた野蛮なる劣情と混じりてここに奇怪醜劣なる暴行が白日雑踏の中に遠慮なく行われた」と、荷風は集団レイプの無惨な出来事を記しています。

近代国民国家の新しい記号が、西洋列強を模倣しつつ国家権力によってつくりだされ、それが教育制度や官僚機構を通して社会の底辺にまで降ろされていく。天皇をめぐる祭典や戦勝を祝う祭日の催しが巨大なイヴェントとして行われ、大衆は欲望を引きつけられながら、国家のしるしのもとに組織されていく。戦争の勝利に酔い、ナショナリズムの欲望を自分のうちに内在化していきながら、江戸の町民は、次第に国民国家の大衆へと姿を変えていく。荷風が辿って見せているのは、そのような国家の祭式の成立事情なのです。

「国民」を生む象徴装置

日本が近代国家として成立したときに、国民の統合を行ったのは天皇制を中心とした「伝統の創出（the invention of tradition）」によってでした。「伝統の創出」というのは、イギリスの歴史家エリック・ホブズボウムの用語で、近代的な国民国家においては、「国民（nation）」のアイデンティティの拠り所とされるナショナルな「伝統」が、国民的儀式の創設、国旗や国歌といったナショナル・シンボルの制定、記念碑・記念物の建立、国民的祝祭や祭日の制定、公的な神話や歴史の編成、国語の制定などを通して、人工的につくりだされるものであることをさしています。(7)

じっさい一九世紀以来の国民国家において、その国に永く伝わるとされている「伝統」の多くのものは、近代になって「創出」されたものであって、「国民」を生みだすためにつくりだされた比較的新しい装置である、ということがよくあります。例えば、イギリスの王室の戴冠式や即位式、即位記念式などのページェントは、決して古来から存在していたものではなく、その要素の多くは一九世紀につくりだされたものです。フランスの第三共和制（一八七一―一九四〇年）においては、「ラ・マルセイエーズ」を国歌とし、バスチーユ牢獄の奪取の日（七月一四日）を共和国建立の国民記念日として、自由・博愛・平等をモットーとする共和国の「伝統」が生まれました。さらに、「伝統」は大量の記念碑や建造物をつくり、また公教育を通してつくりだされていく。一八九〇年代のヴィルヘルム二世のドイツにおいては、ドイツ第二帝国と神聖ローマ帝国の連続性を強調し、ドイツ統一の意義を歴史的画期として強調する大量の記念碑や建造物がつくりだされていきます。こうした「伝統の創出」は、まったく新しい象徴装置の発明によるか、近代以前にすでに存在した象徴を再解釈するか、いずれかの方法によって、特定の象徴実践を国民国家の政治的価値の起源として制度化します。これは過去の歴史に向けて、現在の政治的価値を投影するというアナクロニズム（時代錯誤）の身振りであるのですが、この身振りによって国民国家は自らの政治的統治の正当性の根拠を、連綿とつづく〈民族の歴史〉に求めることができるようになるのです。

インドネシア政治史を専門とする地域研究学者ベネディクト・アンダーソンは、「国民」とは相互に見知らぬ人々が自分たちをメンバーとしてイメージする「想像の共同体（imagined community）」のことであると定義しました。

国民とは、イメージとして心に描かれた想像の政治的共同体である。そしてそれは、本来的に限定され、かつ主権的なものとして想像される。国民は想像されたものである。というのは、いかに小さな国民であろうと、これを構成する人々は、その大多数の同胞を知ることも、会うことも、あるいは彼らについて聞くこともなく、それでいてなお、一人一人の心の中には、共同の交感のイメージが生きているからである。(8)

そうした見ず知らずの人々を結び合わせ、政治的共同体をつくりだす役割を「伝統」は負っているというわけです。ホブズボウムによれば、一八七〇年頃から一九世紀末にかけてが、「伝統の創出」がもっとも活発に行われた時期にあたります。このことは、産業革命の進行にともなって、経済・社会・政治の三者が従来の規模を超えて発展し、人々の交通が起こり、それ以前の重層的なハイアラルキーでは支配できなくなったことに対応していると歴史家は述べています。

人々は、それまでの近世の共同体の枠組みから外されて、国民国家の新しい共同体の中に統合される。荷風が描いているように、江戸からつづく下町の人々の地縁的コミュニティが侵食されて、固有の文化が新しい国家の祝祭の中に取り込まれていく。これこそ、国民国家による「伝統の創出」の姿なのです。日本では、「伝統の創出」は王政復古による天皇制のリバイバルのかたちをとったことは私たちが知るとおりです。その場合、天皇制は「万世一系」の不易の「伝統」として日本の歴史を貫いて存在していたと言われました。しかし、じっさいは日本の歴史を点綴してきた天皇の存在が、近代の始まりにおいて再解釈・再編成され、政治的権威の「伝統」としてつくりだされたものという性格が強いのです。しかも、この「伝統の創出」は、列強諸国に倣って、新しい記号をつくりだすことによって行われました（荷風が、国家の祭日は「明治の新時代が西洋から模倣して新たに作り出した現象の一つ」と述べているとおりです）。そのとき生みだされたのが、日の丸、君が代、ご真影、教育勅語といった国民をつくりだすための主要な象徴装置であり、国家の祝日や学校教育におけるさまざまな儀式でした。

「日の丸」と「君が代」

日の丸のマークの歴史は古く、古代の太陽信仰にまで遡ることができるとされたり、『続日本記』に大宝元年（七〇一年）の朝廷の儀式に「日像幡」・「月像幡」を用いたという記述がある中の「日像」がその起源であるとされたりします。源平時代から戦国時代にかけて、武将によって日の丸や金丸は旗印や軍扇に使用されるようになり、江戸時代には幕府によって城米廻船の印として使用されていました。それが、一八五四（安政元）年に幕府によって「異国の船と紛れざる」ように「日本総船印」とされたのが日の丸を国の印として使用した始まりです。[9]「日の丸」の船印を掲げた最初の艦船は、一八五五（安政二）

年に薩摩がつくって幕府に献上した砲艦の昇平丸であるとされています。幕府はその三年後の一八五八（安政五）年に「日の丸」を船印とする旨をアメリカ、イギリス、オランダ、ロシア、フランスなど修好条約を結んだ諸外国に通報しています。明治新政府は、太政官布告として一八七〇（明治三）年に郵船商船旗（布告第五七号）を定め、「御国旗」の寸法を定めています。[10] 石井研堂の『明治事物起源』に、「明治五年九月、京浜鉄道の開通式に主上の臨御あり。市民之を栄とし、居留外人が常に自国の大祭日に国旗を掲げ、又は球燈を点ずる例に倣ひ、各戸軒頭に日章旗及び燈籠を掲ぐ。爾来、国民一般の表慶方法とはなれり」[11] とあります。この「日の丸」は、幟などとは違ってヨーロッパ的規格にもとづいた新しい視覚記号であり、一九世紀後半の欧米列強がつくる世界システムの中にちょうど日本が組み込まれるときに、江戸期以前の先行する記号を組み替え、新しく「伝統」としてつくりだした国民国家の記号であることが分かります。

「君が代」の成立については、古い記号の意味を組み替え、国民国家のイデオロギー的価値を「永遠化」する記号を生みだすという、「伝統の創出」のプロセスがより明確に示されています。「君が代」の作成のきっかけは、一八六九（明治二）年、イギリス公使館の軍楽隊長フェントンが薩摩の軍楽隊練習生に対して、外国にはみな国歌というものがあり、日本にもあったほうがよいと思うが、と話したことによります。この報告を受けた砲兵隊長の大山巌（のちの元帥、陸軍大臣）が、イギリスの国歌の冒頭“God save the King”を想い浮かべながら、琵琶歌『蓬萊山』中に引用された和歌「君が代」を歌詞として選び、フェントンに作曲を依頼したものが「君が代」の最初のヴァージョンです。フェントン作曲の「君が代」は五音階の洋風の曲で、日本の詞と合わないものだったため廃止され、曲の改訂は紆余曲折をへたのち、雅楽の楽師の作曲したものを海軍軍楽隊のドイツ人教師が軍楽風に手を加えて一八八〇(明治一三)年に発表されたのが現在の「君が代」です。この曲は、同じ年の天長節(明治天皇の誕生日)に宮中で演奏され、一八八八(明治二一)年に「大日本礼式」として海軍省より条約締結各国へ公式に通告され、さらに一八九三(明治二六)年に文部省告示第三号として全国の学校に祝祭日の儀式で斉唱すべき歌として通知されたということです。ただし、第二次世界大戦前を通じて、国歌として法制化されたことはありません。

「君が代」の歌詞となった和歌には、『古今和歌集』(九〇五年)第七巻賀歌の中に「読人知らず」として「我君は千代に八千代にさゞれ石の巌となりて苔のむすまで」というものがあり、『和漢朗詠集』(一〇一三年)に「君が代は千代に八千代にさざれ石の巌となりて苔のむすまで」というかたちになったものが見られます。いずれも、これらの歌における「君」とは父母、夫妻など敬愛する人をさす人称代名詞であり、「代」とは齢の謂いであって、親しい敬愛すべき相手の長寿をことほぐ歌です。中・近世になると、「代」の語は時代・治世の意味で使われるようになり、「君が代」という表現は「天皇(「大君」)の御代」

や「徳川将軍の治世」を指して用いられるようになります。したがって、王政復古の明治当時の用法からいえば、「君が代」とは「天皇の御代」の意味であり、歌の意は君主の治世が永らえますようにという天皇の統治をことほぐものと理解されたのです。「君が代」とは、このように洋楽と雅楽の折衷のメロディーにより、歌詞の意味を近代的に組み替えた新しい歌であって、明治国家による「伝統の創出」とは、西欧の国民国家の象徴装置を記号表現（シニフィアン）として模倣的に採り入れると同時に、その記号内容（シニフィエ）においては天皇制の支配の永続を過去に向かってアナクロニックに投影するという特徴をもつものであったのです。

「御真影」

新しい記号による国家の「伝統の創出」は、君主の身体のイメージにまで及びます。ヨーロッパ中世の政治神学を研究したE・H・カントーロヴィチの有名な『王の二つの身体』(12)によれば、絶対的君主としての「王」の身体には、二つの存在のレヴェルが備わっています。生身の人間としての死すべき身体と、永らえる国家の基礎としての永遠の聖なる身体とです。つまり、個体としての王は死んだとしても、国の基礎としての聖なる身体は死ぬことはなく、王の家系に永久にリレーされていく。そして、近代の君主制は、そのような中世以来の王権の神学的基礎を引き継ぐものであるというのです。「君が代」に歌われているのも、そのような王の永遠の治世ですし、何よりも大日本帝国憲法第一章第一条「大日本帝国ハ万世一系ノ天皇之ヲ統治ス」、同三条「天皇ハ神聖ニシテ侵スヘカラス」がそれを表しています。

そのような王の二重の身体を可視化する記号装置として、ヨーロッパには伝統的に君主の肖像画が存在します。君主の肖像において、見る者は君主の具体的な身体に触れると同時に、国家の身体にも接することになる。国家統治の視覚的イメージが、肖像画を通して像を結ぶのです。明治の天皇制国家は、近代の国民国家として、他の諸国と同じように絶対的君主としての天皇の肖像を生みだし流通させるという課題に直面しました。そこから生み出されたのが明治天皇の肖像写真とされる「御真影」(図9-4)です。[13]「御真影」の成立過程は、まさにグロテスクともいえる人工的操作のプロセスです。一八八八(明治二一)年につくられたこの明治天皇の肖像は、じっさいにはイタリア人画家キョッソーネが物陰からひそかに天皇をスケッチし、それをもとに天皇の坐像をコンテ画として描いて、さらにそれを写真にして複製したものです。「御真影」という呼び名にもかかわらず、ここには天皇の身体は被写体としては不在です。天皇の身体と見る者との間には、外国人画家による西洋肖像画の技術の介入があり、さらにそれが写真という一九世紀のメディア技術によって複製されるという、二重の意味で新しい記号が介在しているのです。そのような新しい記号表現(シニフィアン)をフレームとして、「万世一系」で「神聖ニシテ侵スへカラ」ざる王の身体イメージが記号内容（シニフィエ）として定着される、これこそが「伝統の創出」のアーテファクト（人工的なやり方）なのです。この御真影は、その完成の翌年の一八八九（明治二二）年から初等教育機関への「下付」が開始され、学校儀式における強制的な崇拝の対象とされていきます。御真影という記号に最敬礼をすることが、絶対的君主に額ずくことと同義であるとされ、この視覚記号は王＝〈国家の聖なる身体〉の代わりとして臣民化教育の装置となったのです。

図 9-4 「御真影」

アンダーソンのいう「想像の共同体」としての「国民」を制作するために、これらの象徴装置は発明され、それらの記号の仕掛けは、公教育を通して未来の国民としての生徒たちの身体の中に刷り込まれたのです。天皇を唯一の超越した「君」と呼ぶことで、私たちは、一人一人が天皇という超越的な「君主」の臣下として、「国民」（すなわち明治憲法下における「臣民」）になる。見上げる旗、直立して凝視する写真の中の象徴的君主の眼差し、私を「臣民」と化す歌、教育勅語や軍人勅諭のように暗唱され心の内側から命令する国家のことば、これらの「国民」を制作する基本的な象徴装置によって、人々は大日本帝国という近代の国民国家の臣下として統合されることになったのです。

国民学校の教育

荷風が描いている一九一九年頃には、こうした象徴装置の配備は完了し、国民国家の隅々にまで浸透するようになりました。じっさい、歴史学者の家永三郎は、次のように当時の学校の様子を回想しています。

一九二〇年に小学校に入学した私は、祝日での学校儀式で、御真影への最敬礼や君が代合唱とならんで、校長先生の教育勅語「奉読」を「謹聴」した世代に属し、そのような教育のあり方にまったく疑問をもつことなく成長してきた一人である。(14)

注目すべきなのは、学校教育において日の丸や君が代などの国家シンボルの使用が、「最敬礼」や「合唱」や「謹聴」といった身体所作と組み合わせられて規律的分節化の中におかれていることです。

どの国民国家においても、学校は軍隊とならんで国民をつくりだすための主要な制度となりましたが、とくに近代日本において、学校は軍隊に近い身体的規律にもとづいた教育によって、国民を統合する役割を果たしました。軍隊的な規律にもとづく教育というパラダイムが支配的になると、学校は、生徒に対する知識の伝授や、教師・生徒の自由な対話を通した人格の育成ではなく、身体的な訓練や道徳的な修養の場となります。教育は画一的思考や、同じ身体所作を行う全体主義的な集団を生みだす装置となっていく(15)。一九三〇年代から第二次世界大戦での敗戦にいたる時代の日本の教育は、そのような全体主義の典型例を示していると言うことができるのではないでしょうか。そして、国家の祭日における学校儀式とは、まさしくそうした規律的教育の頂点として、学校を国家儀式とじかに結びつける「晴れがましい」場面となります。規律主義的教育と国家シンボルの使用とは一つに結びついているのです。

じっさい、一九三一年九月の柳条湖事件に始まる「十五年戦争」の時代にあたるファシズム期、日本の学校教育において、日の丸や君が代などの象徴装置にどのような中心的な位置が与えられ、それらがどのように強圧的に機能したかについては、多くの人々の証言があります(16)。一九四一年に小学校を「国民学校」と改めた国民学校令の第一条は、「国民学校ハ皇国ノ道ニ則リテ初等普通教育ヲ施シ国民ノ基礎的錬成ヲ為スヲ以テ目的トス」と国民学校の目的を規定しています。学校の目的とされる「錬成」は、それ以前の一八八六(明治一九)年の小学校令にいう「教育」とは区別され、文部省はこれを「錬磨育成」の意であるとし、「児童の全能力を錬磨し、体力・思想・感情・意思等、児童の精神及び身体を全一的国民的に育成すること」であるとしています。

この国民学校の第一学年の学習事項として、天長節（天皇誕生日、昭和天皇は四月二九日だった）の学習素材として、修身の教科書『ヨイコドモ　上』の口絵には、玄関先に日の丸を揚げる子供たちの絵と白馬に跨り閲兵する昭和天皇の写真が載っています。(17)『ヨミカタ　一』も見開き頁に日の丸を掲げ、「ヒノマルノ　ハタ　バンザイ　バンザイ」という文章がそえられています。音楽でも学校で教えられる二番目の歌は「アオゾラタカク、ヒノマルアゲテ、アア、ウツクシイ、ニホンノハタハ。／アサヒニノボル、イキオイミセテ、アア、イサマシイ、ニホンノハタハ。」（『ウタノホン　上』）です。さらに工作では「白地に赤く　日の丸」を塗って旗をつくらせる。そして第二学年度になると、こうした象徴の習得につづいて、象徴使用のための「最敬礼」という身体所作が教育のテーマになる。

テンチョウセツデス。ミンナギョウギヨクシク　ナラビマシタ。シキガ、ハジマリマシタ。テンノウヘイカ　コウゴウヘイカノ　オシャシンニムカッテ、サイケイレイヲ　シマシタ。「君ガ代」ヲ、ウタイマシタ。コウチョウ先生ガ　チョクゴヲ　オヨミニナリマシタ。私タチハ、ホントウニ　アリガタイト　思イマシタ。（「サイケイレイ」『ヨイコドモ　下』）

「君が代」については、「この歌は、「天皇陛下のお治めになる御代は、千年も万年もつづいて、おさかえになりますように」という意味で、国民が、心からおいわい申しあげる歌であります」(『初等科修身 二』)とされ、「祝日や、おめでたい儀式には、私たちは、この歌を声高く歌います。しせいをきちんと正しくして、おごそかに歌うと、身も心も、ひきしまるような気持ちになります」と、まさしく象徴と身体の規律的教育の頂点に位置するセレモニーとして、国家の儀式が位置づけられています。

以上は、国民学校における低学年のシンボル教育のほんの一端にすぎませんが、このように国家の象徴と国民の身体をしつように結び合わせ規律的秩序の中に統合していく、国家のイデオロギーの〈身体的刷り込み〉というやり方こそ、天皇制国家が「皇民」を生みだす〈従属化=臣民化〉のプロセスに他ならないのです。初等教育からこのようなありさまですから、学年が進むにつれてこの国家主義教育は、神話について、軍隊について、靖国神社について、忠霊塔について、さらに詳細化し、こみいった儀式と訓練へと変っていく。子供たちは「少国民」と呼ばれて、軍隊の予備軍と化していきます。

天皇制国家の規律システム

こうした〈象徴による支配〉が、日本の内と外において、どれほど過酷な暴力装置として機能したかは歴史が多く教えるところです。「教育」が「錬成」となるとき、人間の養成は上の者が下の者を躾ける身体的な馴致となり、規律は有無を言わさぬ暴力と区別がつかなくなる。共同体のシンボルや情緒的な価値にもとづいた規律システムは、人々を「天皇に帰一し国家に奉仕する」(「臣民の道」)[18]臣民として内なる秩序の中に強制的に位置づけていきます。そして、命令と規律のシステムは、ヒエラルキーの上に対してのみ責任をとるシステムですから、外の人間――内部でないもの――については規律の対象外となる。

第二次大戦直後にいちはやく日本ファシズムの「超国家主義の論理と心理」を鋭く剔出してみせた政治学者の丸山真男は、「全国家秩序が絶対的価値体たる天皇を中心として、連鎖的に構成され、上から下への支配の根拠が天皇からの距離に比例する」[19]ようなシステムの存在を指摘します。このシステムにおいて、天皇により近いとされる上の者が下の者に命令し、後者はさらに自分より下に命令していくという連鎖が生ずる。そして、それこそ「自由なる主体的意識が存せず各人が行動の制約を自らの良心のうちに持たずして、より上級の者(従って究極的価値に近いもの)の存在によって規定されていることからして、独裁観念にかわって抑圧の移譲による精神的均衡の保持とでもいうべき現象が発生する。上からの圧迫感を下への恣意の発揮によって順次に移譲して行く事によって全体のバランスが維持されている体系[20]」であるのです。丸山は、この天皇制国家の内なる抑圧のシステムが外に対したときの暴力について、次のように書いています。

今次の戦争に於ける、中国や比律賓《フィリピン》での日本軍の暴虐な振舞についても、その責任の所在はともかく、直接の下手人は一般兵隊であったという痛ましい事実から目を蔽ってはならぬ。国内では「卑しい」人民であり、営内では二等兵でも、一たび外地に赴けば、皇軍として究極的価値と連なる事によって限りなき優越的地位に立つ。市民生活に於て、また軍隊生活に於て、圧迫を移譲すべき場所を持たない大衆が、一たび優越的地位に立つとき、己れにのしかかっていた全重圧から一挙に解放されんとする爆発的な衝動に駆り立てられたのは怪しむに足りない。彼らの蛮行はそうした乱舞の悲しい記念碑ではなかったか。(21)

日の丸や君が代といった明治国家が生みだした国家シンボルは、こうした天皇制国家の規律的秩序の記号であって、以上に見たような、まさしく暴力的な支配をつくりだした装置であるのです。植民地支配下における皇民化政策を受けた人々、侵略を受けたアジア近隣諸国の人々にとって、大日本帝国によって象徴装置として生みだされた日の丸や君が代の意味とは、そのようなシンボルを通して行われた日本ファシズムによる暴力的支配の象徴であること以外ではないのです。

あいまいな戦後

第二次世界大戦後長らく、明治憲法下の天皇制国家の象徴政治と、戦後の「象徴天皇」制との関係は、はっきりと示されたことはありませんでした。何よりも「天皇」自体が、「国民統合」のしるしと化すことによって、文字どおり「象徴」として生き延びることになったからです。日本国憲法第一条を思い出しましょう。

「天皇の地位、国民主権」天皇は、日本国の象徴であり日本国民統合の象徴であって、この地位は、主権の存する日本国民の総意に基く。

「天皇」は、その存在自身が「象徴」として、戦後民主主義の国民空間の中にもちこされたのです。大日本帝国において国家のイメージを集中していた天皇が国民統合の象徴とされたことは、表裏の関係にある二つの事態を生みました。一方では、戦前天皇に結びついていた象徴記号はバラバラに分散され、その象徴効果を取り戻す日を待つことになりました。他方では、「民主化」された日本国家は、「天皇」と無関係な新しい国家象徴をつくりだすことがついにありませんでした。

この事態が生みだしたのは、あいまいな戦後という状況です。戦後の日本においては、国民自身の共同体を新しいイメージとして描く試みが本格的に企てられることがなかった。これは戦後の民主化が占領軍という外部から与えられたこと、国民が自らの手で戦前の体制を打倒して過去との断絶をつくりだしたわけではなかったことと関係しています。あいまいな戦後処理が、象徴政治においても行われたのです。

戦争を経験した世代が社会の主たる人口であるうちは、「国民」は自らをつくりだした象徴記号のイメージを潜在意識にとどめつづけたはずです。それは、自分たちをつくりだした暴力的統合の記憶の象徴でもあり、また自らがかつて行った血なまぐさい侵略と支配の記憶のしるしとして、「国民主権」という意識の下に抑圧されたとも言えます。少なくとも、その間はだれもあからさまに戦前の国家シンボルを復活させることはできない状況でした。

しかし、そうした状況もわずかの間しかつづきませんでした。一九五〇年代になると、冷戦の進行にともないアメリカの対日政策に変化が起こり、追放されていた戦前の指導的人物が政界や官界に復活を遂げます。戦前の官僚組織がしだいに息を吹き返し、国の指導層が「逆コース」を辿る動きが活発化します。「靖国神社」への政府首脳による参拝が行われ、「紀元節」の復活をめざす法案が国会に提出され、それとともに文部省は「日の丸」・「君が代」を再定着させる動きを強めていきます。これは、戦前のシンボルが、戦前の体制を支えた人たちによって再びもちだされ、再び国家の記号として押しだされていったことを意味しています。

とくに、戦前戦中と同じように、学校教育が国民に対する国家シンボルの植えつけのための主要な機会と考えられ、文部省の指導というかたちで推進されました。田中伸尚の『日の丸・君が代の戦後史』によると、文部省が教育行政の統制を強めて「内務省化」するのが第五次吉田内閣の大達茂雄文相（一九五三年五月—五四年一二月在任）からであり、この人物は戦前の内務省官僚出身でアジア・太平洋戦争開始直後に占領され、日本軍によって「昭南島」と改称されたシンガポールの市長、のちに内務大臣を務めた人物であると書かれています。(22) シンガポールでは、一九四二年の日本軍による占領から終戦までに、数万人とも言われる住民の大量虐殺が行われたことが知られています。戦時中の小磯内閣（一九四〇年七月）で内務大臣を務め、シンガポール占領に参画し、戦後は公職追放を受けていた大達のような人物が、戦後わずか八年の間に復権して教育行政の方向を決定していく、このことこそは戦前と戦後の政治官僚組織の継続性を証しているのです。

じっさい、戦前の天皇制国家の象徴装置は、保守勢力や国家官僚の手によってしだいに制度として復活されていきました。国家のための戦死者を祀る靖国神社の「国家護持」をめざす動きのほか、一九六六年「紀元節」は「建国記念日」と名を変えて国民の祝日として制定され、一九七八年には「元号法」が成立、日の丸・君が代は文部省の「学習指導要領」の中で「国旗」・「国歌」として規定され、学校行事におけるその使用が義務づけられていきます。戦後五〇余年の日本の政治文化の歴史を振り返ってみると、この国の為政者たちが一貫して押し進めてきた象徴政治とは、明治の天皇制国家の象徴装置の復活であり、それは戦後の日本国憲法や教育基本法に謳われた民主主義の基本的価値を掘り崩すかたちで進められてきたことが分かります。そして、それらのナショナル・シンボルの復活については、それを推進する勢力と、そのような戦前の価値の復活に異議をとなえる人々や大日本帝国による植民地化と侵略の記憶をとどめている人々との間につねに論争が繰り返されてきました。

一九九九年の国旗・国歌法

いわばそうしたプロセスを総仕上げする出来事として、一九九九年の国会で、「国旗は日章旗、国歌は君が代とする」と規定した「国旗・国歌法」の制定が行われました。君が代の「君」については、政府は戦後長い間、「天皇」を指すとはっきり言うことができませんでした。絶対的君主としての天皇の治世が永くつづきますように、という歌の意味が、戦後憲法の国民主権と相容れないことは明らかだからです。それを和らげるために、「君」という二人称は国民一人一人のことを指すのだというまことしやかな解説が行われていた時期もあったのです。ところが、九九年の「国旗・国歌法」の国会審議にさいして、政府答弁は、「君が代の「君」とは、大日本帝国憲法下では主権者である天皇をさしていたと言われているが、日本国憲法の下では、日本国および日本国民統合の象徴である天皇と解釈するのが適当であると考える」というものでした。つまり、ここで戦後初めて、戦前の明治の絶対天皇制における〈天皇〉と戦後の〈象徴天皇〉とをあからさまに分節化してみせたのです。

さらに当時の小渕恵三首相は、君が代の「君」とは「日本国および日本国民統合の象徴であり、その地位が主権の存する日本国民の総意に基づく天皇をさす」、あるいは「君が代」とは「天皇を日本国および日本国民統合の象徴とするわが国のことであり、「代」は時間的概念から転じて「国」を表す意味もある」という補足を行いました。この論理はパラフレーズするとおそらく次のようなものになります。君が代の「君」は天皇であり、君が代は天皇の治世を讃える歌であるが、天皇は主権者である国民の総意にもとづいて決められた（ことになっている）「国および国民統合の象徴」なのだから、天皇を讃えることは間接的に、天皇が象徴している国や国民統合、さらにまた、その地位を与えた「国民の総意」を讃えることを意味し、したがって国民主権には矛盾しない。「代」も国と読み替えることができるから、「君が代」とは「天皇の国」のことであり、すなわち（！）、「天皇」は上のロジックにより「国民」なのだから、「君が代」とは「主権者である日本国民の国」のことだ――これは本当に奇妙な論理です。そもそも戦後の日本国憲法の国民主権は、明治憲法の天皇主権の否定として、国民を主権者とし、天皇の存在を象徴の位置に

「棚上げ」することによって可能になったはずでした。ところが、その象徴を「君」と呼んで、まさしく主権者として讃える歌が、なぜ国民主権と矛盾しないのでしょうか。そもそも君主／臣下の関係を認めないというのが、国民主権の大原則だったのではないでしょうか。

「象徴」という言葉の危うさが、ここには端的に表れています。「象徴的存在であって、実権はもっていない」というような場合に言われる象徴とは、名前だけで実体ではない、実効性や権力をもたないしるしであるという意味です。ところが、政府の答弁や当時の首相が使う表現を見ると、憲法とほとんどまったく同じ表現を使いながら、天皇を定義する「象徴」という語が、日本国憲法第一条における平行平叙文の属詞の位置「天皇は……象徴であり……象徴であって……」からずらされて、「天皇」という主語にかかる関係詞の中の属詞（「……の象徴である天皇」）となっていることが分かります。とくに憲法第一条の第二文の「この地位は、主権の存する国民の総意に基く」は、「天皇の地位」を決める上位の文脈（「主権の存する日本国民の総意」＝「私たち、日本国民」という憲法前文の発話の主語）との参照関係の中におかれていたはずです。ところが、この構文が崩されて、主語「天皇」にかかる英語でいう関係代名詞節（「日本国および日本国民の統合の象徴であり、その地位が主権の存する日本国民の総意に基づく（ところの）」）に文が変えられてしまうと、憲法前文の発話の主語との結びつきは消え、「日本国民」は従属節中の単なる三人称の語へと切り下げられてしまいます。政府答弁の中に「国民主権」に関する言及が消え、「国民の総意」の文言も消されている点、「君が代」の語に関する首相の補足の中で「天皇を日本国および日本国民統合の象徴とするわが国」の表現のうち「天皇を……象徴とする」という行為の主語が消されてすぐ「わが国」という定義がつづいて行われている点に注意しましょう。

　このような「天皇」をめぐる言い換えは、政府と首相のどの表現においても、「天皇」と「国民主権」との関係を、「私たち、日本国民」という憲法の一人称複数の発話主体を消し去る方向へとずらしているのです。そして、「象徴」であるはずの天皇が〈主体＝主権者〉であるかのように、精神分析の用語で言う「物神化」が起こっている。じっさい、政府答弁を文字通り真に受けて、君が代とは、主権者の象徴であるはずの天皇を主権者として讃える歌であると解釈するのであれば、それこそ代理物を本来の主体の代わりに崇めるフェティシズムの論理となってしまいます。これこそが、天皇主権の歌を国民主権の憲法で正当化しようとする牽強付会な説明が導きだした事態です。

閉ざされていく公共空間

　国旗・国歌の法制化によって、戦前の天皇制国家の象徴装置のうち、かなりの部分が法的な正当性を手に入れて復活し、それらを基礎にした国家の象徴体系の整備のサイクルが一通り完了したという時期に私たちはいると言えます。そして、戦前の象徴体系を、戦後の法体系によって正当化するという新しいタイプの象徴政治が、現在では拡がっていく気配があるのです。例えば、政府首脳の靖国参拝は、「信条の自由」や「国家の独立」を根拠として強行される。あるいは、歴史修正主義の教科書の採択は、「思想・信条の自由」や「表現の自由」を根拠に正当化される。現在の日本は曲がりなりにも民主主義国家です。どんなに保守的な思想の持ち主でも、民主主義を真っ向から否定する政治家はまれです。しかし、日の丸・君が代問題のように、民主主義的な価値と基本的に相容れない政治文化の産物については、法という正当な民主的手続きを通じて、強制が行われるということが起きてきています。その場合に見られるのは、象徴の操作と法による強制力とを組み合わせるという手法です。明らかに民主主義に反し、人々の基本的人権を抑圧する象徴政治の実践であっても、象徴操作によって社会の多数派の賛同を何としてでも勝ちとり法制化してしまえば、賛同しない人々の人権は抑圧されてもよいというやり方です。

「国旗・国歌法」の成立は、その意味で重要な負の出来事でした。これらの国家シンボルが果たした歴史的人道的な諸問題については、それまで数十年にわたって論議が行われてきましたが、この法は、論議そのものを打ち切ることをねらったものでした。日の丸・君が代の記号に人々が順応したことを理由に、それらの記号が担った役割についての理性的な問いかけや、それらがもっている民主主義の原理と相容れない意味作用についての疑問を、法によって封印することをはかったものです。法制化以後、学校教育の場では、法の名におけるこれらのシンボル使用の強制と数限りない人権侵害が起きています。さらに法制化後一年もたたない二〇〇〇年には、「わが国は天皇を中心とした神の国」であるなどと発言する首相も出ることになりました。

国民国家の記号について議論が自由に交わされ、人々が自分自身の良心にしたがって態度を決していくというような公共空間の可能性は、社会のほとんどすべてのセクターにおいてもはや閉じられてしまったかの観があります。国旗・国歌法の成立以降、東京の街角でいっせいに揚げられはじめた日の丸は、そのような「時代閉塞」[23]の記号であるのです。民主的手続きの外観をとりつつ、じつは極めて差別的であり抑圧的であるという支配の体制が、そこからは生みだされていきます。象徴政治やシンボル操作が、このような外観をとるとき、私たちはどのように対処すればよいのか。それこそが私たちの市民社会にとって、緊急の政治的課題であろうと思われるのです。

3――スペクタクル社会

この章で見てきたのは、国民国家の記号がどのように成立し、位相を変えてきたのかという象徴政治の歴史的側面でした。しかし、記号は、たとえ国家の象徴記号であるとしても、同時代における記号のエコノミーを離れては意味をもちません。近代の社会は、メディアの刷新にともない、幾度も大きな変化を経験してきました。荷風が目にした一九世紀末から二〇世紀初めの国家の祭式の発明は、新聞などの活版印刷や電話・電信の発達によるメディア革命と結びついた記号現象でした。一九三〇年代のファシズム期と呼ばれる時代は、ラジオや映画やレコードに代表される大衆メディアが発達した時期に対応しています。こうしたメディア革命の進行にともなって、二〇世紀以降の社会は、フランスの社会思想家ギ・ドゥボールのいう「スペクタクル社会（la société du spectacle）」という様相を帯びていきます。(24) そして、このスペクタクル社会の進行と、国家の象徴政治の展開とは二〇世紀において深い平行関係にあるのです。

まず、スペクタクル社会とは何かを簡単に述べておきましょう。それはひとことで言って、私たちがまさにいま生きている社会そのもの、スペクタクル（＝見せ物）やイヴェントに支配される社会のことです。「スペクタクルによる支配の最初の意図は、歴史的認識一般を消失させることだった。それもまず、もっとも近い過去についてのあらゆる情報とあらゆる理性的な評価を消去することをだ」と、『スペクタクル社会についての注解』の中で、ドゥボールは書いています。スペクタクル社会とは資本主義社会が到達した一つの究極的な段階であって、そこでは終わることのない技術革新が繰り返され、経済と国家が融合し、もはや本物などどこにもない、にせもの現象の全面化とそれゆえの秘密の全面化が起こり、絶えず〈現在〉を追い求めているような社会のことです。そこでは、商品も出来事もすべてがスペクタクルとなり、そのことによって人々の欲望や経済の投資が生みだされていく。国家の経営としての政治もスペクタクルと化していき、社会のすべての領域が見せ物となることによって、逆にスキャンダルとして暴かれるような秘密をいたるところに分泌していく。

例えば、テレビのCMを見れば明らかなように、たしかに私たちの社会においてはもはや商品はスペクタクルとしてしか価値をもたず、社会全体がメディア技術に代表されるようなテクノロジー革新のオブセッションに突き動かされている。また、「ワイドショー政治」などと言われるように、政治もスペクタクルと融合し、世の中を揺り動かす数々のスキャンダルに見られるように、見せかけが全面化することによってあらゆるところで秘密がすべてを決定しているような世界、そしてすべてが絶えず更新されつづける〈現在〉に照準を合わせている世界……。ドゥボールが哲学的な断章の形式で描きだした「スペクタクル社会」とは、そのような私たちの社会の様相を鋭く指摘したことばなのです。それはまた、スペクタクルを組織し、増幅し、伝播する無反省なマス・メディアが支配する社会とも同義です。

私たちの社会は、百年前の活字と写真と電信の進歩による第一次メディア革命のときのものとはたしかに大幅に異なっています。私たちの時代の政治的祭式は、もはや明治期の提灯行列や花火や芸者の行進ではないし、あるいはまた、一九三〇年代のファシズム期におけるラジオや映画やレコードのマス文化による大衆動員の「民族の祭典」でもない。この社会を特徴づけるのは、高度成長期の大量消費財やテレビの普及がもたらした「戦後民主主義的」な文化でも、バブル期の消費社会現象の支配する文化ですらもないのです。情報が国境を越えて行き交い、インターネットのようにコンピュータのネットワークがメディア技術の中心にあるデジタル・メディアの時代、しかも国家がスペクタクルと融合してしまうような社会、これこそが私たちのスペクタクル社会の姿なのです。

このようなスペクタクル社会では、すでに見てきた「日の丸」や「君が代」というような国家の象徴装置は、どのように再組織されようとしていて、どのような効果をもつことになるのでしょうか。それこそが、いま問われなければならない〈国民国家の象徴政治〉の記号論的な問題の核心であるといえるのです。二一世紀初頭に立ち上がろうとしているのは、明治憲法下の国民国家でも、戦後憲法の国民国家でもなく、おそらくは日本近代以後の第三の国民国家となるかもしれない新しく変質した国民国家と考えられます。その新国民国家（ネオ・ネイション・ステート）において、国家の記号はどのような役割をもつことになるのでしょうか。スペクタクル社会の時代の第三の国民国家において、日の丸や君が代という天皇制の記号はどのような効果をもたらすことになるのでしょうか。そういった点を、ここでは〈スポーツ〉という二〇世紀以降の世界に特徴的と言ってよいスペクタクル現象を題材に考えてみることにします。スポーツは、過去百年に飛躍的な発展を遂げてきた人間の活動です。しかも、スポーツは国家の記号と密接に結びつくことによって発達し、スペクタクルとしての効果を社会に強く及ぼし、経済活動にも大きな影響を及ぼしてきました。ですから、スポーツは、〈スペクタクル社会〉と〈国家の象徴政治〉との関係を具体的に考える手がかりとすることができると思えるのです。

スポーツ・イヴェントとは何か

オリンピックやサッカーのワールドカップなどのスポーツ・イヴェントにおいて、国旗や国歌といった国民国家の象徴が役割を果たしていることによって、それらの象徴が人々に広く受け入れられたものであるとする見方が流布しています。そこには、記号論的にいうと、一つの政治的詐術が見逃されています。誰もが知っているように、スポーツは〈ゲーム〉です。すべてのゲームは、〈象徴〉の働きによって可能になるのですが、それは、その場かぎりで共有された〈ルール〉にもとづいてつくりだされる意味の経験にすぎません。そして、すべてのゲームは、世界の時間からの離脱とその忘却をつくりだすという効果をもっています。スポーツなどのゲームによって生みだされる人間の意味の経験は、その場のプレーがつくりだしていくものにすぎないのです。

ところが、例えば、オリンピックやワールドカップは国民国家のシンボル体系を便宜的に採用することによって世界規模で産業化したゲームとなりましたが、そこでは、その場かぎりで参加者に共有されるスペクタクルによる集団的意味作用の昂揚は、国民意識というナショナルな意味経験にすくい取られていきます。このメカニズムを、ここで検討することにしましょう。

まず、スポーツという活動を成り立たせている基本的特徴を取りだしてみます。およそ、次のような要素を挙げることができるでしょう。1遊び・象徴・ルール、2身体・競技・勝負、3人間・悲劇・運命。

遊び・象徴・ルール

スポーツは〈遊び〉です。遊びというと、何か本気でない、とるに足らない活動という意味に思われるかもしれませんが、そうではなく、遊びとは人間の存在にとってもっとも本質的な象徴の活動であると言えます。〈象徴〉なしに遊びは成立しません。

例えば、フロイトは人間における象徴の使用を、子供の遊びの発生から説明しています。[25] 彼はあるとき、母親が留守をしてベッドに取り残された一歳半の甥が糸巻きを投げて遊び始めることに気がつきます。糸巻きを投げて、あっちに行って見えなくなれば「オー」

（Fort「いない」の意味）と叫び、ひもに引っ張られてこっちにもどってくれば「アー」（Da「いる」の意味）と声をあげるというようなことを繰り返す遊びです。この糸巻き遊びを発明する前は、お母さんがいなくなれば不安になる、帰ってくれば喜ぶというように、子供は現実に翻弄されるままだったわけですが、糸巻きをお母さんの代理の象徴としてつくりだすことによって、母親の不在や帰還を自由につくりだすことができるようになります。ひとたび象徴ができてしまうと、現前も不在も現実とは関わりなく引き起こすことができるようになる。つまり、現実を象徴によって支配し、現実から自由になることができるようになるわけです。〈遊び〉は〈象徴〉をつくりだすことによって可能になりますが、遊びが成り立つためには、さらに象徴の使用についての〈ルール〉が必要です。あっちに糸巻きが行けば「いない」、こっちにくれば「いる」といったルールが決められます。そして、そのルールにもとづいて、それぞれの場面での象徴の意味が導きだされるのです。

遊びが成立するためには、象徴とルールに加えて、具体的にそれらを使用して〈遊ぶ主体〉と〈遊ぶ行為〉、そして、それがもたらす〈象徴的裁可〉（＝結果）とが必要です。糸巻き遊びなら糸巻きをじっさいに投げる子供と、その子による投げる行為、その結果として生みだされる「いない／いる」の象徴的裁可です。象徴とルールが、ソシュールが言うような記号のシステムとしての〈ラング〉であるとするならば、遊ぶ行為はその記号の体系を現働化する〈発話行為〉に対応するでしょう。そして、遊びの結果にいたる具体的に実現されるゲームのプロセスが〈パロール〉に対応します。子供は、糸巻きを象徴として「いる／いない」のゲームを発明し、糸巻きをエイッと投げる。糸巻きは何度か跳ねて最終的にこっちにきて静止する。このときが「勝ち」です。あっちに行って静止したときが「負け」です。「勝ち」も「負け」も、遊びを通して何度でもつくりだすことができる。なされるがままの一回限りの現実とは違って、象徴を使った遊びは、いつもゼロ・リセットして反復することができる象徴的活動なのです。

子供は、遊びから〈メッセージ〉をそのようにして受け取る。主体は、自己の行為についての〈象徴的裁可〉を、遊びを通して受け取るのです。例えば、「裏か表か」を当てるコイン投げを考えてみましょう。「表」と予言して、コインを投げるまでは、〈遊ぶ主体〉の活動です。コインが落下して「裏」という答えをするのはいったい誰なのでしょうか。それは、遊びを構成している〈構造的他者〉の次元です。象徴のシステムはつねに、そこから答えが引きだされるための〈他者の次元〉を備えています。私たちは、その構造的他者に向かって、「表だろうか」「裏だろうか」と問いかけることによって〈遊ぶ〉のです。そうしたメッセージを引きだしてくる問いかけの相手である構造的他者のことを〈大文字の他者〉と呼ぶことにしましょう。遊びには、主体に最終的にメッセージを与える〈大文字の他者〉の次元が介在している。これは、占いや託宣や賭けの構造を成り立たせている〈他者の次元〉であり、〈遊び〉にはつねにこの次元が介在しています。

遊びによる現実の支配は、「偶然を支配する」という構造をもちます。糸巻き遊びの場合、投げるという行為は、人間が〈偶然〉に身を委ねる行為です。糸巻きが境界のどちら側で止まるかという結果は起こってしまえば〈必然〉です。〈遊び〉は、現実を〈偶然〉と〈必然〉のドラマに変えている、〈人間の自由〉と〈運命の必然〉へと〈現実〉を分割しているのです。

象徴がルールの体系に従えられると、象徴は現実の事象との想像的な対応を失っていきます。遊びが自立すれば、糸巻きは何も母親を想像させるものである必要はないのです。象徴はゲームの規則の中で定義されればよく、現実の中の何かを代理表象するものである必要はないのです。こうして遊びの形式化と自己目的化が起こります。スポーツにも、アーチェリーや槍投げやボクシングのように、現実の事象と想像的な関係をまだとどめているものから、サッカーや野球のように、現実との想像的関係が希薄化したものまで存在しています。

身体・競技・勝負

遊びを構成する象徴とルールを体系化し、それらに人間の身体の使用を従わせていくと〈スポーツ〉が生まれます。身体を使った遊びの体系化がスポーツです。例えば、サッカーでは、ボールやゴールやピッチのラインが〈象徴〉であり、ルールに従って使用できる身体の数（各チーム最大一一名）、身体の部位（各チーム一〇名については手以外の部位）、身体の位置（オフサイドの禁止など）が決められています。野球であれば、ボールやバットやグラブ、ダイヤモンドやベースなどの象徴、そして身体使用などのルール（打者に投げるのはピッチャー、打者は一塁に走るなど）が決められています。遊びであれば、「駒」であったものが、スポーツでは、生身の人間の「身体」が用いられます。生身の人間が駒となることによって、〈ゲームする主体〉は二重化します。つまり、刻々とプレイする駒としての主体と、ゲーム全体を眺めている主体とです。この二重化は、選手と監督、選手と観客という二重化だけでなく、選手自身の中でも起こっています。駒として動いている主体と自分を駒として動かしている主体とです。

象徴とルールの体系が定まり、身体がそのルールに従うようになったとき、可能になるのは〈競技（competition）〉です。二つ以上の身体――同じ人間の身体が二度という意味を含めて――が、同じルール体系に従うことが可能になる。象徴とルールの体系は、すべての身体経験を反復可能なものにします。目的に向けて反復可能な所作を重ねることが、ゲームの活動となります。例えば、直線一〇〇メートルをできるだけ速く走るというルールをもつゲームの場合、人は任意の身体をこのルールに従わせて、その結果を比較することができます。このとき、一〇〇メートルを走るというゲームは〈競技〉になります。二つ以上の身体を、一つのゲームのルールの中に書き込んで競技をさせることもできます。

この場合、ルールが規定している目的を阻害する動作を相手は対称的に行うというルールが二重に制定されます。サッカー、野球、ボクシング、相撲は、そうした二方向からなるシンメトリカルなルールを共有することによって成り立っています。

このようにしてスポーツ競技は、ある一つの目的に向かって行われるべき身体所作の手続きとなります。目的が成就されれば「勝ち」、成就されなければ「負け」です。スポーツにおいては、「賭け」と違って、勝敗を決めるのは〈偶然〉と〈必然〉をめぐる人間的なせめぎ合いです。賭けでは、結果にいたる道筋は偶然に支配されています。コインを投げる行為は偶然に身を任せることであって、裏／表の結果は、運命の回答として与えられる。ところが、スポーツは、〈偶然〉をコントロールして〈必然〉化することがテーマです。ただ、人間は機械ではありませんから完全に〈必然〉にいたることはありません。完全なる〈偶然〉と完璧な〈必然〉との間に、人間の〈自由〉と〈意志〉の圏域が拡がっています。

身体を鍛えるというのは、必然的に結果が出せるように、人間的な努力を重ねることを意味しています。サッカーでは、跳ねるボールのようなつねに〈偶然〉に支配されている〈象徴〉を、自身の身体技術によって支配し、ゴールにむけて蹴り進むという所作によって、〈必然〉に変えようとします。それこそが、〈偶然〉に打ち勝とうとする人間の〈意志〉の姿です。じっさい、ゴールに飛び込んだボールの描いた軌跡は、あらゆる偶然を廃してまさに〈必然〉の軌跡を描いています（とはいえ、その必然の軌跡への人間の参与は、いつも幾分かは偶然に支配されてもいます）。そして、その〈必然〉の軌跡への人間の参与に〈象徴的裁可〉を与えるのは、ゲームの〈構造的他者〉です。それは試合の「得点」とか「勝利」というかたちで与えられる。象徴的裁可とは〈運命〉の声のようなものです。〈競技〉において、人間は、ボールを自分の意志に従わせようとする別の人間による必然化の動きに挑まなければならない。このとき、ゲームは必然化の意志に貫かれた行為者どうしの間-主体的なゲームとなります。それぞれの主体は、自身の身体を使用して目的に到達しようとする。偶然を支配しようとする両者は最大限の力を用いて対決するようになる。ただ、人間は自分の身体を最大限に使用できるとしても、相手の身体がどのような力をもち、どのような運動を描くかを完全に予測することはできない。そこに、主体の必然化の意志を逃れた、偶発的な力の配置が生まれることになります。勝機が訪れるのは、多くの場合、そのような力の配置の変化が生みだされる瞬間です。身体と身体のせめぎ合いを逃れて、ボールがゴールに転がり込むと、〈象徴的裁可〉として一得点が与えられる。ゲームのルールという象徴的次元はそのように介入するのです。そして、勝ち負けの結果は、ゲームを通して最終的な象徴的裁可として、〈大文字の他者〉から与えられる。あらゆる偶然を廃そうという意志に貫かれた人間の身体のぶつかり合いに対して、勝敗という結果は、あたかもそうした一切を超えた〈運命〉の開示のように与えられるのです。

スポーツが人間にとって普遍的な価値をもつ象徴活動であるのは、以上に見たように、象徴と遊びの構造をもつと同時に、使用する身体、偶然と必然との間におかれた人間の自由と意志、そして人間と人間とのせめぎ合い、こうした基本的な〈人間の条件〉を集約して示すものであるからです。これをスポーツの〈存在論的構造〉と呼ぶことができます。〈機械〉でも〈神〉でもなく、身体・意志・自由をもつ〈人間〉のあり方そのものにスポーツは根ざしているというわけです。

じっさい、スポーツは人間の条件を表しています。偶然に翻弄され、滅びるべき身体をもち、しかし、目的に向かって自己の行為を必然へと近づける意志をもつ。しかし、その意志と行為にもかかわらず、究極的には自らを超えた運命によって営為の首尾・不首尾を告げられることになる。しかも、そうした与件を抱えて他者たちとのせめぎ合いの中におかれている。こうした人間の条件を、極度に切りつめて形式化し、象徴的なゲームとして提示したもの、それこそがスポーツであるのです。

スポーツの場合、運命の告知は必ず訪れます。ゲームは、ルールによって必ずどちらかに勝敗の象徴的裁可が下るようにできています。ですから、ゲームは、運命を演出する仕掛け――〈運命の制作（ポイエーシス）〉――であると言うこともできます。現実の生であれば、個人や集団の営為について、運命が決するには長く複雑なプロセスが必要です。ところが、スポーツのゲームにおいては、多くの場合、数十秒、数分、数時間の間に運命の裁可は下ります。「スポーツにはドラマがある」とはよく使われる表現ですが、スポーツには、こうした運命の演出という次元があります。人間の条件としての偶然性の支配に抗い、自らの力で運命を引き寄せようとする――そのような必然化への意志をみなぎらせながらも、滅ぶべき身体をもつ人間をスポーツは登場させる。人間でありながら、人間の条件を超えて運命を引き寄せる権能を帯びた選手は、古代ギリシャ的な意味において「英雄」と呼ばれるべき存在です。

そして、スポーツの「ドラマ」は、「悲劇」の構造をもっていると言うこともできるでしょう。じっさい、ギリシャ悲劇と同じように、スポーツは、偶然を克服しようとする人間の営みと、それを超えた運命の力の介入とを演出しています。地上の時間に固有な人間と人間のせめぎ合いが示す出来事の組み立て、そして予測不能な転換（有為転変＝ペリペテイア）をスポーツも示して見せます。悲劇と同様に、スポーツもまた運命の反復（ミメーシス）であり、スペクタクル（見せ物）としての構造をそなえています。そこに登場するのは人間の条件を超えて運命の力に挑む英雄たちであり、その闘い――他の競技者に対する闘いというよりは、人間の条件の偶然性に対する闘い――の姿こそが、観る者の共感＝共苦――身体的共感覚にもとづいた同一化――を生む。スポーツの見物による効果は、おそらくそのように説明できるのです。人間の条件に裸のまま投げだされた者が、自らの意志と身体のみによって運命を引き寄せようと挑み、勝利したり敗北したりする姿を目の当たりにすることによって経験される共感＝共苦、そして浄化、それこそがスポーツの与える「カタルシス」だといえるでしょう。

スポーツを見物するとは、つねに現実世界に背をむけて、象徴ゲームの空間を人々が取り巻くことを意味します。ギリシャ悲劇が演じられる円形劇場のように、スポーツの試合が行われるスタジアムでは、観客は外の世界に背を向けてゲームを囲みます。選手たちが繰り広げる運命の劇に、観客は、ギリシャ悲劇の合唱隊（コロス）のように参加し、英雄たちの意志と身体に呼びかけています。スポーツの試合においては、観客は選手と別の人格ではなく、ギリシャ悲劇における合唱隊と登場人物たちのような関係にあって、選手たちに成り代わって集合的な声としての発話を行う役割を担っているのです。選手たちの〈意志〉を奮い立たせること、〈運命〉を招き寄せるべく祈念の叫びをあげること、応援団が行っているのは、だいたいそのようなことです。

テレビやラジオの実況中継を聞けば分かりますが、〈声〉はスポーツにおいて重要な役割をもっています。選手にとっては叫びや指示の声、観客にとっては叫びや応援や合唱の声しかないとしても、現代のメディア化したスポーツは、実況放送の声なしには成立しません。アナウンサーや解説者の声は、スポーツを、さらにいっそう「悲劇」に近づける役目をしています。アナウンサーや解説者の声は、随伴的な〈語り〉によって、スポーツの〈ドラマ〉にことばを与えます。しばしば誇張的な表現を使って、選手たちの伝説や英雄譚が語られ、試合に賭けられた運命が提示されます。アナウンサーは試合の進行を波瀾万丈の物語として語ったり、ゴールのときには大げさな叫び声を上げたり、また解説者は試合の展開を予言したり、勝利の行方を占ったり、ときには選手の〈意志〉をステレオタイプ化した心理の声や道徳的教訓に置き換えてみせたりします。スポーツにおける語りは、浪花節や講談に似た声のパフォーマンスとして、スポーツのドラマを誇張してみせるのです。

　これらのことが、スポーツが凝縮したかたちで提示する——そして、随伴的な語りが誇張して取りだしてみせる——「悲劇」の構造です。しかし、スポーツにはたしかにドラマのようなものがあり、悲劇と似た構造があるとはいえ、両者の差異を確認しておくこともたいへん重要なことです。スポーツは悲劇のようなものではあっても、悲劇ではありません。実況中継の語りは、スポーツをドラマのようなものに仕立て上げようとしますが、じっさいにはスポーツには分節化した語りのことばはありません。ことばよりももっと抽象的な象徴的ルール、そして、ことばよりももっと具体的な意志と身体の動きがあるだけです。悲劇においてドラマを成立させているような、共同体に共有された神話的枠組みもありません（スポーツを伝えるメディアがそうした神話をつくる役割を果たしているとしても）。さらに、ここでは、運命は、ギリシャ悲劇におけるごとく不可逆的な宿命の姿をとって現れることはありません。運命は、散文的なスコアや勝敗に還元されてしまいます。そして、試合が終わればゼロ・リセットされうるという反復可能性がスポーツには備わっています。スポーツはゲームであって、ドラマではないということの意味がここにあります。このことこそが、世俗化された象徴行為としてのスポーツの本質なのです。スポーツの試合とは、一日だけの叙事詩、一夜だけの悲劇であり、人々を興奮させ、集団にとって運命のようなものを招来するが、決して非可逆的な宿命の出来事を呼び起こしたりはしない。人々は、「神々しさ」や「崇高」に、靴底を通して足裏を掻くように触れるが、決して人々の日常的生は根本的に震撼させられることはないのです。

スポーツとナショナリズム

さて、以上に見てきたスポーツの存在論的構造と、〈共同体〉の価値はいったいどこで結びつくのでしょうか。スポーツは、とくに応援の形態において、集団意識や共同体への帰属の感情を活性化するスペクタクルとなります。地区対抗、学校対抗、企業対抗、都市対抗などの応援集団、さらにはプロスポーツにおけるファン集団、そして、ナショナルな代表チームへの国を挙げての応援にいたるまで、スポーツの活動にはつねに共同体意識が付きまとっています。

増大しつづけるスポーツ観客層の存在こそが、スポーツの巨大産業化を支えています。応援する共同体が大きければ大きいほど、イヴェントとしての商業価値は高まるのです。現在のグローバル化した世界においては、オリンピックやサッカー・ワールドカップのような国民国家を応援共同体の単位とした対抗ゲームが、最大の商業イヴェントとなっています。そのような〈応援する共同体〉の成立条件と内実とは、どのようなものなのでしょうか。

二〇〇二年に開催されたサッカーのワールドカップ韓日大会では、次のようなことがありました。一次リーグ戦日本対ロシアの試合で、日本代表チームは、1対0でワールドカップ初の「歴史的勝利」をあげました。この試合、スタンドは日本代表チームを応援するサポーターが掲げた日の丸でいっぱいになりました（図9-5）。ところが、このとき掲げられた紙の日の丸の多く（二万枚）は、じつは神職者の組織が配布したものであることがあとで分かりました。「日本人としての素地」をつくるためであると神職の組織は日の丸の配布の理由を語っているということです。

また、この夜、日本の都市ではいたるところで歓喜の人並みがあふれ、一部で逮捕者を出す騒動も起こりました。他方、ロシアのモスクワでは、テレビで試合を観戦していたファンの一部が暴徒化して死者を出す混乱となり、日本人が襲われる事件が起こりました。ロシアでは、この試合について日露戦争を引き合いに出すコメントも登場したということ

図 9-5　2002 年ワールドカップ韓日大会

です。ここには、一つのサッカー試合について、二つの国民によるナショナリズムの感情の昂揚が読みとれるわけですが、注目すべきなのは、共同体意識の昂揚が、たんに同じゲームの規則を共有することによってだけではなく、テレビ中継の映像を共有することによって起こっている事実です。ワールドカップの場合、各国のテレビに配信されるのは世界共通の同一映像であり、実況中継の語りのみが、それぞれの国のテレビ局に委ねられていました。

すでに見たように、スポーツは悲劇と違ってコンテクスト・フリー（文脈自由）な象徴ゲームです。このゲームを行うために、何らかの共同体的価値（文化的価値や民族的価値）の枠組みを参加者が共有している必要はない。だれでもが、特定の神話や信仰を前提とせずにスポーツ競技に参加できるのです。この意味でも、スポーツは徹底的に世俗的な象徴活動であって、「脱イデオロギー的」で、基本的に「民主的」なものだとさえ言えるでしょう。[26] スポーツがもつこの〈世俗性〉は、スポーツが文化の差を超えてグローバル化する理由でもあります。

ギリシャ悲劇におけるコロス（合唱隊）にも比較しうる、ファンという観衆の存在そのものが、スポーツの存在論的構造と結びついたものであることもすでに見たとおりです。ファンという現代版コロスは、スポーツという世俗化された悲劇において、人間としての自分たちの代表である選手たちの中に、運命を招きよせる権能を帯びた「英雄」の存在を認め、それらの代表的存在と一体化します。ファンは、選手たちと文字どおり「運命共同体」として結びつくのです。こうした事態は、スポーツの普遍的な構造が可能にするものであって、ある特定の集団に固有な現象ではありません。スポーツとは、むしろそのようなその場かぎりの共同体の成立のメカニズムを形式化して見せているのです。ここでは、人々は現実の世界に背を向けて、ゲームを取り囲んでいる。現実の時間から離脱して、象徴ゲームの時間に身を任せている。まさに、現実の世界と時間から遠く離れて、その場かぎりでそのつど完結した〈共感の共同体〉が、そこには生成するのです。

共同体の恣意化と補強

こうしたスポーツによる共同体の生成は、共同体の恣意化へと向かう場合もあれば、固定的な共同体の補強へと向かう場合もあります。スポーツによる共同体の恣意化とは、端的にいえば、「誰でも任意の選手やチームを応援することができる」という言い方で表現できます。どの身体と一体化するかは観る者に任されている、あらかじめ応援を強要する集団的価値などスポーツにはない、というわけです。とくに、現在のように情報化が進み、あらゆる地域の選手について詳細な情報が行き渡るようになると、こうした応援の恣意化の傾向は顕著になります。二〇〇二年のワールドカップでも、さまざまな国の代表チームを、ときにはその代表チームのユニホームを着込み、その国の旗を振ったりして応援する日本の観客の姿が見られました。こうした現象は、恣意化を示す例です。

他方で、スポーツによる〈共感の共同体〉の生成を、固定的な共同体の確認と補強へと結びつけていこうとする傾向が根強くあります。オリンピックやワールドカップのようなスポーツの世界大会は、現在までのところ、国民国家を基本単位としてチームが編成されています。試合のさいに行われる国旗掲揚や国歌斉唱、選手のユニホームに縫い込まれた国旗やナショナル・シンボル、応援に振られる旗、テレビ・ラジオで国内向けに放送されるナショナルな語り、報道における自国選手の扱い……。スポーツによる共感の共同体が、国民国家という政治的共同体とぴったり重なり合うように、スポーツ・イヴェントは制度設計されているのです。

国威発揚としてのスポーツという二〇世紀が生みだした図式は、スポーツ文化のあらゆる領域を現在でも覆っています。この図式が増幅されたときに何が起こったかは二〇世紀の歴史がよく教えているところです。「民族の祭典」と呼ばれたナチスによるベルリン・オリンピックや、ムッソリーニのイタリアが組織したイタリア・ワールドカップ、あるいはまた、旧ソビエト連邦をはじめとする全体主義体制下のスポーツを思い起こしてみましょう。

しかし、スポーツによる共感の共同体と、国民国家の政治的共同体とを直接結びつける図式は、スポーツの内在的な論理にとっては、必然的なものでも、超歴史的なものでもないのです。それはむしろ歴史的な偶然、あるいは、いまや乗り越えられようとしている歴史的一段階とでもいうべきものなのです。例えば、ナショナル・チームを応援して日の丸を振ったからといって、その人は運命共同体としての日本という政治的価値を無条件に受け入れているのでしょうか。繰り返しますが、彼がスタジアムでゲームを観戦していたときには、現実の世界に背を向け、現実社会の時間から離脱して、監督のトルシエの指揮や、選手の中田や稲本のプレーを応援していたはずです。たしかに、そこで振られていたのは日の丸だけれども、それは一面ブルーのユニホームを着た応援団の中の〈共感の共同体〉の記号であって、右翼の人たちのいう天皇制国家の記号ではなかったはずです。ところが、そこに配られていたのが「日本人としての素地」をつくるために神職の組織が配布したものであったとすると……。ナショナル・シンボルを使用することで、スポーツ・イヴェントによって生成したその場かぎりの〈共感の共同体〉を、国家の方へとすくい取ろうとする政治的詐術が、そこにはあります。スポーツを政治利用しようとする国家の象徴政治に、まったく無防備なまま差しだされているというのが、現在のスポーツと国家との関係なのです。

スポーツの共感の共同体が、国民国家の政治共同体に変容をもたらすということもときに起こります。一九九八年、ワールドカップのフランス大会に優勝したフランス代表チームには、司令塔のジダンがアルジェリア移民の二世であったのをはじめ、バスク人、アルメニア人、マルチニク人も含まれていました。フランスが優勝した夜、パリでは一〇〇万人の市民たちが繰りだして、凱旋門にはジダンの肖像が映しだされ、「ジダンを大統領に」が合いことばのように人々の口にのぼりました。国民国家の政治共同体とスポーツの共感の共同体との関係が逆転した瞬間でした。

二〇〇二年の韓日大会においても、日本代表チームの髪の色はどうだったでしょう。金髪に染めた者もあれば、茶髪もあり、赤い髪で話題になった選手もいました。そして、サントスのようなブラジル人の選手ばかりでなく、監督や通訳はフランス人。こうした文化的多様性の光景は、日の丸・君が代の国家シンボルがさし示す全体主義的な規律や単調さとはうらはらに、自由な個人のイメージを強調して見せたのではないでしょうか。日本代表チームの監督の通訳を務めたフランス人のフローラン・ダバディーは、サッカーにおいてナショナル・チームが世界大会の「代表」である時代はもうすぐ終わるだろうと予言しています。この章の冒頭に引用した彼のことばが言うように、選手が代表チームへの帰属を恣意的かつ自由に選ぶようになり、さらに観客が自分たちの応援するチームとの結びつきを自由に選択するようになったとき、スポーツが国民国家という政治共同体に奉仕するような時代は終わることになるのかもしれません。

歴史の忘却

さて、強調しておかなければならないのは、スポーツに代表されるスペクタクルは、その場かぎりの意味作用によって成り立っている象徴活動であるという点でした。世界に背を向けて、現実の時間から離脱して、ゲームを囲むこと、そして毎回ゼロからスポーツという固有の象徴行為を出発させること。スポーツとは、現実世界の忘却を前提条件にしているものでした。じっさい、現代のスペクタクル社会は、このようにイヴェントやゲームからなる忘却装置をいたるところにもつことになりました。そして、メディアは、そのようなスペクタクルの生産と流通を主たる目的として巨大な産業と化している。問題なのは、スペクタクルの社会がゲームといった忘却装置を大量に生みだすとき、それが〈歴史の忘却〉の回路をつくりだしてしまうことなのです。

日の丸をボディ・ペインティングし、君が代を合唱する若者たちの姿は、これまで見てきたように、スポーツに特有の象徴メカニズムによって生みだされる光景です。しかし、それはまた〈歴史の忘却〉の光景でもある。日の丸や君が代が担った有無を言わせぬ国家による統合・侵略の歴史は、スペクタクルがもたらす効果によって、忘れ去られてしまって本当によいものなのでしょうか。私たちは、スペクタクルによって、まったく無自覚なままに、国家による記憶の封殺の回路の中に引き込まれ、「記憶の暗殺者」や「歴史の修正主義者」に知らず知らずのうちに変えられていくことになって本当によいものなのでしょうか。「スペクタクルによる支配の最初の意図は、歴史的認識一般を消失させることだった。それもまず、もっとも近い過去についてのあらゆる情報とあらゆる理性的な評価を消去することをだ」とドゥボールは述べていました。

日本という国民国家が、日の丸・君が代というシンボルを使いつづけるということは、明治国家とともに立ち上げられた国家の象徴政治が、さまざまな歴史的変容をへながらも継続していることを意味しています。日の丸・君が代は、日本の近代国家の成立過程において、国家による国民の規律的統合の役目を担ったし、国外においては植民地化と異民族の併合、そして侵略の道具になった。日の丸や君が代が批判され、議論の的となってきたのは、そのような象徴装置が果たした過去の記憶をもちつづけている人々が現に多数存在しているからです。日本という国民国家の歴史にどのような態度をとるのか、どのように私たちの「もっとも近い過去」についての「理性的な評価」を行うのか。それらが、このシンボルの使用の問題を通して問われているのです。

ところが、どうでしょうか。一九九九年の「国旗・国歌法」の制定以降、こうした過去についての問いは、法による封印をされて、日の丸は官庁や議会のいたるところに「国旗」として掲げられています。学校では日の丸に対する起立や君が代の斉唱が強制され、それに反対する生徒たちの声は無視され、先生たちへの行政処分が実施され、議会における反対議員への除名処分までが起こっています。公共空間が国家によって占有され、思想信条や良心の自由が排除されるという事態が、国家の記号の下に押し進められているのです。

スペクタクル社会が引き起こす集団的忘却の効果と、国家の記号による公共空間の占有、こうした二つが組み合わさったときどのようなことが起こるでしょうか。具体的には、学校の場では、日の丸・君が代という古風（アルカイック）な、国家への従属化の記号を強制され、規律と権威の体系を身体的に刷り込まれます。家に帰れば、テレビやゲームを通して、ますます拡大しつづけるスペクタクルの社会の集団的忘却にのみ込まれていきます。こうした生活が定着するときに、「国民」は、どのようなものになっていくことを運命づけられるのか。同じような生活は、学校を終えたのちの「国民」生活の基調でもありつづけるでしょう。公共の場においては国家の記号に支配され、プライベートな娯楽や消費の生活では、マス・メディアのスペクタクルの支配に流されていくという「国民生活」の光景。そのときに決定的に欠落してしまうのは、じつは、私たちの市民社会とは何か、国民とは何か、国とは何なのか、という問いかけと反省の理性的契機なのです。法という掟によって決められた国家の象徴の囲いは、市民社会の自己イメージ化を許さない。国家の象徴を自らモチヴェートする対話を許さない。そして、スペクタクル社会は、自らの過去の歴史を問う回路をあらかじめショートさせてしまう。国民自身が自問し、自らの過去と歴史についての議論を公共化すること、他者との関わりにおいて自己を問題化すること、市民社会の原理にもとづいて理性的に対話しルール制定すること、そうした契機が、国家の記号の強制とスペクタクル社会の熱狂という二重の閉塞によって失われてしまうことにならないか。もしそうだとすれば、それこそ私たちの国の民主主義の大きな危機を予告しているのです。

⑩ 〈いま〉についてのレッスン

進まぬものを貰いましょうというのは今代人として馬鹿げている。

——夏目漱石『それから』

The time is out of joint…

——Shakespear, *Hamlet*

1——今代／Modernity

「近代」という語

私たちは、自分たちの生きている時代を、〈近代〉や〈現代〉と呼んで暮らしています。「私たち近代／現代人は……」とか、「近代／現代世界において……」と言うとき、最近のまとまった区分をなしている歴史的な時期を近代とか現代という言葉で指して、その区分に私たちが所属していることを意味しています。そんなことは当たり前ではないか、いつの時代にも「いまの時代」はあったし、みなそれぞれに「いまの時代」を生きてきたのだ、と考えるかもしれません。ところが〈近代〉／〈現代〉という時代が、まさしく〈いま〉という時間を世界の意味経験の核として成立している、歴史的にもおそらくはめずらしい時代であるとしたらどうでしょう。

日本語でいう「近代／現代」という語は、近代日本語の多くの諸概念がそうであるように、西洋言語でいう modern, modernity（英語）、moderne, modernité（仏語）の翻訳語です。とりわけ「近代」という言葉が、歴史上の時代の区分を表す語として日本語に定着するまでには、冒頭のエピグラフに引用した夏目漱石の『それから』の記述のように、

「近代人」（漱石は西洋語源を意識して「今代人」と正しく訳しています）という語の流行をへて、近代的な人間の実存的な主体の発生を経験し、「近代」という語が、「近世」というそれ以前に使われていた言葉に取って代わるという過程が必要でした。

英語の modern, modernity、フランス語の moderne, modernité は、もともとは、ギリシャ・ローマの古典古代からキリスト教世界への移行期にあたる五世紀の後期ラテン語 modus（「尺度、手段」を表す名詞）から派生した modernus（「最近の」、「まさしくいまの」を意味する形容詞）を語源としていました。さらに、この言葉が辿った歴史を見てみると、一二世紀のカロリング・ルネッサンス期に、ギリシャ・ローマの「古の世（Antiquitas）」に対比しうるものとして「今の世（Modernitas）」という語が初めて使われました。ルネッサンス期になると古典古代の復活（ルネッサンス）をもたらすものとされる最終的な来るべき「未来の世」と、「古の世」との中間にある世界という意味で「今の世（Modernitas）」は使われるようになります。そして、この語の将来を決定したのは、「古典古代の文化」と「今の文化」との優劣が論じられた一七世紀末から一八世紀初頭における「新旧論争」でした。この論争は、「近代人（Les Modernes）」の文化の自律的な意義が正面から取り上げられたものとして、歴史意識の大きな転回をしるしづけました。また、「啓蒙の世紀」である一八世紀になると——「世紀」という語で歴史上の百年間の区分を指すことが一般化するのもこのころからです——、「今の時代」は、次第に世界が完成へと近づきつつある時代であるという歴史意識が支配的になり、文化のあり方も、古典古代を手本（規範）とするのではなく、「今の文化」それ自体の批判の中から進歩していくものであるという、現在私たちがいわば常識とみなしているような時代意識が広まっていくことになったのです。

〈今〉を中心とした経験

歴史を〈今〉の経験の連続体として捉えていく態度は、次第に人間の文化や社会の成立についての根底的な問いかけを要請するようになります。そして、一九世紀になると、芸術と社会との結びつきをめぐって、フランスの詩人ボードレールに代表されるような、文化の「今性＝近代性（モデルニテ）」の問いとして、意味経験の〈今〉の根拠が問われるということになりました。科学や技術の進歩という考え方、それにともなう歴史や文明の進歩という考え方、資本主義経済や市民社会のあり方と〈今〉を中心とした意味経験が結びつき分節しあって、〈近代〉の文化経験の大きな枠組みが成立したのです。

近代は、政治的には、西洋の一八世紀に始まる「民主制」と切り離せない。フランス革命が歴史的には古代の反復として成立したとしても、そこから生まれた民主制は、神話にもとづく共同体や宗教的な共同体といった超越的な権威による支配とは違って、共同体の構成員の〈現在〉の総意にしたがって自分たち自身を支配するという点では、〈いま・ここ・私たち〉を支配原理としている政治であるということができます。

また、近代社会は、科学や技術にもとづいた産業を基礎にして成立しますが、科学や技術は刻々と変化＝進歩する〈今〉を中心とした知の体系ですし、資本主義経済とはそのような〈今〉を刻々と更新していくことによって可能になります。

文化的にも、近代文化は、規範（カノン）にもとづいて表現が生みだされる近代以前とは違って、形式やスタイルが次々に書き換えられていく文化として成立します。デザインやモードといった〈流行〉が文化を特徴づけるという点でも、文化は〈今〉を中心に成立しているということができるでしょう。

ヘーゲルは、「近代人は朝の礼拝の代わりに新聞を読む」と述べました。これこそ、近代の本質を示した言葉だと言ってよいかもしれません。聖なる書や宗教的暦が人々の生活の時間を律していた近代以前に対して、日々更新する世界の出来事を読みとり、その〈今〉を起点にして、時間の経験を組織していくというのが〈近代〉という時代です。

そこでは、新しい出来事（news）についての見取り図を与える新聞、ラジオ、テレビなどが、時計に合わせてx月y日の〈現在時〉をつくりだし、印刷や放送といった技術の及ぶ範囲内に、いっせいに同時性の領域――コミュニケーション圏――を生みだしていく。ニュースを発信する〈今〉が、そのコミュニケーション共同体の成員たちが共有する〈いま・ここ・私たち〉となっているような世界です。しかも、その〈現在時〉を生みだしつづける〈ジャーナリズム〉と総称される新聞報道やラジオやテレビが、社会の基幹部をしめる大きな産業――〈今〉を生産する産業――となっている世界。それこそが、〈近代〉（漱石のいう「今代」）と呼んでいい世界です。

この章では、私たちの現代社会において支配的なメディアと言ってよいテレビを題材にして、〈今〉のメカニズムに迫ってみることにしましょう。

2――テレビを考える

テレビ記号の特性

言語学者や記号学者に向かって、「いまとは何か」と尋ねたら、どんな答えが返ってくるでしょうか。おおよそ次のようなことを言うはずです。「〈いま〉とは、〈いま〉と言っているときが〈いま〉なんだ。それは、あたかも、〈私〉と言っている人物が〈私〉と言っているかぎりにおいて〈私〉であり、〈ここ〉というのも〈ここ〉と言っている人物（＝発話主体）が〈ここ〉だと指しているかぎりでの場所であるのと同じである」。

ロマン・ヤコブソンは、発話行為の現在を表す〈いま〉や、発話行為の主体を表す〈私〉、場所を指示する〈ここ〉のような、一連の指示詞を「シフター（shifters）」と呼びました[1]。シフターは、それ自体としては固定した意味内容をもたず、どのような経験を指すかによって、その指示内容が変化するという働きをもっている（例えば、Aさんが「私」と言っているときには「私」はAさんという経験を指し、Bさんが「私」と言ったときには「私」はBさんという経験を指す）。そのことによって、次々と別の経験へと自分自身の指示内容をシフトさせていくことができるのです。

C・S・パースの用語でいえば、こうしたシフターは、「指標（index）」として機能していると考えることができます。indexとは、もともと「人差し指」の意味ですが、何か対象を指さすことによって対象を示すとき、人差し指はやはり指示詞と同様に、指の延長上にある対象と物理的に連続していることで対象を指し示す記号となっているのです。指標は、パースの分類によれば、対象との類似にもとづく「類像記号（icon）」や、意味作用が法則的取り決めにもとづいている「象徴（symbol）」とは異なり、事象と経験的に結びついた記号であるのです。指標とは、経験と連続するところに成立する記号なのです[2]。

なぜここでヤコブソンのシフターやパースの指標をもちだしたのかというと、「テレビ記号」とはすぐれてシフターや指標としての性格をそなえた記号であるからです。そして、テレビが「いま」をつくりだすメカニズムと、その指標性が深く結びついているからです。

いきなり、テレビ記号などというと何のことだかよく分からないと思うかもしれませんが、具体的にはテレビの受像機に刻々と映しだされている画像と音声のことと考えてくだ

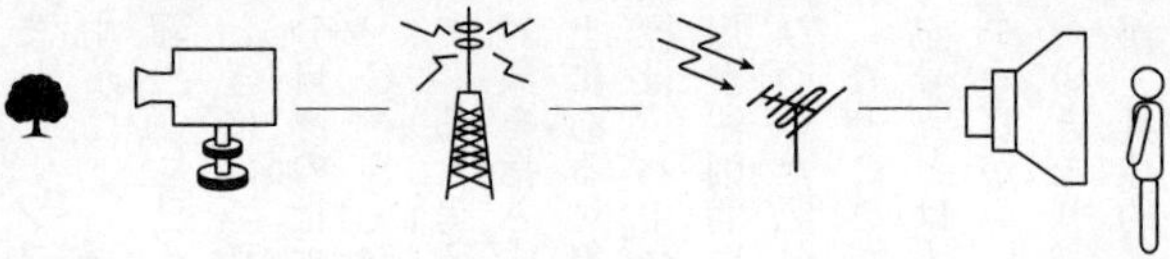

図10-1　テレビの入力から出力まで

さい。私たちはテレビを前にしたとき、テレビカメラで撮影され、放送局から電波や光ケーブルを通して送られてきた画像と音声を視聴しています。カメラに入力された経験は、画像と音声として機械信号に換えられて、伝達回路をへたのち、テレビ画面の走査線上に復号化されて出力されることによって、私たちのもとに届けられます（図10-1）。

この入力から出力までの工学的プロセスは、4章で紹介したシャノン・モデルによって示されるような技術的回路に相当しており、それを通して送られてくる画像と音声は意味の観点から〈記号〉であると考えることができます。私たちはテレビのモニターを通して方式によって異なりますが、毎秒約二〇から六〇フレーム分の画像を受けとっています。その画像は、カメラが写しだす対象の実地の経験（風景やスタジオ、人物や事物、ことばや文字や、マイクが収めた音などすべての事象の経験）の代わりをしているものですから、対象の経験を表象代行（represent）しているという意味で記号であると言うことができるのです。対象の経験を表象代行するものとしての視聴覚映像、これが〈テレビ記号〉の基本的な定義です。

指標としてのテレビ記号

テレビカメラを通して、被写体がテレビ画面に映しだされているという状況を考えてみましょう。この場合、テレビカメラの向こう側にある経験と、テレビ画面に映しだされている画像および再生される音声との間には、原因・結果の経験的連続性が存在しています。被写体の形や色を視聴者の私がテレビ画面を通して視ることができるのは、被写体を照らしだしている光がテレビカメラに入力され、上述したような機械処理の回路をへて、私の眼の網膜へと届いているからです。被写体の音や言葉を私が聞くことができるのも、その音波が同じような回路をへたのちに私のもとに届いているからです。

ですから、テレビのモニター画面上の画像とスピーカーから流れる音声からなるテレビ記号は、光源・音源としての被写体を「指示」しているということになります。その意味するところは、画面上に映しだされた被写体のイメージは、ここでは被写体の経験と物理的に連続しているということです。これがテレビ記号の指標的な特性です。テレビ画面は、人差し指が事物を指すように、被写体を指し示すのです。このとき、私たちはテレビ記号の指示作用にしたがって、対象を現実に経験しつつ視ている、あるいは対象と物理的（＝光学的・音響学的）に接触しているのだと言った方が正確かもしれません。

画像がもつこうした指標的な働きは、テレビ記号にかぎりません。写真や映画などについても言えることですが、映像が被写体の光学的・音響学的痕跡であることに、こうした記号の特徴はあります。この痕跡は、写真や映画であればフィルムの上に記録され、感光紙やスクリーンの上に投影されることによって復号化されます。写真や映画の場合には、痕跡としての記号は、かつてその記号が光学的・音響的に接触することによって生みだされた事象を指示するという、現実にあった事物、じっさいに起こった現象が物理的に残したという属性をもって成立します。イメージは否定を知らない、とよく言われますが、痕跡としての記号の特徴とは、記号の成立自体が対象に関する現実の出来事の経験と不可分であって、したがって現実にある（あった）コト・モノを不可避的に指示するということにあるのです。これは、観念のみにもとづいて記号活動をつくりだすことができる、言語のような記号の体系とは大きく異なった点です。

テレビ記号において際だっているのは、指示対象の経験と記号の成立とが同時であることです。写真はかつて起こった接触の記号ですし、映画もまたそうです。ところが、テレビ記号は、いま起こりつつある接触の記号であるという特徴をもっています。これは、たとえ録画したテレビの画像を問題とするときにも、原理は同じです。写真や映画の記号は、かつて起こったことを指示する痕跡として成立するのに対して、テレビの場合は記号の成立と、指示の現在とが完全に一致した指標記号という特徴をもっている。指標としてのテレビ記号の特性とは、現在において対象を指さすことにあるのです。そのようにしてテレビ記号は、「いま・ここ」における「これ」を次々に指さしつつ、刻々と映しだされる現実の経験と視聴者を結びつけていくのです。そして、テレビ画面による「あなた／私」のコミュニケーションを通して、視聴者は画像の「いま・ここ・私たち」の中に引き込まれていきます。テレビ画像は、こうして「いま・ここ・私たち」のシフターとして機能するのです。これが、指示詞についてヤコブソンが述べたシフターに似た、テレビ記号のもつメカニズムです。

図像としてのテレビ記号

さて、テレビ画像は指標記号としての側面と同時に、図像としての側面をもっています。テレビ画面が、ときに「絵」と呼ばれたりすることは、テレビの画像が被写体と類似した似せ絵であることを示しています。一人の人物がテレビ画面に映しだされているというシチュエーションを考えてみましょう。じっさいの人物の顔、容姿、身体的特徴、髪や肌の色、服装の形と色彩等、あらゆる属性に似せて、ブラウン管の光が描きだす像は構成されます。対象との性質の共有によってつくりだされるパースのいう類像記号としての特性をテレビ記号はもっていることになります。

画家が絵を描くときのように、丸い顔だから丸い形で顔を描き、黒い髪は黒く塗り、皮膚は肌色に彩色し、洋服の形のラインはまっすぐな線で描き……といった、対象がもっている性質を画布の上に転位するのと同じ関係が、被写体と画像との間には成り立っています。これは、記号と対象との間の類似性という関係です。カメラを通して写しているのだから、それは当たり前だと考えるとすれば、そのときは図像としてではなく、指標としての指示作用の観点からテレビ画像を捉えていることになります。ただ、よく考えてみれば、身長一七〇センチの人物もテレビ画面上では数十センチの図像として描きだされているわけですから、その点からしても両者の間には類似の関係が成立しているのです。

指標であると同時に、図像でもあるという特性は、写真や映画にも共通しています。写真は指標として報道写真に使われることもあれば、絵のように額縁に入れられて図像として鑑賞されもします。映画もドキュメンタリーとして使われることもあれば、創作作品においてはつねに図像としての構成が鑑賞の対象になります。

それに対して、テレビ画像の図像としての特徴は、おもにその貧しさにあるといえるでしょう。それは、テレビ画面の小ささと、指標の機能に対する図像の機能の従属という二つの要因からなる貧しさです。映画と比較すると明らかですが、テレビの画面は小さいという特徴をもち、(3) 映像は小さな画面で見られることを前提につくられています。例えば、人物の映像を映すという場合、原寸大の人間に対して、テレビ画面はその六分の一とか七分の一の大きさの画像を与えることができるにすぎません。人物像においてさえそのような制約があるくらいですから、ましてや風景や背景、複数の人物の連動といった場面に関しては、さらに限界をテレビ画像はもつことになります。

こうした技術的制約は、テレビによる表現に独自の図像言語の体系を与えることになります。人物を表すときには、全体像よりは顔、表情、視線、上半身とその身振りといった、表出的な部分の表現が重視され、カメラのショットとしてはクローズアップが多用されることになります。背景についても、トラヴェリングと呼ばれる全体を見通す手法はまれであり、パンと呼ばれる点から点へと移行する印象的なカメラ言語が多用されます。部分を映しだして全体を理解することができるように、既知の経験知識に依拠した表現が好まれ、リアリティよりは印象を、細部よりは単純化を好む、ステレオタイプ表現の体系が生みだされることになります。そのようにして、テレビはステレオタイプによる図像言語をつくりだしていくのです。

テレビ画像の図像性についてのもう一つの特徴は、それが刻々と更新される〈いま〉の指標性に従属している点です。映画の映像が、かつてあった被写体の経験の残像となって、指標性をむしろ消すことで図像性を掬い取ろうとする傾向が強いのに対して、テレビ的コミュニケーションにおいては、刻々と更新されつづける指標の知覚経験は、画像の図像性を鑑賞している時間を与えません。テレビにおいては、指標性が図像性を圧倒していると言うことができます。私たちは、被写体の〈いま・ここ〉において、画像を視ることをつねに求められつづけます。それは、かつてあったものの残像を図像として眺めるという映画の時間経験が可能にする像への対し方と、まったく異なった態度を求めるのです。ですから、テレビの画像は、つねにいつでもアド・ホックな（ad hoc 間に合わせの）映像という性格をもつことになります。写真や映画が、かつてあった現在の経験の喪（も）によって図像となるのに対して、テレビの画像は、つねに図像になる前の図像、未生の図像であると言うことができるのです。テレビの画像は、そういう意味では、映しだされる現実から自立した図像芸術として聖別化されることがありません。テレビの画像は、その意味で徹底的に世俗的なイメージなのです。

〈いま・ここ〉において、ステレオタイプによる図像体系をもち、つねにアド・ホックに現在の経験に付きしたがう世俗的なイメージの世界、これがテレビ記号の世界であると言ってよいでしょう。

社会的なコードとテレビ記号のコード

さて、このテレビ記号ですが、例えば、話をしている人物がテレビに映しだされている画面を考えると、その人がしゃべっている音声言語、身振りやしぐさ、顔の表情、一定のアングルから映しだされた姿、人物をとりまく事物や背景など、およそあらゆる要素を含んで、この記号は成り立っていることになります。それらすべては、ことばにしてもしぐさ、表情にしても、服装や化粧や髪型にしても、さまざまなレヴェルで、すでに社会的な記号としてコード化を受けています。テレビ記号は、いうならば、そうした社会的にコード化された記号を、その内部に取り込んだ二次的で複雑な記号であると言うことができるのです。こうしたテレビにおける二次的な記号の成り立ちは、テレビ記号が、テレビの外にある他の記号を独特の屈折をへて取り込むという現象を生みだします。

例えば、テレビ記号の指標性は、〈いま・ここ〉にもとづいた意味活動に好んで焦点を当てることになります。ニュース番組、野球やサッカーなどの実況中継、即興的なバラエティやおしゃべり、イヴェント中継など、テレビは〈いま・ここ〉を原理として、人々の記号活動に関する表象の体系を編成することになります。テレビはまた、次々と新しく提示される〈いま・ここ〉を通して、〈私たち〉をつくりだすコミュニケーション活動ですから、いつも新しい〈いま・ここ〉において視聴者に語りかけています。テレビ記号の指標性にもとづいて、視聴者はテレビの向こう側に映しだされた世界と経験的に結びつくことになります。マクルーハンの身体拡張論(4)は、まさにテレビにおいて適用を見いだすことになります。

さらにまた、テレビ記号の図像的な特性は、そうした外の世界との身体的接触を、ステレオタイプ化された図像記号の体系を通して行います。世俗的なメディアであるテレビは、したがってステレオタイプの映像を通して世界の〈いま・ここ〉の経験を与えるとまとめることができます。

ここで、少し考えてみましょう。社会的にコード化された記号経験を内部に取り込むという二次的な記号としての性格と、上で見た指標と図像というテレビ記号の内在的な特性とは、どのような屈折の連関をつくりだすのでしょうか。例えば、私たちが街を歩いているとき、通りがかる人々の服装や容姿を読み、行き交う人々の会話の断片を耳にしています。(5)また、その街角が都市のどの部分にあたり、行き交う車がどのような意味づけをもっているのかも読みとっています。その場合に、それらの「社会における記号の生活」を読みとることを可能にしているのは、私たちに共有されている社会的ステレオタイプの記号体系であると言ってよいでしょう。それらの社会的記号をテレビに映しだすという場合、それらはテレビの外にある一次的な記号の集合ということになります。他方で、テレビ記号に内在的なステレオタイプ化機能というものもあります。すでに見た技術的制約にもとづいて生まれたテレビ映像には、固有のステレオタイプ化を引き起こす図像言語がつきまとっています。

つまり、厳密にいえば、ここには二つのステレオタイプが介在しているということになります。社会的なコードにもとづくステレオタイプと、テレビ映像が構造的に生みだすステレオタイプです。両者は、しかし無関係にとどまるのではなく、屈折と還流の関係によって結ばれるようになります。例えば、社会的なコードにもとづく人物知覚は、階級や人種、性差、地方性、年齢や家族によってステレオタイプ化され弁別されていますが、テレビ記号は、ショットやシチュエーションのステレオタイプ化によって、人物を類型化する図像言語をつくりだしていきます。両者の知覚は重複するところもありますが、テレビ記号による類型化が必ずしもテレビの外にある社会的ステレオタイプにしたがうとはかぎりません。

またテレビ記号による類型は、画像の指標性のせいで、完全に図像化してしまうことがありません。これは、テレビに映しだされた人物は、〈いま・ここ〉の延長上に存在している人物であって、決して図像的な登場人物になりきることはないということを意味しています。この問題は、とくにテレビ・ドラマなどフィクションの場合に露呈します。映画の俳優が、図像としての登場人物像と一致することができるのに対して、テレビの俳優は、完全に役の下に消え去ることはなく、つねにフィクションの手前、彼／彼女の〈いま・ここ〉の指標的現在にとどまりつづけることになります。これが「タレント」の原理です。タレントとは、テレビ的コミュニケーションの〈いま・ここ〉に住まう存在で、テレビ的ステレオタイプを体現している人々のことです。彼らは、決して三人称にとどまることなく、三人称を演じてもつねに一・二人称のテレビ・コミュニケーションに戻ってくる存在です(6)。

テレビは、社会的ステレオタイプを取り入れつつ、独自のステレオタイプ言語をつくりだしますが、テレビが人々のコミュニケーション空間を全面的に覆うようになった現在では、テレビ記号がつくりだしたステレオタイプは社会的なステレオタイプの体系にもフィードバックされます。そうすることで人々はテレビ的ステレオタイプを社会のものにするようになる。この還流によって引き起こされるのが、現実の「テレビ化」現象です。

さらにまた注意しておきたいことですが、テレビはすべての社会的ステレオタイプを自らの体系に取り込むわけではありません。階級的なステレオタイプ、性差、人種などは、中性化されデフォルメされた形式——中産階級的で均質化した社会のイメージ体系——を通してしかテレビのステレオタイプ言語に取り入れられることはありません。これがテレビを制御しているイデオロギー的なコードの問題です。

以上のように、テレビ記号は、1社会的なコード、2テレビ固有のテクニカルなコード、そして、3テレビ記号の生成を条件づけているイデオロギー的コードという三つのコードにまたがって、複雑な記号表現の体系をつくりだしていることになります。(7)

3——ニュースな世界

「NHKニュース7」の世界

さて、以上のようなテレビ記号の特性を見たうえで、テレビが私たちの世界の〈いま〉

をどのようにつくりだしているのか、少し具体的に考えてみることにしましょう。

次頁①～⑥は二〇〇一年一一月二日午後七時の「NHKニュース7」のオープニング画像の展開（約二〇秒）を記述したものですが、ここには〈いま〉をつくりだすテレビ記号の仕事がいくつも行われています。

(1)冒頭に映しだされる東京の夜景は、テレビ記号の指標性において東京の〈いま・ここ〉を指さしています（ショット①）。これにより視聴者は、画像の〈いま・ここ〉において首都の光景との同時的接触の状態におかれます。ライトに赤く浮かび上がる東京タワーを画面の正面にカメラが捉えているのは、むろんそれが日本の首都の主要なランドマーク[8]だからです。画像はこのように、首都の〈いま・ここ〉を指さしてみせることで、テレビを視ている人の〈いま・ここ〉を、首都のコミュニケーション空間（＝ナショナルなニュース空間）の中に呼び込むのです。(2)そのようにテレビの指標記号によって提示された首都空間には、CGによって、時計の文字盤の図像が記入されます（ショット②）。この時計の針の進行と時報の音のリズムは、画面により指さされた首都の〈いま・ここ〉を、「世界の時間」の中に記入し始めます。経験的な知覚の〈いま・ここ〉が、抽象的で客観的な〈時間〉の目盛りの中に媒介されるのです。(3)ところが、そのようにして時報を打った時計盤は、今度は地球の回転運動へと姿を変え、時計の文字盤であり、かつカメラのレンズの形であったCGの円形の縁の回転の渦からは、地球の写真や世界地図のイメージが次々

①東京タワーを正面にした夜景をバックにして、コンピュータ・グラフィックス（CG）で描かれた時計が画面の中央に現れ、秒針が午後7時5秒前からの時刻を刻み始める。

②同時に、小気味よいテンポの効果音楽の開始とともに時報音のポ、ポ、ポ、ピーというカウントダウン。ゆっくりと回転していたCG時計は、7時の時報を打つ。

③リンゴの皮が剝かれるように、時計が色とりどりの地球地図へ姿を変えて、反時計回りに渦巻き状に拡がり始める。

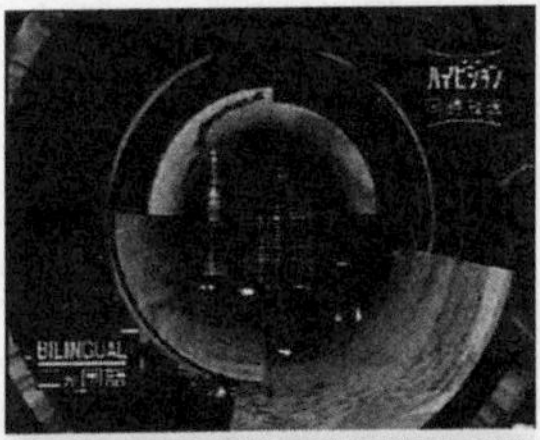

④地図の渦巻きの背後にある東京の夜景は、望遠カメラによってゆっくり遠景になっていく。このカメラの運動によって、外の風景からスタジオへと画面が収斂していく効果が生まれる。音楽は全開となり、世界の動きを表すように躍動的なテンポを刻んでいく。

⑤やがてカメラの動きは徐々に静止し、CG イメージは消え去り、東京の夜景だけを映す映像へと戻っていく。

⑥最後に、その日のヘッドラインニュースの「アフガニスタン情勢」の頭出し画面へとつながり、アナウンサーによるナレーションが開始される。

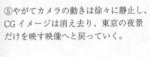

と繰りだされていきます（ショット③）。(4)時計によって〈いま〉が「世界の時間」の中に記入されたかと思えば、今度は冒頭で指されていた東京の〈ここ〉の情景は、地球の自転と世界地図によって表象される「世界の動き」、「世界の出来事」へと媒介されるようになるのです（ショット④）。オープニング映像のCG（＝図像記号）が可能にするのは、このようなメタファーの運動なのです。

このようにして、視聴者の〈いま〉は、首都の空間の〈いま〉へ、さらに世界の時間の中の〈いま〉へ、世界の動きの中の〈いま〉へと、テレビ記号の働きによって次々に媒介されていくことになります。

(5)最後に、東京の街に画面が戻り、カメラが引かれて外景からスタジオの内景へと向かうのは、こうしてカメラ映像の〈いま・ここ〉が世界の動きとの関係の中に十分に分節化されたことを示しています（ショット⑤）。「世界の文脈」がこのように分節化されたときに、ニュースの〈語り〉が起動されることになる。東京の〈ここ〉へと戻ってきた画面は次にこの日のニュースの頭出し映像へと連結されます。それと同時にアナウンサーの語りが開始します（ショット⑥）。

例えば、この日のヘッドラインは次頁に示した映像とテロップ、そしてアナウンサーの語り（ショット⑦⑧⑨）で始まります。

つづいて、この導入部では、別のトピック（アメリカ野球・大リーグのワールドシリー

⑦アフガニスタンの空爆を伝える光景。爆撃の音の効果音、バックでは音楽が流れる。「特殊部隊」という字幕、「タリバンへの集中した空爆がつづくなかアメリカ軍は地上に展開している特殊部隊をさらに3倍から4倍に増強することを決めました」というアナウンサーの語り。

⑧米軍の展開する光景。「増強へ」という字幕。「アメリカ政府は作戦の長期化も示唆しています」というアナウンサーの語り。

⑨アフガニスタンの車道の光景。「アフガニスタン北部」「北部同盟前線」という字幕。「険しい山岳地帯、アフガニスタン北部に静岡県立大学の宮田助教授が入りました」「緊張がつづく北部同盟の軍事拠点の様子や兵士の素顔について、今日帰国したばかりの宮田助教授に話をうかがいます」というアナウンサーの語り。

ズの映像）の見出しが提示（二〇秒）されたのち、番組タイトル「NHKニュース7」（ショット⑩）が示され、そこからニュース本編に入ります。

ニュースのダイクシス

ニュース（News）とは文字通り「新しい話」のことですが、この新しい〈物語〉が語られるためには〈語り〉が不可欠です。その語りを担当するのがアナウンサーという語り手にほかなりません。〈いま・ここ・私たち〉が果たす指示作用の働きを記号論では〈ダイクシス〉（Deixis）といいますが、ニュースの語りは、〈こちら／あちら〉、〈私たち／彼ら〉、〈いま／過去・未来〉といった語りの配置をスタジオの〈ダイクシス〉の場所から起動させます。テレビ記号の指標的な特性によって、映像はいつでも〈いま・ここ〉の光景を指示するだけですから、〈語り〉は、その〈いま・ここ〉の映像群をことばによって世界の文脈の中に位置づけてやる必要があります。潜在的な〈あなた（たち）〉としてモニターのこちら側に位置する視聴者の〈いま・ここ〉に向かって、外部世界の〈いま・あちら・彼ら〉の出来事を語るという〈ニュースの語り〉の配置がスタジオのダイクシスを通して成立するのです。スタジオのアナウンサーとテレビを視ている視聴者とを結ぶ〈私／あなた（たち）〉の一・二人称の対話的関係（interlocution）が画面の前景に配置され、語られるべき世界の出来事が属している三人称の場面は、多くのニュース番組では冒頭で語り手の背後に画面の窓によって示されます。アナウンサーが属するスタジオのダイクシス空間は、ニュース内容の属する三人称の世界と、テレビ画面のこちら側の視聴者が属する私的なコミュニケーション空間とを媒介する中間項としての位置を占めることになります（図10-2）。

ニュース報道の場合、世界の出来事を「事実」として伝えることが目的とされ、テレビ・モニターの〈こちら〉側にいる〈私（たち）〉が誰であるかに関わりなく、「客観的」に起こっている「事実」を三人称で語ることが求められますから、語り手（アナウンサー）の一人称と受信者（視聴者）の二人称とを結ぶ対話的コミュニケーション関係はできるだけオフにされる必要があります。

「NHKニュース7」では、冒頭で「こんばんは、一一月二日金曜日の夜七時です」（次頁ショット⑪）というアナウンサーによる視聴者への語りかけがあるのみで（および、アナウンサーの名前の字幕）、視聴者に対してアナウンサーが一・二人称軸においてコミュニケーションを行うことはありません。画像も正面画像のミディアムショットで、身振りは会釈、服装は目立たないグレーの背広にネクタイ、表情は真面目で笑わずポライトな物腰です。このように禁欲的で質素な発話者のポジッション、アクセントのない標準語で語りかけるニュートラルなコミュニケーション・チャンネルがシステマティックに選びとられています。また視聴者とのコミュニケーションの一・二人称軸が遠ざけられていること

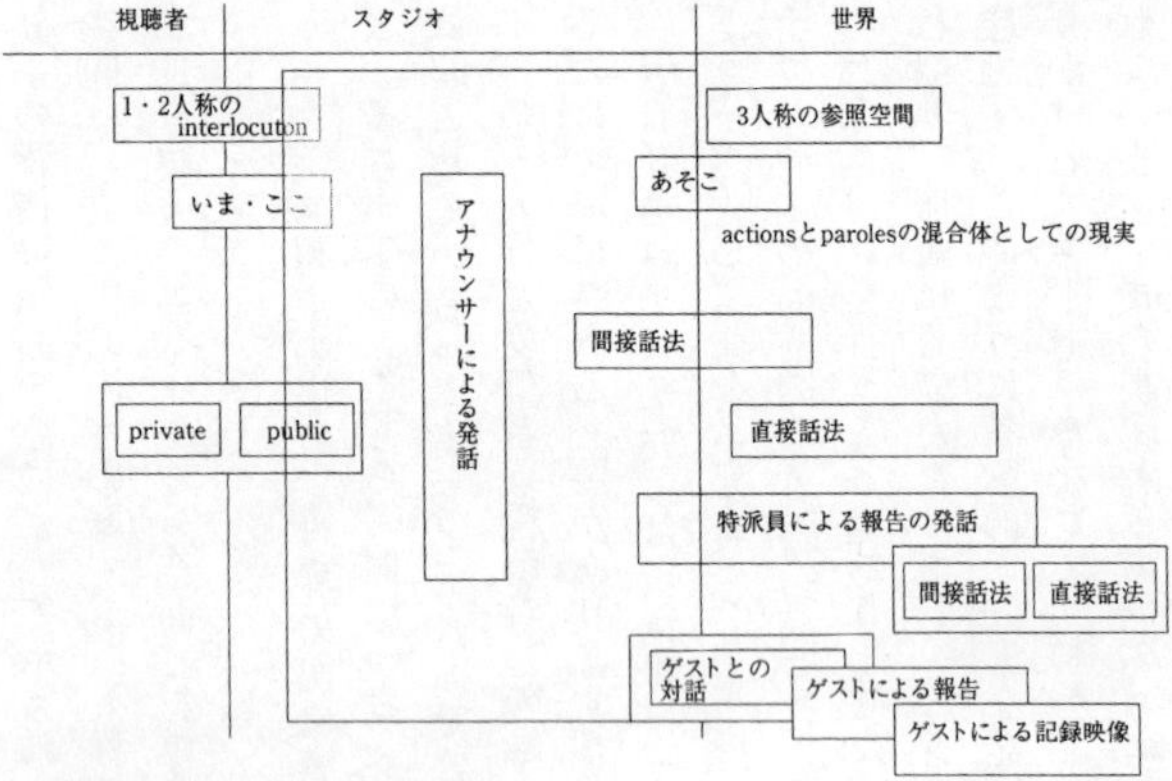

図 10-2　ニュースのダイクシス

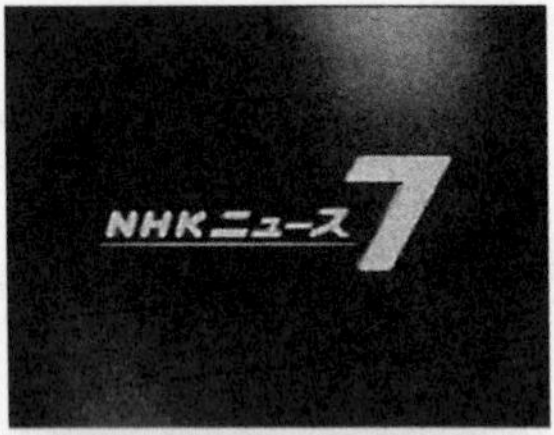

⑩番組タイトル「NHK ニュース 7」。

⑪冒頭のアナウンサーの挨拶。ミディアムショットでポライトな物腰によるニュートラルなコミュニケーション。

は、アナウンサーの語りが原稿の書きことばを読み上げることから成り立っていることにも表れています。

テレビ・ニュースの語り

この日のニュース本編の最初の語りは、次頁ショット⑫のように始まります。ヤコブソンの六機能図式[9]の考え方にしたがえば、ニュースの語りは、ことばの「参照作用(referential function)」を活性化させます。つまり、報道の言語では、ことばは伝えるべき世界の出来事を参照する活動を強めるのですが、テレビ・ニュースにおいてはさらに、ことばの参照作用の働きと画像による指示作用が連結され、ことばと映像を組み合わせて語りは行われます。

ただ、私たちは、テレビにおけることばと映像による語りが、どのような組み合わせをつくっているのかということについては注意深くあらねばなりません。ことばが参照するのは、いつも具体的な目に見える事実によって構成される〈事実の文脈〉ばかりではありません。それは、過去への参照や将来の予測、仮定や推測、懸念や願望といった〈観念の文脈〉を含むものです。そのため、ことばによる語りは、いつもすでに世界についての一つの解釈です。それに対して、映像は、いつも具体的な事実を〈いま・ここ〉において指示します。ただし、カメラに映しだされるのは、いつもバラバラな経験の断片であって、

⑫「アフガニスタンへの空爆をつづけているアメリカのラムズフェルド国防長官は、軍事作戦が長期化するという見通しを示したうえで、数日以内にアメリカ軍の特殊部隊の兵士を3倍から4倍に増強する方針を明らかにしました」という語り。背後の静止画に「アフガニスタン」の見出しと爆撃機の離陸風景。

⑬アメリカの国防長官の会見の映像。「ラムズフェルド国防長官は、当面の戦局について現在の軍事作戦がわずか3週間あまりで終結するとは考えられないと述べて、作戦が長期化するという見通しを示しました。そのうえで、アフガニスタン領内に潜入させている陸軍のグリーンベレーなど少数の特殊部隊の兵士について次のように述べました」という語り。

⑭字幕が次のようにつづく。「米　国防総省　1日」、「アメリカラムズフェルド国防長官」、「軍事作戦がわずか3週間あまりで終結するとは考えられない」、「特殊部隊を3倍から4倍に増強したい」。

それ自体では自分が属する一般的な文脈を表すことがないものです。ですから、ニュースの語りは、つねにことばが映像に文脈を与えながら進められます。映像は、ことばによる語りを証し立てる役割を果たすのです。ニュースにおいては、現実は決して映像によって完全に映しだされうるものではなく、ことばと映像とを組み合わせた〈ニュースの語り〉によって構成されるのです。

先ほどのニュースのつづきは、前頁ショット⑬のようにアナウンサーに語られます。

このアナウンサーの言説では、「〜は、〜について、〜と述べて、〜という見通しを示しました」というように、事実経緯の論理的文脈が述べられたうえで間接話法の導入が行われています。そして、「そのうえで」というさらなる論理的な文脈の展開のあとで、今度は記者会見するアメリカの国防長官の映像が、直接話法の形式で英語の生音声のまま流されます（談話の内容は日本語の字幕によって要約して示されます）（前頁ショット⑭）。つづいて、アナウンサーの語りがオフで続き、映像としては米軍の特殊部隊のショットからなる四つのシークエンスが映しだされます（⑮〜⑱）。

国防長官の会見という映像（ニュースで直接話法が現れるのは一般に「大きな」ニュースにおいてです）によって、文脈が証拠立てられたあと、「特殊部隊の増強が数日内に行われる」という米国防省の決定（この決定が、長官の会見の中で発表されたのか、別のソースからとられた情報なのかは不明）は、アナウンサーの語りの地の文の中に事実確認の発話としてとりこまれ(「~行われる方針です」)、その結果起こるべき将来の事態が、推測(「~と見られていて」)と伝聞(「~を検討しています」)にもとづいて文脈化されています。

ところが、ここでは注意が必要で、映像は、「アフガニスタン 先月」「米軍の特殊部隊」と字幕によって断られてはいますが、アーカイブから取りだされた米軍の特殊部隊を映した過去のものが使用されています。これらは、番組制作者の意図としては、アフガニスタンに先月入った米軍の特殊部隊の過去の映像を流すことで、どのような軍隊がこれから作戦を行うかを説明するものなのでしょう。しかし、それらの映像がアナウンサーの語りに分節されて提示されたときに生まれる効果は、これから起こる未来の事態を先取りしているかのような観念の映像の感覚です。これは、ことばによる文脈の参照作用と、映像の指示作用とが干渉を起こしているケースであると考えられます(字幕の「アフガニスタン 先月/米軍の特殊部隊」というのは、ことばによる文脈への投錨なのですが、文字だけの参照にとどまることによって、アナウンサーの語りの参照に対して弱い力しかもっていません)。

このような現象は、テレビ・ニュースにおいては(あるいは、テレビ番組一般において)、しばしば起こっています。ニュースの語りにおいては、ことばの語りによる文脈の参照作用と、映像による指示作用との間に、刻々と修辞的関係が働いています。ニュース

⑮「こうした特殊部隊の増強はこの数日以内に行われる方針です」というアナウンサーの語り。「アフガニスタン先月」「米軍の特殊部隊」という字幕。特殊部隊の映像。

⑯「タリバンの中核部隊に対する情報の収集に加えて」という語り。特殊部隊の映像。

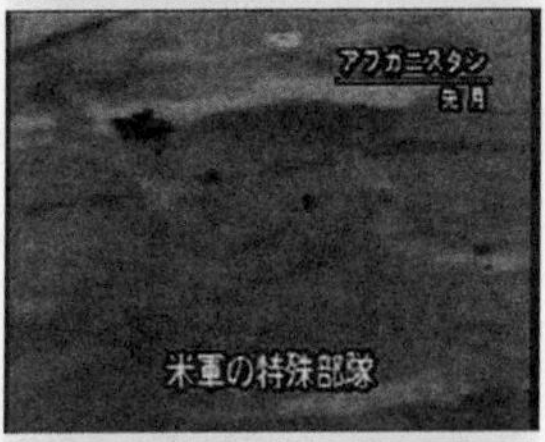

⑰「北部同盟などに武器や弾薬を補給する任務も帯びていると見られていて」という語り。補給作戦の飛行機による投下の映像。

⑱「アメリカ軍は準備が整い次第反タリバン勢力と連携して新たな地上作戦に入ることを検討しています」という語り。夜間作戦を行う映像。

にかぎらず、テレビの語りは秒単位で進行します。ビデオやパソコンに画像を取り込んで検証しないかぎり、文字で書かれた文章のように立ち戻って、その修辞や効果を確かめることができません。そのため、上に見たようなことば、映像、さらに文字や図像などを含むさまざまな記号の組み合わせがもつ修辞的な効果は、いわばテレビ記号による〈語り〉の〈無意識〉をつくることになるのです。

ニュースと文脈

さて、以上の「NHKニュース7」のアナウンサーによる語りの文脈設定について、その骨組みだけを取りだすと図10-3のようになります。このツリーの図に示されるように、扱いの大きなニュースはトピックが階層状に構成され、文脈の中にさらにいくつもの文脈に分かれて語りが進められています。その複雑な構成にしたがって、語りも、事実確認の発話だけでなく、間接話法、直接話法、推測や伝聞（「〜と見られている」「〜ということです」）など、さまざまな語りを駆使して展開されます。そして、それらの階層化した文脈の参照に対応して、画像が組み合わされていきます。

大きなニュースは、複層的な文脈の展開をともなったものであり、小さなニュースは、文脈が数少ない階層化しかもたないもの、というように区別されます。これは、新聞が採用している見出しと記事と同じ原理にもとづいていると考えられます。大きな見出しをも

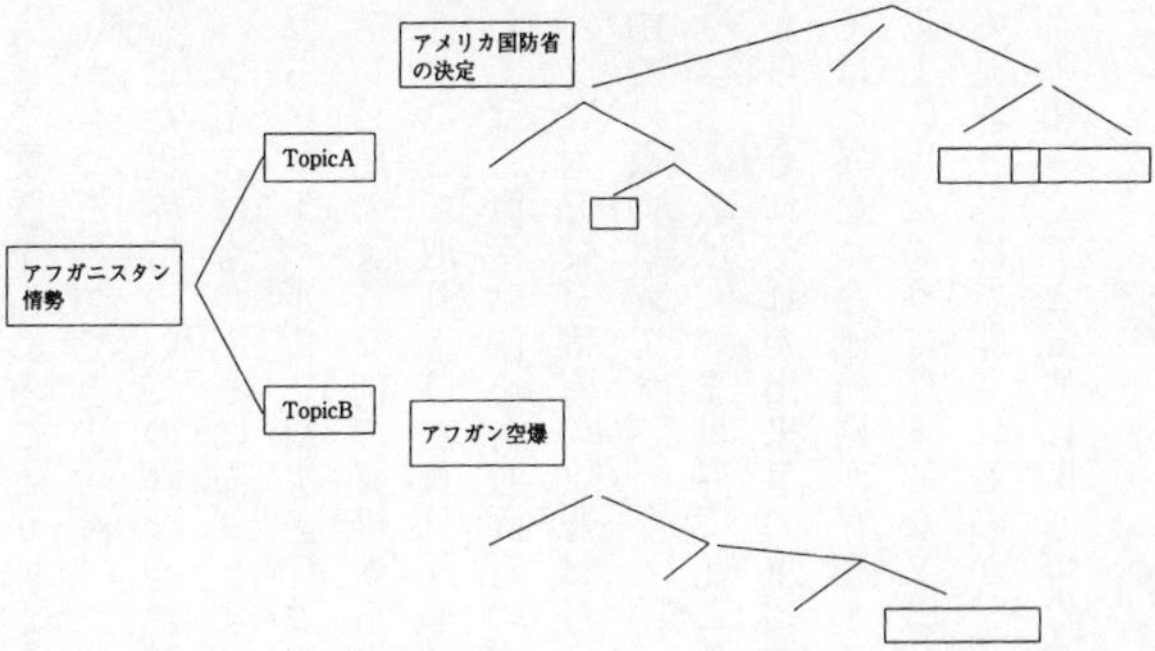

図10-3　ニュース文脈のツリー構造

つ記事は、複数の段落から成り立ち、いくつもの話法をもっています。それに対して、小さな見出しの記事は、ベタ記事と呼ばれるもののようにトピックが階層性をもたず、一つだけのレヴェルの話法から成り立っています。ニュースの語りの場合、このような単純なニュースは、アナウンサーの語りと文字画面だけによって語られます。

いずれにしても、「一方」、「ところで」、「他方」といった語の頻用が示しているように、ニュースの語りは、論理的な文脈整理により成り立っていることが分かります。だとすると、ニュースの文脈構成は、それ自体が世界にいま起こりつつある出来事の論理的な見取り図とでもいうべきものです。ニュースにおいては、大きな文脈を構成することができるということは、世界の出来事の見取り図の中に主要な場所を占め、その構図に働きかけができるということを意味しています。他方、大きな文脈を占めることができないものは、世界の論理的な見取り図の中に従属的な場所しかもつことができません。

また世界についての異なった見取り図をもつ場合には、文脈のツリーの異なった配置をニュースはもつことになります。アフガニスタン戦争の報道についても、CNNに代表されるグローバル化したアメリカの立場からのニュースに対して、中東のアルジャジーラ・テレビ局のような別の立場からは、自ずから異なった見取り図を提起することになりました。ここで取り上げたNHKのニュースでも、アメリカ国防省やアフガンの北部同盟に対しては、直接話法を含む固有の文脈が与えられていますが、もう一方の当事者であるタリバンに対しては固有の文脈は与えられていません。それは、決して取材源の欠如だけが理由ではないはずです。

ニュースは、いま世界で起こりつつある重要とされる出来事の見取り図であるわけですから、それぞれの出来事の重要性の評価、その重要性がつくりだす事実連関の理解については、異なった価値観が存在します。そしてまた、それら重要なトピックの語られ方には、以上に見たように論理的な文脈化が関与しています。どのような価値観にもとづいて世界の見取り図は展開されるのか、イデオロギーが関与するのは、こうしたニュース・トピックの組み立てと配置に関してなのです。

世界の途切れの経験

さて、これまでに見たテレビ・ニュースの編成の過程には、いくつもの誤差や事故、作為や虚偽が入り込む余地があります。

まず、映像の指標性とことばによる文脈化との間に乖離が生みだされることがあります。映像の〈いま・ここ〉は、あくまで断片的な事実を指示しますが、その事実がどのような文脈の中に位置づくのかを指定するのは、ことばによる語りです。例えば、一九九一年の旧ソ連の崩壊を決めたモスクワのクーデター事件のさい、当時のエリツィン首相は、国会議事堂を包囲したクーデター軍の戦車の上に立ち、国会議事堂を背にして、クーデターに対する抵抗を呼びかける演説を行いました。テレビカメラに映しだされた、大勢の民衆を前に民主化の続行を訴える光景は、エリツィンの指導者としての地位を決定的なものにしました。ところが、じっさいは、このときエリツィンの前には、カメラが据えられていただけで群衆はいなかったのです。映像の〈いま・ここ〉は、このように極めて局限化されたものであって、ことばの文脈化による操作を受けやすいものなのです。

映像は、ときとしてことばによる文脈化を外れて浮遊し始めることもあります。あるいは、映像の提示が先行して、ことばによる文脈化が間に合わないということも起こります。二〇〇一年九月一一日にニューヨークの世界貿易センタービルは崩壊しました。このさい、ニュースのテレビカメラは、事故が起こった高層ビルが煙を吐いている光景を映しだしていました。ところが、そのニュース映像の最中に二機目の旅客機が突っ込んできて炎上しました。これは、世界中に実況された〈いま・ここ〉の映像が、まさにあるがままのライヴの映像として、いかなる文脈化も受けないままテレビ画面上に投げだされた例です。そのような映像に対しては、だれもが現実のものとは思えない、映画の中のような、といった感想を抱いたものです。「現実」とは、映像が映しだすものではなくて、映像による指示作用とことばによる文脈の参照作用とが分節化されるところに構成されるものですから、文脈化されえない映像は、現実感を欠いたものになるのです。そのような映像が指し示すのは、世界が途切れる瞬間というべきものかもしれません。じじつ、そのような〈世界の途切れ〉の経験を取り戻し、文脈化しようとするかのように、この貿易センタービルの映像は、世界中のテレビでほとんど無限に反復されつづけることになりました。

4――現代の天使たち：媒介される世界

トピックと語り

世界は刻々とその表情を変え、新たなニュースを次々に私たちに送りつづけています。

ヘーゲルがいうように、「近代人は朝の礼拝の代わりに新聞を読む」というのであれば、私たち〈今代人〉は、神の秩序からメッセージを受けとるのではなくて、日々この地上世界の変化からメッセージを受けとって生活しているということになります。朝の礼拝が聖書の一節を誦んで〈神の秩序〉と交感することであるとすれば、新聞やテレビ・ニュースは、いうならば日々更新される世界の出来事の百科全書であり、その一節を読んで私たちは〈世界の秩序〉とコミュニケートしていることになります。不動の神の秩序とは異なって、世界の秩序は無数の出来事によって日々変化するものですから、もし世界の出来事を全部記録して報道するとなれば、世界と同じほど巨大な新聞やテレビ・ニュースが必要となるのかもしれません。それは、地球と等倍の地図をつくるという、ボルヘスの物語よりもさらに不条理な企てを意味することになるでしょう。

そこで行われるのが、文脈化と項目化による整理です。世界の重要とみなされる出来事の物語はカテゴリー化され、見出しが付けられて分類され、項目化されます。そのようにしてニュースの〈トピック（topic）〉が構成されます。トピックとは、「Xについての話」というときの「Xについて」のことで、話の主題、つまり文字通り話題のことです。トピックは、出来事とともに生まれるのではなくて、あらかじめニュースを分類しているジャンルにもとづいてつくりだされます。新聞であれば、政治欄、国際・外交欄、文化・科学欄、スポーツ欄、社会欄といったページによる出来事の分類がそれに対応しています（テレビ・ニュースの場合にも、番組の構成に同じような分類が行われています)。個々の出来事に関するトピックは、そのようなジャンルとの相互作用によって自らの〈文脈〉をつくりだします。

例えば、ニューヨークの世界貿易センタービルに飛行機が突っ込むという出来事が起こるとすると、この出来事についてのトピックが生まれます。そのトピックが大きなトピックであるとすると、それは複雑な文脈をつくる、つまり、そのトピックをめぐってさまざまなニュースの語りが繰り広げられます。そこでは、大惨事という社会的事件の文脈にもとづいて、どのようにビルは破壊されたのかという科学的検証の物語、救助に入った消防士の悲劇の物語などがつくられました。また、テロという犯罪の文脈にしたがって、犯罪捜査の物語、国際テロ組織の物語、その中心人物とされるビン・ラディンについての物語などもつくられました。さらに、軍事や国際政治の文脈では、アメリカの外交や中東を含む世界情勢の物語、そして報復と戦争の物語が生みだされました。このように、大きなトピックは、複雑な拡がりをもった語りの文脈をつくりだすことになるのです。

「ニュース ステーション」の世界

ニュースは、世界の出来事について伝達する活動であるという立場からひとたび距離をとるならば、見えてくるのは、じつは以上のようなトピックの配置に関わる活動なのです。

先のNHKニュースの場合、トピックの組み方は、その日の重要な出来事（新聞でいえば一面記事）から、政治・外交をへて、文化・社会、そしてスポーツ・芸能へという、古典的な序列にもとづいて分類・配列され、アナウンサーによる禁欲的な語りと文法化された映像の組み合わせによって、ニュースは伝えられます。このようなベーシックなニュース番組は、たしかに世界の出来事について、主観性を交えない整然とした知識を与えることには役立ちますが、世界の出来事を伝えられる視聴者の私たちには、一方通行的で固定的な印象を与えることになります。世界の出来事の運行はすでに決定されていて、それが私たちに、たんに通知（アナウンス）されるだけです。世界のトピックの堅い枠組みと、脱色された語り、そこから生まれる中性的な物語だけでは、ニュースの伝える世界は非人称な灰色のままにとどまり、視聴する私たちの表情はこわばったままです。

このようなニュース報道の枠組みを変形し、スタジオの空間に視聴者と結ばれたダイクシス――〈いま・ここ・私たち〉――をつくることをめざすのが、「ニュースステーション」（テレビ朝日系列一九八五年から二〇〇四年放送）に代表されるような報道番組です。こうした番組では、固定的なトピックの序列は相対化され、比較的自由に（と受けとられるような）、トピックの間を行き来する番組編成が採用されています。また、ニュースを伝える発話のチャンネルが多様化され、キャスターやアナウンサーやコメンテーターのいくつもの声が、異なった語りを担当します。そして何よりも、視聴者との接触を保つためのコミュニケーションが前景化され、視聴者にとってあたかも自分の私的空間がスタジオに延長されているかのようなリラックスした空間づくりがめざされています。そのメカニズムを、少し詳しく見てみることにしましょう。

メディアはマッサージ

まずオープニングです。「NHKニュース7」について見たように、この部分は、これから始まる番組の性質を定義する役割をもっており、「ニュースステーション」(二〇〇一年一二月一一日放送)のオープニングもまたさまざまな記号作用を活性化させます。夜九時五四分の開始時刻とともに「オーエオエオエーオー……」というテーマ曲が始まります。歌詞はなく、スキャットの声だけによるフリーヴォーカリゼーションのテーマ曲は、ことばになる以前の人間の声とでもいうべき、ある種私たちの内奥の原始の声を想わせる響きがあって、聴く者の心をリラックスさせる効果をもっています。マクルーハンは、彼の有名な定式を言い換えて「メディアはマッサージ」であるとも言いましたが、このテーマ曲の働きは、まさに「メディアはマッサージ」の実践です。そして、その心地よいリズムにのせて、CGの図形や文字が次々に繰り広げられていきます。

全体で二〇秒間のオープニングは、その日の番組中で扱われるトピックを幾何学図形の流れや回転を通して遊動化させ、ニュースの物語の構成素をアイコンでちりばめて配し、

時刻の「9：54」という数字が現れる。

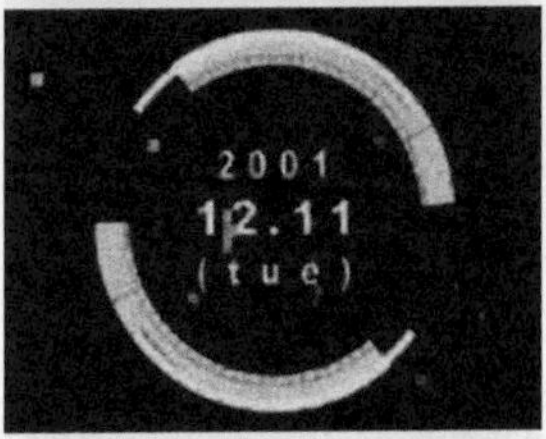

波紋のような図形が拡がり、テレビカメラのレンズを連想させるかたちが現れて日付が示される。フォーカスが絞り込まれるように、レンズのかたちが拡がる。

フィルムのコマを想わせる矩形の連続が映されて動きだし、「TODAY'S NEWS」という文字の下に窓が開かれ、この日のニュースの画像がしばらく提示される。

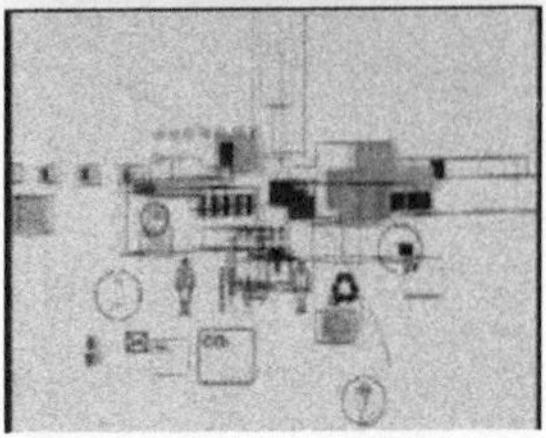

人や車や飛行機や郵便物を想わせる丸や四角のアイコンが現れる。空港のターミナルのような幾何学的構造体で、テレビのスタジオを形象化しているものと受け取れる。

構造体はテーマ曲に合わせて回転を始め、向きを変えてはその日の特集やスポーツニュースの放送時刻と頭出し映像を示していく。ニュースの見出しがCG画面の運動にはめ込まれて提示される。

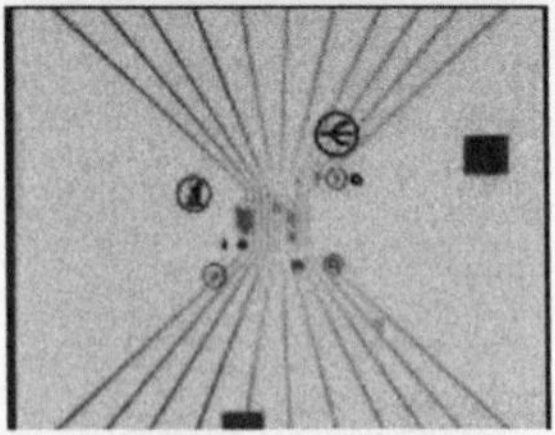

カメラを想わせる円形が再び現れて、人や数字を表す丸いアイコンが飛び散り、フォーカスが絞り込まれていく。

白い画面に奥行きをつくりだす放射状の線が描かれ、「NEWS STATION」のタイトルが浮かび上がる。

つづけて、つくりだされた奥行きに重ねられるようにして、スタジオ空間が映しだされる。

カメラが映しだすことになるスタジオの空間を一連の図像の運動によって動機づけるという働きをしていることが分かります。緊迫した世界の出来事をテレビカメラの記号装置にかけて、リラックスして楽しみながら視聴することができる物語に変換しようと、オープニングは視聴者に働きかけながら番組へと導入しているのです。(10)

スタジオのダイクシス空間

オープニングが終わって映しだされるのは、ブーメランテーブルと呼ばれる湾曲した横長のテーブルについているキャスター、アナウンサー、コメンテーターの姿です。この全体ショットは、番組を通じて基本となるショットの一つですが視聴者はカメラを通して自分の方に向いているキャスターたちの空間に招じ入れられることになります。ブーメランテーブルの役割は、視聴者の「あなた」を、テーブルについているもう一人の人物に変えることにあります。テレビカメラが生で映しだしているスタジオの「いま・ここ」の中に「あなた」も想像的に組み入れられます。こうして、スタジオは「いま・ここ・私たち」のダイクシス空間として成立するのです。

そうした回路の中に視聴者を引き入れるためには、コミュニケーションにおいてヤコブソンのいう「交話機能」が活性化する必要があります。表情における笑いかけ、愛想のよい物腰やことば遣い、気のおけないリラックスした服装や態度など、キャスターの久米宏はそうした交話機能をいかんなく発揮して、視聴者との親しいコミュニケーションのチャンネルを打ち立てます。また、スタジオの装置は家の内部に擬されていて、家具や書架のある二階部屋や奥の部屋をもち、視聴者の茶の間の延長のような体裁をそなえています。家庭を擬似的に延長したアットホームな空間として、このダイクシス空間は組み立てられています。キャスター、アナウンサー、コメンテーターや、番組の後半に登場するお天気キャスターやスポーツキャスターは、その擬似的な家族の一員であるかのようです。「ニュース ステーション」もまた報道番組ですから、「NHKニュース7」について見たようなニュースの語りが行われます。ただし、一人のアナウンサーによるヘッドラインニュースとは異なって、ここでは複数の語り手が、それぞれの役割にしたがって語りのパートを担当します。久米宏キャスターや渡辺真理キャスターといったそれぞれの語り手が担当する役割は、一つではありません。

番組が採用している語りにも、いくつものタイプや構成が存在していて、トピックの階層構造や、語りの話法の選択も多様な組み合わせを示しています。トップニュースからはじまって、いくつかの主要ニュース、雑報にあたる数件の事件ニュース、特集やインタビューやお天気ニュースやスポーツニュースまで、番組の構成部門はいくつものジャンルに分かれています。キャスターの役割はここでは、番組の語りを統括し、声をキャスティング(casting 振り当てる、配役する)することです。それは、オーケストラに喩えれば指

①「いよいよ最終段階に入ったのでしょうか。アフガニスタン東部の山岳地帯トラボラ、ビンラディン氏の最後の拠点と言われています」という語り。背後に、アフガニスタンの地図の画面。

②「アメリカ軍に協力してオサマ・ビンラディン氏を捕まえようとしている反タリバン軍は、トラボラ地区の山岳地帯でアルカイダのアラブ人部隊などと激しい戦闘を繰り広げたすえ、トラボラ付近をほぼ制圧しました」という語り。字幕が次のように続く。「渡辺真理」「ビンラディン氏どこに？」「トラボラほぼ制圧」。

揮者の役割に当たりますが、久米キャスターはニュースのトピックを導入し、アナウンサーに語りの声を振り当て、番組を次の部門へと移行させ、ゲストを迎え入れ、番組中に話し合いの場面をさしはさみ……というように、番組の語りのマクロな文脈を統括しています。

例えば、二〇〇一年一二月一一日の「ニュース ステーション」では、「こんばんは」というスタッフ一同の挨拶のショットにつづいて、久米キャスターのショットへと移行し、語りは上記ショット①のように始まります。

わずか八秒間の思わせぶりともいえるような省略的な導入ですが、アフガニスタン戦争という世界の文脈と、こ

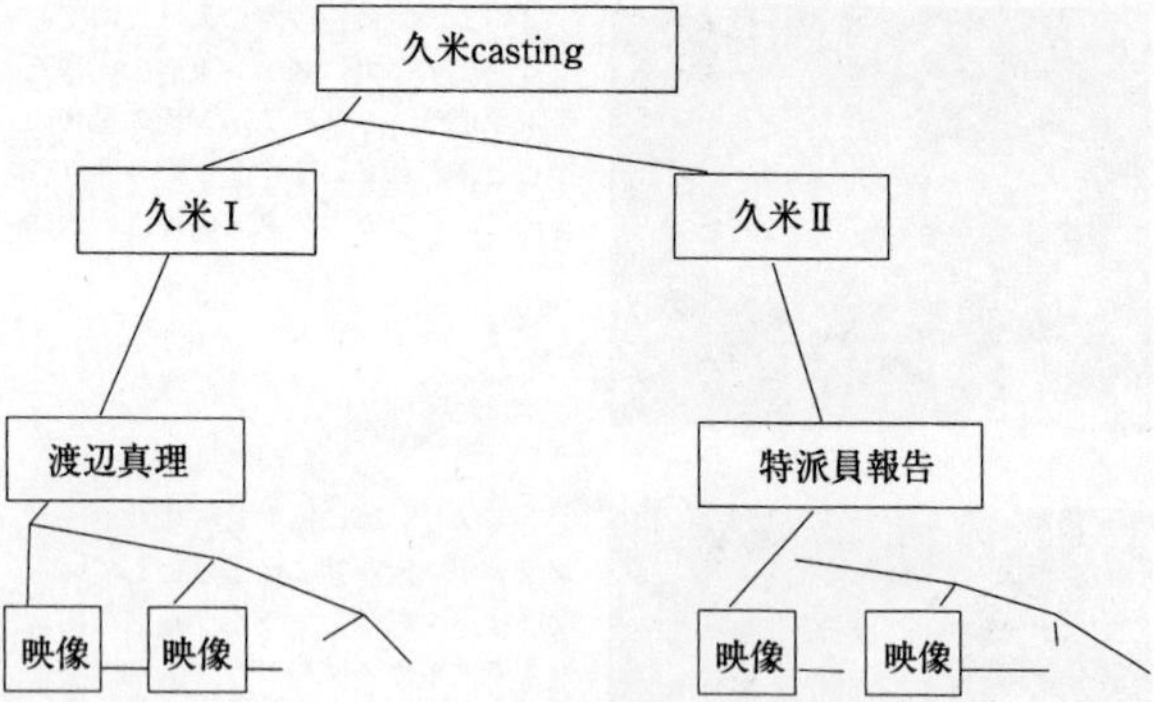

図10-4　ニュース ステーションの分析

れから語られることになるニュースの接続を行い、ニュースの参照地点となる場所についての話題を紹介するというように、これから繰り広げるトピックを印象的に定義づけています。このトピックの導入につづいて、渡辺キャスターが、そのニュースの語りを担当します（ショット②）。

この原稿読み上げのあと、アフガン情勢のニュース、オフヴォイスによる爆撃や戦闘の映像、さらにアメリカ大統領やアフガニスタン北部同盟の幹部が会見している映像と音声と日本語字幕という直接話法の場面を組み合わせてつづきます。つまり、ここにあるのは、1久米キャスターによるトピック導入の語り、2導入されたトピックについて渡辺キャスターによる語り、3その語りとともに流される画像・音声と字幕による語り、という〈語り〉の重層構造です。

交響曲のような多声体（ポリフォニー）として〈声〉が階層化され、それぞれの人物（キャスター、アナウンサー、そして映像の中で語る人物）は、ニュースの語りの中でポジションを占め、〈発話の審級〉[11]としての役割を演じているのです。取り上げられるトピックによって、こうした〈語りのフォーメーション〉[12]は異なった布置を示します。この日、二番目に取り上げられたアフガニスタンの援助物資をめぐるトピックは、久米キャスターの導入の後、現地に派遣された特派員によって語りが担当されて、やはり同じような声の階層構造をつくっています。つまり、大きなニュースであれば、複雑な声の配置と幾種類もの画像のシークエンスの組み立てによる〈語り〉が採用され、番組の中盤や最後の方でまとめて読み上げられる小さなニュースであれば、単純な語りの構成が選ばれるというように、ニュースのトピックに応じて使い分けがされている。一つのトピックに対して、一つの語りのフォーメーションが対応する。こうした語りの単位にもとづいて、番組は組み立てられていると言うことができます。そして、キャスターはトピックを統括して番組の語りを指揮する役目を果たしているわけです（図10-4）。

コミュニケーション行為とロール・プレイ

しかし、トピックの組み立ては、いつも同じタイプの語りのフォーメーションをしているとはかぎりません。「ニュース　ステーション」のような番組は、多様なジャンルに対応した部門から成り立っています。いま見たような語りのフォーメーションをもつ部門は、ニュースものというジャンルに関わるものです。この番組では、お天気ものやスポーツものののようなジャンルも常態的に組み込まれていますし、ドキュメンタリーの手法にもとづいた特集もの（「ニュース ステーション特集」、「NEWS IN DEPTH」と名づけられたシリーズ）、インタビューもの（「最後の晩餐」、「チャンスの前髪」）、ゲスト生出演ものなどのジャンルが一定の周期で繰り返す仕組みになっています。

こうした多様なジャンルには、それぞれ異なったコミュニケーション行為が対応していると考えられます。例えば、ニュースものに対応するのは、「報道する」というコミュニケーション行為です。インタビューもの、ゲスト生出演ものに対応するのは、「話を聞く」というコミュニケーション行為です。コメンテーターとテーブルを囲んで「おしゃべりをする」というコミュニケーション行為も挿入されます。スポーツものなどになると、「報道する」というよりは、「ともに遊ぶ」というコミュニケーション行為が主題化される傾向があります。そして、それぞれのコミュニケーション行為を実現するために、出演者の語り、映像、音声による、それぞれの語りのフォーメーションが採用されるというわけです。

以上から言えることは、一時間一〇分余りの時間の中で、番組は異なったジャンルに属する一〇個ほどのコミュニケーション行為の連続として現れるということです。この番組の特徴として、語りのフォーメーションにおけるキャスターやアナウンサーが果たす役割が、いくつものレヴェルにまたがっているということがあります。例えば、久米キャスターは、トピックを導入するという語りにおいては、もっとも上位のレヴェル（＝メタ・レヴェル）を占める役割をもっていますが、ときにはニュース原稿を読み上げるという役割、インタビューの聞き手という役割、スポーツコーナーで観客のようにわいわいがやがやと後ろで見ている観客の役割、そして、コメントの場面では出演者とテーブルを囲んで個人的な感想を述べるといった役割も演じます。アシスタントとして久米キャスターに次ぐ中心的な存在である渡辺キャスターは、ニュース原稿の読み上げのほか、ときにトピック導入の役割を担ったり、インタビューの聞き手となったり、まれにコメントを述べたりといった役割を演じます。他のアナウンサー、コメンテーターも含めて、出演者は程度の差こそあれ、それぞれのトピックの語りのフォーメーションの中でさまざまな役割を演じます。出演者は、番組において、トピックに合わせて幾通りもの声のパートを担当し、コミュニケーション・ゲームのロール・プレイを行っているということができるでしょう。

番組の天使たち

スタジオのブーメランテーブルについた、これらの「対話相手」は、「いま・ここ・私たち」というダイクシス空間において、テレビ画像の光と声を通して、私たちと接触しています。これらの〝人々〟の存在が現代世界において占めている位置は、神学的世界において（良くも悪くも）〝天使たち〟が占めている地位に近いと考えることができます。(13)〝天使たち〟が天上の世界の出来事と地上の世界とを媒介するように、これらの〝人々〟も世界の出来事と私たちの日常世界とを媒介しています。〝天使たち〟が天界の出来事を人間のことばに変える役割を負っているように、これらの〝人々〟も世界の出来事を語りに変えます。〝天使たち〟が天界の決定を覆すことができないのと同様に、これらの〝人々〟も世界の出来事そのものを変更することはできません。ただ、それを伝える、つまり、〈語る〉のみです。〝天使たち〟は孤立してはおらず、つねに軍団として存在し、位階秩序にもとづいた役割が決められています。これらの〝人々〟にも位階秩序が存在し、それにもとづいたキャスティングが行われます。〝天使たち〟はメッセージを伝達するのですが、その伝達には、位階にもとづいた順序と秩序が決められています。これらの〝人々〟にも〈語り〉の順序と秩序が決められています。〝天使たち〟は何も決定しないが、〈伝達〉の活動によって人間に対して権力をもつ。同じように、これらの〝人々〟も世界の出来事を決定しないが、人々に対する影響力という権力をもっています。

こうしたパラレルな関係から浮かび上がるのは、〈媒介（mediation）という活動〉がもっている人間世界にとっての本質的な次元です。ブーメランテーブルに座った〝人々〟の光と声に接触するだけで、視聴者のあなたは「いま・ここ・私たち」の一員に加えられ、番組のコミュニケーション・ゲームの中に組み入れられます。番組では、さまざまな声がオペラのように語りのフォーメーションをつくり、あなたはトピックからトピックへと、世界の出来事についての語りの中を移動していきます（あたかも天使に導かれて、天空から地上を次々と眺めていくかのように）。番組の天使たちは、トピックからトピックへ、語りの階層から別の階層へと軽やかに移動して、語りのオペラを繰り広げていきます。

このシステムが示しているのは、世界は決してあなたに対して直接に明かされたりはしないという原理です。世界は、誰かが誰かにある序列にしたがって語り、その誰かがさらに誰かに語り、さらにそれらの連鎖がつながってやっとあなたのところに辿りつくのです。これが〈媒介〉です。〈媒介〉なしの世界は存在しない。たとえテレビカメラを通してあなたの目の前に事物が投げだされているように見えたとしても、その事物の映像はすでに語り手の〈声〉に媒介されています。そして、その媒介する〈声〉自体もまた、語りのフォーメーションの秩序の中に位置づくものとして、他の〈声〉に媒介されてしか存在しない。媒介なしに神の秩序は存在しないことを、天使たちが教えているように、私たちの「今代」の世俗的世界も媒介なしには存在しないということを、〈ジャーナリズム〉という伝達のシステムは教えているのです。

⓫ ヴァーチャルについてのレッスン

ヴァーチャルは、ヴァーチャルとして満たされた現実性をもっているのだ。

——ジル・ドゥルーズ

デジタルとアナログが融合する時、見えてくる世界がある。

——富士ゼロックス広告「Document Company」

1――ヴァーチャル・リアリティ

情報技術の革命

さて、私たちのレッスンもいよいよ大詰めを迎えることになりました。マス・メディア社会、消費社会、高度資本主義社会、情報化社会などとさまざまに呼ばれてきた今日の世界における意味の経験を考えるうえで、現実の記号化、メディア現象、空間・時間・身体の経験が成立する条件の変化、主体のあり方の変容など、記号の知が明らかにする理論線分をこれまで一つ一つ追ってきました。これまで辿ってきた道筋をひとことで要約すれば、「世界の記号化」と呼ぶことができるような現象を理解する試みと言えます。

ところが、二〇世紀を通して進行したこうした文明の大変化を、いわば総仕上げするような事態が、一九九〇年代には起こってきました。「情報技術革命」と呼ばれている出来事です。情報メディア学者の西垣通は言っています。

二〇世紀末、IT（Information Technology）革命という言葉が疾風のように日本列島を席巻した。その正体も分からぬまま、われわれは慌てふためき、何となく途方にくれている。

だが本当は、気にしなくてはならないことはたった一つだけなのである。「ＩＴ革命後、われわれは生きる意味を見いだせるのか、生きがいを持って暮らしていけるのか」ということだ。(1)

インターネットをはじめとする、コンピュータを媒介手段としたコミュニケーション技術によって、世界の意味の経験が成立する条件は、大きく変化しつつあります。進行しているのは、たんに世界の出来事のすべてが、情報としてコンピュータに入力され、処理され、現実の出来事が電脳空間（サイバースペース）の中に転位されるという事態だけではありません。世界のすべての与件（データ）が、記号列としてヴァーチャル化され、その情報を変形したり合成する操作が可能になったということ、しかも、このヴァーチャル化の動きは、私たちの身体経験、感性の枠組み、知能の働き、世界における共生のあり方――コミュニティ、経済、政治のあり方――にも大きな影響を及ぼしつつあるということなのです。

「情報技術（Information Technology）」や「コミュニケーション技術」と言っても、すでに4章でその原理を検討したように記号を伝達する技術のことですから、記号論の立場から見れば、それは「記号技術（Semiotic Technology）」と呼ばれるものだということになります。しかも、今日のマルチ・メディア情報技術は、文字情報、視覚情報、聴覚情報、そして究極的には嗅覚情報、触覚情報といったあらゆる種類の記号の伝達を可能にしようとするものですから、多様な感覚にもとづいた記号をまとめて理解するという〈普遍記号論〉のプロジェクトに対応した記号操作の登場だと理解できるのです。文字であろうと、イメージであろうと、音声であろうと、あらゆる種類の記号を一括して処理し、全世界の人々に一瞬のうちに伝え、あるいはそれらの記号を自在に蓄積・変形・合成するという技術の出現、これこそまさにロックやライプニッツが〈普遍記号論〉を構想したときに夢見た記号の技術（テクネー）の普遍化と言えるものかもしれないのです。じっさい、サイバースペースと呼ばれる、コンピュータによって媒介された人工の記号空間は、世界のすべての事象を記号として捉え、記号操作によってすべてを扱うという普遍記号論の原理の具体化に他ならないのです。私は、このように情報技術を通して進行する世界の記号化を扱う理論に、「情報記号論」という名前を与えることを考えています。ここでは、この普遍化する記号技術の原理を、これまでに学んできた記号学・記号論の基礎概念を手がかりに考えてみましょう。

「デジタルとアナログが融合する時……」

ＩＴと呼ばれる情報技術は、よく知られているように、すべてを二進法の数値からなる記号列に書き換え符号化するデジタル技術にもとづいています。コンピュータ学者の坂村健は述べています。

文字、画像、音……シャノンは「この世のありとあらゆる情報は、0と1に変えられる」と宣言したわけですが、これは別の角度から見れば、世の中のすべての情報はデジタル化することで、みな同じ形になるという意味でもあります。つまり、それが音であろうが、文字であろうが、あるいは絵であろうが、どんなものも0と1になってしまう。つまり、すべての情報が同列に並ぶということなのです。

実は、この発見こそが今日のコンピュータの爆発的発展を産み出したものなのです。(2)

サイバースペースは、宇宙の事象のすべてをデジタルな人工記号列に変換したうえで、人間に読みとることが可能な自然記号を生成することによって生みだされている。まず、この原理を考えてみましょう。

ここで取りあげるのは、富士ゼロックスによる一九九九年の「Document Company」の広告です。この広告には、シュールレアリスムの画家サルバドール・ダリの作品「地中海を見つめるガラ」(図11-1)が掲げられています。この作品を近くから見ると、絵画の中央部分には、城壁のような石の建物の窓から、海を眺める全裸の女性の後ろ姿が、極めてリアルに描かれている。この女性は、ダリの絵画に女神としてつねに登場する妻ガラな

図11-1　ダリ「地中海を見つめるガラ」(1974-76年)

のですが、その海の方を眺めている女性の周囲には、ベージュや茶色や黒のモザイク模様が、積み木細工のように組み合わせて描かれています。ところが、この絵を数メートル離れて遠くから眺めるとどうでしょう。そのとき画面全体に現れるのは、リンカーン大統領の肖像画なのです。黒いモザイクの縁は、リンカーン大統領の頭髪、あご鬚、眼、そして上着の肩であることが分かります。ベージュや茶色の部分は、顔の皮膚と絵の背景であることが見えてくるのです。富士ゼロックスの広告には、「デジタルとアナログが融合する時見えてくる世界がある」というコピーが付されていて、アナログ技術とデジタル技術とを組み合わせた複写機の機能が解説されています。つまり、この広告のテーマは、アナログな複写という技術と、それをコンピュータに取り込んでデジタル処理する技術とを組み合わせた複写機のテクノロジーを、ダリのだまし絵によって図示して見せることにあると言えます。

たしかに、ガラの裸身を描くダリのやり方は、古典的な絵画に見られるように、モデルを忠実に再現するというアナログ記号の実践です。パースの記号分類ならば、それは類像記号と言えるでしょう。パースの分類のなかでは、記号が指示する対象と類似性（アナロジー）の関係にある「類像記号」や、対象との連続性において痕跡となっている「指標記号」は、対象のあり方と直接に結びついているという意味でアナログな記号であると言えます。それに対して、モザイクの組み合わせからリンカーンの肖像をつくるという場合、一つ一つのモザイクによる形象は、画面の縦横二次元のマス目の単位の組み合わせにすぎず、表現しようとする対象のリンカーンとはなんら有縁的結びつきをもってはいません。ダリの絵画において、リンカーンの肖像を描くために採用された技術は、コンピュータがデジタル画像をつくりだすのと同じ原理にもとづいています。つまり、画面を二次元に細かく分割し、それぞれのマス目に0か1かの符号を与えてやれば、マス目のモザイクを構成単位として成立する形象は、二進法（Binary Digit）の言語によって完全に記述することができるようになります。パースの分類ではこのような原理にもとづく記号は、対象との結びつきではなく、人工的な取り決めによって成立する「象徴記号」として扱われるでしょう。

じっさい、ダリの絵画で行われているのは、裸のガラを対象として描きだした図像という〈アナログ記号〉を、モザイク画面の〈デジタル記号〉のシステムに書き換え、そのデジタル記号の言語にしたがって、最初の対象とはまったく無関係なリンカーンの肖像を生成するという一連の手続きなのです。このシステムによるならば、いかなる対象とも無関係に、マス目の二進法による人工記号によって、無数の色とかたちを生成できるようになります。

記号とかたちの生成をめぐる同じ問題は、画家のパウル・クレーが『造形思考』で試みたことでもあります（本書2章、図2-6を参照）。クレーが扱ったのは、魚のかたちをめぐる、記号によるかたちの分節の問題でした。そこでもやはり画面を鱗のようなモザイク構造に分割することによって、かたちを分節する最小限の単位を求め、それらの形式的要素を組み合わせて分節化することによって、魚のかたちを生成することができることを示そうとしました。コンピュータ画像の最小限の構成単位である「画素（ピクセル）」は、この同じ原理によって画面を分割してえられるかたちと色の構成要素（Pixel とは Picture Element からつくられた造語）のことです。このように画像の「微分」によって、すべての色とかたちは、二進法の人工記号列によって記述可能なものとなり、また、どのようなかたちも色も生成することができるようになるのです。

このように画面に現れた図像を、マス目の体系によって書き換えることによって、図像を構成するかたちと色の結合は、計算機によって扱える二進法の記号列に変換されることになります。ガラの肉体を描いた図像（アイコン）というアナログ記号は、このオペレーションによって、マス目からリンカーンの顔を合成するデジタル記号へと位相を換えたのだというべきでしょう。これが、「デジタルとアナログが融合する時見えてくる世界」というわけです。

指向対象の消失

アナログ記号によって成立する意味の世界から、デジタル記号に媒介された意味の世界へと移行するとき、どのようなことが起こるのでしょうか。ここでいう、アナログ記号(Analogic Sign)とデジタル記号(Digital Sign)という対比は、記号が参照する対象、すなわち指向対象(Referent)との関係において定義されます。静物を油絵に描いたときのような事物の像(=類像記号)や、写真の乾板に映しだされた事物の影(=指標記号)、レコードに刻み込まれた音の痕跡(=指標記号)が、アナログ記号であるとされるのは、それらの記号が類似性の関係にせよ、接触の関係にせよ、なんらかの結びつきにおいて、指向対象と関係づけられているかぎりにおいて成立することによります。これらの記号が「アナロジックである(類似している)」という意味は、指向対象との類似性、あるいは経験的連続性において結びつきをもっているゆえに記号として成立しているということなのです。

それに対して、デジタル記号は、記号自身の固有な法則性のみにもとづいて成立するという意味において、パースのいう象徴記号の分類に属する記号であると考えられます。デジタルな記号とは、二進法指数（Binary Digit, Bit）による原理にもとづいた記号という意味であり、画面をモザイク格子に分割して定義される画素の原理が示しているように、純粋に数学的に定義された形式的差異のシステム（画素により構成されるマス目）によって生成されることを特徴としています。クレーの魚や、ダリのリンカーンの顔は、この形式的差異のシステムという〈記号のマトリクス〉によって生みだされたものであって、モザイク格子のマス目こそは、その乗数に相当する形を潜在的に生成することができる記号のマトリクスの役目を果たしているのです。このとき、個々の記号は、それぞれの生成を可能にする〈記号のシステム〉との関係においてのみ定義されるようになる、つまり指向対象との結びつきを失っているのです。記号は指向対象と乖離し、記号の次元の自立化が起こることになります。これが、シミュレーションの世界の始まりです。

このような象徴記号の特徴は、ソシュールの記号学が扱った自然言語の音韻システムにおいてすでに表れています。(3) コンピュータによる二進法の人工言語は、そうした自然言語の記号システムのあり方をさらに徹底化したものに他なりません。二進法指数をとるデジタル記号の原理にもとづくならば、すべての記号は二進法の数値からなる記号列によって記すことができる。例えば、画素にもとづいた視覚記号の生成の原理として、縦横それぞれ五個のマス目からなる方眼格子による画面を考えたならば、この極めて単純な記号のマトリクスから、二の五乗の五乗、つまり三三五五四四三二通りの視覚記号を生成することが可能になります（本書2章、図2-5のクレーの作品を参照）。

このようなシステムにもとづいて生成された記号が、現実世界において対応物をもつかどうか、つまり記号と指向対象との結びつきをもつかどうかは、ここでは偶然的で、二次的な問題にすぎないのです。じっさい、この五×五のマス目のようなマトリクスから生成される視覚記号のうち、どれだけの組み合わせが、対応する具体的な事物のかたちとして理解されるかは、記号の次元と事物の次元との出会いの問題にすぎません。ダリの描いたガラの図像をモザイク図面にしたとき、リンカーンの肖像が浮かび上がるのは、モザイクの組み合わせの偶然のなせるわざで、別のモザイクの組み合わせは、他の指向対象を喚起するかたちとなることも、まったく現実に対応物をもたないかたちとなることも原理として区別はありません。これは、日本語の記号体系では、ishidanokaoという記号列は指向対象としての対応項をもつけれども、ishetomikeoという記号列は対応をもたないということに似ています。

デジタル記号のシステムによって導入されるのは、じつは記号の合成によるシミュレーションという出来事です。アナログのカメラによって撮影された写真をスキャナーで取り込み、コンピュータで画像処理する場合のことを考えてみましょう。アナログ写真に映った被写体の像という図像記号は、コンピュータに取り込まれたときから画素のマス目によって合成（synthesize）された像として、指向対象との結びつきを失うことになります。ガラの裸像がモザイクに解体されたように、アナログ写真の像は、コンピュータによって画素に解体され、そこに実現しうる無数の画像のうちの任意の一つになります。画素の集合から成り立つデジタル画像は、まさにそのことによって、つねに無際限な変形可能性にさらされることになるのです。コンピュータ画面の場合、実現した画像は、画素の集合によって表された人工記号の配列にすぎず、指向対象とのいかなる結びつきもたず、ソシュールが「言語記号」に関していったような意味で純粋に「恣意的」な記号の組み合わせにすぎません。そして、だからこそ、アナログ写真では指向対象と関係づけられていた像に対して、コンピュータの画像処理に見られるように、画像の色彩、明度、かたちを変えたり、あるいは二次元画像から三次元画像をつくりだしたりという操作可能性が生まれるのです。〈指向対象〉、つまり〈現実〉は、むしろ記号の合成によってシミュレートされるものへと位相を変えるのです。

ヴァーチャルとは何か

ここで、「ヴァーチャル・リアリティ（Virtual Reality）」という、よく使われる用語について考えてみましょう。日本語では「仮想現実」などと訳されたりしますが、ヴァーチャルという語は、本来どのような意味をもっている言葉なのでしょうか。Virtual の語源は、ラテン語のVirtusで、潜められている力や勢いをさすことばです。ヴァーチャルであるとは、潜勢的であることだと言ってよいでしょう。通常、事態のあり方としてVirtual（潜勢態）は、Real（現実態）の反対概念であるかのように考えられがちです。しかし、じつはVirtual（潜勢態）の反対概念はActual（現勢態）です。ちなみにReal（現実態）の反対概念はPossible（可能態）です。哲学者のジル・ドゥルーズは次のように述べています。

> 潜勢態《ヴァーチャル》が対立するのは現実態《リアル》に対してなのではなく、現勢態《アクチャル》に対してのみである。潜勢態《ヴァーチャル》は、潜勢態《ヴァーチャル》として満たされた現実性《リアリティ》をもっているのだ。(4)

ヴァーチャルに存在しているとは、どういうことでしょうか。樹木と種子の関係を考えてみましょう。「種子は樹木を潜めている」、「種子の中には樹木がヴァーチャルに存在している」と言うことができます。DNAコードで考えた場合、「種子は樹木をその構造の中に折り畳んでいる」、「種子の中に樹木は潜勢態において存在している」と言うことができます。この状態は、「樹木が仮想（フィクション）として存在している」わけではなく、「樹木という現実は存在していない」というわけでもありません。種子という状態においては、「樹木はプログラムとして存在している、コードとして存在している」と言うことができますが、そうした存在のあり方（＝潜勢態）もやはり現実（リアリティ）であることに変わりはないのです。

それに対して、「樹木に育つ」、「樹木になる」という樹木の生成の出来事を考えてみましょう。光、空気、土、水などの環境の働きを受けて、種子は発育します。樹木は、種子の中に折り畳まれていた構造にしたがって生長するわけです。しかし、自然界にはどれ一つとしてまったく同じ樹木が存在しないという事実が示すように、種子のプログラムとしての構造の中にはあらかじめ定められた樹木の可能態の束が用意されていて、その中の任意の一つが実現するというわけではないのです。そこでは、まったく異なったプロセスが働いています。潜勢態としての種子は、同じものは二つとない唯一の具体的な環境という〈問題〉に対する唯一の〈解決〉として、他に同じものは二つとない唯一の樹木として現勢化するのです。つまり、樹木は、ほかにも無数に実現しえたはずの種子のプログラムという潜められた力を使って、唯一のかたちが現勢化した姿（＝現勢態）なのです。種子は樹木になる力を潜めているわけですが、そのような潜勢態としてのあり方も現実に存在していることにかわりはない。このとき樹木の〈生成〉とは、力が潜勢態から現勢態へと移行する〈出来事〉のことです。このような現勢態において樹木は生きているのです。これは、現実になりうる事態として、現実の手前に、すでにその現実のかたちをそろえて待ち受けている状態としての、可能態という物事のあり方とは、根本的に異質です。例えば、自動販売機を前に飲み物を選ぶ場合、どの飲み物を選ぶかと自問するならば、選択肢を構成するそれぞれの清涼飲料水の観念は、可能態として、実現するのをあらかじめ待ち受けている。しかし、ヴァーチャルなものとは、そのような可能態の姿をして待ち受けているわけではないのです。

記号自体のヴァーチャル化

さて、やや難解な哲学的議論をもちだしたことには理由があります。ヴァーチャルであるとはどういう事態であるのか、ということを考えていくと、記号的な事象のあり方の問題へと至らざるをえないからです。じっさい、言語やその他の記号のシステムのあり方は、具体的な物のようなあり方をしているわけではなく、またあらかじめ定められた実現の可能性のセットとして存在しているわけでもありません。

言語記号のことを考えてみましょう。言語は、人間の経験を、ヴァーチャル化します。ある出来事を私が言語化して記憶するとしましょう。私の経験は、こうして言語記号に換えられることによって、任意のときに任意の回数だけ反復することができる意味経験として、潜勢態において存在することになります。ただ、その記憶された出来事は、言語のシステムの法則にしたがって、言語記号からそのつどつくりだされて現勢化するのであって、だからこそ私は、その出来事をさまざまな表現で言い換えることができるのです。この事情は、写真のような図像記号や足跡のような指標記号であっても同じです。それらの事物の痕跡は、記号となることによって任意の回数だけ反復されうるという潜勢性をもつことになる。その記号を見るたびに、対象となった事象が現勢化し、回帰すると同時に他の象徴的な力と組み合わされて、新しい意味を生み出していくことになるのです。

このように考えてみると、記号という存在は、潜勢態／現勢態というあり方で存在していることが分かってきます。物や事や行動を記号に書き換えるということは、それらの物や事や行動をヴァーチャル化することになる、つまり、記号の潜勢態に転位することであるという認識がここから導かれます。そのことによって、人間は意味の世界をつくりだし、記憶を組織し、主体として自己を律していくことができるようになるのです。

このような意味での「現実のヴァーチャル化」を言うのであれば、それは記号の原理全体についてあてはまることであって、とくにコンピュータの人工記号に媒介されて成立するヴァーチャル・リアリティについてのみ、「現実のヴァーチャル化」をことさら問題にする必要はないようにも思われます。ところが、コンピュータ言語によって生成されるヴァーチャル・リアリティが顕在化させているのは、人間が使用する記号全般のデジタル化によってもたらされる、記号自体のヴァーチャル化という、いわば二乗されたヴァーチャル化がもたらす現実の消失の問題であるのです。

記号合成の技術とシミュレーション

すでに見たように、コンピュータの画面上では、イメージ、テクスト、音声いずれもいったん二進法の人工記号列に書き換えられたうえで、記号として合成されます。入力されたどのような記号も、対象との参照関係、書き手や話し手との指標的な結びつきから切り離されて、潜勢的な変形可能性の中に還元されます。入力された記号自体が、人工記号列としてまずヴァーチャル化をうけるのです。ヴァーチャル化された情報は、コンピュータの画面では、画素、文字、音素として、画像、テクスト、声を合成することになります。そのように人工的に合成された記号は、今度は、合成された〝自然記号〟として、指向対象、筆跡、語りを、人工的につくりだすことになります。

この事態こそ、記号の〈シミュレーション〉に他なりません。存在しない事物、どこにもいない人物の顔、存在しない文字、誰のものでもないテクスト、存在しない声、誰のものでもない語りなどを、人工的に合成された記号によって生成することができるというわけです。あらゆる記号をコンピュータ空間に転位して合成し、それらの人工記号にもとづいて参照される現実をシミュレートすることこそ、ヴァーチャル・リアリティの原理なのです。

現実の世界においても、リアリティは、もともと記号が参照する対象として構成されるものです。ところが、ヴァーチャル・リアリティでは、人工的につくりだされた記号が参照する「仮想の現実」として、指向対象は構成されるものなのです。記号にもとづいて現実を仮構するというシミュレーションは、とくにヴァーチャル・リアリティというやり方でなくても実現できます。ただ、あらゆる記号を同一の情報技術によって処理することができるようになり、その原理にもとづいてあらゆる記号を合成し生成することができるという点が、他の記号技術にもとづいたシミュレーションとは異なると言えるでしょう。

以上をまとめると次のように言うことができるでしょう。デジタル・テクノロジーとは、二進法の人工言語システムにもとづく記号合成の技術である。この技術によって記号のデジタル化処理は、記号を指向対象から分離し、あらゆる記号を変形・生成することによって、指向対象をシミュレートすることを可能にする。ヴァーチャル・リアリティとは、アナログ記号をデジタル記号の技術によって生成し、指向対象をシミュレートすることによって、つくりだされる参照行為（Reference）が構成する表象（Representation）の時空間のことである。

2──サイバースペース

電脳空間のコミュニケーション

ヴァーチャル・リアリティの原理を理解したうえで、それでは、こうしたデジタル記号の技術は、どのようなコミュニケーションを可能にするのでしょうか。また、人工記号のみによって成立する表象空間において、意味活動はどのような特徴をもつのでしょうか。じっさいに、インターネットに代表されるような、コンピュータを通して成立するコミュニケーションについて考えてみることにしましょう。

デジタル技術にもとづく人工記号が成立させたコミュニケーション空間は、ウィリアム・ギブソンのサイバーパンク小説『ニューロマンサー』以来「サイバースペース（電脳空間）」と呼ばれます。(5) サイバースペースにおいては、コミュニケーション空間はどのような記号論的基礎をもっているのか、それは、どのように私たちの意味世界を変容させる可能性があるのか。こうした問題を考えることは、パースの用語を使うならば、サイバースペースにおける「セミオーシス（記号過程）」の研究を意味しています。

ここではまず、インターフェース（Interface）、インターラクティヴィティ（Interactivity）、ハイパーテクスト（Hypertext）といった、ハイパーメディアにおけるセミオーシスの特徴を明らかにしたうえで、サイバースペースにおけるコミュニケーションの条件を考えてみます。

インターフェース

パソコンを通して、インターネットに接続し、コミュニケーションを行っているという状況を思い浮かべてみましょう。この場合、現在の技術では、ユーザーとインターネットのコミュニケーション空間との間を結んでいるのは、パソコンのモニター画面やスピーカといった装置、およびキーボードやマウス、あるいは音声マイクなどの入力装置です。こうした部分は、パソコンの機械とユーザーとしての人間とを結びつける、人と機械のインターフェース（Man-Machine Interface、あるいはHuman Interface）を構成しています。コンピュータを動かしているのは、0と1の信号列にもとづいた機械的処理のプロセスです。それに対して、人間が行っているのは、ことば、文字、画像、音声といったさまざまな記号をメッセージとしてコンピュータに入力したり、機械が受信した信号列が変換され出力されたメッセージを記号として読みとるという活動です。インターフェースを通して、人間のメッセージを機械に入力して符号化したり、機械に送られてきた符号を人間のメッセージに復号化するといった、人間が使用する記号と機械語との間の翻訳の操作が行われているのです。

マッキントッシュやウィンドウズなどのパソコンでは、ＧＵＩ（Graphic User Interface）と呼ばれる、文字だけでなくアイコンを使ったインターフェースが採用されています。GUIのようなシステムにおいては、人間がコンピュータに実行させるコマンドを、ユーザーの日常生活における環境や行動とのアナロジーにもとづいて組織するインターフェース・メタファー（Interface Metaphors）が採用されています。皆さんのパソコンの画面を覗いてみてください。パソコンのディスプレイ画面上は、じっさいたくさんの記号でいっぱいです。例えば、必要がなくなったファイルを消去する操作は、「ゴミ箱に捨てる」という日常的動作に喩えられています。また、ディスプレイそのものが「窓」に喩えられていて、プログラムを実行することは「窓を開くこと」に喩えられます。

あるいはまた、アプリケーション・ソフトは「アイコン」と呼ばれる記号により画面に表示され、それぞれのアイコンは、そのアプリケーションでユーザーが行う作業の記号となっています。例えば、メールのソフトは鉛筆をもって手紙を書く手を記号とし、検索ソフトは虫メガネを記号とし、WWWブラウザーは地球を記号としたりというような具合です。アイコンは、私たちのさまざまな日常活動のメタファーとして、人々の意味世界とコンピュータの行う作業とを結びつける役割を果たしているのです。アイコンは、ゴミ箱、手紙と鉛筆の絵のようにパースの分類にいう類像記号（icon）から成り立っている場合もありますし、例えば、マイクロソフトのソフト「Word」のWという略号や「PowerPoint」のPという略号のように、文字という象徴記号（symbol）から成り立っていることもあります。あるいはまた、ブラウザーのリンクを辿ったあとにリンクの色が変わるように痕跡としての指標記号（index）が採用されていることもあります。つまり、アイコンは多様な記号組成から成り立っているわけです。

インターフェース・メタファーは、コンピュータを通して実行される情報処理のプロセスを、ソシュールが述べていた意味における「社会における記号の生活」に結びつける働きをしているのです。別の言い方をすれば、メタファーは人間の「記号の生活」を情報処理技術の上に投影する働きをしているのです。この観点から、サイバースペースとは、情報技術に媒介された「メタファーの空間」であると言うこともできるでしょう。

このように、インターフェースを通しては、機械による情報処理のプロセスと、人間の意味作用のプロセスとが接していることになります。コンピュータ記号論の著者たちはこの事態を指して、「人々が記号過程（セミオーシス）に参与している間に、機械は情報処理を実行している」と述べています[6]。これが、記号と情報とのインターフェースの問題で、「情報記号論」とは、このインターフェースの研究に他なりません。

インターラクティヴ

コンピュータのようなデジタル・メディアは、インターラクティヴ（interactive）なメディアであると言われています。その意味は、マス・メディアのように、メッセージが固定されて送り手と受け手の関係が一方向的に決まってはおらず、送り手と受け手との間、あるいはメッセージと受け手との間にインターラクション（相互行為）が可能であるメディアということです。パソコンの場合、具体的には、画面上に現れるメッセージが、新聞やテレビのように一方的に送られてくるのではなく、ユーザーが画面をスクロールさせたり、ポインターの矢印がさすところをクリックして他のページへジャンプしたり、またマウスやキーボードなどの入力装置を通して自分のメッセージを書き込んだりというように、ユーザーがインターフェースを通して、メッセージ生成のプロセスに関与することを意味しています。

この場合、インターラクティヴィティの成立にとって決定的に重要なのは、ユーザーの「いま・ここ・私」が、コンピュータのメタファー空間の中に転位されることです。その役割を果たしているのが、画面上のカーソルやポインターといった装置です。ユーザーの操作にしたがって移動するカーソルやポインターは、ユーザーの「いま・ここ・私」のメタファーの機能を果たします。ポインターの矢印やカーソルの点滅印は、ヤコブソンのいうシフター（転換記号）の働きをしています。シフターとは、言語記号でいえば〈私（たち）、あなた（たち）〉のような一・二人称代名詞、あるいは、〈いま、ここ、あそこ〉といった指示詞のことです。また、言語記号のシステムの中で意味作用を決められているという点では、パースのいう象徴記号であり、同時に、指示対象とは経験的な関係によって結ばれているという点では、指標記号でもあるという、二重の性格をもつ記号です。ヤコブソンは次のようにシフターを説明しています。

パースによれば、象徴記号は（例えば「赤」というフランス語の単語のように）、表意される対象と約定的な規則で結びついているのに対して、指標記号は（例えば何かを指さす行為のように）、それが表意する対象と実経験的な結びつきによって結ばれている。転換記号（shifters）は、こうした二つの機能を兼ね備えているので象徴—指標記号（symbols-index）の部類に属している。……そのめざましい例が、一人称代名詞である。私は「私」と言表する人物をさす。したがって、一方で、「私」という記号は、その対象と「約定的規則によって」結びつくことなしには、その対象を指示することができず、さまざまな相異なったコードにおいて、同じ意味はje, ego, ich, Iなど違ったシークエンスに付与されている。したがって、「私」とは象徴記号である。しかし、他方では、「私」という記号は、指示対象と実経験的な関係にあるのでなければ、その対象を指示することができない。言表者をさす「私」という単語は、言表行為との実経験的な関係にあるのであって、したがって、指標記号として機能するものでもあるのである。(7)

この「私」のように、シフターとは、コードにもとづいて象徴記号として成立しているが、その意味作用が言表行為を起点とした実地経験的な結びつきにおいて対象をさし示す指標記号である記号――つまり指標記号として意味する象徴記号――のことです。このような記号が存在することによって、言表者は、自分の経験を、記号を使って指示することができるし、同時に、記号を自分の実経験と接続させて使うことができるのです。つまり、「私」と言表することによって、私は自分の身体の経験と接続させて記号を使用することができるのです。また、他者のメッセージにおいては、「あなた」や「彼／彼女」として語りかけられたり、語られる存在であったのが、「私」と言うことによって、メッセージの配置を転換させ、〈語る主体〉・〈語る行為〉のポジションを占めることができるのです。このように発話の状況を転換（シフト）させる機能を、シフターという記号は担っているのです。

コンピュータのインターフェースにおけるポインターやカーソルは、厳密にいえば、シフターのインターフェース・メタファーであると言うことができます。それらは、コンピュータ画面とユーザーの〈いま・ここ・私〉を接続させている記号であり、そこを通してユーザーは、自分の身体の経験を、コンピュータ上の記号ネットワークと結びつけているのです。そして言語において、シフターが話者の身体の〈いま・ここ・私〉を言語の意味世界に接続し、話者の「いま・ここ・私」を起点にして、言語活動の文脈を転換することができるように、ポインターやカーソルというシフターは、ユーザー自身の視点から、コンピュータ上に展開する記号活動の文脈を転換（シフト）することができるというわけです。

新聞やテレビのように、固定したメッセージが一方的に伝えられるメディアとは異なって、コンピュータでは、インターフェースを通してユーザーは自分の〈いま・ここ・私〉をメッセージの中に記入することができる。記入したメッセージを送信することもできるし、受信したメッセージの文脈を転換することもできる。このようなインターフェースを通して、インターネットの世界と、ユーザーの身体の〈いま・ここ・私〉は接続している。これが、コンピュータに媒介されたコミュニケーションにおけるインターラクティヴィティの意味です。[8]

ハイパーテクスト

シフターを導入することによって、文脈を自分自身の視点から転換することができるコミュニケーションは、メッセージの展開の側からはハイパーテクストの原理に支えられています。〈ハイパーテクスト（hypertext）〉とは、一つのテクストから別のテクストへと線状的に連結した関係によって結ばれたものではなく、テクストの任意の箇所に付けられたタグからテクストの別の箇所あるいは別のテクストへとリンクが張られ、複数のテクストが相互に複雑なネットワークの関係を成立させているようなテクストです。

ハイパーテクストにおいては、それぞれの記号は一つのテクストの記号列にしたがって

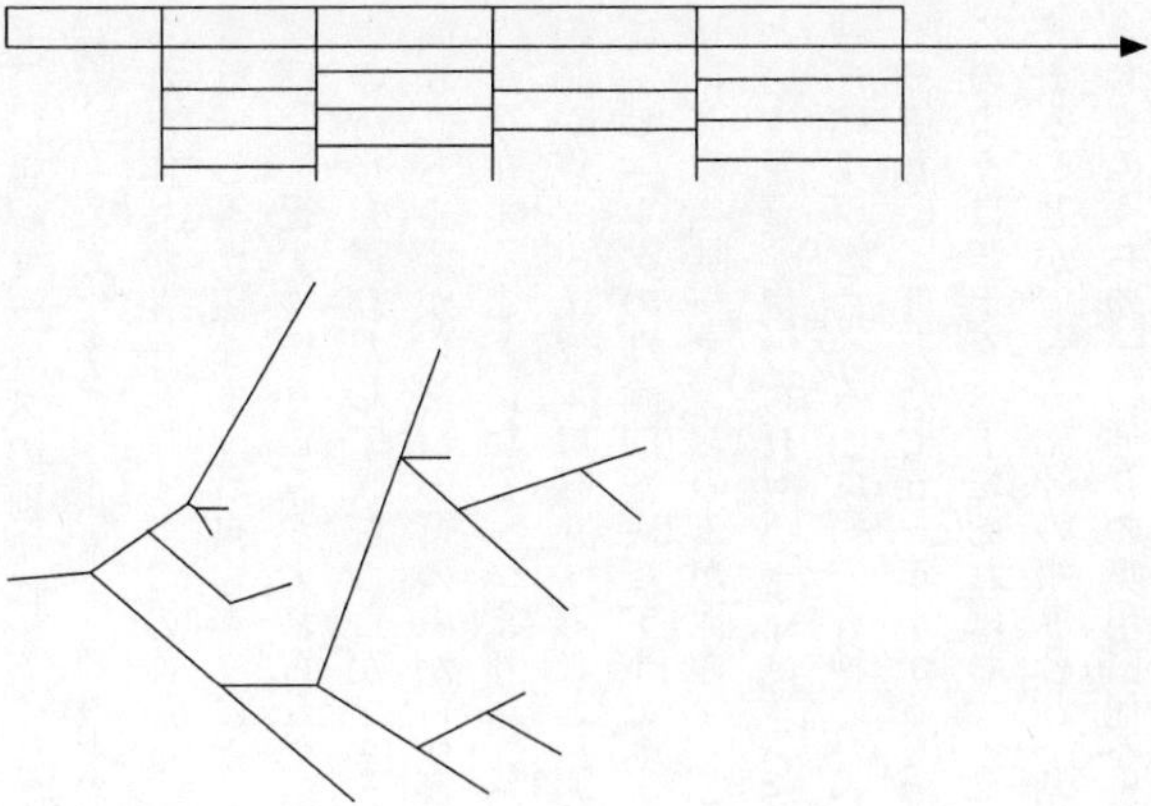

図 11-2　テクストの記号実現（上）とハイパーテクストの記号実現（下）

読まれるばかりでなく、リンクを張られた記号から、別の場所あるいは別のテクストへと通路が開かれている。ソシュールの用語を使えば、テクストを構成していく記号の連辞（サンタグム）関係が、いくつもの箇所で範列（パラディグム）関係に横切られ、その範列関係に導かれて、分岐的な連辞関係を無数の枝葉のようにつくっていくような記号実現がハイパーテクストの特徴と言えます（図11-2）。あるいはまた、パースの記号論からすれば、ハイパーテクストにおいては、記号を解釈する文脈としての解釈項が固定しておらず、解釈作用の自由度が高いセミオーシスが成立すると言うことができます。

二〇世紀フランスの前衛作家レイモン・クノーに『百兆の詩』（一九六一年）という、「紙メディアによるハイパーテクストの試み」と呼ぶことができる原理にもとづいてつくられた作品が存在します。(9) この作品は、一頁にソネット（一四行詩）が一篇ずつ書かれ、合計一〇篇からなる一〇頁の本文によって成り立っています。ただし、それぞれの頁の詩篇は、一行ずつ切り込みが入れられていて、任意の頁の一行を読んだあとは、別の任意の頁の詩行を選びだして読むことができるという仕掛けになっています。一篇は一四行から成り立ちますから、一〇頁の中から任意の一行を読むとすれば、一〇の一四乗通りの読み方が存在することになる。つまり、このハイパーテクスト化された本によって、一〇〇兆の詩がヴァーチャルに存在することになったわけです。ちなみに、この作品の巻頭句には、コンピュータの理論的基礎モデルであるチューリング・マシンを発案したA・M・チューリングの「唯一マシンのみが他のマシンの書いたソネットを鑑賞することができるのだ」という言葉が掲げられています。また序文で作者は、「一つのソネットを読むのに約四五秒、ページをめくるのに約一五秒、ひたすら毎日二四時間、一年の三六五日読みつづけても一億九〇二五万八七五一年かかる（閏年などを考慮にいれなくても）」と述べています。このように、テクストであればわずか一〇通り、時間にしてほとんど一〇分もあれば読み終えることができる記号の組み合わせが、ハイパーテクストにおいては、一〇〇兆の組み合わせのうちの一〇通りの実現に他ならないという、テクストのヴァーチャル化が起こるのです。

ハイパーテクストにおいては、このようにテクストの累乗化が起こっています。そして、テクストはそれ自身のうちに、無数の他のテクストとの関係を抱え込むことになります。これによって引き起こされるのは、コンテクスト（context）の成立条件のラディカルな変化です。コンテクストとは、メッセージの理解を支える基本的な場ですが、語源のラテン語cum（英語のwithにあたる前置詞）+textusが示しているように、そもそもの意味は、一つのテクストと一緒にあるもう一つのテクストというものです。従来のテクストにおいては、一つのテクストは、自らのコンテクストと、テクストの縁《へり》の部分で接していたのですが、ハイパーテクストにおいては、テクストはそれ自身の内部において、多様なコンテクストを無数の襞《ひだ》のように抱え込んでいることになります。ハイパーテクストにおいては、一つのテクストは、あらゆる方向へとその通路を延ばしている。コンテクストは分散し、安定を失うのです。

例えば、インターネットはＨＴＭＬ（Hyper Text Markup Language）という言語で記述され、ｈｔｔｐ（Hyper Text Transfer Protocol）という通信プロトコルに則って情報をやりとりします。そのＷＷＷ（World Wide Web）の情報空間においては、一個のテクストは、ハイパーテクストの原理にしたがって、理論的にはＷＷＷ上の他のすべてのテクストとつながっています。インターネットのユーザーは、マウスをクリックして、ウェブ上のメッセージを次々に読んでいくのですが、メッセージはもはや固定したコンテクストをもつのではなく、ハイパーリンクにしたがってテクストを横断するかたちで、コンテクストがユーザー自身によってつくりだされていきます。これはいわば、テクストの一部を抜き書きして、次々に〈引用〉していく実践のようなものです。そして、ウェブ上に何かを書き込むということは、そのような部分的で変形的な引用の場へと、メッセージを差しだすことを意味しています。

万有図書館のネットワーク

世界規模で張りめぐらされた蜘蛛の巣――ワールド・ワイド・ウェブ――としてのインターネットは、ウェブ上のメッセージを他のすべてのメッセージとの潜在的な横断関係において結びつけています。そして、それらすべてのメッセージは、メッセージの作者の意図をこえて、ヴァーチャル化され、誰も読んだことのない組み合わせをつくりだす可能性へと開かれています。

そこでは、すべての書かれたこと――あるいは、言われたこと、映像として記録されたこと――は保存されて、潜在的にはすべてが相互にコミュニケートしている。新たに何かが書き込まれれば、そのメッセージは、すぐさま他のすべてのメッセージとの潜在的コミュニケーションの中に組み入れられ、全体からすれば微細であるにせよ、その配置を変化させることになる。しかも、それぞれのメッセージは、その表面上の組み合わせだけでなく、まだ誰も経験したことがない組み合わせの可能性を潜めていて、偶然がそのような新しい組み合わせを開示させる。つまり、ワールド・ワイド・ウェブは、この世のあらゆるメッセージの出来事を収めている普遍的なアーカイヴでありながら、しかも、いつも新しいメッセージの書き込みが起こり、読解の迷路がますます深まっていく、というようなじつに不思議な普遍的コミュニケーションの場なのです。

このようなコミュニケーションの場は、二〇世紀の作家ボルヘスが、「バベルの図書館」という短編で描いた万有図書館に似ているとも言えるでしょう(10)。それは、世界のあらゆる記憶を収めた図書館で、その規模は宇宙大にまで拡大しており、人々はもはやその図書館の中で何世代にもわたって生活している。だれもその図書館の外に出たことはないし、図書館の構造を捉えることはできない。しかし、この万有図書館の知はあまりに普遍的であって、あらゆる記号列を予見していて、それに対応するメッセージを蔵書の中には見つけることができる。

私が、例えば、dhcmrlchtdjのような、任意の文字列を組み合わせるとすると、神聖な図書館はその文字列をすでに予想しており(11)、その隠されたことばは恐るべき意味をふくんでいたことが分かるのである。

インターネットは、任意の文字列にテクストが対応するというところまで完全にはハイパーテクスト化されていないとはいえ、任意の名前、任意の単語を入力すれば、検索エンジンは対応するテクストをウェブ上から探しだしてきます。そのようなリンクを通して、私たちは世界規模のテクスト網の中を航行するわけです。

インターネットのモナドロジー

インターネットは、そのように万有のハイパーテクスト・ネットワークなのですが、その特性は、網羅性と横断性ということに尽きるものではありません。インターネットは、すべてのテクストをつなげたネットワークという意味で、〈普遍的な全体〉として拡がるものです。しかし、その全体は一種特別なあり方をしています。すなわち、それは全体ではあるのですが、その全体をコミュニケーションの主体は決して外から見晴るかすことができず、すべての視点はその全体の中の局所としてしか成立しないのです。インターラクティヴなメディアとしてのインターネットにおいては、ユーザーは必ずどこかに自分のシフターの〈いま・ここ・私〉を記入しないとメッセージを読み書きできない。これは、従来の一方通行的なメディアとの大きな差です。

例えば、本というメディアを考えてみると〈クノーのようなハイパーテクストの本ではなく、古典的な本の場合)、本を構成しているメッセージは、読む主体の「いま・ここ・私」の記入なしに読まれるものであって、主体の外に閉じた全体として存在しています。その閉じた全体としてのメッセージを統括しているのは〈作者〉であって、読者はメッセージの形を変えたり、読む順序を変えたり、別のメッセージを書き込んだりすることはできません。メッセージが読む主体の外に存在するがゆえに、読む主体はメッセージの全体をあらゆる角度から見晴るかすことができるのです。

ところが、インターネットの空間においては、テクストの展開と、それを読み書きする主体の「いま・ここ・私」とは切り離すことができない。主体は、インターネットの外からメッセージを読むことはできず、必ずインターネットの中のどこかに局在しているのです。しかも、その主体の場は、他のすべての主体の場とコミュニケートし合い、全体を構成しており、またその構成は、たえず付け加えられる無数のテクストによってつねに変化しつづけているのです。

近代における普遍記号論の思想の系譜をつくりだし、計算機の発案の祖でもある哲学者のライプニッツは、「モナドロジー(単子論)」というシステム論を構想しました。[12] このライプニッツのシステム論から、インターネットのような、無数の主体と、それらの主体がコミュニケートすることによって成り立つ全体との関係を考えることができます。ライプニッツによれば、宇宙は、神、人間、動物から植物、無機物にいたる無数のモナド(単子）から成り立っているといいます。モナドは二つとして同一物は存在せず、つねに単独で局所的な存在であって、しかしながらすべてのモナドは固有なやり方で宇宙全体を映しだすものである。しかもすべてのモナドは宇宙を形づくる他のすべてのモナドと、自己自身を閉じたまま、コミュニケートし合っているので、一つのモナドに起こる変化はそれがいかに微細なものであってもすべてのモナドに波及するという。このようなモナドロジーの考え方は、そのままほとんど、インターネットのような世界規模のネットワークと、そのユーザーの関係に置き直せるものです。

例えば、ユーザーのアカウントは、一つのモナドのような働きをします。アカウントは、ネットワークの中に二つとして同じものがない単独な単位であり、コミュニケーションはユーザーの無数のアカウントをつないで成り立っています。ユーザーの〈いま・ここ・私〉は、アカウントの固有の場所を通してしか、ネットワークにアクセスできない。つまりユーザーは自身の〈いま・ここ・私〉という絶対的に閉じられた場所を離れられない（ライプニッツによれば「モナドには窓がない」）。しかし、それぞれの端末は、それに固有なやり方でネットワークの全宇宙を映しだしているというわけです。そして、あるアカウントからメッセージが発信されたとすると、そのメッセージはウェブ上のどこかにとどめおかれ、そのテクストは、ユニヴァーサルなハイパーテクスト全体の配置を、たとえ微細にではあっても、変更することになる。このように、インターネットにおけるコミュニケーションとは、モナドロジーの様相を呈するものと言えるのです。

3――ポスト・ヒューマンの条件

新しい宇宙

これまでに見たように、人々の生活圏が、ハイパーメディアによるコミュニケーション空間にまで拡がりつつあるとき、人間の条件はどのような変化をうけるのでしょうか。これが次に考えるべき問題です。

サイバースペースとは、あらゆる指向対象が合成される場所でした。この空間においては、コンテクストはそれ自身のうちに無数の分散化を秘め、あらゆる場所へとハイパーリンクしていく。そして、ユーザーの身体は、インターフェースを通して、シフターの〈いま・ここ・私〉において、絶えず配置を変える情報の結節にアクセスしていく。主体はここでは、ネットワークを構成するモナドであって、それ自身の絶対的な局所性において、ネットワークの宇宙全体を固有のやり方で映しだしている。この「新しい宇宙」は、次のようにも描かれます。

サイバースペース。これは新しい宇宙だ。世界中のコンピュータと通信回路を使って生み出され、維持されるパラレルユニバースだ。知識、秘密、度量法、度量指示手段《インジケータ》、娯楽、そして人間の分身としてのエージェントの全世界的な交通が具体的な形象となって現われる世界。これまで地球上に決して出現したことのない光景、音、存在の現前が今や広大な電子の夜のなかに花開きつつある。

サイバースペース。システムに接続された任意のコンピュータを通じてアクセスされる、唯一にして限界なき場所。バンクーバーの地下室からでも、［ハイチの］ポルトー・プランスに停泊するボートからでも、ニューヨークのタクシーからでも、テキサス・シティのガレージからでも、ローマのアパートメントからでも、香港のオフィスからでも、京都のバーからでも、キンシャサのカフェからでも、月面の研究所からでも入り込むことのできる場所。

サイバースペース。タブレットはページになり、ページは画面になり、画面は世界になり、つまりは仮想世界になった。どこにでもあると同時にどこにもない場所。何ものも忘れ去られることはないが、あらゆるものが変化してやまぬ場所。[13]

このような「新しい宇宙」に、人間の生活が転位されるとは一体どういうことなのでしょうか。

身体感覚の合成

ハイパーメディアのコミュニケーションにおいては、メッセージに対する主体の態度は、書物を読むときの観照的態度や、映画のスクリーンを前にしたときの投影と自己同一視の態度、テレビを前にしたときのマッサージ的コンタクトの態度とは違って、没入（immersion）というあり方をしています。インターフェースとインターラクションの特性によって、読む／書く、話す／聞く、そして見る、聴く、感じるといった活動は、身体をそのままメッセージの中に位置づけることになります。

例えば、インターネットのサイトを次々に訪れていくユーザーは、マウスのクリックによって、自らの欲望がつくりだすコンテクストの中に入り込んでいきます。あるいは、コンピュータ・ゲーム機のコントローラーを使って、ゲームを行っているときのことを考えてみましょう。コントローラーを操る指の動きを通して、ユーザーの身体は、シミュレーションによってモニター画面上につくりだされたイメージに触れています。ユーザーの身体は、仮想現実の中に転位されているのです。また例えば、データグローブをはめたユーザーは、サイバースペース上にシミュレートされた物体を、あたかもそれが自分の身体で触れている対象であるかのように知覚して、メディアの仮想世界に自分を全身体的に入り込ませます。このようにインターフェースとインターラクションを通して、身体が情報空

図11-3　A・ヘゲドゥシュ＋J・ショー＋B・リンターマン＋L・スタック「conFIGURING the CAVE」（1997年）

間の中にとりこまれていくこと、それこそがハイパーメディアに特徴的な〈没入〉の感覚なのです。

　コンピュータ・アートには、ハイパーメディアによる没入感覚を主題化したような作品もあります。例えば、ＮＴＴインターコミュニケーション・センターが所蔵している「conFIGURING the CAVE」（一九九七年）という作品は、正面、両側面、床面がスクリーンである小さな部屋から成り立っていて、中央には一五〇センチメートルのマネキン人形が設置されています（図11-3）。人形は体の関節部のいたる箇所にセンサーを埋め込まれており、観客が３Ｄメガネを着用して、マネキン人形の姿勢や手足の位置を変えると、四つのスクリーンから浮かび上がる立体映像が形を変えていくインターフェースの仕掛けになっています。映しだされる映像は七つの世界を表しているとされ、さまざまな映像や文字の組み合わせから成り立っています。空間は強烈な音響にみたされ、それもまたマネキン人形を操作することによって変化し、映像の運動との共感覚を生みだすようにできています。観客は人間の身体に擬されたマネキン人形の体位を変化させ、さまざまな身振りをあたえることによって、人形の身体とハイパーリンクする記号列が織りなすヴァーチャル世界の中に没入していくのです。繰り広げられる光景は、あたかも人形の身体に宿っている記憶の場所のようでもあり、観客の身体の中に折り畳まれている潜在的な感覚の場が繰り広げられたものでもあるかのようです。

ここでは、身体のインターフェースを通して、ヴァーチャルな記号の場の生成が主題化されていると言ってよいでしょう。3Dメガネのような立体視インターフェースの使用、映像、文字、音響といった記号のインターラクティヴな展開、身体のメタファーとしてのマネキン人形、こうした要素が示しているのは、感覚の合成に始まって、記号の世界の展開へといたる、ハイパーメディアによる空間の生成のパフォーマンスなのです。「The CAVE（洞窟）」というタイトルは、プラトンの『国家』に語られる洞窟の比喩に似て、イメージと場所を生成する物語を反復しているのだと理解できます。

このような例から見て取れるのは、次のことがらです。ハイパーメディアのテクノロジーは、音響や光による強烈な刺激を放つことによって感覚にじかに働きかけます。(14) それらの刺激は、ユーザーの感覚——視覚、聴覚——に直接に働きかける点で、感覚素材としての〈原—記号〉と呼んでよいものかもしれません。そして、それらの人工的な感覚素材にもとづいて、ハイパーメディアは記号と身体感覚を合成していく。そのことによって、場や空間の合成にまでいたろうとする。ハイパーメディアは、原―記号にもとづく新たな身体感覚の合成へといたるものである、ということが分かるのです。

記号と場

それでは、ユーザーが没入していくサイバースペースとは、いったいどのような場所なのでしょうか。すでに見たように、サイバースペースとは記号からのみ成り、厳密にいえば、どこにも根拠をもたない場所です。サイバースペースということばが示しているように、空間として一般には表象されていますが、空間という形式を、ハイパーメディアのネットワークそれ自体が備えているわけではありません。ネットワーク上で多種多様な記号活動が成立することによって、無数の場が記号の出来事として生みだされていて、その全体が「表象空間」として感じ取られているというのが正確なところでしょう。

サイバースペースにかぎらず、ごく一般的に言って、記号と場とは次のような関係で結ばれています。記号はヴァーチャルな存在の仕方をしていますが、その記号が現働化することによって意味の出来事が起こります。例えば、言語記号を考えれば、何かしらの単語を言うこと、一つの文を書くこと、何がしかの話を述べることなどは、すべてこうした記号の現働化による意味の出来事です。これを言表と呼びます。そして、この言表と同時に、場は生まれる。

　ある小説の冒頭の頁を読んでいるとしましょう。「雨が降っている」という一文が書き出しにあるならば、/雨が降っている/という意味の出来事が、この言表によってまず成立する。その言表はどこかの場所、どこかの時間を参照している。つまり、言表は記号の実現と同時に、それが参照する時間・空間の座標を成立させる。たとえ、それが想像上の場所、あるいはフィクションの中の時間であったとしてもです。つまり、文という記号実現によって、どこかに意味の場が生まれるのです。

　つづいて、小説の冒頭の第二の文が、「男はコートを着て外出した」であったとしましょう。これは、もう一つの場を生みだします。その場とは/男がコートを着て外出する/出来事が起こるどこかの場所と時間です。第一の文が成立させた場と、第二の文が成立させた場との間には、直接の関係はありません。この場合、場とは、参照されているいつか・どこかであると同時に、記号実現が生みだした話題（topic）でもあります。つまり、「〜について語る」という話題が成立すると同時に、場が成立するのです。記号はこのような意味の出来事によって、世界との関係を実現するわけです。このような話題にして場のことを、トポス（topos）と呼ぶことにしましょう。

　一つ一つの記号実現はそれぞれ場を生みますが、それらの場の相互関係を調整しているのがコンテクストです。この小説の例では、第一文の「雨が降っている」というトポスと、第二文の「男はコートを着て外出した」というトポスとの間に文脈がつくられると、屋内に住んでいる男が、雨の降る屋外にコートを着て出かけていくという、双方を統合したトポスが生まれます。そのように、それぞれの記号実現がもたらす話題＝場を総合していくことによって、読者は小説の参照空間を想像によってつくりだしていくのです。記号実現は、そのようにトポロジー的な関係性の空間をつくりだしていくものです。

同様の出来事は、言語記号だけでなく、図像記号など別の種類の記号でも起こります。図像記号の場合には、かたちが生みだされたときが、場が成立するときです。かたちの分節が起こると、形象は図と地という区別の中に成立します。この場合、地はどこかの場に位置づく空間の成立であり、図はテーマとして話題の位置を占めています。このようにかたちの出来事は、図像記号によるトポスの成立を意味するのです。そして、一つの図像記号の実現によって生まれるトポスは、別の図像記号の実現によるトポスと、やはりトポロジー的な関係性の空間をつくりだしていきます。

サイバースペースの記号と場

さて以上は、記号と場との一般的な関係であるわけですが、記号がデジタルに合成され、記号列がハイパーリンクによって生みだされていくサイバースペースにおいては、場の編成は、従来の関係とは違った様相を呈することになります。

まず、ユーザーの身体が没入していく空間は、現実空間を参照の枠組としているわけではありません。場は記号列の生成によって次々と生みだされているのですが、それらの場を編成していく原理は、それ自体がルール制定によって生みだされなければならないものなのです。皆さんは、それは、従来の記号と場との関係でも同じだと考えるかもしれません。例えば、SF小説は、書物において言語記号を使用して、現実空間を参照の枠組とはしない想像的空間をつくることができるではないか、と。

しかし、ここでは問題はより複雑です。サイバースペースでは、まず、記号が指向対象を自ら生みだし、あるいは記号自身が自らの配列を自己組織化していく。そのことによって参照の枠組自体が固定したものではない。しかも、ここでは身体が、記号の生成プロセスにじかに呑み込まれている。記号の場と身体とが複雑な絡み合いを呈し、身体感覚そのものが合成されるような場が生まれているのです。これは、身体がメッセージの外に位置し、メッセージの記号が生みだす場の編成が、つねに安定的な配置を示すという従来のメディアとは異なったものです。

マイケル・ベネディクトは、次のように述べています。

ヴァーチャル世界——サイバースペースもそのひとつだ——は、物質的な意味で現実の存在ではなく、そのために、ここでは、自然の不可欠の要素として絶対的権威をもってとらえられてきた幾何学および位相数学の公理の多くが、物理学の法則ともども、侵犯される、ないしつくり直されるという事態が出現する。

……

サイバースペースのような明らかにリアルでない人工現実の世界においては、通常の空間と時間の基本原理は、原理的に（！）、何ら咎められることなくあっさりと侵犯されてしまう。[15]

このようなサイバースペースにおいては、場の編成原理そのものがルール制定されなければ、ユーザーにとって使用可能な空間は構成されないのです。つまり、空間はそれ自体として、全面的に設計されなければならないのです。そして、その空間の設計に関しては、現実空間とどのようなかたちで関わるかという観点から、二つの対極的な方向が考えられます。

サイバースペースと現実空間の関わり

一つは、サイバースペースを、現実空間と関連づけて、人間が住まうことができるコミュニケーション空間にしていこうとする方向です。サイバースペースにおいて、ユーザー同士がコミュニケーションするためには、その場所が、両者にとって理解可能な共通の空間となっている必要があります。現実空間であれば、どのような場であっても、重力、三次元などといった物理的原理や、上と下、右と左、前と後ろという身体を参照軸とした方向把握、視覚や聴覚にもとづく空間理解といった生理的原理はもともと前提とされています。ユーザーが相互に理解をするために、それらすべての条件がサイバースペースに再構築される必要はないにしても、いくつかの基本原理にもとづいた空間編成が行われていないと、コミュニケーションは成り立ちません。

マイケル・ベネディクトは、理解可能な空間をサイバースペースに構築するための原理を、「サイバースペースの空間原理」と呼んで七つを挙げています。これを塚本昌彦に倣って要約してみましょう[16]。

排他の原理（Principle of Exclusion）　空間内で同じ時間、同じ場所に、二つのものをおくことはできない。

最大排他の原理（Principle of Maximal Exclusion）　サイバースペースを構築するさいには、空間の構成要素のさまざまな属性のうち、排他の原理をできるだけおかさないような属性を選んで空間を構成する軸とする。

不偏の原理（Principle of Indifference）　時間は、ユーザーがアクセスしているかどうかに依存せず、不偏に進んでいく。ユーザーにとって思い通りにならないことがあるからこそ、それだけリアリティを感じるものである。

スケールの原理（Principle of Scale）　ユーザーの動きの最大速度は、そのユーザーに見える世界が複雑になればなるほど小さくすべきである。

交通の原理（Principle of Transit）　二点間の移動は、間に存在するすべてのポイントを経由して行い、移動距離に応じたコストを付与しなければならない。

個人の可視性の原理（Principle of Personal Visibility）　自分の周りにいるユーザーは必ず見えるようにし、逆に自分の姿は周りにいるユーザーから見えていなければならない。

共通性の原理（Principle of Commonality）　ある人が見る空間やものは別の人からもそれに対応するものとして相応に見えなければならない。


このような基本的な場のルールが前提されて初めて、サイバースペースは人間がコミュニケーションを行いうる空間になるのだというのです。

じっさい、サイバースペースを現実空間と深く関連させて構築することによって、現実空間を補完するコミュニケーション空間として使用する試みは盛んです。例えば、通信ネットワークは、現実空間において場所を共有していない人間同士のコミュニケーションを可能にしますが、その場合、ユーザーは自分が存在する現実空間を離れて相手と対面しています。こうしたユーザーの存在のあり方をテレプレゼンス（Tele-presence　遠隔存在）

と呼んだりしますが、サイバースペースは、そうしたテレプレゼンスに具体的な人物の姿と、その人物が行動する空間とを与えることができます。相互に遠く離れている者同士が、通信ネットワーク上で会議を行うという場合を考えてみましょう。サイバースペース上に、ヴァーチャル・リアリティによる会議室を構築し、参加する人物の像を配置することによって、具体的な空間を共有しながらコミュニケーションを行うことができます。このように、サイバースペースを現実空間の延長上で構築し、現実を拡張するようにつくられる仮想現実を、拡張現実（Augmented Reality）と呼んだりします。あるいはまた、仮想現実と現実とを組み合わせて使用する場合を、混合現実（Mixed Reality）と呼ぶこともあります。

他方、サイバースペースにおける場を、サイバースペースに固有な記号の運動にゆだね、イメージや記号そのものの生成と増殖の運動にしたがって生みだそうという方向も存在します。これは、場の自己組織化（Self-Organization）と呼ばれます。じっさい、コンピュータ・アートには、河口洋一郎の作品のように、「グロース・モデル」という独自の理論によって、イメージが人工生命のように生みだされ、成長していくさまを表現するものもあります。かたちが生命のように生まれては成長し、次々と変容していく。あたかも新しい宇宙が生まれ、生育していくように。いまだかつて見たことのないイメージが、サイバーメディアに固有な、記号と場の出来事によって生みだされていくのです。

化身

サイバースペースにユーザーの存在を転位するやり方にも、さまざまなものがあります。インターフェースの仕組みによって、ユーザーはサイバースペース上のメッセージとインターラクティヴに接触しています。このときユーザーは、たんにポインターやカーソルの矢印で示されるだけでなく、チャットなどにおけるハンドル・ネームのような分身の名前、アイコンによる分身の姿、さらには、より精緻な3D画像や動画像などのアヴァター(Avatar 化身)として、電子メディア上に現れることになります。これらいずれの存在の形象も、現実世界に属するユーザーという主体のメタファーであるのですが、しかし、それらの形象がサイバースペース上で自律的な機能をもてばもつほど、ユーザーの存在はヴァーチャル世界の中に移植されていくことになります。人々は化身として、ヴァーチャル世界の中で「記号の生活」(ソシュール)を始めるのです。

じっさい、現在のインターネットには、アヴァターを使ったさまざまなヴァーチャル世界が誕生しています。例えば、Lucasfilm の「Habitat」に始まり、富士通の「J-チャット」に引き継がれているオンラインのヴァーチャル・コミュニティでは、二次元画像によるさまざまな場所を背景に、アヴァターを使ったユーザー間のヴィジュアル・チャットが行われます[17](図11-4)。さらにまた、ソニーの「さぱり」のように、三次元画像による

図11-4 「J-チャット」の一画面

図11-5 「さぱり」の一画面

「チャット・ワールド」も存在します（図11-5）[18]。このシステムでは、ユーザーはアヴァターを自ら選び加工することで自分自身の化身の姿をつくりだします。ここでは、ヴァーチャル世界も三次元空間として構築されていて、化身は自らの顔や姿を水面に映しだしてみたり、自分の視点から他者や世界を眺めたり、空間の中を動き回ったりすることができるようになっています。化身は、三次元空間における立体的な身体像、その身体からの眼差し、三次元空間を運動する視覚を手に入れているのです。ここでは、ユーザーの身

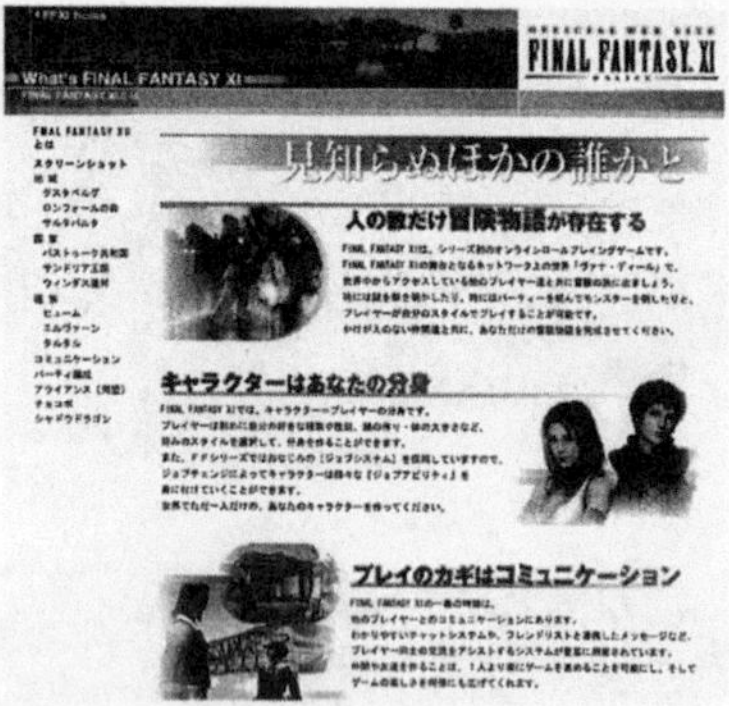

図11-6「FINAL FANTASY XI」のウェブ広告画面

体としての存在が、サイバースペースに、よりリアルに転位されていると言えるでしょう。このような技術が、視覚にかぎらず、聴覚や触覚をともなったものにまで拡大するとどのようなことになるでしょうか。人間の存在が、化身というサイバースペース上の存在として、身体感覚を含めて転位され、合成されるということが起こるはずです。そのときには、人間の存在の基本的な構造である、現実空間の中の〈いま・ここ〉に所属するという〈現―存在〉の成り立ちそのものが影響を受ける可能性があるでしょう。

「人の数だけ冒険物語が存在する」と、オンライン・ロールプレイング・ゲーム「FINAL FANTASY XI」のコピーは訴えています――「世界中からアクセスしている他のプレイヤー達と共に冒険の旅に出ましょう。ときには謎を解き明かしたり、ときにはパーティーを組んでモンスターを倒したりと、プレイヤーが自分のスタイルでプレイすることが可能です」[19]。このゲームでは、それぞれのユーザーがゲームのキャラクターを自分流のアヴァターとしてつくることによって、ゲームの世界に参入していきます（図11―6）。「キャラクターはあなたの分身」がここでは謳い文句であり、次のような説明が加えられています。「FINAL FANTASY XIでは、キャラクター＝プレイヤーの分身です。プレイヤーは初めに自分の好きな種族や性別、顔のつくり・体の大きさなど、好みのスタイルを選択して、分身をつくることができます。……世界でただ一人だけの、あなたのキャラクターをつくってください」。ユーザーは、サイバースペース上のアヴァターを通して、互いにコミュニケーションを行い、冒険の世界に参加していくのです。

アブダクション

すでに見た、場のルール制定との関係から考えると、このようなサイバースペースにおけるゲームとはどういうものなのかが見えてきます。一般的に言って、ゲームとはルールの束から成り立っています。路地裏や公園で子供たちが遊ぶ様子を観察してみれば分かりますが、遊びあるいはゲームには、いつもルールが関与しています。子供たちは、たとえその場かぎりのものであっても、間に合わせのルールをつくることによって遊びます。その遊びは、勝ち／負け、強／弱、良い／悪い、正しい／間違い、真／偽などのルールの束から成り立っていて、そのルールにしたがって、個々の行為や状況に意味づけを与えることを楽しんでいるのです。つまり、ゲームは、ルールという象徴の力で現実を支配することによろこびを見いだす活動であると言ってもよいでしょう。[20]

サイバースペースは、まだほんの最近、私たちの生活圏となってきた場所であると言ってよいでしょう。人類史において新しく発見されたこの空間を、人間たちはまず遊びの空間として探求しているのだと考えることはできないでしょうか。どのような場のルール制定にもとづくゲームを行うと、どのようなタイプの仮想現実を経験することができるのか。場のルール制定との関連において、ゲームはさまざまな物語状況を設定し、アヴァターをはじめとしたインターフェースの仕掛けを配置していきます。サイバースペースを舞台とするゲームは巨大な産業となっていますが、それは人類史のようなマクロな視点からすれば、この新しく発見された巨大な大陸に、人間の活動の足がかりとなる〈場のルール〉を制定しようと「遊ぶ人（ホモ・ルーデンス）[21]」が上陸したと言ってもよいのです。

さて、そのように探査されているサイバースペースですが、そのやり方は現実の土地に対するのとはやや異なっています。というのも、現実空間において、さまざまな場所を調査し、事象を理解しようとする場合には、通常、その場所で観察されたさまざまな事象から、そこに通用している一般則を導きだす帰納（induction）の方法をとったり、一般則から出発してさまざまな起こりうる結果についての結論を引きだすという演繹（deduction）の方法がとられます。

ところが、サイバースペースにおいては、そのような一般則は成り立たないのです。なぜなら、ここには、場のルール制定によってプログラムとしてつくりだされた空間以前には、経験に先立つ空間の一般則がないからです。一定の時空間としての構造をもった世界がサイバースペース上に成立しているとすれば、それはそのような時空間の世界をつくるようなプログラムとしてルール制定されたからであって、ルール制定こそが、自らの時空間を——自らのルールにのみしたがって——自己言及的につくりだしているのです。

このような世界には、法則の理解という観点からは、アブダクション（abduction　仮説形成）の手続きが関与するのみであると考えられます。アブダクションとは、パースの用語で、帰納や演繹と違って、事実から抽出できる一般則や前提としうる一般則をもたず、それ自体としては根拠をもつことはない仮説を立てることによって、前提にある事実を説明するような推論です。パースはアブダクションを、次のような例を挙げて説明しています。

かつてトルコの港町で船から降りて、訪ねたい家の方へ歩いていると、一人の人物が馬に乗っており、まわりの四人の騎手がその人の頭上を天蓋で覆って通っていった。その時自分はこれほど重んじられた人となると、この地方の知事以外に考えられないので、その人はきっとこの地方の知事に違いないと推論した。これは一つの仮説である。

化石が発見される。それは例えば魚の化石のようなもので、しかも陸地のずっと内側で見つかったとしよう。この現象を説明するために、われわれはこの一帯の陸地はかつては海であったに違いないと考える。これも一つの仮説である。[22]

それ自体は実定的根拠はないが、そのように仮定するとすべてがうまく説明でき、問題を解くことができるようなフレームを仮説として形成することが、アブダクションという推論の手続きであるというのです。サイバースペースにおける法則性も、多くアブダクションにしたがって導きだされると言えます。サイバースペースでは、ある世界がなぜ一定の規則的構造をもっているかということについては、その世界が、そのルールにもとづいて仮構されたからという以上の理由はない。言うならば、サイバースペースにおいては、すべての世界は仮説としての世界であるのです。サイバースペースに構築されたヴァーチャル世界は、実定的な根拠をもつわけではない。まず、その世界のフレームが仮説として形成されるところから世界が拡がり始める。そして、これまでに築かれたヴァーチャル世界が提起する問題に対して、仮説的な解決を与えるために、また新たなヴァーチャル世界が繰り広げられていく。そのようなアブダクションの絶えざる発展のプロセスとして、サイバースペースは膨張をつづけているのです。

近代的な人間理解の変容

これまで、かなり多岐にわたって、サイバースペースにおける意味活動の諸特徴を見てきました。こうした情報技術が、どのように〈人間の条件〉を変化させるのかという問いに答えることを試みることで、この章の結論としましょう。

サイバースペースにおいては、空間が現実空間とは異なった成立をしている。そこでは、ユーザーの存在も、分身や化身として組織されることが可能であり、身体感覚さえもが合成されうるものでした。現実世界におけるユーザーの〈いま・ここ〉は、インターフェースを通して、サイバースペースのどこでもない場所に接続します。そこでは、あらゆる種類の記号と指向対象、そして場そのものが、ハイパーメディアのリンクを通して、瞬時に生成され、変形し、分散し、消え去ります。感覚と記号を生みだす超高速度の演算によって展開するヴァーチャルな宇宙。人間にとっての空間や時間、身体、感覚、自己像までも、ここでは、あらゆる条件が情報技術によって大幅に書き換えられてしまっているのです。「電脳空間（cyberspace）」ということばが示すように、この空間は「脳」に似た構造をもっています。そこでは記憶がストックされ、表象が組み立てられ、連想へ向けて開かれている。さまざまな刺激の伝達から、記号が生みだされ、記号が結合するネットワークはあらゆる方向へのびていく。表象はここでは、現実世界の再現ではなく、記号の計算論的合成が生みだす人工現実（シミュラークル）の運動と化している。しかも、ハイパーメディアのインターフェースは、ユーザーの精神を、そのような計算論的プロセスと相同化し、身体をヴァーチャル・リアリティの経験と直接リンクさせます。電脳による人工世界に、人間の精神と身体はともに呑み込まれることになるのです。サイバースペースにおいては、「電脳」という〈脳の宇宙〉の中に身体が没入していくという、脳空間と身体空間とがトポロジカルに裏返された世界が出現するのです。

人間の言語、記憶、表象の活動の中心としての脳は、それ自体としては神経系のネットワークですが、〈人間〉は、その〝脳〟を使うことによって、自身の内側では精神活動を行い、外側では身体と感覚器官によって事物を経験することができると長い間考えられてきました。また、「主体」とか「自我」とか「私」は、脳の働きの表象の問題なのですが、「私が考える」とすることによって、すべての表象活動を、「私＝人間」のところで総合してきたのが近代的な人間理解でした。〈人間〉は経験の主体であると同時に、世界を構成する表象の先験的な主体としての位置を占める。認識におけるこうした〈人間〉の位置を、カントは〈経験的―先験的二重体〉として定義しました。

カントの『純粋理性批判』における空間についての考察は次のように始まります。

> 私たちは（私たちの心意識の一つの特性としての）外感（外的感官）によって、対象を私たちの外にあるものとして表象する。つまりこれらの対象を空間において表象する

わけである。対象の形態、大きさおよび相互の関係は、空間において規定せられ、もしくは規定せられうる。また心は、内感（内的感官）によって自分自身を、或いは自分の内的状態を直観する。(23)

事物の経験を可能とする表象の「先験的形式」としての空間が、計算論的に書き換えられるとき、そもそも事物そのものがシミュレートされるとき、そして事物を捉える感性の経験としての感覚が合成されるとき、〈人間〉の〈経験〉と〈超越〉の条件はどのような変更を被るのでしょうか。

あるいはまた、ハイデガーの哲学がいうように人間の存在が〈いま・ここ〉に決定的にしるしづけられた現─存在というあり方をしているとすれば、その〈いま・ここ〉が、あ、い、か、い、あらゆる場所に遍在するが、じつはどこにも場所をもたない普遍的なネットワークと結びつくとどうなるのか。そのネットワークが、〈いま〉に開かれた時間性の地平を光速度の計算によって閉じてしまっているとしたら、〈人間〉の存在構造はどのような変化をきたすのでしょうか。

ポスト人間

私たちは、サイバースペースの出現とともに、〈ポスト・ヒューマン（人間以後）〉の問い〉を前にしていると言えるのです。ポスト・ヒューマンの問いとは、〈人間〉という形象において統合されていた、世界の経験とそれに意味を与える表象作用との関係が、もはや〈人間〉という統一体を経由しなくなっているのではないかというものです。私たちが目の当たりにしているのは、間違いなく人類がかつて経験したことのない意味環境の変化です。〈人間〉という世界の経験の統合形式が終わり、人間が働きかける経験の領域であった自然、経験の源としての生命が、プログラムに書き換えられる。事物や現象は次々とヴァーチャルな計算論的空間の中に転位され、人間のアヴァター化が進み、人々が脳の中での生活を始める。事物についてのアナログ的な認識を担う意識論的主体としての〈人間〉は、いままさに、デジタルな記号列を演算処理する計算論的主体である〈ポスト人間〉に席を譲ろうとしているのだとも言えます。

〈ポスト人間〉とは、人間が終焉してサイボーグ化するというようなことをさしているのではありません。ポスト人間とは、人間たちの生がサイバースペースの計算論的プロセスの中に組み込まれ、自らの分身として〈ヴァーチャルな主体〉を影のように従えて生きるようになった人々のことをさします。人間がヴァーチャル化され、人間が記号列に書き換えられ、人間の意識がシミュレートされる時代……。私たちのだれもが、すでに幾分かは〈ポスト・ヒューマンの条件〉を生き始めてしまっているのではないでしょうか。コンピュータ・スクリーンのドット粒子の点滅に身体を一致させ、そこに温もりさえも感じてしまう、そんな人間以後の世界に私たちはもうアクセスしているのです……。

アクセスしてみるとうつるCOMPUTER SCREENの中
チカチカしてる文字　手を当ててみるとI feel so warm
——宇多田ヒカル"Automatic"

展望——セミオ・リテラシーのために

ポスト・モダンなモノのあり方から、記号による身体の塑型と感覚の合成まで、共同体の象徴の発明から、サイバースペースまで、意味場と空間の成立から、近代的語りの時間システムまで——11の章を通して、私たちの日常生活をつくりだす記号の働きと意味の経験を見てきました。同時に、そのような記号現象を読み解く方法のいくつかを提示することができたと思います。

私たちのレッスンから浮かび上がった現代世界における日常生活の姿とはおよそ次のようなものです。私たちを取り巻く物たちは、すでにかなり以前から記号としての存在を強めている。私たちの身体もメディアの表層のうえに記号として掬い取られ、欲望の磁場をかけられ、日々の活動のベクトルを与えられている。建築も都市も記号空間として組織され、そこに住まい行き交う人々の意味活動を整流している。権力は私たちの身体に働きかけ、国家の象徴は私たちのアイデンティティーを占有しようとする。人々はマス・メディアを通して無数の物語を読みとり、自分たちの世界の〈いま〉の文脈を描き出している。

あるいはまた、サイバースペースについて見たように、人間存在そのものが記号技術をとおして人工的な記号空間に転位され、ポスト・ヒューマンとしての姿をとりつつある。記号支配によって日常生活を一元的な意味作用の支配下に置き、人々を〈主体化＝従属化〉しようとする傾向は強いけれども、それを逸らし、乗っ取り、意味を変えてしまおうという人々の実践もまたいたるところに見受けられる。また数々の芸術実践や創造的試みが示すように、意味環境のエコロジーを問い、新しい意味実践の〈主体〉を生み出そうという企ても衰えることはないのです。

それらすべてを含めてセミオーシスとしての人間、記号生活としての人間の生といえるのです。あらゆるものが記号の編成態としてこの世界の秩序をつくっている。しかし、だからこそ、人間は新しい意味経験を求めることをやめない。「記号の知」による「日常生活批判」から見えてくるのは、そのような「社会における記号の生活」（ソシュール）のありさまなのです。

私たちのレッスンはまた、記号の知の基本的な問いについて有効性を検証する、という側面ももっていました。ソシュールの記号学、パースの記号論の根本的な問いとは、「社会における記号の生活」を研究する記号の一般学は可能か、あるいは人間の活動をたえざる意味解釈の推論プロセスとして理解することは可能かというものでした。そのいずれの問いに対しても、私たちはいま一定程度の具体的な見通しをもつことができます。まず確認できるのは、人間の日常生活を理解するうえで意味のカテゴリーが有効性をもつことです。人間とは「意味する動物」であり、その生のあらゆる領域は「意味の問題」として考えることができる、という仮説はほぼその妥当性を証明されたと言ってよいでしょう。

　それでは、人間の意味活動を理解するうえで、単位として考えられる「記号」という根本概念についてはどうでしょうか。ソシュールの「シニフィアン／シニフィエ」以来、あるいは、パースの「記号分類」以後、記号をめぐってはじつにさまざまな学説が提起されてきました。記号の知の状況は、唯一言語学のみが社会科学と自然科学との接点を作りだしていた、二〇世紀初頭とは大幅に異なっています。「意味問題」へのアプローチは、脳科学に代表されるような生物学的方法や、認知科学のように情報処理のパラダイムで意味を理解する試みが今日ますます盛んです。他方で、とくに社会・文化理論の領域では、ひとつの社会や文化が自己の意味編成の原理をどのように社会的・文化的に規則づけているのかをめぐって理論研究が蓄積されてきました[1]。両者を結びつける理論として、「文化遺伝子（ミーム）」の仮説などではまだまだ不十分といえるのです。

　私は、今日の一般記号学が、かつての実体論的な態度から転換して、徹底的に仮説形成的な態度――パースのいう「アブダクティヴ」な態度――に立つべきだと考えています。それは、すべての意味現象を説明しうるような一元的な記号概念を核に成立するような全体学はありえないが、個別の学に対して〈意味経験の一般性〉の地平から問いかけるような一般学は依然として有効であり、かつ必要である、と考える認識の立場です。人間にとって、意味はけっして一元的な事象ではなく、つねに複合的で多次元的な活動であって、それについて私たちはつねに仮説的に漸近するしかない、というのがその理由です。これは学問的に言って、けっして折衷的で曖昧な態度を意味しません。人間にとって意味の問題系はたしかに生理的物理的な基礎のうえに、技術的な媒介をへて、社会的かつ文化的に成立しています。それらの理論変数のどれ一つをとっても独立して人間の意味経験を説明しませんが、しかし、それらのうちのどれ一つを欠いても対象を具体的に構成することができません。〈意味の問題〉は、問題として、個別の学を横断して成立しているのです。だからこそ、隣接諸科学の個々の領域での知見を厳密に生かしながら意味活動の一般学を発展させていくことに一般記号学の可能性はあるのだ、と私は考えるのです。一般記号学がメタ科学であり、「記号の知」が本来的に学際的な知であるというのは、そのような成立を指してのことです。

本書を通して述べてきたように、意味環境としての人間の文明は、〈記号〉・〈社会〉・〈技術〉という三つの次元のトポロジカルな相互連関において理解されます。私たちは、〈記号〉の次元に着目することによって、メディア技術や情報技術を、そして、メディア社会や現代文化を、ともに〈意味の問題系〉という同じ平面上で扱う視点を手に入れることになるのです。今日のように〈記号〉と〈技術〉が結びつき、そのことによって〈社会〉がたえず変動しつづける世界において、「記号の知」の重要性はもはや明らかであるといえるでしょう。〈記号〉と〈技術〉の新しい組み合わせによって〈社会〉そのものが大きく変化しつつある、そのような時代にあって、「知」もまた変容を求められます。文字と書物を基礎単位とする古典的な知の時代が終わりつつあるとき、文字、画像、動画、音声など、多様な記号を認識の単位として、意味現象一般を対象とするような新しいタイプの知が求められている。また人文科学や社会科学の領域と情報科学や自然科学の領域を結ぶ、新たな知のインタフェースもまた模索されている。そのような新しい知を予告するものとして「記号の知」は出現したのです。

記号の知は、学問における認識論的な要請にとどまるものではありません。何よりもまず私たちの日常生活自体がそのような新しいタイプの知を求めているといえます。それは、新しい種類のリテラシーであって、「セミオ・リテラシー（意味批判力）」と呼ぶべきものであることを、本書では主張してきました。日常生活批判とは日常生活を認識し判断することであるとすれば、人々には自らの日常生活に見合った批判を行いうる「リテラシー」が求められます。法学的知識を持たなければ司法活動も市民的活動も行うことができず、経済学の知識を持たなければ経済活動を合理的に行いえないことは常識に属します。また理科の知識がなければ環境は守れず、安全で健康な生活はないということも誰もが知る事実です。しかし意味の知についてはどうでしょうか？　私たちが住まっている意味環境の複雑さに応じた意味の知をはたして私たちは持ち合わせているでしょうか？　私たちは意味をあたかも空気のようなものとして、まさしく自分たちの環境として生活していますが、現代世界を支配する巨大メディア産業に見られるように、意味生産のための大規模な工場が次々とつくられ、新しい意味製品が「コンテンツ」として日々市場に送り出され、数々の人工的な意味成分が人々の生活圏に排出されて、私たちの意味環境全体にさまざまな影響を及ぼしているとしたらどうでしょうか？「意味のエコロジー」という考えを本書が打ち出している理由はそこにあります。

リテラシーとはもともとは「識字力」と訳されたりもする基本的な読み書き能力のことです。しかし、今日のメディア化された世界においては、文字リテラシーだけでは十分でなく、またたんにマルチ・メディアや電子ツールを使いこなす能力をもてばよいわけでもありません。意味環境としてのメディアとは何か、どのような意味形成のメカニズムがそこには働いているのか、それらを原理的に理解して創造的な意味実践に結びつけるために人々が備えるべき能力として、リテラシーは再定義されなくてはならない。それが私のいう「セミオ・リテラシー」の主張です。最近ではメディアを市民の側から捉えかえし、メディア表現の技術を自分たちのものとして習得することによって、市民の自己表現に結びつけていこうという「メディア・リテラシー」の運動が、日本においても広がりをみせています。(2)私はこのような動きに大きな共感をおぼえます。私がセミオ・リテラシーという別の用語を使用するのは、「記号(=semio)の知」の立場からこの問題への固有の接近を行いたいという願いを込めてのことです。記号の知は一見抽象的な学問の話に見えますが、本書を通して示したように、私たちの日常生活を意味批判の視点から読み解くことを可能にします。それは学問の世界にとどまるわけではなく、社会のさまざまな場面における具体的な意味実践や、あるいは学校教育においても多くの適用の可能性を持つものです。

二一世紀社会のリテラシーとは、私たちの意味環境においてはどのようなメカニズムが働いているのか、何が私たちの日常生活の意味をつくり、そこでは私たちの市民的自由がどのような記号のはたらきを通して賭けられているのかを、一人ひとりが判断することをゆるすものでなければならないでしょう。本書が、そのような意味批判力の獲得への誘いとなることができたら、それ以上の幸せなことはないと私は考えています。

これで「記号の知/メディアの知」をめぐる私のレッスンはひとまず終わりです。これからは、皆さん自身がそれぞれの日常生活の認識へと踏み込んでみてください。

注

はじめに

（1）アドルノ＆ホルクハイマー一九九〇『啓蒙の弁証法』［ADORNO & HORKHEIMER 1947］。
（2）LEFEBVRE 1945 *Critique de la vie quotidienne*, tome 1. 邦訳『日常生活批判』第一巻。
（3）こうした系譜の中でも、記号支配とそれに対抗する意味実践の視点から注目されるのが、ミシェル・ド・セルトーによる「日常性の発明」の研究です。セルトー一九八七『日常的実践のポイエティーク』［CERTEAU 1980］参照。

1　モノについてのレッスン

（1）F. Jameson 1991 *Postmodernism, or the cultural logic of late capitalism*. ただし、ここで例示される三つの絵画作品と二〇世紀における三つの知の言説との対応関係は、私自身の解釈にもとづくもので、ジェイムソンの論の立て方とは異なっています。
（2）ここでは、ソシュールの「記号学」を含めて「記号論」と呼びます。本書における「記号論」、「記号学」、「記号の学」、「一般記号学」の各用語の定義の詳細については、本書2章1節を参照。
（3）ハイデガー一九八八「芸術作品の起源」、二八—二九頁［HEIDEGGER 1935/1936］。
（4）ハイデガー一九八八「何のための詩人たちか」、三三二頁［HEIDEGGER 1946］。引用されたリルケの手紙。

（5） Magritte, "La ligne de vie". Meuris 1988 *Magritte, éd. Casterman*, p. 98 より引用。

（6） フロイト一九六八「無気味なもの」［FREUD 1919］。

（7） ラカンの「現実界」、「想像界」、「象徴界」の区別についての詳細は、本書8章1節を参照。

（8） フロイト一九六八「文化への不満」［FREUD 1930］。

（9） 本書7章2節参照。

2 記号と意味についてのレッスン i

（1） ソシュールが書き残した「一般言語学についてのノート」草稿より引用。SAUSSURE 2002 *Ecrits de linguistique générale*, p. 200.

（2） *Ibid.*, p. 210.

（3） JAKOBSON 1984 *Une vie dans le langage : autoportrait d'un savant*, p. 15.

（4） クレー一九七三『造形思考』上巻、一二三頁［KLEE 1956］。

（5） SAUSSURE 1972 *Cours de linguistique générale*, p. 33. 邦訳『一般言語学講義』、二九頁。

（6） エングラーによる『一般言語学講義』校訂版を参照。SAUSSURE 1989 *Cours de linguistique générale*, édition critique par Rudolf Engler, tome 1, p. 48.

（7） SAUSSURE 1972 *op. cit.*, p. 21. 邦訳前掲書、二二頁。

（8） ヤコブソンは、人間の発する物理的音調を集約／拡散・低音調／高音調・高振幅／低振幅という対立をもとに図式化し、それらの対立にもとづいて組織される音韻体系を「音素の原三角形」として定式化しました。分節化のシステムとしての音韻体系の解明はソシュールにつづく構造主義言語学の大きな成果でした。「音声学と音韻論」（一九五六年）（ヤコブソン一九七三『一般言語学』［JAKOBSON 1963］

所収）参照。

(9) SAUSSURE 1972 *op. cit.*, p. 166. 邦訳前掲書、一六頁。

(10) 本書6章1節参照。

(11) この点について詳しくは石田英敬二〇〇一「言語態とは何か」、および石田英敬二〇〇一「言語の世紀と言語態の問い」を参照。

(12) レヴィ＝ストロース一九七七『親族の基本構造』[LEVI-STRAUSS 1967]。

(13) Lévi-Sttauss 1964 *Le cru et le cuit.*

(14) プロップ一九八七『昔話の形態学』[PROPP 1969]。

(15) グレマス一九八八『構造意味論』[GREIMAS 1966]。

(16) イエルムスレウ一九八五『言語理論の確立をめぐって』[HJELMSLEV 1968]。

(17) バルト一九七一『記号学の原理』[BARTHES 1964]。

(18) バルト一九六七『神話作用』[BARTHES 1955]。

(19) IVANOV, TOPOROV, PJATIGORSKIJ & LOTMAN 1973 "Theses on the semiotic study of culture", 池上嘉彦一九九二『詩学と文化記号論』、第3章を参照。

(20) コミュニケーションとコードについては、本書4章2節を参照。

(21) 「脱構築」については、本書5章1節を参照。

3　記号と意味についてのレッスンii

(1) 上野千鶴子編二〇〇一『構築主義とは何か』。

(2) パース一九八六a『パース著作集2　記号学』、一九一頁。

(3) ソシュールの時代にはブローカ中枢（言語運動領野）のような言語中枢が発見され、失語症の研究などを通して現代言語学の成立の契機となりました。

(4) ソルソ一九九七『脳は絵をどのように理解するか――絵画の認知科学』、三四頁［SOLSO 1994］。

(5) CHANGEUX 2002 *L'Homme de vérité.*

(6) パース一九八五『パース著作集1　現象学』。

(7) パース一九八六a前掲書、二頁。

(8) パースの記号論と認知科学によるカテゴリー論およびイメージ図式論との関係については、ECO 1999 *Kant and the Platypus: Essays on Language and Cognition,* 邦訳『カントとカモノハシ』を参照。

(9) PEIRCE 1931-1958 *Collected papers of Charles Sanders Peirce,* 2. 298. パース一九八六a『パース著作集2　記号学』、四八頁。

(10) 写真や映画やテレビ画像については、対象との類似性というアイコンとしての特徴のほかに、対象との接触にもとづく光学的痕跡として、次に述べる「指標記号」としての特徴ももつ記号であると考えられます。

(11) オノマトペと呼ばれることもある擬音語・擬態語は、ニワトリが「コケコッコー」と鳴くというときのように、対象としての事象（ニワトリの鳴き声）とそれを写しとる単語との間に類似性の関係がありアイコニックな記号であると考えられますが、同時に、日本語の語彙体系の中にすでに約束事として取り決めを受けた記号でもあります。つまり、次に述べる「象徴記号」としての特徴も備えている記号です。

(12) PEIRCE 1931-1958 *op. cit.,* 2. 248. パース一九八六a前掲書、四八頁。

(13) 米盛裕二一九八一『パースの記号学』、一五二頁。

(14)「ダイクシス」については、本書10章3節を参照。

(15) PEIRCE 1931-1958 *op. cit.*, 2. 249. パース一九八六a前掲書、一三頁。

(16) PEIRCE 1931-1958 *op. cit.*, 2. 301. パース一九八六a前掲書、四八頁。

(17) フランス象徴派の大詩人マラルメが、「私が花というときいかなる花束からも不在なる花の「観念」が立ちのぼるのだ」と書いたとき指していたのは、このような「類」を意味する言語記号の働きでした。MALLARMÉ 1886 *Crise de vers*, 邦訳「詩句の危機」。

(18) rheme はギリシャ語の *ῥῆμα* で「単語、名辞」という意味。

(19) dicent とはラテン語で「言述」という意味。

(20)「仮説形成」については、本書11章3節も参照。

(21) MORRIS 1938 *Foundations of the Theory of Signs*. 邦訳『記号理論の基礎』。

(22) pragmatics には言語学においては「語用論」という訳語があてられることが多くあります。しかし、この語のもとの意味は pragmata「行為」に関わる学という意味です。記号を使ってどのような行為が行われるのかを研究するのが pragmatics です。

(23) パース一九八六a前掲書、一五八－一五九頁。

(24) 普遍記号論と人工言語の知については本書11章を参照。

4 メディアとコミュニケーションについてのレッスン

(1) CHANGEUX 2002 *L'Homme de vérité*, chap. 1.

(2) LEROI-GOURHAN 1964 *Le geste et la parole, 1 Techniqie et langage*. 邦訳『身ぶりと言葉』。

(3) ルロワ＝グーランの技術論を発展させ、前—定立の問題を存在論の立場から問うた野心的な試みに

STIEGLER 1994, 1996, 2001 *La technique et le temps*（全四巻のうち第三巻まで既刊）があります。

（4） マクルーハン一九六四『メディア論――人間の拡張の諸相』［McLUHAN 1964］。

（5） SHANNON & WEAVER 1949 *The mathematical theory of communication.*

（6） 情報の大きさは出来事の予測可能性に反比例しますから、同じような出来事についても起こる確率が高くなれば情報の大きさは減じることになります。あの日以前には誰もが予測しなかった衝撃的な事件でも、それ以後の世界では「ああまたか」となりうるし、同じ破局的事件でも現実の世界とハリウッド映画の中とでは予測可能性が異なります。

（7） JAKOBSON 1963 *Essais de linguistique générale.* 邦訳『一般言語学』。この図式が成立するまでには、カール・ビューラーの「オルガノン・モデル」に始まる二〇世紀の記号によるコミュニケーションの理論史があります。これについては、スタイナー一九八六『ロシア・フォルマリズム』［STEINER 1984］、山中桂一一九八九『ヤコブソンの言語　詩とことば』参照。

（8） そのような批判は、早くからは、バフチン「文芸学の形式的方法」（一九二八年）に見られ（バフチン一九八六『ミハイル・バフチン著作集三』［BAKHTIN　1928］所収）、現代の理論家では、例えばブルデュー一九九三『話すということ――言語的交換のエコノミー』［BOURDIEU　1982］に読むことができます。

（9） McLUHAN & POWERS 1989 *The global villadge.*

（10） グレン・グールド一九九〇『著作集2　パフォーマンスとメディア』、一六五頁［GOULD 1984］。

（11） インターネットとIT革命については本書11章を参照。

5 〈ここ〉についてのレッスン

(1) ハイデガー一九九四『存在と時間』[HEIDEGGER 1927]。
(2) BARTHES 1967 "Sémiologie et urbanisme". 邦訳「記号学と都市計画」。BARTHES 1985、邦訳『記号学の冒険』所収。
(3) プラトン一九七五「ティマイオス」[PLATON]。
(4) Derrida 1972 "Puits et pyramide". [DERRIDA 1972b]
(5) ミース・ファン・デル・ローエの建築については、田中純二〇〇〇『ミース・ファン・デル・ローエの戦場——その時代と建築をめぐって』を参照。
(6) ヘーゲル一九九五『ヘーゲル全集第三巻 美学』[HEGEL 1820-1829]
(7) ヘーゲルがここでピラミッドについて述べている「象徴」から「記号」への移行は、パースの用語でいえば、「類像記号(アイコン)」から「象徴記号(シンボル)」への移行に対応すると言えるでしょう。
(8) タレースによるピラミッドの計測と幾何学の起源については、ミシェル・セールの次の論考を参照。SERRES 1972 "L'origine de la géométrie"
(9) 隈研吾一九九四『新・建築入門——思想と歴史』。
(10) JENCKS 1973 *Modern movements in architecture*. ALEXANDER, et al. 1977 *A pattern language: towns, buildings, construction*. 邦訳『パタン・ランゲージ——町・建物・施工』。
(11) パノフスキー一九九四『〈象徴形式〉としての遠近法』[PANOFSKY 1926]
(12) 同書、七四頁。
(13) LE CORBUSIER 1948 *Le modulor*. 邦訳『モデュロール Ⅰ』。
(14) ベンサムの「パノプチコン」のフーコーによる分析については、本書8章2節を参照。
(15) JENCKS 1987 *Post-modernism: the new classicism in art and architecture*.

6　都市についてのレッスン

（1）ル・コルビュジエ一九五七『伽藍が白かったとき』[LE CORBUSIER 1937]。

（2）荒木経惟一九八九『東京物語』。

（3）BARTHES 1970 *L'Empire des signes.* 邦訳『表徴の帝国』。

（4）BARTHES 1967 "Sémiologie et urbanisme". 邦訳「記号学と都市計画」。BARTHES 1985 *L'aventure sémiologique*, p. 265, 邦訳『記号学の冒険』、一〇三頁所収。

（5）*Ibid.*, p. 268. 邦訳同書、一〇九頁。

（6）QUENEAU 1961 *Cent mille milliard de poèmes.* この詩作品のハイパーテクストとしての特徴については本書11章2節を参照。

（7）LYNCH 1960 *The image of the city.* 邦訳『都市のイメージ』。

（8）都市を構成する「パターン・ランゲージ」というアレグザンダーの考え方をここで適用することもできるかもしれません。ALEXANDER 1977 *A pattern language: town, buildings, construction.* 邦訳『パタン・ランゲージ——町・建物・施工』。

（9）BARTHES 1967 "Sémiologie et urbanisme". BARTHES 1985 *op. cit.*, p. 267, 邦訳同書、一〇七頁。

（10）東京の「空虚な中心」という、その後さまざまな解釈を呼び起こしたバルトの言葉は、その妥当性についてより詳細な検討を要すると私は思っています。なぜなら、皇居がそのような目印、境、結節の役割をになう「空虚な中心」となったのは、日本の近代になってからであって、決して日本の首都の文化的本質を示すものではないからです。例えば、区域の配置から考えてみると、皇居という「空虚な中心」の周りに配されているのは、日本という国民国家の近代化された政治・経済・文化の中心的な地区であり、首都高速道路をはじめとして近代的に整備された通路であって、「空虚な中心」をめぐる近代日本の首都の構造それ自体が、天皇という国民統合の「象徴」を中心とした国民国家の構造を描きだしているからです。一般的にいって、バルトの東京についてのエッセイは、記号論者の鋭い洞察に貫かれた優れた論考ですが、日本という「記号の帝国」を固定的に捉える傾向があって、そこに働いている記号の活動が歴史的かつ社会的なものであるという視点は捨象されてしまう欠点をもっています。これは、バルトの日本についての文化記号論が、エドワード・サイードのいうオリエンタリズムを免れていないことを示すものですが、どのような記号の体制が日本に成立し、どのように歴史的に変化し、社会的な現象を生みだしてきたのかという、日本における「記号の生活」の歴史性・社会性の研究はむしろ私たち自身が行っていかなければならないものでしょう。

(11) 「近代性（モデルニテ）」の問題については、本書10章で詳しく触れます。
(12) 永井荷風一九一五「日和下駄」。
(13) 荒木陽子＋荒木経惟一九九三『東京日和』、二一一頁。
(14) 荒木経惟＋荒木陽子一九九二『東京は、秋』。
(15) ALEXANDER 1965 "The city is not a tree". 邦訳「都市はツリーではない」。
(16) 瀬尾文彰一九八一『意味の環境論』、六三頁。
(17) WITTGENSTEIN 1953 *Philosophical Investigations*. 邦訳『哲学探究』。
(18) DELEUZE & GUATTARI 1980 *Mille plateaux: capitalisme et schizophrénie 2*. 邦訳『ミル・プラトー』。
(19) 荒木経惟一九九一『センチメンタルな旅』。
(20) 本書9章参照。

(21) これは、この写真集の発行日が、昭和の終わった年である一九八九年の昭和天皇の誕生日四月二九日となっていることにも示されています。

(22) BERQUE 1993 *Dugeste à la cité: formes urbaines et lien social au Japon*. 邦訳『都市の日本——所作から共同体へ』。

7 欲望についてのレッスン

(1) FREUD 1895 *Studien über Hysterie*. 邦訳「ヒステリー研究」。

(2) LACAN 1957 "L'instance de la lettre dans l'inconscient ou la raison depuis Freud". 邦訳「無意識における文字の審級あるいはフロイト以後の理性」。および LACAN 1960 "Subversion du sujet et dialectique du désir dans l'inconscient freudien". 邦訳「フロイト的無意識における主体の転覆と欲望の弁証法」。いずれも LACAN 1966 *Ecrits*. 邦訳『エクリ』所収。

(3) コノテーションについては、本書2章3節参照。

(4) ラカンの鏡像段階の詳細については、本書8章1節を参照。

(5) SAUSSURE 1972 *Cours de linguistique générale*. pp. 155-169. 邦訳『一般言語学講義』、一五七—一七一頁。

(6) 岩井克人一九八五『ヴェニスの商人の資本論』、一〇六頁。

(7) WILLIAMSON 1978 *Decoding advertisements: ideology and meaning in advertising*. 邦訳『広告の記号論——記号生成過程とイデオロギー』。

(8) FREUD 1900 *Die Traumdeutung*. 邦訳『夢判断』、第6章「夢の仕事」。

(9) JAKOBSON 1960 "Linguistics and Poetics". 邦訳「言語学と詩学」。JAKOBSON 1963 *Essais de lin-*

guistique générale, 邦訳『一般言語学』所収。

(10) この問題についての哲学的大著は、RICOEUR 1983, 1984, 1985 *Temps et Récit*, tome I, II, III. 邦訳『時間と物語』。

(11) FREUD 1905 *Der Witz und seine Beziehung zum Unbewussten.* 邦訳「機知——その無意識との関係」。

(12) タレントという記号存在についての詳しい考察は、石田英敬・小松史生子二〇〇二「テレビドラマと記号支配」。

(13) 「テレビ記号の特性」については、本書10章2節を参照。

(14) インターテクスト（intertext）とは、文学理論の用語でそれ自身で存在するのではなく、他のテクストを参照しつつ成立するテクストを指します。その現象は間テクスト性（intertextuality）と呼ばれ、引用やパロディに顕著ですが、物語ジャンルの成り立ちやステレオタイプとしての物語のあり方もインターテクストとして理解されます。GENETTE 1982 *Palimpsestes: la littérature au second degré.* 邦訳『パランプセスト——第二次の文学』。

(15) エンデ一九七六『モモ』[ENDE 1973]。

(16) 同書、二二頁。

8 身体についてのレッスン

(1) 以下、オヴィディウス一九八一『変身物語』上巻［OVIDIUS］より引用。

(2) LACAN 1949 "Le stade du miroir comme formateur de la fonction du Je, telle qu'elle nous est révélée dans l'expérience psychanalytique". LACAN 1966 *Ecrits*, 邦訳『エクリ』所収。

(3) LACAN 1948 "L'agressivité en psychanalyse". 邦訳「精神分析における攻撃性」。LACAN 1966 *op. cit.* 邦訳同書所収。

(4) 後期のフロイトは、人間の文化の基底に、人間の欲動のエネルギーを結びあわせ、文化の秩序を形成していこうとする「エロスの運動」と、エロスの文明的結合を解きほぐし、無秩序へと回帰させようとする「死の欲動」を措定していました。ラカンの学説はフロイトのこうした考えを、人間の象徴世界の成立についての「現実界」・「想像界」・「象徴界」という三次元の局所論による仮説の中に受け継ぐものです。フロイト「快感原則の彼岸」[FREUD 1920]、「文化への不満」[FREUD 1930]。

(5) オヴィディウス一九八一前掲書、一一六―一一七頁。

(6) 同書、一一九―一二〇頁。

(7) 森村泰昌一九九六『美術の解剖学講義』、一三一―一三三頁。

(8) 性現象（セクシャリティ）を生みだす文化装置については、FOUCAULT 1976 *La volonté de savoir, Histoire de la sexualité tome I.* 邦訳『性の歴史I　知への意志』。

(9) ヌード写真と「性の政治学」については、多木浩二一九九二『ヌード写真』。

(10) FREUD 1908 *Der Dicher und das Phantasieren.* 邦訳「詩人と空想すること」。

(11) FOUCAULT 1975 *Surveiller et punir: Naissance de la prison.* 邦訳『監獄の誕生――監視と処罰』。

(12) 以下、日本の学校における生徒管理の事例およびその歴史については、斉藤利彦一九九五『競争と管理の学校史――明治後期中学校教育の展開』を参照。

(13) 同書、二―三頁。

(14) 同書、四―五頁。

(15) 同書、五頁。

(16) FOUCAULT 1975 *op. cit.*, pp. 138-139.
(17) 斉藤一九九五前掲書、一八八頁。
(18) 同書、一八七頁。
(19) BOURDIEU 1979 *La distinction: critique sociale du jugement.* 邦訳『ディスタンクシォン——社会的判断力批判』。BOURDIEU 1980 *Le sens pratique.* 邦訳『実践感覚』。BOURDIEU 1989 *La noblesse d'Etat: grandes ecoles et esprit de corps.*

9 象徴政治についてのレッスン

(1) 木畑洋一一九九四「世界史の構造と国民国家」、五頁。
(2) 小林よしのり一九九八『戦争論——新・ゴーマニズム宣言』。
(3) 永井荷風一九一九「花火」。以下の引用も同じ。
(4) 一九一九(大正八)年七月一日付の東京日日新聞は、この日の出来事を「平和回復を祝って祝砲・祝宴」という記事で次のように書いています。「平和の喜び歌う、国を挙げて平和来の歓びに酔う祝賀の日は来た。足掛け七箇年間、血腥き惨景惨話に耳と目とを打っていた戦禍は一掃、今日平和祝福の慈光は全国にあまねく輝く。はたはたと鳴るよ、津々浦々に靡く赤き日章旗! 祝え熱誠を籠めて、世界再生の歓びに草木も酔わん今日。」(大正ニュース事典編纂委員会一九八六『大正ニュース事典第4巻 大正8年—9年』、六三八頁)。
(5) 憲法制定の祝賀式典は一八八九年二月に行われました。荷風のいう「明治二三年」は「明治二二年」の記憶違いと思われます。
(6) 鈴木淳二〇〇二『日本の歴史20 維新の構想と展開』によると、一八八九年二月九日の「東京日日新聞」には、「ヨーロッパでは人民が元首を迎えるときに、「帽を振り、ハンケチを振り、「フレイ！」の声を一斉に号びて之を祝し、「ロング、リブ、ゼ、キング」「ロング、リブ、ゼ、クイン」（皇万歳、女皇万歳）と呼び、仏国にては、「ツウィッツ、ラ、レピュブリック」若は、「ツウィッツ、ラ、フランス」（共和万歳、仏国万歳）などと唱え」るが、これに対応する言葉は動作を考えるべきであろう」という論説がなされ、「学生とともに発布式を終えて記念観兵式に向かう天皇を、民衆の先頭に立って迎える立場となった帝国大学の教授たちが議論し、「万歳、万歳、万々歳」という言葉が選定された。じっさいには一同が大声を発したところ、御馬車の馬が驚いて棒立ちになったため最後の「万々歳」までは発生できず、以後「万歳」をくりかえすのが習慣となったと、帝国大学の校旗の旗手として参列した若槻礼次郎が回顧している」とのことである（三一四頁）。「万歳」は近代以前は「呉音でマンザイ、漢音でバンゼイ」と読まれ、「天下・国家の長久を祝して唱える語」として、すでに八世紀から用例がある（小学館『日本国語大辞典　第二版』「万歳（ばんざい）」「万歳（ばんぜい）」の項参照）。近代以前の単語をベースにして西洋語からの翻訳語が生み出され「伝統の創出」（ホブズボウム）が行われたケースである。

（7）HOBSBAWM & RANGER 1983 *The Invention of tradition.* 邦訳『創られた伝統』。

（8）ANDERSON 1991 *Imagined communities: reflections on the origin and spread of nationalism,* p. 6. 邦訳『想像の共同体――ナショナリズムの起源と流行』、一六―一七頁。

（9）日の丸、君が代の成り立ちについては、暉峻康隆一九九一『日の丸・君が代の成り立ち』、山住正己一九八八『日の丸・君が代問題とは何か』。

（10）陸軍旗（第三五五号）、海軍旗（第六五一号）。

（11）石井研堂一九九七『明治事物起源』。

(12) KANTOROWICZ 1957 *The king's two bodies: a study in mediaeval political theology.* 邦訳『王の二つの身体――中世政治神学研究』。

(13) 「御真影」の成立過程の詳細については、多木浩二一九八八『天皇の肖像』をぜひ一読してください。明治天皇制に関して、視覚記号論の視座とその政治学的射程を示す決定的に重要な著作です。

(14) 家永三郎一九九〇「教育勅語をめぐる国家と教育の関係」。

(15) 本書8章3節参照。

(16) 山中恒一九七四『ボクラ少国民』。

(17) 入江曜子二〇〇一『日本が「神の国」だった時代――国民学校の教科書をよむ』、三三頁。以下、国民学校教科書の記述については、同書第2章「教科書に日の丸があがるとき」を参照。

(18) 文部省教学局編一九四一『臣民の道』。

(19) 丸山真男一九六四『現代政治の思想と行動』、一三頁。

(20) 同書、二五頁。

(21) 同書、二六頁。

(22) 田中伸尚二〇〇〇『日の丸・君が代の戦後史』、四九頁。

(23) 石川啄木一九一一「時代閉塞の現状」。

(24) DEBORD 1988 *Commentaires sur la société du spectacle.* 邦訳『スペクタクル社会についての注解』。

(25) FREUD 1920 *Jenseits des Lustprinzips.* 邦訳「快感原則の彼岸」。

(26) 相撲が完全にスポーツとは言えないのは、世俗性をいまだもつにいたっていないことによります。相撲は神道という特定の宗教との結びつきを断ち切れないでおり、「文化」であり「国技」であると主張されたりすることが、非スポーツ的(そして非民主的)性格を表しています。

10 〈いま〉についてのレッスン

(1) JAKOBSON 1957 "Shifters, verbal cotegories, and the Russian verb". 邦訳「シフター、動詞カテゴリとロシア語動詞」。JAKOBSON 1963 *Essais de linguistique générale*. 邦訳『一般記号学』所収。

(2) 本書3章2節を参照。

(3) フランス語では、映画のスクリーンと対比して、テレビのことをpetit écran（小さなスクリーン）と呼びます。

(4) 本書4章1節を参照。

(5) 本書6章1節を参照。

(6) 本書7章2節を参照。

(7) FISKE 1987 *Television Culture*. 邦訳『テレビジョン・カルチャー——ポピュラー文化の政治学』。

(8) ランドマークの都市記号については、本書6章1節参照。

(9) 本書4章2節を参照。

(10) ここで取り上げたオープニングは二〇〇一年度のものですが、二〇〇二年度から開始された新たなオープニングに関しても同じような分析が可能です。

(11) 〈発話の審級（instance narrative）〉は、もともと物語学（narratologie）の用語で、物語において〈語り〉を編成している発話行為のポジションのこと。例えば、全知の語り手と複数の登場人物がいる小説の場合、全知の語り手としての上位の発話行為のポジション、登場人物が語るときのより下位のポジション、さらに別の登場人物が語るときのポジションというように、複数の発話の審級から編成されていることになる。ジュネット一九八五『物語のディスクール』[GENETTE 1972] 参照。

(12)「語りのフォーメーション」という語ですが、「フォーメーション(formation)」は、サッカー競技などでいうフォーメーションという用語を考えてください。それぞれのプレーヤーの「配置のかたち」という意味です。

(13) セール一九九四「天使伝説」[SERRES 1993]。DEBRAY 1991 *Cours de médiologie générale.* 邦訳『レジス・ドブレ著作選3　一般メディオロジー講義』。

11　ヴァーチャルについてのレッスン

(1) 西垣通二〇〇一『IT革命――ネット社会のゆくえ』、六頁。

(2) 坂村健一九九九『痛快！　コンピュータ学』、四三頁。

(3) ソシュールの音韻システム論とクレーの造形思考との関係については、本書2章を参照。

(4) DELEUZE 1969 *Différence et répétition*, p. 269. 邦訳『差異と反復』。

(5) GIBSON 1984 *Neuromancer.* 邦訳『ニューロマンサー』。

(6) ANDERSEN 1997 *A Theory of computer semiotics* 及び、Aarsot 1997 *Cybertext* を参照。

(7) JAKOBSON 1963 *Essais de linguistique générale*, p. 179. 邦訳『一般言語学』、一五二頁。

(8) テレビは、デジタル化によって、これまでの一方通行のメディアから、コンピュータとの融合による双方向的メディアへと変化すると言われています。

(9) 本書6章1節参照。

(10) ボルヘス一九九〇「バベルの図書館」、『伝奇集』所収 [BORGES 1944]。

(11) 邦訳同書、八三頁。

(12) ライプニッツ一九六九『モナドロジー』[LEIBNIZ 1714-15]。

(13) ベネディクト一九九四『サイバースペース』二―三頁［BENEDIKT 1991］。
(14) 有名な例が、一九九七年一二月一六日TV東京系アニメ「ポケットモンスター」を見た子供などが全国で五〇〇人以上気分が悪くなり病院に運ばれた「ポケモン事件」。意識不明になった子もあった。暗い部屋で強い光の点滅「フリッカー」を見たのが原因とされます。
(15) 「サイバースペースの空間原理と可視化モデル」。ベネディクト一九九四前掲書、一三九―四〇頁［BENEDIKT 1991］。
(16) 西尾章治郎他一九九九『岩波講座マルチメディア情報学12　相互の理解』、一八―一九頁。
(17) http://www.j-chat.net/index.html
(18) http://vrml.sony.co.jp/sapari/
(19) http://www.playonline.com/ff11
(20) 本書9章3節参照。
(21) 「ホモ・ルーデンス（homo ludens）」はオランダの歴史学者ホイジンガの用語。ホイジンガ一九八九『ホイジンガ選集一　ホモ・ルーデンス』［HUIZINGA 1938］。
(22) 米盛裕二一九八一『パースの記号学』、一九二頁より引用。
(23) カント一九六一―六二『純粋理性批判』第一巻、八九頁［KANT 1781/1787］。

展望

(1) この問題については、石田英敬 2001b「言語の世紀と言語態の問い」。
(2) メディア・リテラシーについては、次を参照。カナダ・オンタリオ州教育省編一九九二『メディア・リテラシー――マスメディアを読み解く』。菅谷明子二〇〇〇『メディア・リテラシー』。水越伸・山内祐平による東京大学大学院情報学環「メルプロジェクト (Media Expression, Learning and Literacy Project)」(二〇〇一〜二〇〇五)。

あとがき

本書は、一九九三年から東京大学教養学部前期課程（一、二年生）を対象に行っている「記号論」の講義をもとに、さらに学部後期や大学院での授業あるいは他の大学や企業の研修会でのレクチャー、市民運動の会合や講演会で話した内容を取りいれてレッスン形式でまとめたものです。大学での講義に参加してくれた学生諸君、夜間や休日にもかかわらず熱心にセミナーに参加してくれた社会人の皆さん、ともに議論を重ねた市民運動の人々、それら数多くの人たちとの対話にこの本は多くを負っています。

日本では一九九〇年代は大学改革の時代と言われ、大学は良くも悪しくも大きな変化をとげました。私が教えている東京大学の駒場キャンパスでは、「知」をキーワードに大規模なカリキュラムの変革と大学院教育の拡充が行われました。記号論のような歴史的に見れば比較的新しい学問が大学教育において基礎的なリベラル・アーツ科目の一つとなったのもこの変化がもたらしたものです。ここ数年来私が主宰している大学院のセミナーは、研究者志望の若い大学院生以外にも、編集者やメディア・プランナー、広告代理店で働く人たち、文化政策の立案者などなど職業も年齢も異なったじつに多様な人たちが参加しています。社会のさまざまな領域からもたらされる問いかけを共有し、いままでになかった知のことばを練り上げようとする試み——大学と社会との知的コラボレーション——が現在では可能となってきています。

私は、大学にとっての今日的な課題とは、このように知と社会とを結びつけて新しい学問の言説をつくりだすことにあると考えています。それはいまとかく声高に語られている「産学連携」とは異なったものであり、またカルチャー・ブームと言われるような教養の消費現象とも違った方向の模索です。産業に直接役立つ研究でもなく、たんに消費される教養でもなく、私たちの世界について普遍的で根本的な問いを社会と共有する試みとしての知の実践の共同作業、さらには、大学と社会とを結ぶ知の回路を複数化し、社会のいくつもの領域に知の島を浮かび上がらせること、そうしたことこそがいま求められているのだと私は感じています。大学の出版会から発信される本書のような書物は一義的には大学の学生に向けられた入門書という性格を帯びてはいますが、同時に社会の成熟を担う人々と共有する新しいリベラル・アーツの書として広く社会に向けられたものであってほしいと願っているのです。

本書は、「です・ます」体で書かれていますが、一読してお分かりのとおり講義録や講演の起こしではなく、全て書き下ろしたものです。長年にわたって構想し、断続的に執筆したものを最終的に全面改稿して完成させたものです。既刊論考との関わりからいえば、本書2章の原型として「構造とリズム――ソシュールvs.クレー」（石田一九九五）、6章の原型として「都市のポイエーシス断章」（石田一九九四）、9章の原型として「スペクタクル社会の「日の丸」・「君が代」」（石田一九九九b）、10章の初出ヴァージョンとして「テレビと日常生活――テレビの記号論再考」（石田二〇〇三）、「セミオ・リテラシー」の概念を提唱した最初の論考として「記号学と大学――セミオ・リテラシーのために」（石田一九九八）を、それぞれ先行テクストとして挙げることができます。

今回の出版にあたっては、多くの個人や団体の協力を得ました。写真家の荒木経惟氏、アーチストの森村泰昌氏には作品図版の収録を快諾していただき御礼申し上げます。私たちのような研究者にとって、この国においてはややもするとイメージや情報の商業性のみが追求され、「意味環境の公共性」についての認識が送り手において極めて希薄であることを痛感させられる場面もしばしばですが、メディア資料を分析対象とした学術活動の意義を認識して協力を惜しまない企業や団体が出てきていることも心強い事実です。そのリストは「図版出典一覧」に譲りますが、「意味のエコロジー」をともに考える組織や団体が今後さらに増えていくことを、私は切に願うものです。

最後になりましたが、本書の完成を本当にねばり強く待ってくださった東京大学出版会の羽鳥和芳氏、小暮明氏に深く感謝します。知的公共圏の全般的な崩落という貧しく困難な時代にあって、新しい啓蒙の姿を求めるドン・キホーテのような闘いは、ご両人のような良心的出版人の援助なしには遂行しえないものです。

二〇〇三年秋　駒場にて

石田英敬

書誌

注では著者名、発行・発表年、著作・論文名で略記した。著作・論文の出版年については初出年を掲げている。なお、欧文文献の引用については原則として拙訳を用い、日本語訳を参照した場合はその該当箇所を併記した。日本語訳のみを参照した欧文文献については和文文献の引用方法に準じるが、原著者名及び初出年を［ ］内に掲げる。

I　参考文献

AARSETH, Espen J.（1997）*Cybertext: Perspectives on Ergodic Literature* Johns Hopkins University Press.

ADORNO, Theodor & HORKHEIMER, Max（1947）*Dialektik der Aufklärung.* アドルノ、テオドール＆ホルクハイマー、マックス（一九九〇）『啓蒙の弁証法』徳永恂訳、岩波書店。

ALEXANDER, Christopher（1965）"The City is not a tree". アレグザンダー、クリストファー（一九八四）「都市はツリーではない」、前田愛編『別冊国文学　テクストとしての都市』学燈社、二五―四六頁。

ALEXANDER, Christopher, et al.（1977）*A pattern language: towns, buildings, construction,* Oxford University Press. アレグザンダー、クリストファー他（一九八四）『パタン・ランゲージ――町・建物・施工』平田翰那訳、鹿島出版会。

ALTHUSSER, Louis（1970）"Idéologie et appareils idéologiques d'Etat", in *Positions, Editions sociales,*

1976. アルチュセール、ルイ（一九七五）『国家とイデオロギー』西川長夫訳、福村出版。
天野祐吉（二〇〇二）『広告論講義』岩波書店。
ANDERSEN, Peter B.（1997）*A Theory of computer semiotics*, Cambridge University Press.
ANDERSON, Benedict（1991）*Imagined communities: reflections on the origin and spread of nationalism*, Rev. ed., Verso. アンダーソン、ベネディクト（一九九二）『想像の共同体――ナショナリズムの起源と流行』白石隆・白石さや訳、リブロポート。
AUSTIN, John L.（1955）*How to do things with words*, 2nd ed./edited by J. O. Urmson & Marina Sbisa, Harvard University Press., 1975. オースティン、ジョン・L（一九七八）『言語と行為』坂本百大訳、大修館書店。
BAKHTIN, Mikhail Mikhailovich（1928）*Формальный метод в литературоведении*. バフチン、ミハイル（一九八六）『ミハイル・バフチン著作集3　文芸学の形式的方法』桑野隆・佐々木寛訳、新時代社。
BAKHTIN, Mikhail Mikhailovich（1929）*Марксизм и философияязыка*. バフチン、ミハイル（一九八〇）『ミハイル・バフチン著作集4　言語と文化の記号論――マルクス主義と言語の哲学』北岡誠司訳、新時代社。
BARTHES, Roland（1957）*Mythologies*, in *Œuvres complètes*, tome 1, Seuil, 1995. バルト、ロラン（一九六七）『神話作用』篠沢秀夫訳、現代思潮社。
BARTHES, Roland（1964）"Eléments de sémiologie", in *Œuvres complètes*, tome 1, Seuil, 1995. バルト、ロラン（一九七一）「記号学の原理」、『零度のエクリチュール』渡辺淳・沢村昂一訳、みすず書房。
BARTHES, Roland（1970）*L'Empire des signes*, in *Œuvres complètes*, tome 2, Seuil, 1994. バルト、ロラン（一九七四）『表徴の帝国』宗左近訳、新潮社。
BARTHES, Roland（1985）*L'aventure sémiologique*, Seuil. バルト、ロラン（一九八八）『記号学の冒険』

花輪光訳、みすず書房。

BAUDRILLARD, Jean（1968）*Le système des objets*, Gallimard. ボードリヤール、ジャン（一九八〇）『物の体系――記号の消費』宇波彰訳、法政大学出版局。

BAUDRILLARD, Jean（1972）*Pour une critique de l'économie politique du signe*, Gallimard. ボードリヤール、ジャン（一九七九）『消費社会の神話と構造』今村仁司・塚原史訳、紀伊國屋書店。

BAUDRILLARD, Jean（1981）*Simulacres et simulation*, Galilée. ボードリヤール、ジャン（一九八四）『シミュラークルとシミュレーション』竹原あき子訳、法政大学出版局。

BELL, Daniel（1974）*The coming of post-industrial society*, Basic Books, 1976. ベル、ダニエル（一九七五）『脱工業社会の到来――社会予測の一つの試み』内田忠夫他訳、ダイヤモンド社。

BENJAMIN, Walter（1974）*Charles Baudelaire: ein Lyriker im Zeitalter des Hochkapitalismus, herausgegeben und mit einem Nachwort versehen von Rolf Tiedemann*, Suhrkamp. BENJAMIN, Walter（1979）*Charles Baudelaire: un poète lyrique à l'apogée du capitalisme, traduit de l'allemand et préfacé par Jean Lacoste*, Payot.

BENJAMIN, Walter（1982）*Das Passagen-Werk, herausgegeben von Rolf Tiedemann*, 1. Aufl, Suhrkamp. BENJAMIN, Walter（1989）*Paris, capitale du XIXe siècle: le livre des passages*, traduit de l'allemand par Jean Lacoste, Les Editions du Cerf. ベンヤミン、ヴァルター（一九九三―一九九五）『パサージュ論』全五冊、今村仁司他訳、岩波書店。

BENEDIKT, Michael, ed.（1991）*Cyberspace: First steps*, The MIT Press. ベネディクト、マイケル編（一九九四）『サイバースペース』鈴木圭介・山田和子訳、NTT出版。

BENVENISTE, Emile（1966）*problèmes de linguistique générale*, tome I, Gallimard. バンヴェニスト、エミール（一九八三）『一般言語学の諸問題』岸本通夫監訳、みすず書房。

BENVENISTE, Emile (1974) *Problèmes de linguistique générale*, tome II, Gallimard.
BERQUE, Augustin (1993) *Du geste à la cité: formes urbaines et lien social au Japon*, Gallimard. ベルク、オギュスタン（一九九六）『都市の日本――所作から共同体へ』宮原信・荒木亨訳、筑摩書房。
BOLTER, Jay David, (1991) *Writing space: the computer, hypertext, and the history of writing*, L. Erlbaum Associates. ボルター、ジェイ・デイヴィッド（一九九四）『ライティングスペース――電子テキスト時代のエクリチュール』黒崎政男・下野正俊・伊古田理訳、産業図書。
BOLTER, Jay David & GRUSIN, Richard (1999) *Remediation: understanding new media*, MIT Press.
BOURDIEU, Pierre (1979) *La distinction: critique sociale du jugement*, Minuit. ブルデュー、ピエール（一九九〇）『ディスタンクシオン――社会的判断力批判』石井洋二郎訳、藤原書店。
BOURDIEU, Pierre (1980) *Le sens pratique*, Minuit. ブルデュー、ピエール（一九八八―一九九〇）『実践感覚』今村仁司・港道隆訳、みすず書房。
BOURDIEU, Pierre (1982) *Ce que parler veut dire: l'économie des échanges linguistiques*, Fayard. ブルデュー、ピエール（一九九三）『話すということ――言語的交換のエコノミー』稲賀繁美訳、藤原書店。
BOURDIEU, Pierre (1989) *La noblesse d'Etat: grandes écoles et esprit de corps*, Minuit, 1989. カナダ・オンタリオ州教育省編（一九九二）『メディア・リテラシー：マスメディアを読み解く』ＦＴＣ（市民のテレビの会）訳、リベルタ出版。
CERTEAU, Michel de (1980) *L'invention du quotidien*, UGE 10/18. セルトー、ミシェル・ド（一九八七）『日常的実践のポイエティーク』山田登世子訳、国文社。
CHANDLER, Daniel (1994) *Semiotics for Beginners*, http://www.aber.ac.uk/media/Documents/S4B/sem0a.html.
CHANGEUX, Jean-Pierre (1983) *L'homme neuronal*, Fayard. シャンジュー、ジャン＝ピエール（一九八

九）『ニューロン人間』新谷昌宏訳、みすず書房。
CHANGEUX, Jean-Pierre（2002）*L'Homme de vérité*, Odile Jacob.
COBLEY, Paul, ed.（1996）*The communication theory reader*, Routledge.
DAWKINS, Richard（1978）*The selfish gene*, new ed., Oxford University Press, 1989. ドーキンス、リチャード（一九九一）『利己的な遺伝子』日高敏隆他訳、紀伊國屋書店。
DEBORD, Guy（1967）*La Société du spectacle*, Gallimard, 1992. ドゥボール、ギ（一九九三）『スペクタクルの社会』木下誠訳、平凡社。
DEBORD, Guy（1988）*Commentaires sur la société du spectacle*, Gallimard, 1992. ドゥボール、ギ（二〇〇〇）『スペクタクルの社会についての注解』現代思潮新社。
DEBRAY, Régis（1991）*Cours de médiologie générale*, Gallimard. ドゥブレ、レジス（二〇〇一）『レジス・ドブレ著作選3　一般メディオロジー講義』西垣通監修、嶋崎正樹訳、NTT出版。
DEBRAY, Régis（1992）*Vie et mort de l'image: une histoire du regard en Occident*, Gallimard. ドゥブレ、レジス（二〇〇二）『レジス・ドブレ著作選4　イメージの生と死』西垣通監修、嶋崎正樹訳、NTT出版。
DEBRAY, Régis（2001）*Dieu, un itinéraire*, Odile Jacob.
DELEUZE, Gilles（1969a）*Logique du sens*, Minuit. ドゥルーズ、ジル（一九八七）『意味の論理学』岡田弘・宇波彰訳、法政大学出版局。
DELEUZE, Gilles（1969b）*Différence et répétition*, PUF. ドゥルーズ、ジル（一九九二）『差異と反復』財津理訳、河出書房新社。
DELEUZE, Gilles & GUATTARI, Félix（1972）*Anti-Œdipe: capitalisme et schizophrénie 1*, Minuit. ドゥルーズ、ジル＆ガタリ、フェリクス（一九八六）『アンチ・オイディプス──資本主義と分裂症1』市倉宏

祐訳、河出書房新社。

DELEUZE, Gilles & GUATTARI, Félix（1980）*Mille plateaux : capitalisme et schizophrénie 2*, Minuit. ドゥルーズ、ジル&ガタリ、フェリクス（一九九四）『千のプラトー——資本主義と分裂症2』宇野邦一他訳、河出書房新社。

DERRIDA, Jacques（1967）*De la grammatologie*, Minuit. デリダ、ジャック（一九七二）『根源の彼方に——グラマトロジーについて』足立和浩訳、現代思潮社。

DERRIDA, Jacques（1972a）*La Dissémination*, Seuil.

DERRIDA, Jacques（1972b）*Marges de la philosophie*, Minuit.

ECO, Umberto（1967）*Opera aperta*, Bompiani. エーコ、ウンベルト（一九九〇）『開かれた作品』篠原資明・和田忠彦共訳、青土社。

ECO, Umberto（1979）*A theory of semiotics*, Indiana University Press. エーコ、ウンベルト（一九八〇）『記号論』池上嘉彦訳、岩波書店。

ECO, Umberto（1984）*Semiotics and the philosophy of language*, Indiana University Press, 1996. エーコ、ウンベルト（一九九六）『記号論と言語哲学』谷口勇訳、国文社。

ECO, Umberto（1988）*Le signe : histoire et analyse d'un concept*, adapté de l'italien par Jean-Marie Klinkenberg, Editions Labor. エーコ、ウンベルト（一九九七）『記号論入門——記号概念の歴史と分析』谷口伊兵衛訳、而立書房。

ECO, Umberto（1993）*La ricerca della lingua perfetta nella cultura europea*, Editori Laterza. エーコ、ウンベルト（一九九五）『完全言語の探求』上村忠男・廣石正和訳、平凡社。

ECO, Umberto（1999）*Kant and the Platypus : Essays on Language and Cognition*, trans. by A. McEwen, A Harvest Book Hartocourt Inc. エーコ、ウンベルト（二〇〇三）『カントとカモノハシ』上・下巻、和

田忠彦・柱本元彦訳、岩波書店。

FISKE, John (1987) *Television Culture*, Routledge. フィスク、ジョン（一九九六）『テレビジョン・カルチャー——ポピュラー文化の政治学』伊藤守他訳、梓出版社。

FISKE, John & HARTLEY, John (1989) *Reading television*, Routledge. フィスク、ジョン&ハートレー、ジョン（一九九一）『テレビを「読む」』池村六郎訳、未來社。

FOUCAULT, Michel (1966) *Les mots et les choses*, Gallimard. フーコー、ミシェル（一九七四）『言葉と物』佐々木明・渡辺一民訳、新潮社。

FOUCAULT, Michel (1969) *L'archéologie du savoir*, Gallimard. フーコー、ミシェル（一九八一）『知の考古学』中村雄二郎訳、河出書房新社。

FOUCAULT, Michel (1969) *L'ordre du discours*, Gallimard. フーコー、ミシェル（一九七二）『言語表現の秩序』中村雄二郎訳、河出書房新社。

FOUCAULT, Michel (1975) *Surveiller et punir: Naissance de la prison*, Gallimard. フーコー、ミシェル（一九七七）『監獄の誕生——監視と処罰』田村俶訳、新潮社。

FOUCAULT, Michel (1976) *La volonté de savoir, Histoire de la sexualité tome I*, Gallimard. フーコー、ミシェル（一九八六）『性の歴史Ⅰ　知への意志』渡辺守章訳、新潮社。

FOUCAULT, Michel (1984) *L'usage des plaisirs, Histoire de la sexualité tome II*, Gallimard. フーコー、ミシェル（一九八六）『性の歴史Ⅱ　快楽の活用』田村俶訳、新潮社。

FOUCAULT, Michel (1984) *Le souci de soi, Histoire de la sexualité tome III*, Gallimard. フーコー、ミシェル（一九八七）『性の歴史Ⅲ　自己への配慮』田村俶訳、新潮社。

FREUD, Sigmund (1895) *Studien über Hysterie*. フロイト、ジクムント（一九七四）「ヒステリー研究」『フロイト著作集7　ヒステリー研究他』懸田克躬・小此木啓吾訳、人文書院。

FREUD, Sigmund（1900）*Die Traumdeutung.* フロイト、ジクムント（一九六八）「夢判断」『フロイト著作集2　夢判断』高橋義孝訳、人文書院。

FREUD, Sigmund（1905）*Der Witz und seine Beziehung zum Unbewußten.* フロイト、ジクムント（一九七〇）「機知――その無意識との関係」『フロイト著作集4　日常生活の精神病理学他』懸田克躬他訳、人文書院。

FREUD, Sigmund（1908）*Der Dichter und das Phantasieren.* フロイト、ジクムント（一九六八）「詩人と空想すること」『フロイト著作集3　文化・芸術論』高橋義孝訳、人文書院。

FREUD, Sigmund（1919）*Das Unheimlich.* フロイト、ジクムント（一九六八）「無気味なもの」『フロイト著作集3　文化・芸術論』高橋義孝訳、人文書院。

FREUD, Sigmund（1920）*Jenseits des Lustprinzips.* フロイト、ジクムント（一九七〇）「快感原則の彼岸」『フロイト著作集6　自我論・不安本能論』井村恒郎訳、人文書院。

FREUD, Sigmund（1930）*Das Unbehangen der Kultur.* フロイト、ジクムント（一九六八）浜川祥枝訳「文化への不満」『フロイト著作集3　文化・芸術論』、人文書院。

GENETTE, Gérard（1972）*Figures III*, Seuil. ジュネット、ジェラール（一九八五）『物語のディスクール――方法論の試み』花輪光・和泉涼一訳、水声社。

GENETTE, Gérard（1982）*Palimpsestes: la littérature au second degré*, Seuil. ジュネット、ジェラール（一九九五）『パランプセスト――第二次の文学』和泉涼一訳、水声社。

GREIMAS, Algirdas Julien（1966）*Sémantique structurale*, Larousse. グレマス、アルジルダス・ジュリアン（一九八八）『構造意味論』田島宏・鳥居正文訳、紀伊國屋書店。

GREIMAS, Algirdas Julien（1970）*Du sens*, Seuil. グレマス、アルジルダス・ジュリアン（一九九二）『意味について』赤羽研三訳、水声社。

HEGEL, Georg Wilhelm Friedrich（1820–1829）*Vorlesungen über die Asthetik.* ヘーゲル、ゲオルグ・ヴィルヘルム（一九九五）『ヘーゲル全集第3巻　美学』竹内敏雄訳、岩波書店。

HEIDEGGER, Martin（1927）*Sein und Zeit.* ハイデガー、マルチン（一九九四）『存在と時間』細谷貞雄訳、ちくま学芸文庫。

HEIDEGGER, Martin（1935/36）*Die Ursprung des Kunst Werkes.* ハイデガー、マルチン（一九八八）「芸術作品の起源」『ハイデッガー全集5　杣径』茅野良男・ハンス・ブロッカルト訳、創文社。

HEIDEGGER, Martin（1946）*Wozu Dichter?* ハイデガー、マルチン（一九八八）「何のための詩人たちか」『ハイデッガー全集5　杣径』茅野良男・ハンス・ブロッカルト訳、創文社。

HJELMSLEV, Louis（1968）*Prolégomènes à une théorie du langage*, nouvelle édition, traduite du danois par Una Canger avec la collaboration d'Annick Wewer, Minuit, 1968–1971. イエルムスレウ、ルイス（一九八五）『言語理論の確立をめぐって』竹内孝次訳、岩波書店。

HJELMSLEV, Louis（1971）*Essais linguistiques*, Minuit.

HOBSBAWM, Eric & RANGER, Terence（1983）*The Invention of tradition*, Cambridge University Press. ホブズボウム、エリック&レンジャー、テレス編（一九九二）『創られた伝統』前川啓治・梶原景昭他訳、紀伊國屋書店。

HUIZINGA, Johan（1938）*Homo ludens.* ホイジンガ、ヨハン（一九八九）『ホイジンガ選集1　ホモ・ルーデンス――文化のもつ遊びの要素についてのある定義づけの試み』里見元一郎訳、河出書房新社。

HUSSERL, Edmund（1893–1917）*Zur Phänomenologie des inneren Zeitbewußtseins.* フッサール、エドムント（一九六七）『内的時間意識の現象学』立松弘孝訳、みすず書房。

池上嘉彦（一九八四）『記号論への招待』岩波新書。

池上嘉彦（一九九二）『ことばの詩学』岩波書店。

池上嘉彦（一九九二）『詩学と文化記号論』講談社学術文庫。

入江曜子（二〇〇一）『日本が「神の国」だった時代――国民学校の教科書をよむ』岩波新書。

石井研堂（一九九七）『明治事物起源』ちくま学芸文庫。

石田英敬（一九九三）「マラルメ・メディア・マクルーハン」『現代思想』一〇月号、一〇二―一一二頁。

石田英敬（一九九四）「都市のポイエーシス断章」『アルゴ』XV、三六―四九頁。

石田英敬（一九九五）「構造とリズム――ソシュールvs.クレー」、小林康夫・舟曳建夫編『知の論理』東京大学出版会、七四―九二頁。

石田英敬（一九九六）「メディオロジー的転回の条件」『現代思想』四月号、七六―八五頁。

ISHIDA, Hidetaka (1997) "Lecture japonaise de Roland Barthes", in *Language Information Text*, No. 4, Language and Information Sciences, University of Tokyo, pp. 1-13.

石田英敬（一九九八）「記号学と大学――セミオリテラシーのために」『記号学研究』18、東海大学出版会、四七―五六頁。

ISHIDA, Hidetaka (1998) "The Perspective as a factor of the Modernity: on the introduction of geometrical perspective in the Eary Modern Japanese Art", in *Language Information Text*, Language and Information Sciences, University of Tokyo, No. 5, pp. 33-44.

石田英敬（一九九九ａ）「象徴都市パリの〈死の大軸線〉」『建築文化（特集20世紀の都市Ⅰ　パリふたたび）』一月号、二九―四〇頁。

石田英敬（一九九九ｂ）「スペクタクル社会の「日の丸」「君が代」」『世界』九月号、三四―四〇頁。

石田英敬（二〇〇一ａ）「言語態とは何か」、山中桂一・石田英敬編『シリーズ言語態1　言語態の問い』東京大学出版会、一―七頁。

石田英敬（二〇〇一ｂ）「言語の世紀と言語態の問い」、山中桂一・石田英敬編『シリーズ言語態1　言語態の問い』東京大学出版会、一一―四六頁。

石田英敬・小松史生子（二〇〇二）「テレビドラマと記号支配」、石田英敬・小森陽一編『シリーズ言語態5　社会の言語態』東京大学出版会、五九―八六頁。

石田英敬（二〇〇三）「テレビと日常生活――テレビの記号論再考」『放送メディア研究1　特集メディア変容の時代と放送』日本放送協会放送文化研究所、二三一―二六六頁。

IVANOV, V. V., TOPOROV, V. N., PJATIGORSKIJ, A. M. & LOTMAN, J. M. (1973) "Theses on the semiotic study of culture", in J. Van der Emg & M. Grygar, eds., *Structure of Texts and Semiotics of Culture*, Mouton.

岩井克人（一九八五）『ヴェニスの商人の資本論』筑摩書房。

家永三郎（一九九〇）「教育勅語をめぐる国家と教育の関係」、山住正己編『日本近代思想大系6　教育の体系』岩波書店、付録。

JAKOBSON, Roman (1963) *Essais de linguistique générale*, Minuit. ヤコブソン、ロマン（一九七三）『一般言語学』川本茂雄監修、田村すゞ子他訳、みすず書房。

JAKOBSON, Roman (1971-1988) *Selected Writings I-VIII*, Mouton.

ヤコブソン、ロマン（一九七八）『ローマーン・ヤーコブソン選集2　言語と言語科学』服部四郎編、早田輝洋・長嶋善郎・米重文樹訳、大修館書店。

JAKOBSON, Roman (1984) *Une vie dans le langage,: antoportrait d'un savant*, traduit de l'anglais par Pascal Boyer; préface de Tzvetan Todorov, Minuit.

ヤコブソン、ロマン（一九八四）『言語とメタ言語』池上嘉彦・山中桂一訳、勁草書房。

ヤコブソン、ロマン（一九八五）『ローマーン・ヤーコブソン選集3　詩学』川本茂雄編、川本茂雄・千野栄一監訳、大修館書店。

ヤコブソン、ロマン（一九八六）『ロマーン・ヤーコブソン選集1　言語の分析』服部四郎編、早田輝洋・長嶋善郎・米重文樹訳、大修館書店。

JAMESON, Fredric. (1991) *Postmodernism, or the cultural logic of late capitalism*, Duke University Press.

JENKS, Charles (1973) *Modern movements in architecture*, Penguin.

JENKS, Charles (1987) *Post-modernism: the new classicism in art and architecture*, Academy Editions.

陣内秀信（一九八五）『東京の空間人類学』筑摩書房。

KANT, Immanuel (1781/1787) *Kritik der reinen Vernunft*. カント、イマニュエル（一九六一—一九六二）『純粋理性批判』篠田英雄訳、岩波文庫。

KANTOROWICZ, Ernst H. (1957) *The king's two bodies: a study in mediaeval political theology*, Princeton University Press, 1985. カントーロヴィチ、エルンスト・H（一九九二）『王の二つの身体——中世政治神学研究』小林公訳、平凡社。

木畑洋一（一九九四）「世界史の構造と国民国家」、歴史学研究会編『国民国家を問う』青木書店。

岸野文郎他（二〇〇〇）『岩波講座マルチメディア情報学5　画像と空間の情報処理』岩波書店。

北川高嗣他編（二〇〇二）『情報学事典——Encyclopedia of media and information studies』弘文堂。

KLEE, Paul (1898-1918) *Tagebucher von Paul Klee*. クレー、パウル（一九六一）『クレーの日記』南原実訳、新潮社。

KLEE, Paul (1956) *Das bildnerische Denken*. クレー、パウル（一九七三）『造形思考』上・下、土方定一他訳、新潮社。

KLEE, Paul (1970) *Unendliche Naturgeschichte*. クレー、パウル（一九八一）『無限の造形』上・下、南原実訳、新潮社。

隈研吾（一九九四）『新・建築入門――思想と歴史』ちくま新書。
黒崎政男（一九八七）『哲学者はアンドロイドの夢を見たか――人工知能の哲学』哲学書房。
黒崎政男（二〇〇〇）『カント「純粋理性批判」入門』講談社選書メチエ。
LACAN, Jacques（1966）*Ecrits*, Seuil. ラカン、ジャック（一九七二／八一）『エクリ』全三巻、佐々木孝次・宮本忠雄他訳、弘文堂。
LACAN, Jacques（1973）*Les quatre concepts fondamentaux de la psychanalyse*, Seuil, 1964. ラカン、ジャック（二〇〇〇）『精神分析の四基本概念――セミネール１９６４』小出浩之他訳、岩波書店。
LAKOFF, George（1987）*Women, fire, and dangerous things: what categories reveal about the mind*, University of Chicago Press. レイコフ、ジョージ、（一九九三）『認知意味論――言語から見た人間の心』池上嘉彦・河上誓作他訳、紀伊國屋書店。
LANDOW, George P.（1997）*Hypertext 2.0: the convergence of contemporary critical theory and technology*, Rev., amplified ed., Johns Hopkins University Press. ランドウ、ジョージ・P（一九九六）『ハイパーテクスト――活字とコンピュータが出会うとき』若島正・板倉厳一郎・河田学訳、ジャストシステム。
LEFEBVRE, Henri（1945）*Critique de la vie quotidienne*, tome 1. ルフェーブル、アンリ（一九六八―一九七〇）『日常生活批判』第一巻、奥山秀美・松原雅典・田中仁彦訳、現代思潮社。
LEIBNIZ, Gottfried Wilhelm, v.（1714-15）*Principes de la nature et de la Grâce fondée en raison: Principes de la philosophie, ou, Monadologie*, PUF, 2001. ライプニッツ、ゴットフリート・W（一九六九）「モナドロジー」『世界の名著　スピノザ、ライプニッツ』下村寅太郎編、中央公論社。
LEROI-GOURHAN, André（1964）*Le geste et la parole, 1 Technique et langage*, Albin Michel. ルロワ＝グーラン、アンドレ（一九七三）『身ぶりと言葉』荒木亨訳、新潮社。
LEVI-STRAUSS, Claude（1964）*Le cru et le cuit*, Plon. レヴィ＝ストロース、クロード（二〇〇六）『神話

論理I 生のものと火を通したもの』早水洋太郎訳、みすず書房。

LEVI-STRAUSS, Claude（1967）*Les structures élémentaires de la parenté*, 2eme édition, Mouton. レヴィ＝ストロース、クロード（一九七七）『親族の基本構造』馬渕東一・田島節夫監訳、花崎皋平他訳、番町書房。

LE CORBUSIER（1937）*Quand les cathédrales étaient blanches.* ル・コルビュジエ（一九五七）『伽藍が白かったとき』生田勉・樋口清訳、岩波書店。

LE CORBUSIER（1948）*Le modulor.* ル・コルビュジエ（一九七六）『モデュロール I』吉阪隆正訳、鹿島出版会。

LOCKE, John（1689）*An essay concerning human understanding.* ロック、ジョン（一九六八）「人間知性論」『世界の名著 ロック、ヒューム』大槻春彦編、中央公論社。

LYNCH, Kevin（1960）*The image of the city*, Harvard University Press. リンチ、ケヴィン（一九六八）『都市のイメージ』丹下健三・富田玲子訳、岩波書店。

丸山真男（一九六四）『現代政治の思想と行動』未來社。

MALLARME, Stéphane（1886）"Crise de vers" in *Œuvres complètes*, tome I, éd. Gallimard, 1998. マラルメ、ステファーヌ（一九八九）「詩句の危機」『マラルメ全集2 ディヴァガシオン他』松室三郎他訳、筑摩書房。

McLUHAN, Marshall（1962）*The Gutenberg galaxy: the making of typographic man*, University of Toronto Press, 1980. マクルーハン、マーシャル（一九八六）『グーテンベルクの銀河系——活字人間の形成』森常治訳、みすず書房。

McLUHAN, Marshall（1964）*Understanding Media: the extensions of man*, MIT Press, 1994. マクルーハン、マーシャル（一九八七）『メディア論——人間の拡張の諸相』栗原裕・河本仲聖訳、みすず書房。

McLUHAN, Marshall & POWERS, Bruce R.（1989）*The global village: transformations in world life and media in the 21st century*, Oxford University Press.
MESCHONNIC, Henri（1982）*Critique du rythme: une anthropologie historique du langage*, Verdier.
MORRIS, Charles William（1938）*Foudations of the Theory of Signs*, in *General Theory of Signs*, 1971. モリス、チャールズ・ウィリアム（一九八八）『記号理論の基礎』内田種臣・小林昭世訳、勁草書房。
長尾真他（一九九九）『岩波講座マルチメディア情報学１　マルチメディア情報学の基礎』岩波書店。
西垣通（一九九四）『ペシミスティック・サイボーグ――普遍言語機械への欲望』青土社。
西垣通（二〇〇一）『ＩＴ革命――ネット社会のゆくえ』岩波新書。
西野章治郎他（一九九九）『岩波講座マルチメディア情報学12　相互の理解』岩波書店。
NÖTH, Winfried（1990）*Handbook of semiotics*, Indiana University Press.
暉峻康隆（一九九一）『日の丸・君が代の成り立ち』岩波ブックレット１８７。
PANOFSKY, Erwin（1926）*Die Perspektive als "symbolische Form"*. パノフスキー、エルウィン（一九九三）『〈象徴形式〉としての遠近法』木田元・川戸れい子・上村清雄訳、哲学書房。（二〇〇九）ちくま学芸文庫。
PEIRCE, Charles Sanders（1931–1958）*Collected papers of Charles Sanders Peirce*, 8 vols., Press of Harvard University Press.
PEIRCE, Charles Sanders（1982–2000）*Writings of Charles S. Peirce: a chronological edition*, Max H. Fisch, general editor; Christian J. W. Kloesel, associate editor, Indiana University Press.
パース、チャールズ・サンダース（一九八五）『パース著作集１　現象学』米盛裕二編訳、勁草書房。
パース、チャールズ・サンダース（一九八六ａ）『パース著作集２　記号学』内田種臣編訳、勁草書房。
パース、チャールズ・サンダース（一九八六ｂ）『パース著作集３　形而上学』遠藤弘編訳、勁草書房。

PLATON, Timaios. プラトン（一九七五）「ティマイオス」種山恭子訳、『プラトン全集12』田中美知太郎・藤沢令夫編、岩波書店。
PROPP, Vladimir (1969) *Морфология сказки.* プロップ、ウラジミール（一九八七）『昔話の形態学』北岡誠司・福田美智代訳、白馬書房。
RICOEUR, Paul (1983) *Temps et Récit,* tome I, Seuil. リクール、ポール（一九八七）『時間と物語 Ⅰ』久米博訳、新曜社。
RICOEUR, Paul (1984) *Temps et Récit,* tome II, Seuil. リクール、ポール（一九八八）『時間と物語 Ⅱ』久米博訳、新曜社。
RICOEUR, Paul (1985) *Temps et Récit,* tome III, Seuil. リクール、ポール（一九八九）『時間と物語 Ⅲ』久米博訳、新曜社。
SAID, Edward W. (1978) *Orientalism,* Penguin, 1991. サイード、エドワード・W（一九八六）『オリエンタリズム』今沢紀子訳、平凡社。
斉藤利彦（一九九五）『競争と管理の学校史——明治後期中学校教育の展開』東京大学出版会。
坂本百大他編（二〇〇二）『記号学大事典』柏書房。
坂村健（一九九九）『痛快！ コンピュータ学』集英社インターナショナル。
SAUSSURE, Ferdinand de (1916) *Cours de linguistique générale,* édition établie par Ch. Bally, Payot. ソシュール、フェルディナン・ド（一九七二）『一般言語学講義』小林英夫訳、岩波書店。(Ch. Bally による原著第三版からの日本語訳)
SAUSSURE, Ferdinand de (1972) *Cours de linguistique générale,* édition critique préparée par T. de Mauro, Payot.
SAUSSURE, Ferdinand de (1989) *Cours de linguistique générale,* édition critique par Rudolf Engler, 2

tomes, Harrassowitz.

SAUSSURE, Ferdinand de（2002）*Ecrits de linguistique générale*, texte établi et édité par Simon Bouquet et Rudolf Engler, Gallimard.

SEARLE, John R.（1969）*Speech acts: an essay in the philosophy of language*, Cambridge University Press. サール、ジョン・R（一九八六）『言語行為——言語哲学への試論』坂本百大・土屋俊訳、勁草書房。

瀬尾文彰（一九八一）『意味の環境論——人間活性化の舞台としての都市へ』彰国社。

SERRES, Michel（1972）*Hermès II: L'interférence*, Minuit. セール、ミシェル（一九八七）『干渉』豊田彰訳、法政大学出版局。

SERRES, Michel（1993）*La Légende des anges*, Flammarion. セール、ミシェル（一九九四）「天使伝説」『現代思想』一〇月号。

SHANNON, Claude E. & WEAVER, Warren（1949）*The mathematical theory of communication*, University of Illinois Press, 1998. シャノン、クロード・E&ウィーヴァー、ワレン（一九六九）『コミュニケーションの数学的理論——情報理論の基礎』長谷川淳・井上光洋訳、明治図書出版。

SOLSO, Robert L.（1994）*Cognition and the visual arts*, MIT Press. ソルソ、ロバート・L（一九九七）『脳は絵をどのように理解するか——絵画の認知科学』鈴木光太郎・小林哲生訳、新曜社。

STEINER, Peter（1984）*Russian formalism: a metapoetics*, Cornell University Press. スタイナー、ピーター（一九八六）『ロシア・フォルマリズム——ひとつのメタ詩学』山中桂一訳、勁草書房。

STIEGLER, Bernard（1994）*La technique et le temps 1. La faute d'Epiméthée*, Galilée. スティグレール、ベルナール（二〇〇九）『技術と時間1　エピメテウスの過失』石田英敬監修、西兼志訳、法政大学出版局。

STIEGLER, Bernard（1996）*La technique et le temps 2. La désorientation*, Galilée. 同右（二〇一〇）『技術

と時間2　方向喪失（ディスオリエンテーション）』同右。

STIEGLER, Bernard (2001) *La technique et le temps 3. Le temps du cinéma et la question du mal-être*, Galilée. 同右（二〇一三）『技術と時間3　映画の時間と〈難－存在〉の問題』同右。

菅谷明子（二〇〇〇）『メディア・リテラシー』岩波新書。

鈴木淳（二〇〇二）『日本の歴史20　維新の構想と展開』講談社。

多木浩二（一九八八）『天皇の肖像』岩波新書。

多木浩二（一九九二）『ヌード写真』岩波新書。

田中純（二〇〇〇）『ミース・ファン・デル・ローエの戦場——その時代と建築をめぐって』彰国社。

田中伸尚（二〇〇〇）『日の丸・君が代の戦後史』岩波新書。

上野千鶴子編（二〇〇一）『構築主義とは何か』勁草書房。

WILLIAMSON, Judith (1978) *Decoding advertisements: ideology and meaning in advertising*, Boyars. ウィリアムスン、ジュディス（一九八五）『広告の記号論——記号生成過程とイデオロギー』山崎カヲル・三神弘子訳、柘植書房。

WITTGENSTEIN, Ludwig (1953) *Philosophical Investigations*, translated by G. E. M. Anscombe, Blackwell. 1992. ウィトゲンシュタイン、ルードヴィッヒ（一九七六）『ウィトゲンシュタイン全集8　哲学探究』藤本隆志訳、大修館書店。

山住正己（一九八八）『日の丸・君が代問題とは何か』大月書店。

山中恒（一九七四）『ボクラ少国民』辺境社。

山中桂一（一九八九）『ヤコブソンの言語科学1　詩とことば』勁草書房。

山中桂一（一九九五）『ヤコブソンの言語科学2　かたちと意味』勁草書房。

米盛裕二（一九八一）『パースの記号学』勁草書房。

Ⅱ　引用した資料

荒木経惟（一九八九）『東京物語』平凡社。

荒木経惟（一九九一）『センチメンタルな旅』新潮社。

荒木経惟＋荒木陽子（一九九二）『東京は、秋』筑摩書房。

荒木陽子＋荒木経惟（一九九三）『東京日和』筑摩書房。

BORGES, Jorge Luis (1944) *Ficciones.* ボルヘス、ホルヘ・ルイス（一九九〇）「バベルの図書館」『伝奇集』鼓直訳、福武書店。

ダバディー、フローラン（二〇〇一）『朝日新聞』一二月一九日夕刊。

塩田純一他編（一九九六）『アンディ・ウォーホル１９５６-８６　時代の鏡』アンディ・ウォーホル美術館・朝日新聞社。

セゾン美術館編（一九九一）『「芸術と広告展」図録』朝日新聞社
CALVINO, Italo (1972) *Le citta invisibili,* Einaudi. CALVINO, Italo (1974) *Les villes invisibles,* tr. fr. éd. du Seuil. カルヴィーノ（二〇〇〇）『マルコ・ポーロの見えない都市』米川良夫訳、河出書房新社。

DETHIER & GUIHEUX (1994) *La ville; art et architecture en Europe 1870-1993,* Centre Georges Pompidou.

ENDE, Michael (1973) *Momo.* エンデ、ミヒャエル（一九七六）『モモ』大島かおり訳、岩波書店。

GIBSON, William (1984) *Neuromancer,* Voyager 1995. ギブソン、ウィリアム（一九八六）『ニューロマンサー』黒丸尚訳、早川書房。

GOULD, Glenn (1984) *The Glenn Gould Reader* (edited by Tim Page, A. Knopf Inc.). グールド、グレン（一九九〇）『著作集１　バッハからブーレーズへ』、グールド、グレン（一九九〇）『著作集２　パフォー

マンスとメディア』野水瑞穂訳、みすず書房。

HUGO, Victor (1831) *Notre-Dame de Paris.* ユーゴー、ヴィクトル（二〇〇〇）『ノートル＝ダム・ド・パリ』辻昶・松下和則訳、潮出版社。

HEGEDUS＋SHAW＋LINTERMANN＋STUCK (1997)「conFIGURING the CAVE」、『ICC Concept Book』NTT出版、一九九八。

石川啄木（一九一一）「時代閉塞の現状」『時代閉塞の現状 食うべき詩：他十編』岩波文庫。

KLEE, Paul (1970) *Unendliche Naturgeschichte.* クレー、パウル（一九八一）『無限の造形』上・下、南原実訳、新潮社。

小林よしのり（一九九八）『戦争論——新ゴーマニズム宣言』幻冬舎。

MEURIS, Jacques (1988) *Magritte,* éd. Casterman, 1988.

PERRAULT, Dominique (1995) *La Bibliothèque nationale de France, 1989-1995,* arc en rêve, centre d'architecture, Birkhäuser, 1995.

QUENEAU, Raymond (1961) *Cent mille milliards de poèmes,* éd. Gallimard.

LENNON, John (1974) *Imagine,* EMI Records Ltd., 1971.

ROQUES, Georges (1983) *Magritte et la publicité: Ceci n'est pas un Magritte,* Flammarion, 1983. ロック、ジョルジュ（一九九二）『マグリットと広告 これはマグリットではない』日向あき子監修、小倉正史訳、リブロポート。

村上春樹（一九九四—一九九五）『ねじまき鳥クロニクル』全三巻、新潮社。

森村泰昌（一九九六）『美術の解剖学講義』平凡社。

大正ニュース事典編纂委員会（一九八六）『大正ニュース事典4 大正8-9年』毎日コミュニケーションズ。

永井荷風（一九一五）「日和下駄」、『ちくま日本文学全集 永井荷風』筑摩書房、一九九二。

永井荷風（一九一九）「花火」、『ちくま日本文学全集　永井荷風』筑摩書房、一九九二。

夏目漱石（一九〇九）『それから』岩波文庫、一九八九。

文部省教学局編（一九四一）『臣民の道』内閣印刷局。

OVIDIUS, Publius Naso *Metamorphoseon.* オウィディウス（一九八一）『変身物語』中村善也訳、岩波文庫。

広告批評編（一九九七）『広告大入門』マドラ出版。

RATCLIFF, Carter (1983) *Andy Warhol,* Cross Rivers Press. ラトクリフ、カーター（一九八九）『アンディ・ウォーホル』日向あき子・古賀林幸訳、美術出版社。

SHAKESPEAR, William (1601) *Hamlet.* シェイクスピア、ウィリアム（二〇〇三）『新訳ハムレット』河合祥一郎訳、角川文庫。

宇多田ヒカル（一九九九）"Automatic" in *First Love,* 東芝ＥＭＩ、一九九九。

図版出典一覧

1　モノについてのレッスン

図1-1　ヴァン・ゴッホ「靴」一八八七年（ボルチモア美術館）
図1-2　ルネ・マグリット「赤いモデル」一九三五年（ポンピドゥー・センター）
図1-3　アンディ・ウォーホル「ダイヤモンド・ダスト・シューズ」一九八〇年（アンディ・ウォーホル美術館）
図1-4　「家を森にする計画。」ポスター　一九九二年　飛栄ホーム工業株式会社（日本広告写真家協会編『年鑑日本の広告写真'92』講談社、一九九二年所収）
図1-5　カナダ税関のポスター　一九七五年（ジョルジュ・ロック『マグリットと広告――これはマグリットではない』小倉正史訳、リブロポート、一九九一年所収）
図1-6　アンディ・ウォーホル「キャンベル・スープ缶」一九六二年（アーヴィング・ブラム、ニューヨーク）

2　記号と意味についてのレッスンi

図2-1　パブロ・ピカソ「ペルノーの瓶とグラス」一九一二年（エルミタージュ美術館）
図2-2　F・de・ソシュール（一八五七―一九一三年）（Winfried Nöth, *Handbook of semiotics*, Indiana University Press, 1990 所収）

図2-3　シニフィアンとシニフィエ
図2-4　ソシュールによる言語記号の波の図
図2-5　パウル・クレーによるマス目の分節のデッサン（パウル・クレー『無限の造形』下、南原実訳、新潮社、一九八一年所収）
図2-6　パウル・クレー「うろこのある魚」（パウル・クレー『造形思考』下、南原実訳、新潮社、一九七三年所収）
図2-7　言語体系
図2-8　パウル・クレー「分割的・非分割的の結合」（パウル・クレー『無限の造形』下、南原実訳、新潮社、一九八一年所収）
図2-9　パウル・クレー「歌手のホール」一九三〇年（ロルフ・ビュルギ、ベルプ）
図2-10　バルト「コノテーションの図式」
図2-11　パウル・クレー「魚のまわり」一九二六年（近代美術館、ニューヨーク）
図2-12　クリスチャン・モルゲンシュテルン「夜の魚の歌――最も深遠なドイツ詩」一九〇五年（Henri Meschonnic, *Critique du rythme*, Verdier, 1982 所収）

3　記号と意味についてのレッスンⅱ

図3-1　C・S・パース（一八三九―一九一四年）（Winfried Nöth, *Handbook of semiotics*, Indiana University Press, 1990 所収）
図3-2　視覚系の全体図（佐藤隆夫「視覚情報処理理論」、岸野文郎他『岩波講座マルチメディア情報学5　画像と空間の情報処理』岩波書店、二〇〇〇年、二頁所収）
図3-3　視覚情報の処理（ロバート・L・ソルソ『脳は絵をどのように理解するか――絵画の認知科学』

鈴木光太郎他訳、新曜社、一九九七年、三五頁所収）
図3-4　パースによる記号の三項図式
図3-5　パウル・クレー「腹話術師」（部分）一九二三年（メトロポリタン美術館）
図3-6　無限のセミオーシス
図3-7　パースの記号分類
図3-8　パウル・クレー「狙われた場所」一九二二年（クレー財団、ベルン）
図3-9　パウル・クレー「ナイルの伝説」一九三七年（ベルン美術館）

4　メディアとコミュニケーションについてのレッスン

図4-1　物質・メディア・精神の関係
図4-2　類人猿と人類（A. Leroi-Gourhan, *Le geste et la parole, I Technique et langage*, Albin Michel, 1964 所収）
図4-3　コミュニケーションとコミュニティ
図4-4　ソシュールの電話モデル
図4-5　ソシュールの「ことばの回路」
図4-6　シャノン・モデル
図4-7　ヤコブソンの六機能図式
図4-8　記号・技術・社会のボロメオの輪

5　〈ここ〉についてのレッスン

図5-1　阪神大震災で破壊されたビル（朝日新聞社提供）。

図5-2　ピーター・アイゼンマン「布谷東京ビル」（著者撮影）
図5-3　ピーター・アイゼンマン「小泉ライティングシアター／IZM」（著者撮影）
図5-4　ミッテラン国立図書館（Dominique Perrault, *La Bibliothèque nationale de France 1989-1995, arc en rêve centre d'architecture*, Birkhäuser, 1995 所収）
図5-5　ペイのピラミッド（ルーヴル宮）（『建築文化』一九九九年一月号所収）
図5-6　視覚のピラミッドの原理（E・パノフスキー『〈象徴形式〉としての遠近法』木田元他訳、ちくま学芸文庫、二〇〇九年）
図5-7　遠近法（同書）

6　都市についてのレッスン

図6-1　P・シトロエン「メトロポリス」一九二三年（Leyde, Payes-Bas）
図6-2　クノー『百兆の詩』（著者撮影）
図6-3　荒木経惟「孫と散歩」（荒木経惟『東京物語』平凡社、一九八九年所収）
図6-4　荒木経惟「光ヶ丘のローラースケート少女」（同上）
図6-5　荒木経惟「国会議事堂」（同上）
図6-6　荒木経惟「渋谷の駅前」（同上）
図6-7　荒木経惟「道玄坂小路」（同上）
図6-8　都市のツリー構造とセミラティス構造（瀬尾文彰『意味の環境論——人間活性化の舞台としての都市へ』彰国社、一九八一年、六二頁所収）
図6-9　荒木経惟「下町」（荒木経惟『東京物語』平凡社、一九八九年所収）
図6-10　荒木経惟「神楽坂の歩行者天国」（同上）

図6―11　荒木経惟「高層ホテルと鯉のぼり」（同上）
図6―12　荒木経惟「団地のおばあさんと孫」（同上）
図6―13　荒木経惟「CM写真」（同上）
図6―14　荒木経惟「東京アリス」（同上）
図6―15　荒木経惟「渋谷の駅前」（同上）
図6―16　荒木経惟「破壊された街並み」（同上）

7　欲望についてのレッスン

図7―1　「ほしいものが、ほしいわ。」ポスター　一九八八年　西武百貨店
図7―2　〈欲望のシニフィアン〉の図式
図7―3　〈ほしいもの〉の図式
図7―4　欲望の主体とシニフィアン
図7―5　「私を見ている私が見ている。」ポスター　一九九二年　VIVRE
図7―6　「オールド・ウィスキー／KONISHIKI篇」テレビCM　一九九九年　サントリー（全日本シーエム放送連盟編『ACC CM年鑑'99』宣伝会議、一九九九年所収）
図7―7　「ボス／工事現場篇」テレビCM　二〇〇二年　サントリー
図7―8　CM広告のレトリック
図7―9　「iichiko　風、花に　遊ぶ。」ポスター　一九九二年　三和酒類
図7―10　シニフィアンの連鎖と主体のメタファー
図7―11　「ゆるやかな夏の日。JAL OKINAWA」ポスター　二〇〇〇年　日本航空
図7―12　「かわいがられるワタシより、おもしろがられたいワタシ。IBIZA」ポスター　一九九二年

吉田オリジナル
図7-13 「アタマのキレイなひと。フラウ。FRaU」ポスター 一九九二年 講談社
図7-14 「たわわなAKA、なかなか RECIENTE」ポスター 一九九二年 資生堂（日本グラフィックデザイナー協会編『JAGDA年鑑'92』六曜社、一九九二年所収）
図7-15 「ちちんブイブイ、だいじょーブイ アリナミンVドリンク」ポスター 一九九二年 武田薬品工業（日本広告写真家協会『年鑑日本の広告写真'92』講談社、一九九二年所収）
図7-16 「株式会社スタッフサービス／桃太郎篇」テレビCM 二〇〇一年 スタッフサービス
図7-17 「DAKARA／小便小僧登場篇」テレビCM 二〇〇一年 サントリー（全日本シーエム放送連盟『ACC CM年鑑2001』宣伝会議、二〇〇一年所収）
図7-18 〈メタ物語〉の図式
図7-19 タレントという記号のシステム
図7-20 「写ルンです／超・進化それなりに篇」テレビCM 二〇〇〇年 富士写真フイルム
図7-21 「富士通FMV／マイベスト篇」テレビCM 二〇〇一年 富士通（全日本シーエム放送連盟編『ACC CM年鑑2002』宣伝会議、二〇〇二年所収）

8 身体についてのレッスン

図8-1 『Tarzan』表紙 一九九七年二月一二日号 マガジンハウス
図8-2 カラヴァッジオ「ナルシス」一五九七―九九年（バルベリーニ宮国立古代美術館、ローマ）
図8-3 森村泰昌「赤いマリリン」一九九六年
図8-4 ロバート・メイプルソープ「セルフポートレイト」一九七一年（C・コールズ、ニューヨーク）
図8-5 ベンサム「一望監視装置（パノプチコン）」（Michel Foucault, *Surveiller et punir: naissance de la*

prison, Gallimard, 1975 所収)
図8-6　網走監獄の五翼放射状舎房(著者撮影)
図8-7　「相互教育初等学校」の図　一八一八年(Michel Foucault, *Surveiller et punir: naissance de la prison*, Gallimard, 1975 所収)

9　象徴政治についてのレッスン

図9-1　水平的なコミュニケーション
図9-2　垂直的なコミュニケーション
図9-3　二〇〇一年の東京・表参道(著者撮影)
図9-4　「御真影」
図9-5　二〇〇二年ワールドカップ韓日大会(朝日新聞社提供)

10　〈いま〉についてのレッスン

図10-1　テレビの入力から出力まで
四四八—四五九頁図版①〜⑱　NHK「ニュース7」二〇〇一年一一月二日放送(NHK提供)
図10-2　ニュースのダイクシス(日本放送協会放送文化研究所編『放送メディア研究1』丸善プラネット株式会社、二〇〇三年所収)
図10-3　ニュース文脈のツリー構造(日本放送協会放送文化研究所編『放送メディア研究1』丸善プラネット株式会社、二〇〇三年所収)
四六九—四七〇頁図版・四七三頁図版①②　テレビ朝日「ニュース ステーション」二〇〇一年一二月一一日放送

図10-4　ニュース ステーションの分析（日本放送協会放送文化研究所編『放送メディア研究1』丸善プラネット株式会社、二〇〇三年所収）

11　ヴァーチャルについてのレッスン

図11-1　サルバドール・ダリ「地中海を見つめるガラ」一九七四—七六年（マルタン・ローランス・コレクション）

図11-2　テクストの記号実現（上）とハイパーテクストの記号実現（下）

図11-3　A・ヘゲドゥシュ+J・ショー+B・リンターマン+L・スタック「conFIGUING the Cave」一九九七年（NTTインターコミュニケーション・センター）

図11-4　「J-チャット」の一画面　富士通パレックス株式会社（http://www.j-chat.net/index.html）

図11-5　「さぱり」の一画面　ソニー（http://www.sony.co.jp/sapari/）

図11-6　「FINAL FANTASY XI」のウェブ広告画面　スクウェア・エニックス（http://www.playonline.com/ff11）

文庫版のための自著解説

本書は、二〇〇三年一〇月に刊行された私の著作『記号の知／メディアの知——日常生活批判のためのレッスン』（東京大学出版会　初版二〇〇三年一〇月二一日刊四〇八頁）に細部の手直しを加えたうえで『記号論講義——日常生活批判のためのレッスン』と改題し、ちくま学芸文庫から刊行するものです。旧版は、さいわいにも多くの読者に恵まれ、大学の講義や企業のセミナー等で教科書や参考書としても使われて、学術書としては例外的に版を重ねました。しかし、なにぶん高価な単行本（本体価格四二〇〇円）であったので、とくに若い読者の皆さんに購入していただくには、著者としては申し訳ない気持ちがありました。今回、文庫化が実現し、一般読者の皆さんに気軽に手にとっていただけるようになったことに著者として安堵し喜んでいます。旧版は横書きでしたが、今回縦書きとなったことも、読み物として読んでいただくには好都合とおもいます。

旧版刊行からだいぶ歳月が経過したので、私の現在の視点からふり返って、本書のねらいと位置づけをあらためて書いておきたいとおもいます。

本書は、大きく言えば、メディアを対象とした記号論の書といえます。メディア記号論という分野の本だと言ってもまちがいではない。

ただ、読んでいただけばすぐに分かることですが、この本におけるメディアと記号論との関係は、記号論が基礎理論で、メディアは分析対象ということではないのです。両者の間にはより本質的な結びつきがあって、メディアが可能にした知が記号論、メディアの理解にとって必ず必要な学問が記号論であるというのが本書を貫いている主張です。メディアが書きとめるのが記号であり、メディアは記号の作用から成り立っていると考えるのが、私の認識の基本的な立場なのです。旧版ではこの点を強調するために、「記号の知／メディアの知」というタイトルを掲げたのでした。

今回「記号論講義」と改題したのは、記号論という学問をもういちど二一世紀の学問としてきちんと位置づけ直す本としてあらためて広く世に問いたいと考えたからです。

二〇世紀以降の私たちの文明は、それまでの人類の生活とは大きく異なります。一九世紀に発明された写真［英 photograph］、電信テレグラフ［仏 télégraphe］、テレフォン［英 telephone］、フォノグラフ［英 phonograph］、シネマトグラフ［仏 cinématographe］、などのメディア技術が、人類文明を大きく書き換えはじめたのが〈一九〇〇年〉頃です。私は、この大転換を、「アナログ・メディア革命」と呼んでいます。

本書4章で説明されるマクルーハンが言ったように、メディアは人間を拡張して文明の感覚基盤を変容させました。人類文明は二〇世紀には活字と書物の文明圏である「グーテンベルクの銀河系」から遠ざかり電気メディアの星雲――「マルコーニの星雲」――へと接近していった。ラジオや映画やテレビやインターネットが発達し、マスメディアが大衆の欲望をつくり、ポップ・カルチャーが生まれ、本書の7章で詳しく説明したように広告が二〇世紀の消費資本主義のベクトルとなりました。

いま列挙したメディア技術の命名には、例外なく「〜グラフ-graphe（書字）」、「テレ〜téle-（遠隔）」という接頭辞・接尾辞が使われていますね。それは、技術の論理からいえば、メディアとは、機械が痕跡を書く〈書字《グラフ》-テクノロジー〉であり、電気信号をつかってメッセージを送受信する〈遠隔《テレ》-テクノロジー〉であることを示しているのです。私は、それらのメディア・テクノロジーを総称して〈テクノロジーの文字〉と呼んでいます。メディアとは、人間ではなく機械が読み書きするようになった文字、人間には直接には読み書きが出来なくなってしまったテクノロジーの文字の問題なのです（この問題について、詳しくは、本書とおなじ筑摩書房刊のちくま新書『大人のためのメディア論講義』を併せて読んでください)。

メディアというテクノロジーの文字によって、人間の心的活動が、〈記号〉として書き取られ、送受信され、人類の生活を方向付けるようになったのが現代です。これが二〇世紀以降の人間のデフォルトの日常生活です。そのような現代人の「社会における記号の生活」を研究する「一般学」として二〇世紀の初頭に提唱されたのが「記号学」だったのです(これは本書の2章で詳しく説明したとおりです)。

ここで二〇世紀以後のメディア文明における学問の成り立ちについて少しお話ししましょう。

〈一九〇〇年〉頃には、パースとソシュールの記号論・記号学のほかに、フロイトの精神分析、フッサールの現象学のような、それまでにはなかったまったく新しい学問がほぼ同時にいっせいに提唱されました。とても大きな知のパラダイムシフト――哲学者のミシェル・フーコーのいう「エピステーメー(知)」の大転換――が起こったのです。

これは、今お話しした、メディアの革命と深く結びついています。文字と書物の知による人間の理解から、テクノロジーの文字を使った、人間の研究へと、知の大転換が起こったのです。

そのとき、人間における意識と無意識の問題が根底的に問われることになりました。

人間が文字を読み書きする文化では、文字を読み書きする意識が知の中心にあります。文字と書物が意識を媒質にして知と人間とを結びつけていました。

ところが、人間の意識の閾より下の時間幅でカメラはシャッターを切って写真を撮るようになります。その像をあとで見て人間は思い出という意識をつくり記憶を固定するようになる。フォノグラフは人間の書字では記録しつくせない音響や音声の流れを記録して時間意識を再生するようになります。映画は、人間には捉えきれない静止画の連続投射から運動を視ているという人間の意識を生みだすようになる。メディア革命以後は、人間の意識よりも下の無意識のレヴェルでテクノロジーの文字が人間の意識を産み出して方向付けるようになったのです。

フロイトが電話をモデルに精神分析の治療を考案し、映画をモデルに心の装置を構想する。フッサールがフォノグラフが再生するメロディーの聴取経験をもとに現象学的な時間意識を研究する。こうしたことは、文字と書物が意識のメディウム（媒質）であった時代から、テクノロジーの文字がヒトにおける意識と無意識の境界に働きかける二〇世紀へと知の条件が大きく変化したことを示しているのです。〈一九〇〇年〉の日付で刊行されたフロイトの『夢判断』［ただし、じっさいの出版は一八九九年］が「無意識」の理論化を試み、おなじく一九〇〇年の日付で出版されたフッサールの『論理学研究』が「意識」の現象学的な記述を試みたことは、メディアの革命が提起した認識論的な問題状況を色濃く反映するものだったのです。

本書の2章で説明しましたように、ソシュールの言語記号学の提唱が二〇世紀の記号の知の出発点となりました。文字と書物によることばの研究という一九世紀の歴史言語学から、音声書写（フォノグラフィー）技術によって話しことばをリアルタイムで研究する言語記号学への転換、それがソシュールの言語学革命でした。ことばは人間にとって理性（ロゴス）の中心器官ですから、ことばの知が文字と書物を離れて、メディアテクノロジーにもとづく書写技術によって研究されるようになったことは、非常に大きな認識論的なインパクトを生んだのでした。意識の活動と考えられていたことばに働いている記号の無意識が明るみに出されて、人間についての理解が大幅に書き換えられるようになった。さらに、その知の革命は、ことばの研究を超えて、文化や社会の研究全般に衝撃をもたらしました。それが二〇世紀を通して進行した構造主義やポスト構造主義という認識の運動へとつながっていったのです。

本書では、いま描き出したようなメディアと知の転換の見取り図をもとに、記号論や記号学と呼ばれた記号の知が二〇世紀をとおしてどのような知のインターフェイスを作りだしていったのか、その問題系を11章にわたって追い、レッスン形式で人間の意味世界の変容を理解するための方法を説いたものです。

記号論の基礎理論については、2章でソシュールの記号学を、3章でパースの記号論を、詳細に解説しています。4章では、なぜメディアが、技術・記号・社会という人間の文明のもっとも基本的な三次元を構造化する活動であるのかを、ルロワ＝グーランの先史学やスティグレールの技術哲学を援用しつつ説明しています。そして、コミュニケーション・テクノロジーの問題系を、ソシュールのことばの回路、シャノン・モデル、ヤコブソンの六機能図式を重ねて理解する必要を説き、マクルーハンの「メディアはメッセージ」の定式を説明しています。本書では、この三つの章が、記号論とメディア論の理論的マトリクスとなっています。そこは知識が密に詰まっている部分ですから、最初に読むと抽象的でハードルが高すぎるように感じるかもしれません。そのように感じたひとは、そこは後回しにして、具体的な分析を扱う他の章から読み進んで、随時これらの章にもどって原理論を学ぶという読み方も十分可能です。著者の狙いとしては、2章はソシュールを説明しつつ二〇世紀の構造主義の方法への導入を行う、3章はパースの基礎理論を概説しつつ記号論と認知科学や脳科学との接点を説明する、そして、4章は記号論とメディア論との表裏の関係を人間文明の原理のなかに位置づけるという、それぞれ明確な意図を持って書かれています。

他の章では、モノと現実の記号化（1章）、建築や遠近法にあらわれる場所と記号の関係（5章）、都市の構造と都市写真（6章）、欲望資本主義と広告のレトリック（7章）、身体のイメージ化と記号支配、身体に働きかける権力の問題（8章）、国民国家と象徴政治、スポーツと遊びの象徴作用（9章）、現代という歴史の時代とテレビ・ニュース（10章）、VR、サイバースペース、インターネット、ポスト・ヒューマン（11章）と、それぞれの章が、二〇世紀の後半から二一世紀の初頭にかけてのメディア化した世界における意味の問題がどのように現れるのか、記号とメディアの問いの拡がりを俯瞰し、それを認識する視座をもつことができるように書かれています。

それぞれの章では、その問題に関わる代表的な理論を参照しながら、しかし、決して既存の学説の受け売りではなく、私なりのやり方で独自の問題の構図のなかに概念を捉え返したうえで、私たちに身近な事例を集めて具体的な分析の俎上にのせ、記号論とは何を説明するものなのかを、レッスン形式で考えていくというスタイルをとっています。

この本には、私がちくま学芸文庫で刊行している『現代思想の教科書』で扱われる現代思想の思想家たちも多く登場します。ソシュール、パース、ルロワ＝グーラン、スティグレール、マクルーハン、ヤコブソン、レヴィ＝ストロース、デリダ、バルト、フロイト、ラカン、フーコー、ブルデュー、バフチン、リクール、セール、ドブレ、ドゥルーズ、その他の現代の思想家たちです。現代思想と記号論とはどんな関係があるのかと思う読者もいるかもしれませんが、記号論やメディア論が、二〇世紀をとおして、人文科学・社会科学の先端的な思想とどのように具体的に結びついているのかが分かるはずです。そして、記号とメディアの問いが、哲学、言語学、文学理論、美学理論、精神分析、脳科学、認知科学、情報科学、等と、どのような相互の位置関係にあり、人間の社会や文化の何を具体的に説明するものなのかも明らかになるはずです。

本書の冒頭の「はじめに」で宣言しているとおり、この本は「意味批判」の書です。「意味」という問題を理解することは、どのようにすれば可能か。そのための知識と方法を説く書物です。意味批判とは何かを抽象的な議論ではなく、具体的にどのようなことなのかを、読者の皆さんに実感してもらうために、具体例をもとにしたレッスンが行われるのです。

いずれも一九九〇年代から二〇〇〇年代の事例を同時代の題材としているので、新しい読者の皆さんは、ああ、もうこれらは過去の事例なのではないか、と思われるかもしれません。はい、たしかに、皆さんが、目の前で起こっている今日現在の事例の手っ取り早い説明のための知のマニュアルを本書に求めるとすれば、その点に関しては、この本はご期待に添えないかもしれません。

私としては、次のように考えています。

一七年前に「はじめに」に書きましたように、この本はもともとマニュアルとしてではなく、知の方法の書として書かれています。では、知の方法とはどのようなことなのでしょうか。

いかにエフェメラルな（＝儚い）メディア現象を考察の俎上に載せるにせよ、そのなかに普遍的な知の端緒を見いだすところに、批判や批評（ともに「クリティーク」がもとの言葉です）という認識の態度はあると私は考えています。「クリティーク」とは、それは端的に、考察の対象に対して、それが何であるのかを自分で考えて、自分の力でその本質を正確に理解することができるようになる、ということです。自分で考えて、自分の力で、というところが重要です。そして、初心者には逆説的に聞こえるかもしれないのですが、自分で考えて、自分の力で、理解することができるようになるためには、適切な理論と知識を勉強することが必要なのですね。なにごとも、あらかじめすでにある答えを、手軽に、手に入れようなどという態度でのぞむと、自分で考えて、自分の力で、という知の態度から遠ざかってしまいます。

広告のコピーやCMやテレビ番組のようなそれ自体はエフェメラルなメディア社会の現象を取り上げるときにも、記号やメディアの現象の本質を表しているような優れた題材を厳選してとりあげ、芸術や美術の作品と同列に扱って考察の対象としていることも、そのような批評の態度と関係しています。すぐれた芸術作品はそれ自体が、何かを批評している。すぐれた広告やCMも同じように私たちの世界の意味を批評している。その批評を芸術や文学や広告の個々の領域にとどめておくのではなくて、世界の意味を摑むための方法として一般化して、私たち自身の生活世界を考える手がかりにしていこうというのが、「日常生活批判のためのレッスン」の狙いなのです。

うーん、それでは抽象的すぎて分からん、とおっしゃるかもしれないですね。

それでは、幾つかの例を示しましょう。

たとえば、1章では、三つのモノのあり方をとりあげていますね。三つ目のモノのあり方、メディアの表層にうかぶモノのあり方としてウォーホルのパンプスを採り上げています。そして、ボードリヤールの「モノは消費されるためには記号にならなければならない」という定式を引用しています。二〇二〇年の今であれば、どのようにこの問いを更新することができるでしょうか。例えばですが、現在では、モノのインターネットといわれるように、すべてのモノが情報を担っています。そうすると「モノは消費されるためには情報にならなければならない」とも考えることができる。1章のレッスンのもう一歩先に問いを進めることができそうです。そして、あなたが問題をステップアップさせたときに、さらに次に問題となるのは、どのようなことでしょうか。私なら、次のように問いをさらに延長させます。「モノを消費するためには、ヒトもまた情報にならなければならない」、と。amazonなどのヴァーチャル・モールでのネットショッピングやレコメンデーションシステムのことを考えてみてください。そうすると次に「記号」と「情報」との関係はどうなっているのか、と考えることになりますね。それは、11章で触れた「情報記号論」の扱う問題です。(これは、東浩紀さんとの共著『新記号論』ゲンロン二〇一九年刊の中で論じたことです)。

6章であつかった都市のイメージについていま考えるとすれば、人びとは頭の中にある想像的な地図だけでなく、GPSによって位置情報をつねに捕捉され、カーナビに誘導されて都市を移動し、スマートフォンでグーグルマップに導かれながら町を歩いている、というのが日常生活になっていますね。そうすると、ここにも記号と情報との新しい関係が見えてきますね。そうすると、スマホを持って町を歩いているとはどのようなことなのだろうか、と新たな問いが浮かんできますね。そうしたら、つぎに、問いをさらに発展させるには、どんな方法があるだろうか、と考えますね。たとえば、私なら、この本での写真家荒木経惟と同じような役割を果たしてくれるアーティストがいるだろうか、と考えます。例えば、友人のメディアアーティスト藤幡正樹さんのField-WorksというGPSを使った作品シリーズなどにはそのようなテーマがあるのでヒントが見つからないか、とか考え始めますね（このテーマは、次の英語の本の担当章で書きました。Hidetaka ISHIDA "The invention of Fujihata" in *Art in the 21st Century* Hongkong Osage 2020）。

8章では、身体、イメージ、権力についてレッスンを行いました。そこも同じように現在のメディア環境に合わせて問いを進化させることができますね。私たちは、スマホで自己撮り（セルフィー）してナルシシズムを充足させ、自分のカラダを考えるときにも、Apple Watch のようなウェアラブルコンピュータを身につけて自己の数値を管理し、自己目標を設定するなどしていたりしますね。そのようなセルフコントロールの問題と、ハイパーコントロール社会と呼ばれたりする監視社会の進行とは結びついていますね（これも、『新記号論』で論じたことです）。

以上は、この本に書かれてあることの延長上で、二一世紀になって起こってきていることをどのように考えればよいのかという例題と、その解答例です。

このように、この本を手がかりにして、この本が書かれた時代よりもさらにメディアが進化し、より完璧にメディアに包囲された世界に住んでいる、二〇二〇年代の私たちの「日常生活批判」のための手がかりをつかんでもらえればというのがこの本をあらためて文庫本として世に送り出す著者の思いです。

最後になりましたが、『現代思想の教科書』と同様に、本書をちくま学芸文庫に収めるにあたって大変お世話になった筑摩書房編集部の天野裕子さんに心から御礼申し上げます。

二〇二〇年六月

著者

物の生活　24, 26
物批判　27-28, 37, 40, 45, 48,
物語　291-302
物語（ニュースという～）　452
物語（都市の～）　216
物語形式　297
物語ステレオタイプ　301
物語タイプ　298-302
物語内容　297
物語による動機づけ　291-294
物語の仕事　298

ヤ　行

遊戯的な空間　247
遊歩　230-233
誘惑の戦略　336-337
夢のレトリック　273
夢の仕事　273, 309
用具　26, 29-34
欲動　322-323, 325, 328
欲望（意味の～）　258-270

ラ　行

ラング　75, 82, 87, 132, 149, 152, 172, 408,
リテラシー　20　→セミオ・リテラシー
リズム　99-102
リゾーム組織（都市の～）　244
リプレゼンテーション　207
類似性（アナロジー）　123, 487
類像記号（icon）　122-124, 126, 128-129, 131, 435, 487, 489, 501
ルール（スポーツと～）　410-411
ルール（遊びと～）　408
歴史の忘却　425-426
連辞　→サンタグム
連辞軸　→サンタグム軸
ロールプレイ　477
六機能図式　165, 172-173, 287, 455
論証記号（argument）　131, 133-134, 136

ワ　行

私の身体　322-323
私の像　321, 323
話題　→トピック
笑い　293, 297

アルファベット

GUI（Graphic User Interface）　500-501
HTML（HyperText Markup Language）　509
http（HyperText Transfer Protocol）　509
IT　→情報技術
IT 革命　→情報技術革命
VR（Virtual Reality）　→ヴァーチャル・リアリティ
WWW（World Wide Web）　501, 509

分裂した主体　268
法則記号　118
ポスト・ヒューマンの条件　515, 538
ポスト・モダン　210
ポスト構造主義　14-15, 74, 99
ポスト人間（ポスト・ヒューマン）　19, 537, 541
没入　517-519
ポップ・アート　55-56

マ　行

間　186, 191, 193
マス・メディア　143-144, 180
マルチメディア　129
マルチモーダル　129
万有図書館　510-511
無意識　18, 38, 40, 323, 460
矛盾語法（オクシモロン）　284
結び目（ノード）　177, 223
名辞記号　131-132, 136
命題記号　131-133, 136
目印（ランドマーク）　223, 225, 227, 232-236, 246-247, 251
メタ言説　27
メタ言語機能　172, 174
メタファー　266, 277-280, 283, 308, 360, 450, 501-503, 505, 519, 528
メタファーの空間　502
メタフォリックな関係　266
メタ物語　297-299
メタ物語的二重化　297
メッセージ　148-150, 168-169, 171-172
メッセージの定義　149
メディア　13, 44-47, 141-161, 162-164, 166-167, 315-317
メディア・リテラシー　546
メディア技術　159-161, 164
メディア圏　178
メディア社会　329, 337, 360
メディアの鏡面　332, 334
メディアの世紀　165, 175
メディアの定義　147
メディアはマッサージ　468
メディアはメッセージ　177, 179
メトニミー（換喩）　33, 266, 277-278, 280-281, 283
メトニミックな連鎖　265
黙読　160, 178,
文　字　141, 145-147, 151, 153, 158, 160-161, 174
モナドロジー　512-515
モノ　25-26, 43-50, 264-266
物　25-27, 36-38
物についての記号論的な問い　48, 50, 56
物についての精神分析的な問い　36-37, 40, 42
物についての存在論的な問い　28, 34-35
物の記号化　17, 49, 56-57

533
パノプチコン　210, 343-345
ハビトゥス　357-359
バラエティ　300
パラディグム　86-90, 225, 233, 277, 507
パラディグム軸　91
パラレリズム　284
パリンプセスト　229, 238-239, 243, 252, 360
パリンプセスト都市　228-229
パロール（言述）　87-88, 132, 149, 152, 165, 172, 409,
パノロマシス（畳語法）　288
汎記号説　138
反復　55-56, 86-87
範列　→パラディグム
範列軸　→パラディグム軸
ピクセル　488
悲劇　414-418
非一構築的段階　199
日の丸　372, 375, 382-383, 388-390, 393, 395-396, 401-402, 405, 419, 423-427
襞　190, 192
襞（街の〜）　238
必然　410, 412-415
ビット　168, 170
非一場所　191
批判　27　→意味批判，日常生活批判，物批判，リテラシー
表意作用（representation）　112, 116, 122-123
表意体（representamen）　103, 112-116, 118-120, 122
表象　→リプレゼンテーション
表象（商品の〜）　272
表象批判　249
表情　231-232
ピラミッド　198-205, 207-208
ファン　418-419, 421
ファンタスム（空想，幻想）　269, 336
フォルマリズム　74
無気味なもの　39-40
普遍記号論　137-139, 484, 513
普遍的アーカイヴ　511
普遍的コミュニケーション　511
普遍的な全体　512
プラグマティクス　135
文　90-91
文化　96, 98, 158, 192, 194-204, 207-211
文化記号論　98
文化産業　334-335
分節　79-86, 186, 195-198
分節化のシステム　80-81, 85
文法（都市の〜）　228
文脈　133-134, 463-465, 505-507, 522, 540
文脈（ニュースにおける〜）　460-462
文明　159-160, 176-178

統語論　135-137
同定性　222
道徳的主体化　350
トークン　120, 152
都市　213-255
都市のイメージ　221-223
都市はツリーではない　237-241
読解可能性　222
読者　220
トピック　466-468, 472-475, 477, 479
トポス　521-522
ドラマ（スポーツの〜）　415, 417-418

ナ　行

内的言語学　71
内面　178, 201
ナショナリズム　369
ナショナリズム（スポーツと〜）　418-421
ナショナル・シンボル　370, 379, 397
ナラトロジー（物語学）　95
ナルシスの神話　317-318
二次性　→カテゴリー
二次的な記号　443
二重分節　85
二進法人工記号　487-488
日常生活　540-542
日常生活批判　16-17　→意味批判，批判
日常的な物　25-26
ニュース　433, 443, 446, 452-453
ニュースの語り　450, 452, 455-458
人間　340-341, 536-538
人間の条件　182, 414-416, 535
認知科学　105, 115
ノイズ源　168
脳　107, 152-156, 535-536, 538
脳の延長　160

ハ　行

場　191, 520-523
媒介　478-479
バイナリー・ディジット　→ビット
ハイパーテクスト　506-510
破壊　187-188, 194, 211
白日夢（資本主義の〜）　307, 309
働きかけ機能　172-173
場所　184, 193-195
場所の意味論　208-210
発信項　149, 168
発信者　162, 164, 172-173, 175-177
発話の審級　475
場の自己組織化　527
場の出来事　192-194
場のルール制定　523-524, 531-

502, 507, 541
セミラティス構造　239, 241
潜勢態　→ヴァーチャル
前-定立　156
前未来時制　324
像　320-325
想像　259, 322, 325, 328
想像界　322, 324-325, 328
想像する　321
想像の共同体　380, 387
想像力　325
存在論　28

タ　行

ダイクシス　126, 128, 452, 454, 467,
ダイクシス空間　453, 471-472, 477
対象　112-116, 118
タイプ　121, 152
他者　323-324, 326
他者の次元　268-270
他者の欲望　266-267, 269-270
多声体（ポリフォニー）　475
脱構築　187, 192, 194-195, 198, 211
タレント　298-302, 304-307, 445
単一記号　118-122
知と権力　340-341, 34-344
聴取　166-167
チューリング・マシン　508
通時態　71
通路（バス）　223-224
ツリー構造　239, 241, 244
ディシプリン（規律，訓練）　338-343, 346-348, 350, 352-356
ディスクール　92-93, 149, 203, 281
ディスクール（都市の～）　217-218, 246, 276
出来事　494-495
テクスト　219-220, 244, 292
デジタル化　171, 485
デジタル記号　487, 489-491
デノテーション　96-98, 262-263, 275-276
テレビ　123, 126
テレビ CM　291-307
テレビ記号　434-447, 450
テレビ記号のコード　442-446
テレビ記号の定義　435-437
テレプレゼンス　526-527
転移　275, 277
天使　477-479
天皇制国家　347, 350, 391-393
電脳空間　→サイバースペース
伝達　478-479
伝統の創出　379-383, 385, 387
電話モデル　165-166, 168, 171, 175
同一化　367, 369-370
等価性　283, 288-289
動機づけ　283-287

象徴闘争　338
消費社会の記号　371
情報　148-150, 167-171, 174
情報科学　110
情報記号論　484, 502
情報技術　482-484
情報技術革命　482
情報源　149, 168-169
情報処理　109-110, 153-154, 502
情報理論　149-150, 171-172
信号　149, 168-170
人工器官　156
人工記号　484-485
人工言語　104, 139, 158, 170-171, 490, 498
身体　314-361
身体（スポーツにおける～）　411
身体（記号と～）　314-316
身体イメージ　329, 335-336
身体化された歴史　355-360
身体拡張　156, 158-160
身体感覚の合成　517-520
身体管理　345, 352
身体と権力　316
身体のテクノロジー　341
真理（欲望の～）　261
神話　96-98
推論　104, 106, 134-137
図像記号　→類像記号
図像性　298
スター　298, 304, 308
スタジオ　452-453, 467-472
ステレオ・タイプ　335-336, 356, 442-446
スペクタクル　403-405, 415, 418
スペクタクル社会　402-406, 427-428
スポーツ　370, 406-407, 410-412, 414-426
性現象（セクシャリティ）　334-335
性差横断（トランス・ジェンダー）　334
政治共同体（国民国家の～）　424-425
性質記号　118, 120-121, 131
精神と物質　151-152
精神分析　28, 38, 230, 238, 261, 268-269, 290, 322, 328, 337, 400
生成　494
生成文法　90
世界の記号化　25, 49, 57, 482
世界の知識　134, 136-137
接触　→コンタクト
説得　291, 295, 297, 299, 301, 308-309
セミオ・リテラシー（意味批判力）　20, 182, 255, 310, 540, 544-546, 568　→リテラシー
セミオーシス（記号過程）　106, 110, 115-118, 131, 135, 138, 499,

号内容）　61, 75-78, 82, 165-167, 385, 387
指標　306
指標記号　122-126, 129, 437-439, 487, 489, 502-505
指標性　298
指標性（テレビ記号の～）　443, 445, 463
シフター　434-435, 439, 503-506
シミュラークル　44, 46　→シミュレーション，コピー
シミュレーション　490-491, 497-498
ジャーナリズム　434, 479
社会の次元　177
社会場　358-359
社会的ステレオタイプ　444-446
社会的なコード　442-444, 446
社会的判断力　339
写真　123, 126, 231-233, 437-438, 440
シャノン・モデル　165, 167-169, 171-172
ジャンル　465-466, 472, 475-476
自由　408, 410, 412, 414
従順な身体　353-355
主情機能　172-173
受信項　149, 168-169
受信者　162, 164, 172-173, 175-177
主体　316-317
主体（ゲームする～）　411
主体（記号活動の～）　92
主体（共同体の～）　367
主体（計算論的～）　536, 538
主体（社会的～）　316, 340, 342
主体（想像的な～）　335
主体（都市の言語ゲームの～）　243-244
主体（欲望の～）　261-262, 264-267, 269-270, 278, 280-282, 308, 334-336
主体＝臣下　339
主体の語源　365
主体化＝従属化　209, 249, 340, 345, 354, 356
趣味　337
勝負　407, 410
象徴　200
象徴（共同体の～）　367
象徴（遊びと～）　407-410
象徴による支配　391
象徴の語源　367
象徴界　39, 40, 324-325, 328
象徴記号　122, 126-129, 131, 306, 394-395, 403, 487, 490, 501, 503-505
象徴形式　206
象徴政治　245, 368-370, 377, 394-395, 397
象徴的裁可　408-409, 413-414

298-306
コミュニケーション技術　483
コミュニケーション圏　433
コミュニケーション行為　475-476
コミュニケーション図式　175
語用論　→プラグマティクス
痕跡　124-125, 438
コンタクト（接触）　172-173, 304, 306
コンテクスト（文脈）　172-173
コンビナトーリア　219
コンピュータ　161, 170-171, 483-484

サ　行

差異　77, 79-83, 86-87
差異のシステム　264, 267, 270-271, 300
再現＝表象　42, 67, 207　→リプリゼンテーション
サイバースペース　483-485, 498-502, 515-517, 520, 522-528, 530-538
サイバースペースの原理　485, 524-526
境（エッジ）　223-224, 232-233
作者　513
三次性　→カテゴリー
参照機能　172, 174
参照行為　133, 498
参照作用　91, 455
サンタグム　86, 89, 91, 225, 277, 289, 507
サンタグム軸　89-91
恣意性　127
恣意的な記号　200
自我像　323
視覚のピラミッド　204-205, 207
指向対象　77, 127, 489
指向対象の消失　489-492
自己像（セルフポートレイト）　268-269, 332-333
自己同一性（アイデンティティ）　367-368
自然／文化　197-198
自然言語　104, 141, 151, 169, 490
指示作用　125, 341, 437, 455
指示詞　126
システム　70-87
私的空間　245, 247
詩的機能　172, 174, 287-288
詩的動機づけ　290-291
シナリオ（欲望の～）　269
シニフィアン（意味スルモノ，記号表現）　61, 75-78, 82, 165-167, 228, 238, 385, 386
シニフィアン（広告の～）　272, 308
シニフィアン（欲望の～）　262-266
シニフィエ（意味サレルモノ，記

現-存在　185, 530, 537
現代　430
現代性批判　17, 27, 35, 37, 49
建築　187, 190-204, 343-345
建築言語　196, 203, 210
現働化　87, 91-92, 94, 121, 133, 218, 220, 244, 408, 520
原ナルシシズム　268, 326, 328-329
言表（エノンセ）　218, 520-521
権力　316, 337-346
行為論　→プラグマティクス
公共空間　361, 400, 402
公共圏　144
公的空間　237, 240, 247, 254
広告　270-294
広告のレトリック　274-277, 310
広告の仕事　272-273, 275, 283, 292, 302, 308-309
合成（記号の～）　491
構造　93-102, 196, 201-203
構造主義　14, 63, 74, 93-102, 175　→構造，構造的方法，ポスト構造主義
構造的他者　409
構造論的方法　67
構築　192, 195-199, 202-203
交話機能　172, 174, 471-472
交話項　306
交話的コミュニケーション　306
交話的能力　298
声（スポーツにおける～）　416-417
声の階層構造　475, 479
コード　121, 149, 168, 172-174
国民　368, 379-382
国民の制作　353-355
国民国家　246-247, 368-370, 375
ここ　183, 184-185, 197, 208-210, 341-342
御真影　385-387
国家シンボル　388-389, 393, 395-396
国家の象徴政治　405-406, 424, 426
ことばの回路　164-168, 171
コノテーション　96-98, 263, 275-276, 281, 290　→デノテーション
コピー　43, 46　→オリジナル
コミュニケーション　162-176
コミュニケーション（サイバースペースにおける）　409-515
コミュニケーション（垂直的な～）　364-367
コミュニケーション（水平的な～）　364-367
コミュニケーション・ゲーム　301-306
コミュニケーション・タイプ

技術的過程　169-171
機知（ウィット）　294-297
機能（建築における～）　196, 210
帰納　134, 532
君が代　382-385, 391, 393, 395-398
規律＝訓練　→ディシプリン
規律システム　391-393
規律型権力　339-340, 345
規律社会　345-347
規律主義的教育　389
規律的統合　356
規律的分節化　388
キャスター　467, 471-475
キュービズム　67-68
共感の共同体（スポーツの～）　421-424
競技　410-413
共時言語学　71
共時態　71, 86-87, 167, 229
鏡像段階　268, 319-324
共同体（コミュニティ）　162-164, 364-365
近代　430-434
グーテンベルクの銀河系　177-179
区域（ディストリクト）　225, 232
空間　184-187, 536-537
空虚な中心（東京の～）　227-228, 554-555
偶然　410, 412-415
グローバル・ヴィレッジ（地球村）　180-181
グローバル化　182, 369, 372
啓蒙　19　→リテラシー
形式　→かたち
形式は機能にしたがう　196, 210
形式化　79
形態素　85
ゲーム　406
ゲーム（サイバースペースにおける）　530-532
化身　528-530
結節（ノード）　223, 225, 227, 232-233, 236
原-記号　519
言語　71-90, 156　→ラング
言語ゲーム　242-243, 247, 255
言語学　70-75, 77
言語記号　71-79, 81-83, 86, 126-128, 495, 503
言語体系　→言語, ラング
現実　26　→リアリティ
現実の消失　496
現実界　39, 325, 558
現実態（Real）　493
言述　87　→パロール
現象学（パースの～）　112
言説　133, 149　→ディスクール
現勢態（Actual）　493-494

価値　271-272
学校　347-350, 388-391
カテゴリー（一次性・二次性・三次性）　110-112
可能態（Possible）　493-495
カラダ　314-315
間主観性　323-324, 326
関係性の形式　79, 195-197, 202-203, 210
関係性の場　195, 208
感覚比率　159-160, 178-179, 182
環境　156, 198
監獄　339, 341
記号　13-14, 24-27, 63-65, 104, 112-118, 147-154, 164-167, 174-177, 195-198, 200-201, 541-542
記号学　13-14, 24-27, 60-62, 165-167
→一般記号学，記号の学，記号の知，記号論
記号化された人間　333
記号過程　58, 70　→セミオーシス
記号技術　161, 484
記号合成技術　497-498
記号作用（都市の～）　221, 230, 245-246
記号支配（セミオクラシー）　337, 356, 360
記号実現　89
記号社会　25, 57
記号処理　107, 110
記号成分　192, 194
記号装置　202, 207, 341, 343, 345, 386, 471
記号体　200, 203
記号と場　520-524
記号の一般学　61, 74
記号の解釈　104, 114-118, 131-138
記号の学　28, 60-102
記号の学の認識論的位置　63-68
記号の合成　497-498
記号の三項図式　114
記号の次元　147, 156, 176
記号のシステム　72-79, 112-115, 152, 490
記号の生活　24-28, 59, 72-75, 101, 502, 528
記号の体制　246
記号の知　14, 24, 543-544
→一般記号学，記号の学
記号の定義　69-73, 113-115
記号の認知　104, 113, 121
記号の表層　48-58
記号のマトリクス　490
記号分類　110, 118-119, 138
記号論　13, 28, 60-62, 104, 149, 171　→一般記号学，記号学，記号の学，記号の知
記号論（都市の～）　217
技術の次元　154-156, 176-177

意味の出来事　91, 94, 98-99, 101, 232, 244, 520-521
意味の転移　277-278, 283-284, 288
意味の問題　19, 70, 104, 135, 184, 186, 197, 210, 258-259, 314, 329, 542-543
イメージ（像）　46, 123
イメージは否定を知らない　438
イメージ図式　115, 550
イメージ批判　54, 249
インターテクスト　300-302, 306, 557
インターネット　13, 20, 50, 57, 154, 182, 305, 405, 483, 499-500, 506, 509-510, 512-514, 517, 528, 552
インターフェース　499-503, 505-506, 515, 517-519, 528, 532, 535
インターフェース・メタファー　501-502, 505
インターラクティヴィティ　499, 503, 506
引用　510
ヴァーチャル　18, 492-495
ヴァーチャル・リアリティ（VR）　57, 482, 492-498
ヴァーチャル化　495-496
ヴァーチャル化（テクストの〜）　508
ヴァーチャル世界　529-534
運命　414, 416, 418
エコロジー　198, 244, 253
演繹　134, 532
遠近法　66-68, 204-208
大文字の主体（共同体の〜）　365, 367
大文字の他者　268
大文字の他者（遊びにおける〜）　→構造的他者
送り先　168
オリジナル　43　→コピー
音韻体系　81
音響イメージ　76,
音素　76, 81

カ　行

解釈項　112-118, 132-138
解釈作用　114-116, 136, 507
回路（チャンネル）　164-172, 174-175, 177
仮説形成　→アブダクション
仮説としての世界　534
画素　→ピクセル
仮想現実　→ヴァーチャル・リアリティ
かたち　79, 82-83, 85, 186　→形式
語り（スポーツの〜）　417
語り手　452, 472
語りのフォーメーション　475
語りの重層構造　474

事項索引

ア 行

アイコン　122, 468-470, 488, 500-502, 538, 550, 553
アイデンティティ　→自己同一性
アヴァター　→化身
遊び　370, 407-411, 414, 531-532
遊ぶ人（ホモ・ルーデンス）　532
アナログ記号　487-489, 498
アブダクション（仮説形成）　531, 533-534
一次性　→カテゴリー
一望監視装置　→パノプチコン
一般記号学　13-17, 25, 61, 542-543, 547　→記号学，記号の一般学，記号の知，記号論
いま　18-19, 87, 430-431, 433-435, 438, 441, 446-447, 450, 452, 537, 540
いま・ここ　125-126, 344, 439, 441-443, 445, 447, 450, 452, 455, 463-464, 471, 530, 535, 537
いま・ここ・私（たち）　92, 432-433, 439, 452, 467, 471, 477-478, 503, 505-506, 512-515
意味　13, 61, 166
意味（欲望と～）　258-270
意味環境　13, 20, 182, 214, 253, 364, 538, 541, 543, 545-546, 568　→意味のエコロジー
意味空間　13, 185-187, 189, 194-195, 203-204, 208-211, 214, 220, 230, 238, 244-245, 247, 249, 253-254
意味作用　18, 55, 57, 70, 73-74, 76, 79-80, 83, 85, 91, 94, 96-98, 121, 125, 150, 184-185, 198, 201-202, 210, 217, 221-223, 226-227, 229, 231-233, 238, 244-246, 255, 262-263, 265-267, 269, 276, 280, 288, 306, 329, 401, 407, 425, 435, 502-504, 541
意味生成（都市の～）　231, 233, 238
意味場　186-187, 189, 540
意味批判（力）　16-17, 19-21, 68, 104, 210, 544, 546　→批判
意味論　135-137
意味論（都市の～）　214, 218, 242, 244-246
意味論的過程　169
意味する　69
意味のエコロジー　359-360, 545, 569
意味の体制　244, 246-247

ホメロス（Homeros） 255
ホルクハイマー，マックス（Horkheimer, Max） 16-17, 547, 570
ボルヘス，ホルヘ，ルイス（Borges, Jorge Luis） 465, 511, 563, 588

マ　行

マグリット，ルネ（Magritte, René） 27-29, 36-38, 40-41, 43, 45, 47-50, 53, 57, 591
マクルーハン，マーシャル（McLuhan, Marshall） 158-160, 177-182, 443, 468, 532, 583
マラルメ，ステファン（Mallarmé, Stéphane） 551, 583
マルティネ，アンドレ（Martinet, André） 85
丸山真男 392, 561, 583
ミース・ファン・デル・ローエ（Mies van der Rohe） 196, 553
モスクワ・タルトゥ学派 98
モリス，クリストファー（Morris, Christopher）
森村泰昌 18, 329-330, 332-334, 558, 568, 589, 596

ヤ　行

ヤコブソン，ロマン（Jakobson, Roman） 67, 95, 165, 172-174, 287-288, 434-435, 439, 455, 471, 503, 548, 580-581, 593
ユーゴー，ヴィクトル（Hugo, Victor） 215, 218-219, 588
米盛裕二 550, 564, 587

ラ　行

ライプニッツ，ゴットフリート（Leibniz, Gottfried W.） 61, 138-139, 484, 513-514, 563, 582
ラカン，ジャック（Lacan, Jacques） 39, 261-262, 264-265, 267-268, 280, 319-326, 333, 548, 556, 558, 582
リルケ，ライナー・マリア（Rilke, Rainer Maria） 34-35, 547
リンチ，ケビン（Lynch, Kevin） 221-223, 225-227, 232, 251, 583,
ル・コルビュジエ（Le Corbusier） 209, 215, 239, 583
ルフェーヴル，アンリ（Lefebvre, Henri） 17
ルロワ＝グーラン，アンドレ（Leroi-Gourhan, André） 155-156, 161, 551, 582
レヴィ＝ストロース，クロード（Lévi-Strauss, Claude） 95, 549, 583
ロック（Locke, John） 61, 138-139, 484, 583

ハ　行

パース，チャールズ・サンダース（Peirce, Charles Sanders） 14-15, 18, 28, 58, 60, 62-63, 65, 70, 103-107, 109-114, 116, 118-123, 125, 127, 129, 131-139, 152, 233, 298, 341, 435, 439, 487, 490, 499, 501, 503-504, 507, 533, 541-542, 549-551, 553, 584, 592-593

ハイデガー，マルチン（Heidegger, Martin） 28-30, 32, 34-36, 40, 48-52, 185, 537, 547, 553, 578

パノフスキー，エルウィン（Panofsky, Erwin） 205-207, 553, 584, 594

バフチン，ミハイル（Bakhtin, Mikhail） 552, 571

バルト，ロラン（Barthes, Roland） 23, 26, 96-98, 186, 216-219, 221, 227-228, 236, 239, 251, 255, 275, 549, 554-555, 571, 592

ビューラー，カール（Bühler, Karl） 532

フィスク，ジョン（Fiske, John） 576

フーコー，ミシェル（Foucault, Michel） 339-341, 343, 345-346, 352-353, 358, 553, 576

フッサール，エドムント（Husserl, Edmund） 65, 578

プラトン（Platon） 61, 186, 519, 553, 584

ブルデュー，ピエール（Bourdieu, Pierre） 357-359, 552, 573

フロイト，ジグムント（Freud, Sigmund） 28-29, 38-40, 48-50, 258, 261, 273, 296, 309, 322, 336, 407, 548, 556, 558, 576-577

プロップ，ウラジーミル（Propp, Vladimir） 95, 549, 584

ヘーゲル，フリードリッヒ（Hegel, G. W. Friedrich） 198, 200-201, 433, 465, 553, 578

ベネディクト，マイケル（Benedikt, Michael） 523, 525, 564, 572

ベンサム，ジェレミー（Bentham, Jeremy） 210, 343-344, 553, 596

ベンヤミン，ヴァルター（Benjamin, Walter） 231, 572

ホイジンガ，ヨハン（Huizinga, Johan） 564, 578

ボードリヤール，ジャン（Baudrillard, Jean） 56-57, 572

ボードレール，シャルル（Baudelaire, Charles） 231, 432

ホブズボウム，エリック（Hobsbawm, Eric） 379, 381, 560, 578

508, 512, 594
隈研吾　202, 553, 582
クレー，パウル（Klee, Paul）　62, 69, 79-80, 82-88, 92-93, 96-97, 100, 102, 107, 109, 116-117, 129-130, 132-133, 488, 490-491, 548, 563, 568, 581, 589, 592-593
ゴッホ，ヴィンセント・ヴァン（Gogh, Vicent van）　27-32, 34-36, 40-42, 45, 47-51, 57, 591

サ　行

サイード，エドワード（Said, Edward）　555, 585
斉藤利彦　348, 558, 585
ジェイムソン，フレドリック（Jameson, Fredrick）　547
ジェンクス，チャールズ（Jenks, Charles）　581
シャノン，クロード（Shannon, Claude）　149, 168-169, 171, 485, 586
シャンジュー，ジャン＝ピエール（Changeux, Jean-Pierre）　109, 573
セール，ミシェル（Serres, Michel）　553, 563, 586
セルトー，ミシェル・ド（Certeau, Michel de）　547, 573
ソシュール，フェルディナン・ド（Saussure, Ferdinand de）　14-15, 17, 24-25, 27-28, 49, 59-63, 65-67, 70-82, 86-88, 90-91, 96, 101, 104-105, 107, 109, 121, 127, 132, 138, 149, 152, 164-168, 171-172, 245, 261-262, 271, 408, 490, 492, 502, 507, 528, 541-542, 547-548, 550, 563, 585, 591-593
ソルソ，ロバート（Solso, Robert）　108-109, 550, 586, 592

タ　行

多木浩二　558, 561, 586-587
チョムスキー，ノーム（Chomsky, Noam）　90
デリダ，ジャック（Derrida, Jacques）　575
ドゥブレ，レジス（Debray, Régis）　141, 151, 157, 574
ドゥボール，ギ（Debord, Guy）Michel）　403-404, 426, 574
ドゥルーズ，ジル（Deleuze, Gilles）　481, 493, 574-575
ドゥルーズ，ジルとガタリ，フェリックス（Deleuze, Gilles et Guattari, Félix）　244, 574-575

ナ　行

永井荷風　231, 234, 372, 555, 559, 589
夏目漱石　429-430, 589

人名索引

ア　行

アイゼンマン，ピーター（Eisenman, Peter）　187-189, 191, 193-195, 198, 211, 594
アドルノ，テオドール（Adorno, Theodor）　16-17, 547, 570
荒木経惟　18, 213, 216, 231, 234-236, 241, 243, 248, 250-251, 253, 554-555, 568, 587, 594-595
アレグザンダー，クリストファー（Alexander, Christopher）　239, 554, 570
アンダーソン，ベネディクト（Anderson, Benedict）　380, 387, 571
イエルムスレウ，ルイス（Hjelmslev, Luis）　96, 549, 578
岩井克人　271, 309, 556, 580
ヴィトゲンシュタイン，ルードヴィヒ（Wittgenstein, Ludwig）　242
ウィリアムスン，ジュディス（Williamson, Judith）　273, 387
ウォーホル，アンディ（Worhol, Andy）　28-29, 41-45, 47-49, 55-57, 333, 591
エーコ，ウンベルト（Eco, Umberto）　575
エングラー，ルドルフ（Engler, Rudolf）　548
エンデ，ミヒャエル（Ende, Michael）　257, 307, 310, 557, 588
オヴィディウス（Ovidius）　313, 317, 557-558

カ　行

カント，イマニュエル（Kant, Immanuel）　110, 536, 564, 581
カントーロヴィチ，エルンスト（Kantorowicz, Ernst）　385, 581
ギブソン，ウィリアム（Gibson, William）　499, 588
グールド，グレン（Gould, Glenn）　141, 180-181, 552, 588
グレマス，アルジルダス・ジュリアン（Greimas, AljirdasJulien）　95, 549, 577
クノー，レイモン（Queneau, Raymond）　218-220, 239,

本書は二〇〇三年一〇月二一日、東京大学出版会より『記号の知／メディアの知——日常生活批判のためのレッスン』として刊行された。

ビギナーズ 倫理学

デイヴ・ロビンソン文 クリス・ギャラット画 鬼澤忍訳

正義とは何か？ なぜ善良な人間であるべきか？ 倫理学の重要論点を見事に整理した、道徳的カオスの中を生き抜くためのビジュアル・ブック。

ビギナーズ『資本論』

マイケル・ウェイン チェ・スンギョン画 鈴木直監訳 長谷澪訳

『資本論』は今も新しい古典だ！ むずかしい議論や概念を、具体的な事実や例を通してわかりやすく読み解き、今読まれるべき側面を活写する。（鈴木直）

宗教の哲学

ジョン・ヒック 間瀬啓允／稲垣久和訳

古今東西の宗教の多様性と普遍性は、究極的実在に対する様々に異なるアプローチであり応答である。「宗教的多元主義」の立場から行う哲学的考察。

自我論集

ジークムント・フロイト 竹田青嗣編 中山元訳

フロイト心理学の中心、「自我」理論の展開をたどる新編・新訳のアンソロジー。「快感原則の彼岸」「自我とエス」など八本の主要論文を収録。

明かしえぬ共同体

モーリス・ブランショ 西谷修訳

G・バタイユが孤独な内的体験のうちに失うという形で見出した〈共同体〉。そして、M・デュラスが描いた奇妙な男女の不可能な愛の〈共同体〉。

フーコー・コレクション（全6巻＋ガイドブック）

ミシェル・フーコー 小林康夫／石田英敬／松浦寿輝編

20世紀最大の思想家フーコーの活動を網羅した『ミシェル・フーコー思考集成』。その多岐にわたる思考のエッセンスをテーマ別に集約する。

フーコー・コレクション1 狂気・理性

ミシェル・フーコー 小林康夫／石田英敬／松浦寿輝編

第1巻は、西欧の理性がいかに狂気を切りわけてきたかという最初期の問題系をテーマとする諸論考。〝心理学者〟としての顔に迫る。（小林康夫）

フーコー・コレクション2 文学・侵犯

ミシェル・フーコー 小林康夫／石田英敬／松浦寿輝編

狂気と表裏をなす「不在」の経験として、文学がフーコーによって読み解かれる。人間の境界＝極限を、その言語活動に探る文学論。（小林康夫）

フーコー・コレクション3 言説・表象

ミシェル・フーコー 小林康夫／石田英敬／松浦寿輝編

ディスクール分析を通しフーコー思想の重要概念も精緻化されていく。『言葉と物』から『知の考古学』へ研ぎ澄まされる方法論。（松浦寿輝）

フーコー・コレクション4　権力・監禁
ミシェル・フーコー
小林康夫／石田英敬／松浦寿輝編

政治への参加とともに、フーコーの主題として「権力」の問題が急浮上する。規律社会に張り巡らされた巧妙なるメカニズムを解明する。（松浦寿輝）

フーコー・コレクション5　性・真理
ミシェル・フーコー
小林康夫／石田英敬／松浦寿輝編

どのようにして、人間の真理が〈性〉にあるとされてきたのか。欲望的主体の系譜を遡り、「自己の技法」の主題へと繋がる論考群。（石田英敬）

フーコー・コレクション6　生政治・統治
ミシェル・フーコー
小林康夫／石田英敬／松浦寿輝編

西洋近代の政治機構を、領土・人口・治安など、権力論から再定義する。近年明らかにされてきたフーコー最晩年の問題群を読む。（石田英敬）

フーコー・コレクション　フーコー・ガイドブック
ミシェル・フーコー
小林康夫／石田英敬／松浦寿輝編

20世紀の知の巨人フーコーは何を考えたのか。主要著作の内容紹介・本人による講義要旨・詳細な年譜で、その思考の全貌を一冊に完全集約！

マネの絵画
ミシェル・フーコー
阿部崇訳

19世紀美術史にマネがもたらした絵画表象のテクニックとモードの変革を、13枚の絵で読解。フーコーの伝説的講演録に没後のシンポジウムを併録。

間主観性の現象学　その方法
エトムント・フッサール
浜渦辰二／山口一郎監訳

主観や客観、観念論や唯物論を超えて「現象」そのものを解明したフッサール現象学の中心課題。現代哲学の大きな潮流「他者」論の成立を促す。本邦初訳。

間主観性の現象学Ⅱ　その展開
エトムント・フッサール
浜渦辰二／山口一郎監訳

フッサール現象学のメインテーマ第Ⅱ巻。自他の身体の構成から人格的生の精神共同体までを分析し、真の関係性を喪失した孤立する実存の限界を克服。

間主観性の現象学Ⅲ　その行方
エトムント・フッサール
浜渦辰二／山口一郎監訳

間主観性をめぐる方法、展開をへて、その究極の目的（行方）が、真の人間性の実現に向けた普遍的目的論として呈示される。壮大な構想の完結篇。

内的時間意識の現象学
エトムント・フッサール
谷徹訳

時間は意識のなかでどのように構成されるのか。哲学・思想・科学に大きな影響を及ぼしている名著の新訳。詳密な訳注を付し、初学者の理解を助ける。

ドイツ悲劇の根源（下）　ヴァルター・ベンヤミン　浅井健二郎訳

上巻「認識批判的序章」「バロック悲劇とギリシア悲劇」に続けて、下巻は「アレゴリーとバロック悲劇」に、関連の参考論文を付して、新編でおくる。

パリ論／ボードレール論集成　ヴァルター・ベンヤミン　浅井健二郎編訳　久保哲司／土合文夫訳

『パサージュ論』を構想する中で書きとめられた膨大な覚書を中心に、パリをめぐる考察を一冊に凝縮。ベンヤミンの思考の核を明かす貴重な論考集。

意識に直接与えられたものについての試論　アンリ・ベルクソン　合田正人／平井靖史訳

強度が孕む〈質的差異〉、自我の内なる〈多様性〉からこそ、自由な行為は発露する。後に『時間と自由』の名で知られるベルクソンの第一主著。新訳。

物質と記憶　アンリ・ベルクソン　合田正人／松本力訳

観念論と実在論の狭間でイマージュへと焦点があてられる。心脳問題への関心の中で、今日さらに重要性が高まる、フランス現象学の先駆的著書。

創造的進化　アンリ・ベルクソン　合田正人／松井久訳

生命そして宇宙は「エラン・ヴィタル」を起爆力に、自由な変形を重ねて進化してきた——。生命概念を刷新したベルクソン思想の集大成的主著。

道徳と宗教の二つの源泉　アンリ・ベルクソン　合田正人／小野浩太郎訳

閉じた道徳／開かれた道徳、静的宗教／動的宗教への洞察から、個人のエネルギーが人類全体の倫理的行為へ向かう可能性を問う。最後の哲学的主著新訳。

笑い　アンリ・ベルクソン　合田正人／平賀裕貴訳

「おかしみ」の根底には何があるのか。主要四著作に続き、多くの読者に読みつがれてきた本著作の最新訳。主要著作との関連も俯瞰した充実の解説付。

精神現象学（上）　G・W・F・ヘーゲル　熊野純彦訳

人間精神が、感覚的経験という低次の段階から「絶対知」へと至るまでの壮大な遍歴を描いた不朽の名著。平明かつ流麗な文体による決定版新訳。

精神現象学（下）　G・W・F・ヘーゲル　熊野純彦訳

人類知の全貌を綴った哲学史上の一大傑作。四つの原典との頁対応を付し、著名な格言を採録した索引を巻末に収録。従来の解釈の遥か先へ読者を導く。

グレン・グールド 孤独のアリア
ミシェル・シュネデール
千葉文夫訳

鮮烈な衝撃を残して二〇世紀を駆け抜けた天才ピアニストの生と死と音楽を透明なタッチで描く、最もドラマティックなグールド論。（岡田敦子）

民藝の歴史
志賀直邦

モノだけでなく社会制度や経済活動にも美しさを求めた柳宗悦の民藝運動。「本当の世界」を求める若者達のよりどころとなった思想を、いま振り返る。

シェーンベルク音楽論選
アーノルト・シェーンベルク
上田昭訳

十二音技法を通して無調音楽へ——現代音楽への扉を開いた作曲家・理論家が、自らの技法・信念・つきあげる表現衝動に向きあう。（岡田暁生）

魔術的リアリズム
種村季弘

一九二〇年代ドイツに突然現れ、妖しい輝きを遺して消え去った「幻の芸術」の軌跡から、時代の肖像を鮮やかに浮かび上がらせる。（今泉文子）

20世紀美術
高階秀爾

混乱した二〇世紀の美術を鳥瞰し、近代以降、現代すなわち同時代の感覚が生み出した芸術が、われわれにとって持つ意味を探る。増補版、図版多数。

世紀末芸術
高階秀爾

伝統芸術から現代芸術へ。19世紀末の芸術運動には既に抽象芸術や幻想世界の探求が萌芽していた。新時代への美の冒険を捉える。（鶴岡真弓）

鏡と皮膚
谷川渥

「神話」という西洋美術のモチーフをめぐり、芸術の認識論的隠喩として二つの表層を論じる新しい身体論・美学。鷲田清一氏との対談収録。

肉体の迷宮
谷川渥

あらゆる芸術表現を横断しながら、捩れ、歪み、時には傷つき、さらけ出される身体と格闘した美術作品を論じる著者渾身の肉体表象論。（安藤礼二）

武満徹エッセイ選
小沼純一編

稀代の作曲家が遺した珠玉の言葉。作曲秘話、評論、文化論など幅広いジャンルを網羅したオリジナル編集。武満の創造の深遠を窺える一冊。

美術で読み解く　聖母マリアとキリスト教伝説

秦　剛平

キリスト教美術の多くは捏造された物語に基づいていた！　マリア信仰の成立、反ユダヤ主義の台頭など、西洋名画に隠された衝撃の歴史を読む。

美術で読み解く　聖人伝説

秦　剛平

聖人100人以上の逸話を収録する『黄金伝説』は、中世以降のキリスト教美術の典拠になった。絵画・彫刻と対照させつつ聖人伝説を読み解く。

イコノロジー研究（上）

エルヴィン・パノフスキー
浅野徹ほか訳

芸術作品を読み解き、その背後の意味と歴史的意識を探求する図像解釈学。人文諸学に汎用されるこの方法論の出発点となった記念碑的名著。

イコノロジー研究（下）

エルヴィン・パノフスキー
浅野徹ほか訳

上巻の、図像解釈学の基礎論的「序論」と「盲目のクピド」等各論に続き、下巻は新プラトン主義と芸術作品の相関に係る論考に詳細な索引を収録。

〈象徴形式《シンボル》〉としての遠近法

エルヴィン・パノフスキー
木田元監訳
川戸れい子／上村清雄訳

透視図法は視覚とは必ずしも一致しない。それはいわばシンボル的な形式なのだ——。世界表象のシステムから解き明かされる、人間の精神史。

見るということ

ジョン・バージャー
飯沢耕太郎監修
笠原美智子訳

写真の登場で、人間は膨大なイメージに取り囲まれ、歴史や経験との対峙を余儀なくされた。見るという行為そのものに肉迫した革新的美術論集。

イメージ

ジョン・バージャー
伊藤俊治訳

イメージが氾濫する現代、「ものを見る」とはどういう意味をもつか。美術史上の名画と広告とを等価に扱い、見ること自体の再検討を迫る名著。

バルトーク音楽論選

ベーラ・バルトーク
伊東信宏／太田峰夫訳

中・東欧やトルコの民俗音楽研究、同時代の作曲家についての批評など計15篇を収録。作曲家バルトークの多様な音楽活動に迫る文庫オリジナル選集。

古伊万里図鑑

秦　秀雄

魯山人に星岡茶寮を任され柳宗悦の蒐集に一役買った稀代の目利き秦秀雄による究極の古伊万里鑑賞案内。限定五百部の稀覯本を文庫化。　（勝見充男）

反オブジェクト　隈研吾

自己中心的で威圧的な建築を批判したかった——思想史的な検討を通し、新たな可能性を探る。いま最も世界の注目を集める建築家の思考と実践！

錯乱のニューヨーク　レム・コールハース　鈴木圭介訳

過剰な建築的欲望が作り出したニューヨーク／マンハッタンを総合的・批判的にとらえる伝説の名著。本書を読まずして建築を語るなかれ！　（磯崎新）

S, M, L, XL+　レム・コールハース　太田佳代子／渡辺佐智江訳

世界的建築家の代表作がついに！　伝説の書のコア・エッセイにその後の主要作を加えた日本版オリジナル編集。彼の思索のエッセンスが詰まった一冊。

東京都市計画物語　越澤明

関東大震災の復興事業から東京オリンピックに向けての都市改造まで、四〇年にわたる都市計画の展開と挫折をたどりつつ新たな問題を提起する。

新版大東京案内（上）　今和次郎編纂

昭和初年の東京の姿を、都市フィールドワークの先駆者が活写した名著。上巻には交通機関や官庁、デパート、盛り場、遊興、味覚などを収録。

グローバル・シティ　サスキア・サッセン　伊豫谷登士翁監訳　大井由紀／髙橋華生子訳

世界の経済活動は分散したのではない、特権的な大都市に集中したのだ。国民国家の枠組みを超えて発生する世界の新秩序と格差拡大を暴く衝撃の必読書。

東京の空間人類学　陣内秀信

東京、このふしぎな都市空間を深層から探り、明快に解読した定番本。基層の地形、江戸の記憶、近代の都市造形が、ここに甦る。図版多数。（川本三郎）

大名庭園　白幡洋三郎

小石川後楽園、浜離宮等の名園では、多種多様な社交が繰り広げられていた。競って造られた庭園の姿に迫りヨーロッパの宮殿とも比較。（尼崎博正）

東京の地霊《ゲニウス・ロキ》　鈴木博之

日本橋室町、紀尾井町、上野の森……。その土地に堆積した数奇な歴史・固有の記憶を軸に、都内13カ所の土地を考察する「東京物語」。（藤森照信／石山修武）

空間の経験　イーフー・トゥアン　山本浩訳

人間にとって空間と場所とは何か？ それはどんな経験なのか？ 基本的なモチーフを提示する空間論の必読図書。（A・ベルク／小松和彦）

個人空間の誕生　イーフー・トゥアン　阿部一訳

広間での雑居から個室住まいへ。回し食いから個々人用食器の成立へ。多様なかたちで起こった「空間の分節化」を通覧し、近代人の意識の発生をみる。

自然の家　フランク・ロイド・ライト　富岡義人訳

いかにして人間の住まいと自然は調和をとりうるか。建築家F・L・ライトの思想と美学が凝縮された名著を新訳。最新知見をもりこんだ解説付。

マルセイユのユニテ・ダビタシオン　ル・コルビュジエ　山名善之／戸田穣訳

近代建築の巨匠による集合住宅ユニテ・ダビタシオン。そこには住宅から都市まで、ル・コルビュジエの思想が集約されていた。充実の解説付。

都市への権利　アンリ・ルフェーヴル　森本和夫訳

都市現実は我々利用者のためにある！——産業化社会に抗するシチュアシオニスム運動の中、人間の主体性に基づく都市を提唱する。（南後由和）

場所の現象学　エドワード・レルフ　高野岳彦／阿部隆／石山美也子訳

〈没場所性〉が支配する現代において〈場所のセンス再生の可能性〉はあるのか。空間創出行為を実践的に理解しようとする社会的場所論の決定版。

都市景観の20世紀　エドワード・レルフ　高野岳彦／神谷浩夫／岩瀬寛之訳

都市計画と摩天楼を生んだ19世紀末からポストモダン終焉まで、都市の外見を構成してきた景観要素を考察。『場所の現象学』の著者が迫る都市景観の解読。

シュルレアリスムとは何か　巖谷國士

20世紀初頭に現れたシュルレアリスム——美術・文学を縦横にへめぐりつつ「自動筆記」「メルヘン」「ユートピア」をテーマに自在に語る入門書。

マタイ受難曲　礒山雅

罪・死・救済を巡る人間ドラマを圧倒的なスケールで描いたバッハの傑作。テキストと音楽の両面から、秘められたメッセージを読み解く記念碑的名著。

ちくま学芸文庫

記《き》号《ごう》論《ろん》講《こう》義《ぎ》
日常《にちじょう》生活《せいかつ》批判《ひはん》のためのレッスン

二〇二〇年七月 十 日 第一刷発行
二〇二三年七月二十日 第六刷発行

著 者 石田英敬（いしだ・ひでたか）

発行者 喜入冬子
発行所 株式会社 筑摩書房
東京都台東区蔵前二―五―三 〒一一一―八七五五
電話番号 〇三―五六八七―二六〇一（代表）
装幀者 安野光雅
印刷所 株式会社精興社
製本所 株式会社積信堂

ISBN978-4-480-09989-1 C0100